महर्षि दयानन्द

''खाँ साहब! सुना है कि दयानन्द ने आपको अपमानित किया है?''

उसने उत्तर दिया, ''हुजूर! उसने मेरा अपमान तो इतना नहीं किया है जितना उसने इन बेचारी बाई जी का किया है। इन्हें तो उसने कुतिया तक बना डाला।''

साहब : ''मैं तो अब तक उसकी बुद्धि ठिकाने कर देता, परन्तु वह ठहरा तुम्हारे महाराज का माननीय अतिथि।'' फिर बहुत धीरे से बोला—''मैं तुम्हें एक बहुत ही गोपनीय बात बताता हूँ, किसी से कहना मत। यह दयानन्द बड़ा ही भयानक मनुष्य है। उसकी यह योजना है कि हिन्दुओं को संगठित करके अंग्रेजों को भारत से निकाल दिया जाए और फिर दूसरों से उनके अत्याचारों का बदला लिया जाए। इसकी इस योजना का पता जब से हम लोगों को लगा है, हम भी उसके विरुद्ध हो गए हैं। परन्तु बिना प्रमाण और साक्षी के उसके विरुद्ध कोई कार्यवाही नहीं की जा सकती।''

खाँ साहब और बाई जी ने हाथ जोड़कर कहा, ''हमें तो साहब लोगों का ही सहारा है।''

साहब ने कहा, ''हमारी सरकार तो आप लोगों की हर प्रकार से सहायता करने को तैयार है। आप उस संन्यासी पर दृष्टि रखें और अंग्रेजी सरकार के विरुद्ध उसकी कार्यवाहियों की सूचना हमें देते रहें।'' यह कहकर साहब ने बाई की ओर तनिक मुस्कराकर देखा और उठकर खाँ साहब से हाथ मिलाते हुए बोले, ''अच्छा, खाँ साहब, गुड बाई! सरकार आपको शीघ्र ही खानबहादुर की उपाधि प्रदान करेगी।''

—इसी पुस्तक से

यदुवंश सहाय

महर्षि दयानन्द

लोकभारती पेपरबैक्स

प्रथम पेपरबैक संस्करण : 2008
तीसरा पेपरबैक संस्करण : 2024

लोकभारती पेपरबैक्स : उत्कृष्ट साहित्य के लोकप्रिय संस्करण

लोकभारती प्रकाशन
पहली मंजिल, दरबारी बिल्डिंग, महात्मा गाँधी मार्ग,
प्रयागराज-211 001

वेबसाइट : www.lokbhartiprakashan.com
ईमेल : info@lokbhartiprakashan.com

शाखाएँ : 1-बी, नेताजी सुभाष मार्ग, दरियागंज, नई दिल्ली-110 002
- अशोक राजपथ, साइंस कॉलेज के सामने पटना-800 006 (बिहार)
- 1, अनमोल सोराबजी संतुक लेन, मरीन लाइंस, मुम्बई-400002

आस्था पेपर कन्वर्टर
प्रयागराज द्वारा मुद्रित

मूल्य : ₹ 350

MAHARSHI DAYANAND
by Yaduvansh Sahai

ISBN : 978-81-8031-184-0

अपनी स्वर्गीय पत्नी को
जिनकी प्रेरणा से
यह कार्य पूरा हो सका।

अनुक्रम

•
•

प्राक्कथन

इस कृति को प्रस्तुत करते समय मेरे मन में बहुत संकोच है। मेरी सीमाएँ इसका प्रमुख कारण हैं। महर्षि दयानन्द के जीवन को भारतीय समाज के आधुनिक पुनरुत्थान के सन्दर्भ में अंकित करने के लिए जिस योग्यता और जानकारी की अपेक्षा है, वह मुझमें नहीं है। मैं तो यह भी बलपूर्वक नहीं कह सकता कि मैं स्वामी जी के धर्म, दर्शन, समाज, राजनीति, संस्कृति आदि से सम्बन्धित विचारों से भली-भाँति अवगत हूँ। यह अवश्य है, मेरे अग्रज श्री जगदम्बा सहाय प्रारम्भ से महर्षि के एक श्रद्धावान् भक्त और अनुयायी रहे हैं, जिनके माध्यम से हमारा सारा परिवार स्वामी जी के व्यक्तित्व और विचारों से परिचित और प्रभावित रहा है। परन्तु उनकी ओर मेरा विशेष ध्यान मेरी पत्नी श्यामा देवी ने आकर्षित किया। अपने कार्यकाल के अन्तिम समय मैं बाराबंकी में था और वहाँ स्त्री-समाज के सम्पर्क में आने के कारण उनकी श्रद्धा स्वामी जी के व्यक्तित्व के प्रति बढ़ती गई। अन्ततः सन् १६६४ ई० में हम दोनों ने आर्य वानप्रस्थ आश्रम ज्वालापुर में कुटी बनवा ली और स्वामी ब्रह्ममुनि परिव्राजक से वानप्रस्थ आश्रम की दीक्षा ले ली। सौभाग्य से वहाँ प्रभु आश्रित जी के समीप रहने का अवसर मिला और दूसरे विद्वानों का सत्संग भी प्राप्त हुआ। इस प्रकार स्वाध्याय के सम्बन्ध में उनसे मार्ग-निर्देशन मिल सका।

मेरी पत्नी ने मुझे समाज-सेवा के साथ स्वामी जी के विचारों के प्रचार के लिए भी प्रोत्साहित किया। साधारण पढ़ा-लिखा होकर भी मैं स्वामी जी के जीवन के सम्बन्ध में लिखने का साहस कर सका, उसके पीछे मेरी स्वर्गीय पत्नी की प्रेरणा सतत कार्य करती रही है। मैं अनुभव करता रहा हूँ कि अनेक कारणों से स्वामी जी के व्यक्तित्व और विचारों की ओर हमारे शिक्षित समाज का विशेष ध्यान नहीं गया है। इधर जितना नकली ढंग का अन्तर्राष्ट्रीयतावाद, धर्म-निरपेक्षता और आधुनिकता का प्रचार-प्रसार होता गया है, स्वामी जी के विषय में लोगों की भ्रामक धारणाएँ भी बनती गई हैं, जब कि मैं अनुभव करता रहा हूँ कि स्वामी जी ने अपने समय में द्रष्टा के रूप में उदात्त राष्ट्रीयता, मानववाद और आधुनिकता की भूमिका तैयार कर दी थी। हमारे समाज और राष्ट्र का जितना भी वास्तविक विकास हुआ है, वह उसी भूमिका पर हुआ है। अतः मेरे मन में भाव रहा है कि स्वामी जी के जीवन को इस रूप में किसी योग्य

व्यक्ति द्वारा पुनः सामने लाना आज बहुत आवश्यक है। परन्तु इस कार्य को करने की योग्यता मुझमें न थी। मेरी सीमाएँ मेरे आड़े थीं, न मुझमें किसी गम्भीर विषय के अध्ययन की योग्यता है और न मेरा भाषा पर ही अधिकार है। फिर भी मेरी यह विवशता मुझे हतोत्साह न कर सकी। मैंने सोचा कि यदि मैं गम्भीर और ऊँचे स्तर की जीवनी नहीं लिख सकता तो कम से कम स्वामी जी के जीवन की प्रमुख घटनाओं को लेकर ऐसी कहानियाँ लिखूँ जिनके माध्यम से उनका चिन्तन और उनकी दृष्टि स्पष्ट हो सके। मैंने इस विषय में अपने भाई रघुवंश से परामर्श किया। उन्होंने न केवल मेरे विचार का स्वागत किया वरन् कुछ सुझाव भी दिए।

फिर पिछले वर्ष लगभग सात मास ज्वालापुर में रहकर मैं तमाम सामग्री के बीच से घटनाओं को चुनकर उनको कथात्मक रूप देने की चेष्टा करता रहा। मैं समझ नहीं पा रहा था कि इस प्रकार मेरा श्रम कुछ भी सार्थक हो रहा है। पर कई गुरुजनों और मित्रों ने पाण्डुलिपि को देखकर प्रोत्साहित किया। पूज्य पंडित शिवदयालु जी ने तो अपना अमूल्य समय लगाकर उसमें आवश्यक संशोधन करने की भी कृपा की। अपनी सारी सामग्री लेकर मैं इलाहाबाद पुनः अपने भाई रघुवंश के पास आया। उन्होंने सामग्री को देखकर परामर्श दिया कि मेरा यह कार्य भी महर्षि की जीवनी के रूप में ठीक रहेगा, इसलिए सारी सामग्री जीवन के घटनाक्रम में प्रस्तुत करना अपेक्षित होगा। ऐसा करने के लिए मुझे पुनः कथा-क्रम कुछ बदलना पड़ा और बीच-बीच में जीवनी को क्रमबद्ध करने के लिए कुछ तथ्यों का निर्देश करना पड़ा।

यहाँ स्मरणीय है कि मेरा दृष्टिकोण स्वामी जी के व्यक्तित्व और विचारों को यथासम्भव सजीव रूप में प्रस्तुत करना था, अतः उनके जीवन की घटनाओं को ही केन्द्र में रखकर चला गया है। उनको सजीव रूप में निर्मित करने के लिए अनेक स्थानों पर अपरिचित और अनामपात्रों को अधिक स्पष्ट नाम-रूप प्रदान करना पड़ा है। पर ऐतिहासिक तथ्यों का किसी स्थान पर अतिक्रमण नहीं हुआ है। मैंने सामग्री का संकलन अनेक पूर्ववर्त्ती जीवनियों, लेखों, उल्लेखों, सन्दर्भों के आधार पर किया है, पर मेरा मुख्य आधार स्वामी सत्यानन्द का 'दयानन्द प्रकाश' रहा है, और उसके लिए मैं उनका आभारी हूँ।

अंत में मैं अपने सुयोग्य भाई चिरंजीव रघुवंश को हार्दिक आशीर्वाद बिना दिये नहीं रह सकता, जिन्होंने अपना बहुमूल्य समय लगाकर पूरी पाण्डुलिपि को बार-बार देखकर उसका संशोधन किया और इस पुस्तक के लिए एक सुन्दर और सारगर्भित भूमिका लिखी।

—यदुवंश सहाय, वानप्रस्थ

पुनरुत्थान युग का द्रष्टा

डॉ० रघुवंश, इलाहाबाद विश्वविद्यालय

●●

भारतीय पुनरुत्थान का आधुनिक युग उन्नीसवीं शती के दूसरे चरण से शुरू हुआ। इस युग का सही चित्र प्रस्तुत करते समय इस तथ्य को ठीक परिप्रेक्ष्य में सदा रखना होगा कि इस युग के मानस में पश्चिम का गहरा प्रभाव-संघात रहा है और पश्चिमी संस्कृति का सजग प्रयत्न रहा है कि यह मानस उससे अभिभूत रहे। पश्चिमी आधुनिक संस्कृति अन्य समस्त संस्कृतियों से इस माने में भिन्न है कि वह जागरूक और आत्मालोचन करने में समर्थ है। उसके इतिहास-बोध ने उसे अपने विस्तार, आरोप, संरक्षण का अधिक सामर्थ्य दिया है। उसकी वैज्ञानिक प्रगति ने अपनी शक्ति-विस्तार की उसे अपूर्व क्षमता प्रदान की है; अनेक मानवीय शास्त्रों के वैज्ञानिक विकास में उसने अपना प्रभाव-क्षेत्र अनेक स्तरों और आयामों में फैला लिया है। इसका परिणाम हुआ कि पश्चिमी संस्कृति ने पिछली पुरानी संस्कृति और परम्परा वाले एशिया के राष्ट्रों और आदि (मैं आदिम कहना अनुचित मानता हूँ) संस्कृति वाले अफ्रीकी और अमरीकी समाजों और देशों को राजनीतिक, आर्थिक तथा सांस्कृतिक प्रभावों में अपने उपनिवेश बने रहने के लिए विवश कर दिया है।

पुनरुत्थान युग से शुरू होकर स्वाधीनता प्राप्त होने के बाद तक के भारतीय मानस पर इसका प्रभाव देखा जा सकता है। यहाँ इस समस्या का विस्तृत विवेचन-विश्लेषण करने के बजाय केवल ऐसे कुछ तथ्यों की ओर ध्यान आकर्षित किया जा सकता है। भारतीय बौद्धिक वर्ग का बहुत बड़ा हिस्सा यह मानता है कि भारत, वस्तुतः समस्त एशियाई देशों का आधुनिकीकरण तभी संभव हो सका है, जब यूरोप के देशों ने वहाँ उपनिवेश बनाये और वहाँ के निवासियों को पश्चिमी ज्ञान-विज्ञान की शिक्षा का अवसर प्रदान किया। भारत की राष्ट्रीय इकाई की परिकल्पना अँग्रेज़ी राज्य की देन है। भारतीय संस्कृति, वस्तुतः समस्त एशियाई संस्कृतियाँ पिछड़ी हुई, मध्ययुगीन, प्रगति की सम्भावनाओं से शून्य, अन्धविश्वास और जड़ताओं से ग्रस्त हैं। इनके उद्धार का एकमात्र

उपाय है कि ये पश्चिमी संस्कृति को अपना लें। और सबसे महत्त्वपूर्ण बात है कि पश्चिमी संस्कृति संसार की समस्त संस्कृतियों में श्रेष्ठ है, अन्य संस्कृतियाँ अपनी कमियों और कमज़ोरियों के कारण ह्रासोन्मुखी हुईं और अन्ततः विनष्ट हो गई हैं, लेकिन पश्चिम की आधुनिक संस्कृति सबसे श्रेष्ठ और निरन्तर विकसनशील है। इस प्रकार के चिन्तन को अग्रसर करने का पश्चिम के समस्त बौद्धिक वर्ग ने और उनके तथाकथित वैज्ञानिक तथा तटस्थ अध्ययनों ने निरन्तर प्रयत्न किया है। ऐसे पश्चिमी विद्वान् अपवाद ही माने जायँगे, जिन्होंने पश्चिमी संस्कृति की इस श्रेष्ठता और अन्य संस्कृतियों की हीनता के विचार को चुनौती दी हो। और मज़े की बात है कि मानसिक रूप से पश्चिम के ग़ुलाम भारत के बौद्धिक उनके विचारों को प्रामाणिकता तो नहीं देते, पर उनके आधार पर पश्चिमी संस्कृति की महनीयता का समर्थन अवश्य करते हैं।

भारत में अँग्रेज़ों के प्रभुत्व काल में प्रारम्भ से यह प्रयत्न रहा है कि राजसत्ता के क्रमशः बढ़ते हुए विस्तार के साथ इस देश के परम्परित सामाजिक, प्रशासनिक और आर्थिक ढाँचे को छिन्न-भिन्न कर दिया जाय। इस प्रकार अँग्रेज़ी राजनीति और राजनय का सारा दृष्टिकोण यह रहा है कि यहाँ की पिछली संस्थाओं, व्यवस्थाओं और परम्पराओं को नष्ट कर देश की समस्त आन्तरिक शक्ति, आस्था तथा विश्वास को तोड़कर उसे नैतिक मेरुदण्ड-विहीन बना दिया जाय। भारतीय जन-समाज को उसके स्वीकृत आधार से उन्मूलित कर, ग्राम-समाज और पंचायतों के ढाँचों को विशृंखल कर, धार्मिक आस्थाओं को खण्डित कर तथा उद्योग-धन्धों और व्यापार को विनष्ट कर अँग्रेज़ों ने भारत में अँग्रेज़ी उपनिवेश की जड़ें मज़बूत कर ली थीं। साथ ही, अँग्रेज़ी भाषा के माध्यम से ज्ञान-विज्ञान की दीक्षा देकर भारतीय मानस को यूरोपीय संस्कृति की महत्ता से इस प्रकार अभिभूत कर दिया कि अधिकांश शिक्षित वर्ग अपने देश के धर्म, समाज और संस्कृति के प्रति हीन भावना से भर गया। इसका सबसे घातक परिणाम यह हुआ कि पुनरुत्थान युग के प्रारम्भ से उन्नत और विकसित होने के लिए पश्चिमीकरण पर बल दिया जाने लगा। यह पश्चिमीकरण अधिकांशत अनुकरणमूलक ही रहा। कोई भी आरोप अनुकरणमूलक ही हो सकता है

यह अवश्य हुआ कि अँग्रेज़ी राजनीति के परिणामस्वरूप भारत में उनवे उपनिवेश की जड़ें काफ़ी गहरी और मज़बूत रहीं और इस प्रक्रिया में अर्थात पश्चिमीकरण के दौरान भारत मध्ययुगीन संस्कारों तथा मनोवृत्तियों से अपने कं मुक्त कर आधुनिक बन सका। यह बात संस्कारगत और परिवेशगत पक्षपार के कारण मार्क्स तथा ट्वायनबी जैसे यूरोपीय विचारकों ने भी कही है, अन्यों की तं

बात अलग है। पश्चिम के मानस-पुत्र भारतीय तो यह राग अलापते कभी थकते नहीं। बुद्धदेव जैसे सुपुत्र तो कृतज्ञ भाव से यह मानकर अपना सन्तोष प्रकट करते हैं कि यह तो स्वाभाविक है, क्योंकि हम भारतीय यूरोप के ही आगत प्रवासी हैं। निश्चय ही यह हीन-भाव की उपज है। इस प्रसंग का अधिक विवेचन यहाँ नहीं करना चाहूँगा, क्योंकि अन्यत्र किया गया है। पर सिद्धान्त रूप में कहा जा सकता है कि गुलामी की हीन-भावना से कोई व्यक्ति या राष्ट्र अपने निजी व्यक्तित्व के विकास की दिशा नहीं पा सकता है, क्योंकि व्यक्तित्व की स्वाधीनता तथा निजता का अनुभव विकास की पहली शर्त है। इसी प्रकार कोई भी प्राचीन संस्कृत समाज अपनी जड़ता और अवरुद्धता में भी अपने निजी व्यक्तित्व की खोज बिना किये आगे बढ़ने में समर्थ नहीं हो सकता। अन्ततः यह भी सही है कि अनुकरण किसी भी व्यक्ति या राष्ट्र को न गौरव प्रदान कर सकता है और न मौलिक सर्जनशीलता का मार्ग ही प्रशस्त कर सकता है, जिसके बिना किसी प्रकार की प्रगति संभव नहीं है। साथ ही दृष्टान्त रूप में जापान का उल्लेख करके कहा जा सकता है कि एशिया के सर्वाधिक उन्नत राष्ट्र जापान को न किसी यूरोपीय शक्ति के उपनिवेश होने का सौभाग्य मिला और न किसी विदेशी भाषा के सहारे वहाँ ज्ञान-विज्ञान फैलाने का सुयोग हुआ।

पश्चिमी संस्कृति के रंग में रँगे हुए बौद्धिकों ने एक मिथ रचा है कि भारतीय जागरण अँग्रेज़ी भाषा और शिक्षा के प्रचार-प्रसार से ही संभव हुआ। पुनरुत्थान का नेतृत्व अँग्रेज़ी शिक्षा प्राप्त महापुरुषों ने ही किया है। इस मिथ में तथ्यात्मक आधार ज़रूर है, पर यह सत्य नहीं है। यह संयोग था और इस संयोग के पीछे पश्चिमी उपनिवेशवाद की सारी विभीषिका थी, कि पश्चिम के सम्पर्क में भारत अँग्रेज़ों और अँग्रेज़ी के माध्यम से आया तथा यह भी संयोग इसी से संभव हुआ कि भारत के इस नये पुनरुत्थान युग के नेता स्वामी दयानन्द को छोड़कर अँग्रेज़ी भाषा के माध्यम से पश्चिम, विशेषकर इंग्लैण्ड से परिचित हुए थे। उन्होंने यूरोप के आधुनिक मूल्यों—स्वतंत्रता, समता, प्रजातंत्र, समाजवाद, साम्यवाद आदि मूल्यों का परिचय अँग्रेज़ी शिक्षा के दौरान प्राप्त किया था। यहाँ तक कि उन्होंने अपने देश की परम्परा, इतिहास, धर्म, दर्शन, समाज और संस्कृति के बारे में क्रमशः अँग्रेज़ लेखकों और अँग्रेज़ी के माध्यम से जाना। इस बात का उल्लेख पश्चिमी लेखकों के साथ हमारे भारतीय लेखक भी बड़े गौरव के साथ करते हैं। परन्तु यह सत्य वे नज़रअन्दाज़ कर जाते हैं, सम्भवतः दृष्टि-भ्रम के कारण उन्हें सही दिखाई ही नहीं पड़ता कि जिस चश्मे से वे पश्चिमी संस्कृति और सभ्यता को देख रहे हैं, उससे उसका गौरवशाली और भव्य रूप

सामने उभरता है, और जिस चश्मे से वे अपने देश को और उसकी संस्कृति को देखते हैं, उसमें उसका बौना, कुरूप, विकृत रूप सामने आता है। परिणाम होता है कि इस वर्ग का मानस हीन-भाव से भरा हुआ है।

परन्तु यदि स्वामी दयानन्द को ही लिया जाय तो वे अकेले होकर भी अपवाद नहीं हैं, वरन् एक प्रतीक हैं । और इस एक प्रतीक के आधार पर कहा जा सकता है कि भारत के, एशिया को भी लिया जा सकता है, पुनरुत्थान के लिए न अँग्रेज़ी राज्य की अपेक्षा थी और न अँग्रेज़ी शिक्षा की। उसके लिए एक ऐसे व्यक्तित्व कि आवश्यकता थी जो सबसे पहले अपनी अन्तर्दृष्टि से अपने देश, समाज, जाति तथा राष्ट्र के व्यापक और सामूहिक जीवन की जड़ता, विडम्बना, गतिरुद्धता, उसके अन्याय और शोषण को गहराई से देख सके, उनके कारणों की ऐतिहासिक, यथार्थ तथा सांस्कृतिक खोज करने में समर्थ हो सके और अन्ततः अपनी विवेक-दृष्टि से गतिरोध को दूर करके समाज को मौलिक सर्जनशीलता से संचालित-प्रेरित करने में समर्थ हो सके। यह अवश्य है कि उसके लिए किसी न किसी प्रकार या स्तर का पश्चिमी आधुनिक संस्कृति के वातावरण का संस्पर्श सहायक था। इसी वातावरण में दयानन्द ने जन्म लिया था, यद्यपि यह भी नहीं कहा जा सकता कि अपनी पैंतीस-चालीस वर्ष की अवस्था तक उहोंने वस्तुतः इस वातावरण का भी एहसास पाया था।

दयानन्द का जन्म गुजरात के टंकारा नामक नगर में लगभग सन् १८२३ ई० में हुआ। यह वही समय है जब बंगाल में राजा राममोहन राय भारतीय पुनरुत्थान में संलग्न थे। वे पश्चिमी संस्कृति से पूर्णतः प्रभावित और अँग्रेज़ी शिक्षा के समर्थक थे। उनके सामने देश का जो रूप था, वह अँग्रेज़ी राजनीति और राजनय के द्वारा सत्ता-संघर्ष में राजनीतिक तथा सांस्कृतिक औपनिवेशिक महत्त्वाकांक्षा को प्रतिफलित करनेवाला रूप था। निश्चय ही भारतीय समाज की अनेक जड़ताएँ, विकृतियाँ और नृशंस रीतियाँ उनके सामने थीं, परन्तु उनको देखने, समझने और व्यापक सन्दर्भों से जोड़कर लम्बी भारतीय संस्कृति की परम्परा में उनके कारणों के विश्लेषण-विवेचन की दृष्टि उनके पास नहीं थी। और उसका कारण था कि बंगाल और कलकत्ता में अँग्रेज़ पश्चिमी सभ्यता का चमत्कारी प्रभाव डालने में समर्थ हो चुके थे और पढ़े-लिखे वर्ग के मानस को अपने ढंग से सोचने-समझने के लिए प्रेरित कर सके थे। उनकी नीति के अनुसार भारतीय शिक्षित वर्ग जितना प्रबुद्ध होता जा रहा था, उसका मानस पश्चिमी संस्कृति (प्रायः अँग्रेज़ी मानना चाहिए) से अभिभूत हो रहा था, अँग्रेज़ी शिक्षा और संस्कृति को अपनाने की उसकी आकांक्षा बढ़ती जा रही थी। इसका परिणाम

यह हुआ कि अपने देश, धर्म, समाज और संस्कृति के प्रति हमारे बौद्धिक वर्ग में हीन भाव उत्पन्न हुआ। हमारे अधिकांश बड़े नेताओं में भी एक स्तर पर इसका प्रभाव देखा जा सकता है, जो उनकी इस कामना में परिलक्षित हुआ है कि भारतीय समाज का नव-निर्माण पश्चिमीकरण के रूप में होना चाहिए। उनमें अपनेपन की गौरव-भावना की चेतना प्राचीन भारतीय संस्कृति के धर्म, दर्शन, अध्यात्म के कुछ प्रतीकों से सन्तोष ग्रहण करती रही है। इनकी अपेक्षा दयानन्द जिस पारिवारिक वातावरण में पले, सामाजिक वातावरण में बढ़े और उन्होंने जिस प्रकार की शुद्ध परम्परित संस्कृत शास्त्रों की शिक्षा प्राप्त की, उनमें उनका पश्चिमीकरण से कोई सम्पर्क नहीं था। अतः उन पर पश्चिमी संस्कृति का सीधा कोई भी प्रभाव नहीं स्वीकार किया जा सकता।

अतः दयानन्द राजा राममोहन राय से लेकर जवाहरलाल नेहरू तक ऐसे भारतीय नेताओं से बिल्कुल अलग थे, जो अपनी समस्त सद्भावनाओं और देश-कल्याण की भावनाओं के बावजूद भारतीय आधुनिकीकरण का रास्ता हर प्रकार से पश्चिमीकरण से होकर गुज़रता पाते रहे हैं। और उनके पीछे अधिसंख्यक भारतीय अँग्रेज़ी शिक्षित वर्ग रहा है, जो पश्चिमीकरण को पश्चिम के बाहरी या ऊपरी अनुकरण के स्तर पर स्वीकार कर अपने को सभ्य मानकर असंख्य भारतीय जनता को उपेक्षा और अवहेलना के भाव से देखता रहा है। यहाँ इस बात के विवेचन का अवसर नहीं है, पर उल्लेख करना ज़रूरी है कि अँग्रेज़ी राजनीति के सही परिणाम के रूप में यह शिक्षित वर्ग अपने निहित स्वार्थों में संगठित होता गया है। स्वाधीनता के संघर्ष-काल में यह वर्ग अँग्रेज़ों के पक्ष में रहकर हर स्तर पर और हर प्रकार से भारतीय जनता की स्वाधीनता की महत्त्वाकांक्षाओं के विरुद्ध कार्य करता रहा है। और उससे भी बड़े दुर्भाग्य की बात यह रही है कि अपनी मानसिक संस्कारगत एकता के कारण जवाहरलाल नेहरू स्वाधीनता-युग में इस वर्ग के अघोषित नेता बन गये। आगे चलकर अपने नेतृत्व को सुदृढ़ बनाने के लिए नेहरू ने इस निहित स्वार्थ के वर्ग से समझौता कर लिया। अनुकरणमूलक पश्चिमीकरण को प्रगतिशीलता उद्घोषित करते रहकर नेहरू ने इस वर्ग का अपने उन प्रतिद्वंद्वियों के ख़िलाफ़ इस्तेमाल किया है, जो मात्र पश्चिमीकरण के रूप में भारत के आधुनिकीकरण को स्वीकार नहीं करते रहे हैं। अन्ततः नेहरू और इस वर्ग का एक ही निहित स्वार्थ बन गया, क्योंकि नेहरू को उनसे शक्ति प्राप्त होती रही है। इस वर्ग के लोग ही क्रमशः भारतीय जीवन के सभी क्षेत्रों में शक्ति और प्रभाव की जगह पाते गये और नेहरू की सत्ता की छत्रच्छाया में यह वर्ग अधिकाधिक संगठित और गतिमान् होता गया है।

पुनरुत्थान युग के नेताओं में दयानन्द का स्थान अप्रतिम है, पर उनको विवेकानन्द, लोकमान्य तिलक, मदनमोहन मालवीय, महात्मा गांधी जैसे नेताओं का अग्रणी माना जा सकता है। इन नेताओं ने भारतीय समाज के पुनर्गठन, विकास और आधुनिकीकरण के लिए भारतीय संस्कृति के मूलाधार को आवश्यक माना है। उनके अनुसार पश्चिम से प्रेरणा पाना, पश्चिम से नया ज्ञान-विज्ञान सीखना एक बात है, पर उसका अन्धानुकरण न हमारे गौरव के अनुकूल है और न हमारी वास्तविक प्रगति के लिए उपयोगी ही है। यह अवश्य है कि इन नेताओं की पद्धति में भिन्नता रही है। कुछ नेता भारतीय प्राचीन गौरवशाली सांस्कृतिक परम्परा के पुनरुत्थान में भारतीय समाज के विकास की संभावना देखते रहे हैं, यद्यपि उन्होंने यह भी स्वीकार किया है कि पश्चिम से हम को ज्ञान-विज्ञान सीखना है। इस दृष्टि से दयानन्द और गांधी को उनके साथ रखा जा सकता है, क्योंकि दयानन्द ने यह स्वीकार किया है कि भारतीय पुनरुत्थान और आधुनिकीकरण भारत की प्राचीन वैदिक संस्कृति के आधार पर ही संभव है और गांधी ने माना है कि हमारे सम्पूर्ण विकास की सम्भावनाएँ भारतीय व्यक्तित्व की खोज के आधार पर ही संयोजित की जा सकती हैं। एक स्तर पर ये दो व्यक्तित्व समान माने जा सकते हैं। इन दोनों ने भारतीय जन-समाज से गहरा और आन्तरिक तादात्म्य स्थापित किया था। उन्होंने भारतीय जीवन को उसके वर्तमान यथार्थ तथ्य में और सम्पूर्ण ऐतिहासिक सांस्कृतिक परम्परा में आत्म-साक्षात्कार के स्तर पर ग्रहण किया था। परन्तु दयानन्द और गांधी के युग, परिवेश, शिक्षा और संस्कार में अन्तर रहा है, और उसके कारण इन दोनों के आत्म-साक्षात्कार की प्रकृति में अन्तर पड़ गया है।

गांधी भारतीय रंगमंच पर उस समय अवतरित हुए जब दयानन्द के द्वारा उठाये हुए भारतीय समाज के सारे सवाल पूरी तरह शिक्षित समाज में चर्चा के विषय बन चुके थे। अनेक दिशाओं में उसका मानस आन्दोलित हो चुका था, उसमें आत्म-गौरव और आत्म-विश्वास का भाव जाग चुका था। गांधी के समय तक ब्रिटिश साम्राज्यवाद के विरुद्ध भारत में राजनीतिक आन्दोलन का स्वरूप अधिक स्पष्टता के साथ उभर आया था। अतः गांधी ने भारतीय समाज का पुनर्गठन और नवीकरण के प्रश्न को राजनीतिक स्वाधीनता के साथ जोड़ दिया। उनको यह लगना स्वाभाविक था कि पूर्ण स्वाधीनता पा लेने के बाद सामाजिक, राजनीतिक और आर्थिक ढंग से भारतीय जीवन को एक नया संरचनात्मक रूप प्रदान करना सम्भव होगा। गांधी की स्थिति इस दृष्टि से भी विशिष्ट थी कि उनको पश्चिम की संस्कृति का गहरा परिचय था। दयानन्द

को भी अन्ततः भारतीय जीवन के पुनर्गठन में पश्चिम की सांस्कृतिक चुनौती का सामना करना पड़ा था, पर उन्होंने उसका समुचित समाधान पश्चिमी संस्कृति के अन्तर्वर्ती तत्त्वों के माध्यम से प्रस्तुत नहीं किया, जैसी सुविधा गांधी को प्राप्त थी। वस्तुतः किसी सशक्त और गतिशील संस्कृति के संघात (impact) को सहने का सबसे दक्ष उपाय भी यही है कि गांधी के समान उस संस्कृति के सबल तत्त्वों का विकास अपनी भूमिका पर करके उसका सामना किया जाय। दयानन्द के सामने चुनौती थी, पर उसकी शक्ति का और उसके सामर्थ्य के स्रोत का उन्हें ठीक अन्दाज़ नहीं था, अतः उनके पास उस चुनौती का सामना करने के लिए अपनी ही सांस्कृतिक परम्परा में अन्तर्निहित शक्ति और ऊर्जा के अनुसन्धान के अलावा कोई उपाय नहीं था।

विवेकानन्द ने, और बहुत कुछ गांधी ने भी यह माना है कि भारतीय संस्कृति का स्वर आध्यात्मिक है। भारतीय जीवन में आध्यात्मिक मूल्यों को अधिक मान मिला है। विवेकानन्द के अनुसार यदि भारत को पश्चिम के विज्ञान और प्रविधि की आवश्यकता है तो पश्चिम को अपने सन्तुलित विकास के लिए भारतीय आध्यात्मिक मूल्यों की अपेक्षा है। और गांधी के अनुसार भारत को नई समाज-रचना के लिए अपनी आध्यात्मिक मूल्यों की नई वैज्ञानिक उद्भावना द्वारा समस्त आधुनिक समाज-तंत्र, राज-तंत्र और अर्थ-तंत्र के मूल्यों को नया रूप प्रदान करना है। ये मूल्य भारतीय समाज-रचना का आधुनिकीकरण करने में सहायक होंगे और यह नया समाज व्यक्ति को समत्व और स्वाधीनता का वास्तविक मूल्य-बोध प्रदान करेगा। साथ ही पश्चिमी संस्कृति उन मूल्यों के आधार पर अपने संकट और संत्रास से मुक्त होकर नये भविष्य की संभावना से प्रेरित हो सकेगी। यहाँ ध्यान देने की बात है कि विवेकानन्द ने भारतीय अध्यात्म के अद्वैत तत्त्व पर बल दिया है और गांधी ने वैष्णव भावना को महत्त्व प्रदान किया है। ये दोनों तत्त्व भारतीय दर्शन, साधना और अध्यात्म के उच्चतम स्वरूप का परिचय दे सकते हैं, परन्तु सम्पूर्ण भारतीय मानस को इन तत्त्वों ने एकांगी और लोक-निरपेक्ष भी बनाया है। इनके आधार पर व्यक्ति साधना की उच्चतम भूमिओं में भले ही प्रवेश करता हो, पर लौकिक जीवन के विकास और समृद्धि के लिए अपेक्षित चरित्र-बल और आत्म-विश्वास उनसे जनता को प्राप्त नहीं हो सका। अधिक से अधिक सामाजिक जीवन के आचार तथा नैतिकता को आध्यात्मिक जीवन की अपेक्षा में महत्त्व मिला। परन्तु जब आत्मा और ब्रह्म में अभेद प्रतिपादित किया जाता हो, अथवा भक्त को सम्पूर्णतः अपने समस्त कर्मों को अपने प्रभु के प्रति समर्पण करना है, ऐसी स्थिति में समस्त सामाजिक दायित्व

२ अ

असंगत हो जाते हैं। यह अवश्य है कि विवेकानन्द और गांधी दोनों ने इन आध्यात्मिक तत्त्वों की व्याख्या में समाज-सेवा, परस्पर प्रेम और सहयोग आदि को स्थान दिया है। परन्तु जिस परम्परा से इन तत्त्वों का गहरा सम्बन्ध रहा है, इन तत्त्वों की स्वीकृति के साथ उस परम्परा की स्थापना तथा स्वीकृति ही अधिक हो सकी, समाज-सेवा, लोक-कल्याण, प्रेम-सहयोग आदि अधिकाधिक गौण होते गये हैं। आज के अवसरवादी समाज में भजन-कीर्तन और योग आदि की जितनी प्रतिष्ठा बढ़ी प्रेम-सेवा आदि उतने ही उपेक्षणीय होते गये हैं।

इस दृष्टि से दयानन्द का भारतीय समाज का ज्ञान अधिक गहरा था, और उनका भारतीय सांस्कृतिक परम्परा का अध्ययन अधिक पूर्ण माना जा सकता है। दयानन्द में प्रखर प्रतिभा और गहरी अन्तर्दृष्टि थी। साथ ही उनमें मानवीय संवेदना की बहुत व्यापक और आन्तरिक क्षमता थी। इसलिए घर से बाहर निकलने के बाद लगभग चौबीस वर्ष उन्होंने देश के स्थान-स्थान पर घूमने में बिताये और सारे भारतीय जन-समाज का बहुत व्यापक अनुभव प्राप्त किया। अपनी सूक्ष्म संवेदना के कारण ही उनको भारतीय समाज के जीवन का यथार्थ ज्ञान हो सका। भारतीय जन-समाज की विकृत, कुंठित, जड़ित और गतिरुद्ध स्थिति को देख कर उनका मन पीड़ा, दुःख और करुणा से अभिभूत हो गया। यह एक ऐतिहासिक संयोग ही कहा जायगा कि गौतम संसार के कष्ट, पीड़ा, दुःख-दर्द, जरा-मरण को देख कर इनसे मुक्त होने के उपाय की खोज में घर से निकले और बुद्ध ने अन्ततः पाया व्यक्ति के निर्वाण का मार्ग। पर मूलशंकर घर से निकले थे संसार के बन्धनों से मुक्त होकर शुद्धस्वरूप शिव की खोज में और दयानन्द को मिला दुःखी, संतप्त, हीन-भाव से ग्रस्त, अनेक कुरीतियों, पाखण्डों, दुराचारों से पीड़ित, कुंठित, गतिरुद्ध भारतीय समाज। और फिर वे व्यक्तिगत मोक्ष के मार्ग को भूल कर अपने समाज के उद्धार में प्राण-पण से लग गये। न कोई गौतम बुद्ध को अपने मार्ग से विचलित कर सका और न स्वामी दयानन्द को ही कर सकता था।

●

दयानन्द की संवेदन-क्षमता के समान उनकी विवेक-बुद्धि बहुत प्रखर थी। उन्होंने भारतीय समाज की यथार्थ स्थिति का जितना मार्मिक अनुभव प्राप्त किया, उतनी ही गहराई से उन्होंने इस समाज के अधःपतन के कारणों का विवेचन-विश्लेषण किया। भारतीय समाज की धारावाहिक परम्परा का बहुत सटीक विश्लेषण उन्होंने किया है, और उसके द्वारा वे ठीक निदान भी कर सके हैं। स्मरणीय है दयानन्द स्वामी विरजानन्द के पास पढ़ने के लिए मथुरा जब पहुँचे तो उनकी अवस्था लगभग सैंतीस-अड़तीस वर्ष की थी। इस प्रकार चालीस वर्ष

की अवस्था तक दयानन्द विभिन्न शास्त्रों, दार्शनिक सिद्धान्तों और आध्यात्मिक साधनाओं के अध्ययन और अभ्यास में लगे रहे थे। अतः एक ओर उनको तत्कालीन भारतीय समाज की यथार्थ स्थिति का सही ज्ञान था, तो दूसरी ओर भारतीय संस्कृति का उन्होंने मन्थन भी किया था। स्वामी विरजानन्द ने आर्य ग्रन्थों और वैदिक संस्कृति की ओर उनका ध्यान आकर्षित करके उनको दिशा-निर्देश दिया था। अपने परिभ्रमण काल में दयानन्द ने यह अनुभव किया था कि देश के समाज को अवरुद्ध करने वाला वर्ग पौराणिकों, पुरोहितों, साम्प्रदायिकों तथा महन्तों का है। यह इतना बड़ा निहित स्वार्थों का वर्ग बन गया है जो अपनी शक्ति में बहुत व्यापक और समर्थ है। सामाजिक जीवन में जितने अन्ध-विश्वास, कुरीतियाँ, नृशंसताएँ और अन्याय फैले हुए हैं उनके पीछे इसी वर्ग का समर्थन है। उन्होंने इस बीच भारतीय दर्शन, धर्म, अध्यात्म, आचार-शास्त्र, साधना का गहरा अध्ययन और अभ्यास किया था। इसके माध्यम से उन्हें भारतीय संस्कृति की मूल धारा की स्वच्छन्दता, गतिशीलता और मौलिकता की सही पहचान भी हुई। अपनी संस्कृति के उच्चतम मूल्यों के अनुभव और साक्षात्कार से उनके मन में यह प्रश्न बार-बार उमड़ता-घुमड़ता रहा कि इस महान् संस्कृति के देश और समाज की पतनावस्था का कारण क्या है। जिस जाति ने जीवन के उच्चतम मूल्यों की उपलब्धि की; व्यक्ति और समाज तथा व्यावहारिक और आध्यात्मिक जीवन के समन्वय तथा सामंजस्य की श्रेयस्कर भूमिकाएँ प्रस्तुत की हैं; सामाजिक, राजनीतिक और आर्थिक क्षेत्रों की सुन्दर व्यवस्थाएँ दी हैं, उस जाति की ऐसी दीन-हीन अवस्था का कारण क्या है? ऐसे शक्तिशाली और समर्थ मानस की ऐसी कुंठित, गतिरुद्ध और विवेकहीन अवस्था क्यों हो गई है?

स्वामी विरजानन्द ने दयानन्द का ध्यान अनार्ष ग्रन्थों की ओर से हटा कर आर्ष ग्रन्थों की ओर आकर्षित किया। उस प्रज्ञाचक्षु संन्यासी ने यह समझ लिया था कि वैदिक काल के बाद के ब्राह्मण और पुरोहित वर्ग ने स्वार्थवश और शक्ति की प्रतिद्वंद्विता में शुद्ध आर्षग्रन्थों की मनमानी टीकाएँ और व्याख्याएँ की हैं, अनेक समानान्तर ग्रन्थों की रचना की है। इन संहिताओं, स्मृतियों, उपनिषदों और पुराणों में अपने स्वार्थ-सिद्धि के नियमों और सिद्धान्तों का समाहार किया। इतना ही नहीं, मनमाने ढंग से आर्ष ग्रन्थों में प्रक्षेप भी किये गये। इसलिए उन्होंने दयानन्द को विदा देते समय यही गुरु-दक्षिणा माँगी कि भारतीय संस्कृति के ऊर्जस्वी स्रोतों का आर्षग्रन्थों में अनुसन्धान करके भारतीय जन-समाज को पुनः आन्दोलित और गतिशील करो। इस दिशा को पाकर दयानन्द ने भारतीय समाज के पुनर्जागरण का जो मार्ग प्रशस्त किया है, और उसके लिए जिन सिद्धान्तों

और मूल्यों की विवेचना-स्थापना की है, वे उनकी दिव्य दृष्टि का परिचायक है। उन्होंने भारतीय समाज का यथार्थ साक्षात्कार किया, उसकी दीनावस्था के ऐतिहासिक-सांस्कृतिक कारणों का वैज्ञानिक विवेचन किया और अपने युगीन-परिवेश के अनुकूल समाज की नई रचना के लिए मार्ग दिखाया। क्योंकि उन्होंने सम्पूर्ण भारतीय समाज से अपना तादात्म्य स्थापित किया था, इस समाज की पहचान उनकी सही थी। उन्होंने पूरी आत्मीय संवेदना के साथ अपने समाज की पीड़ा-व्यथा को ग्रहण किया था, अतः उनमें समाज के प्रति गहरा आन्तरिक भाव था, उसके उद्धार के लिए जीवन भर वे पूरी तन्मयता के साथ लगे रहे। दयानन्द ने बार-बार अनेक अवसरों पर घोषित किया है कि अपने समाज के उत्थान और सेवा कार्य के सम्मुख वे अपने निजी आत्मोद्धार और मोक्ष को कुछ भी महत्त्व नहीं देते। इस कार्य को वे अगले जन्मों के लिए स्थगित कर सकते हैं, पर उनका जीवन पूर्णतः अपने समाज के लिए उत्सर्ग है। उनका सम्पूर्ण जीवन और अन्त में मृत्यु भी इसका प्रमाग है। उनके सामने एक मात्र लक्ष्य था—भारतीय समाज का उत्थान, भारतीय मानस की मुक्ति।

स्वामी दयानन्द के सामने बड़ा सवाल था कि भारतीय संस्कृति के परस्पर विरोधी तत्त्वों का समाधान किस प्रकार हो। उन्होंने देखा कि एक ओर इस संस्कृति में मानव जीवन और समाज के उच्चतम मूल्यों की रचनाशीलता परिलक्षित होती है, और दूसरी ओर उसमें मानवता विरोधी, समाज के शोषण को समर्थन देनेवाले, अन्धविश्वासों का पोषण करने वाले विचार भी पाये जाते हैं। अतः उनके मन को उद्वेलित करने वाली बात थी कि हमारी सांस्कृतिक मूल्य-दृष्टि की प्रामाणिकता क्या है? कहा जा सकता है कि सत्य के लिए, मानव-मूल्यों की प्रतिष्ठा के लिए प्रमाणिकता की आवश्यकता क्या है? गांधी को अपने सत्य के लिए किसी धर्म-विशेष के ग्रन्थ की प्रामाणिकता की आवश्यकता नहीं हुई। यहाँ दो बातों की ओर ध्यान देना चाहिए। दयानन्द के युग में पश्चिमी संस्कृति की बड़ी आक्रामक चुनौती थी। स्वतः यूरोप में १९वीं शती से विज्ञान और नये मानववाद के प्रभाव से मध्ययुगीन धर्म की उपेक्षा की जा रही थी, और मध्य-युगीन आस्था के स्थान पर बुद्धि और तर्क का आग्रह बढ़ा था। परन्तु भारत में यूरोप के मध्ययुगीन धर्म को विज्ञान और मानववाद के साथ आधुनिक कहकर रखा जा रहा था। धर्म को अपने प्रभाव को बढ़ाने और सत्ता को स्थायी बनाने में इस्तेमाल किया जा रहा था। अतः भारतीय संस्कृति की ओर से इस चुनौती को स्वीकार करने में भारतीय अध्यात्म के वैज्ञानिक तथा मानवतावादी स्वरूप की स्थापना आवश्यक थी। फिर भारतीय अध्यात्म को इस रूप में विवेचित

करने के लिए आधार रूप प्रामाणिकता की अपेक्षा थी। गांधी को इस बात की सुविधा थी कि उनके पहले भारत के धर्म, अध्यात्म तथा संस्कृति के समन्वयात्मक रूप की प्रतिष्ठा हो चुकी थी। दूसरे, दयानन्द को भारतीय परम्परा के जिन पुराणपंथियों, पुरोहितों और महन्तों का विरोध करना था, वे परम्परा की प्रामाणिकता की दुहाई देकर जनता के जीवन को पतन के गर्त में ढकेलते आये थे। भारतीय जनता प्रामाणिकता की अभ्यस्त बना दी गई थी, चाहें वे प्रमाण उसके लिए कोई अर्थ न रखते हों। इस निहित स्वार्थ के वर्ग के गढ़ को ध्वस्त करने के लिए दयानन्द भारतीय संस्कृति के स्रोत की खोज में प्रामाणिक आधार पाने के लिए बेचैन थे।

वे स्वयं इस बात का अनुभव कर रहे थे कि भारतीय समाज को इस अवस्था में पहुँचाने का कार्य यहाँ के ब्राह्मण, पुरोहित, पौराणिक तथा साम्प्रदायिक वर्ग ने अपने स्वार्थ-साधन के लिए किया है। उन्होंने देखा कि यहाँ विभिन्न धर्मसम्प्रदायों के कर्मकाण्ड, दार्शनिक मान्यताएँ, साधना-पद्धतियाँ अन्ततः साम्प्रदायिकों, गुरुओं, महन्तों के स्वार्थ-साधन में सहायक हैं। इस प्रकार मौलिक धर्म, दर्शन, अध्यात्म, साधना में जितना विकास परिलक्षित होता है, उसका उपयोग सामाजिक जीवन को अन्धविश्वासी, निष्क्रिय और जड़ बनाने के लिए ही हुआ है। अद्वैतवाद जैसे दार्शनिक सिद्धान्त चिन्तन के स्तर पर जैसे भी हों, पर वे जन-समाज के जीवन को कर्म, दायित्व, सेवा जैसे मूल्यों से निरपेक्ष करने वाले हैं। योग का मध्ययुगीन विकृत रूप इसी प्रकार जन समाज में अनेक गुह्य और रहस्य साधनाओं के प्रचार का कारण बना। ये साधनाएँ भ्रष्टाचार, अनैतिकता, असामाजिकता का कारण बन गईं। मध्ययुग की प्रेम-साधना और भक्ति ने सामाजिक जीवन को व्यक्तिगत भावावेश का विषय बना दिया। पौराणिक धर्म ने आध्यात्मिक जीवन की उपलब्धियों को सरल बना दिया, सामाजिक कर्म और दायित्व को इस प्रकार गौण बना दिया गया। नाम लेने मात्र से पापियों का उद्धार हो जाता है, तीर्थ-व्रत-स्नान से मुक्ति मिलती है, मूर्ति-पूजन से ईश्वर-भक्ति होती है, आदि ऐसे सरल उपाय बताये गये जिनके सामने ज्ञान-विवेक-कर्म की उपेक्षा की जाने लगी। इस प्रकार दयानन्द ने देखा कि मध्य-युग के पुराण-पंथ ने व्यक्तिगत साधनाओं पर बल देकर सामाजिक जीवन को विशृंखल कर दिया है, व्यक्ति और समाज के सन्तुलन को बिगाड़ दिया और ज्ञान-कर्म-भाव के सामंजस्य को नष्ट कर दिया।

इसी ऊहापोह में दयानन्द ने समझ लिया कि वेद और वैदिक-साहित्य तथा अन्य आर्ष ग्रन्थों के प्रमाण के आधार पर इस समस्या का समाधान किया जा

सकता है। सामान्यतः भारतीय दर्शन, धर्म तथा अध्यात्म आदि से सम्बन्धित सभी सिद्धान्त अथवा सम्प्रदाय वेदों को प्रमाण मानते आये हैं। वेदों को प्रमाण मानने की परम्परा भारत में इस सीमा तक स्वीकृत रही है कि एक दूसरे से विरोधी मत समान रूप से वेदों को प्रमाण मान कर चलते हैं। वेदों के प्रामाण्य की इतनी सुदृढ़ परम्परा के पीछे कोई न कोई तार्किक विवेक सम्मत आधार चाहिए। स्वामी विरजानन्द से वेदों के सच्चे अर्थ तक पहुँचने का दिशा-निर्देश मिल सका था। दयानन्द अपने विवेक से यह मानने को तैयार नहीं थे कि वेद जिसका साधारण सहज अर्थ ही ज्ञान है, केवल मंत्र-शक्ति से अभिमंत्रित मंत्रों के संकलन हैं। निश्चय ही सायण वेदों के बहुत बाद के भाष्यकार हैं, उनके समय तक वेदों के अध्ययन की परम्परा समाप्त हो चुकी थी। इसी प्रकार पश्चिमी दृष्टि से धर्म-गाथा, नृतत्त्व और समाजशास्त्र आदि के आधार पर वेदों को धर्म और अभिव्यक्ति का प्रारम्भिक रूप मानना भी असंगत है। यह पश्चिमी चिन्तकों और शास्त्रों की अपनी सीमा है। भारतीय ज्ञान की समर्थ परम्परा में वेदों की जो मान्यता और प्रामाणिकता रही है, उसको देखते पश्चिमी विद्वानों के द्वारा प्रस्तुत वेदों की व्याख्या बचकानी लगती है। दयानन्द के अनुसार वेद यदि ज्ञान के भाण्डार हैं, अन्य दर्शनों के लिए तथा भारत के महान् चिन्तकों के लिए प्रामाण्य हैं, ऋषियों और द्रष्टाओं के द्वारा उनके मंत्रों का साक्षात्कार किया गया है, तो उनके मंत्रों का संगत अर्थ होना चाहिए, उनकी अर्थ और भाव की व्यंजनाओं में ज्ञान, अनुभव और मूल्यों की श्रेष्ठ तथा उच्चतम भूमियाँ लक्षित होनी चाहिए। अरविन्द ने दयानन्द की वेद सम्बन्धी दृष्टि पर विचार करते समय स्पष्ट शब्दों में घोषित किया है कि वेदों की व्याख्या के बारे में उनका दृष्टिकोण ही मात्र सही दृष्टिकोण है, अन्यथा भारतीय परम्परा में वेदों की महिमा का आधार ही क्या है?

स्वामी दयानन्द 'वेद' को ज्ञान मानते हैं, अतः उनका उद्घोष था कि यदि 'वेद' सत्य-ज्ञान के आदि स्रोत हैं, जैसा कि सभी भारतीय ज्ञान और शास्त्र की परम्पराएँ स्वीकार करती हैं, तो उनमें मानवीय ज्ञान का विवेक-संगत स्वरूप सुरक्षित है, जिसकी स्पष्ट और सुसम्बद्ध व्याख्या की जा सकती है। उनके अनुसार जो यह मानते हैं कि वेद के मंत्रों का स्पष्ट अर्थ नहीं है, उनमें मंत्र-शक्ति ही प्रमुख है अथवा पशु-चारण-युगीन संस्कृति के गीत सुरक्षित हैं, उनके पास वेदों को अपौरुषेय कहने, सत्य-ज्ञान के मूल स्रोत मानने और भारतीय ज्ञान और अध्यात्म के प्रामाण्य स्वीकार करने के लिए कोई आधार नहीं है। उनके अनुसार सायण के द्वारा लगाये जाने वाले वेद-मंत्रों के भाष्य अथवा पश्चिमी पद्धतियों से की जानेवाली इन मंत्रों की व्याख्या के अनुसार जो अर्थ निकाला गया

है उसमें विरोधाभास, असंगतियाँ और क्लिष्ट कल्पनाएँ तो हैं ही, पर यदि उसको मान कर चला जाय तो वेदों को उच्चतम मानवीय ज्ञान और मूल्यों के स्रोत मानने की बात तो दूर रही, कोई संस्कृत और विवेकशील व्यक्ति उसकी ओर ध्यान देने की ज़रूरत भी नहीं समझेगा। साथ ही इस प्रकार के अर्थों से यह भी प्रमाणित होगा कि वेदों में मानवीय समाज के असंस्कृत अथवा अर्द्धसंस्कृत आदिम स्तर की अभिव्यक्ति है। पश्चिमी संस्कृति और उसके समर्थन में विकसित पश्चिमी चिन्तन के लिए यह व्याख्या अनुकूल हो सकती है, पर जिस भारतीय परम्परा ने सदा अपनी संस्कृति और ज्ञान का मूल-स्रोत वेदों को माना है और जो वेदों के प्रामाण्य पर सर्वदा अत्यधिक बल देते हैं, वे इसका क्या समाधान दे सकेंगे!

दयानन्द ने वेदों के प्रामाण्य पर ही यह घोषित किया कि जो हमारे विवेक को स्वीकार्य नहीं, उसके त्याग में हम को एक क्षण का विलम्ब नहीं करना चाहिए। यदि वेदों में ज्ञान के बदले अज्ञान है, मानवीय उच्च मूल्यों के बजाय घोर हिंसा-वृत्ति, भोगवाद और स्वार्थ की उपासना है तो उनको अस्वीकार कर देना चाहिए। उनके प्रामाण्य से क्या प्रयोजन! पर उन्होंने गुरु के द्वारा दिखाये गये मार्ग पर चल कर वेदों की व्याख्या के लिए आर्ष व्याकरण ग्रन्थों का मन्थन किया। उन्होंने निघण्टु, निरुक्त, अष्टाध्यायी और महाभाष्य जैसे व्याकरण ग्रन्थों के आश्रय से वेद-मंत्रों की सुसंगत और व्यवस्थित व्याख्या प्रस्तुत की। इस दृष्टि से गहन अध्ययन करने के बाद उन्होंने घोषित किया कि वेद, वैदिक साहित्य और अन्य आर्ष ग्रन्थ ही प्रामाण्य हैं, उनमें सत्य-ज्ञान सुरक्षित है, उनमें भारतीय संस्कृति के उच्चतम मूल्य सुरक्षित हैं और ये मूल्य भारतीय समाज और व्यक्ति के जीवन के सभी पक्षों को मौलिक सर्जनशीलता से गतिशील करने में सक्षम रहे हैं। इन ग्रन्थों में कहीं कोई विरोधाभास नहीं है, असंगतियाँ नहीं हैं। आवश्यकता है कि वेदों का अर्थ साधारण लौकिक व्याकरणों की पद्धति पर न लगा कर निघण्टु तथा निरुक्त आदि की यौगिक पद्धति से लगाया जाय। दयानन्द ने स्वयं इस पद्धति का स्वरूप प्रतिपादित किया और अपने समय के समस्त विद्वानों का आह्वान किया कि वे उनसे इस सम्बन्ध में विचार-विनिमय करें। उनके तर्कों में बड़ा बल था, वे अकाट्य थे, उनकी पद्धति शास्त्रों के गहन-मन्थन पर आश्रित थी, उन्होंने अपना आधार शुद्ध विवेक माना था। यद्यपि उनकी बात को कोई काट नहीं सका, और महर्षि अरविन्द के अनुसार उन्होंने वेदों के मूल अर्थ तक पहुँचने की एक सही पद्धति निरूपित की है, पश्चिमी प्रभाव से आधुनिक शिक्षितों ने और अपने स्वार्थवश परम्परावादियों ने उनकी व्याख्या-पद्धति को अधिक गम्भीरता से

लेने का वातावरण नहीं बनने दिया। परन्तु आज भी उनके उठाये हुए प्रश्नों का कोई उत्तर नहीं है और वेदों के सत्य को उद्घाटित करने और ज्ञान को प्रकाशित करने की कोई अन्य इतनी उपयुक्त पद्धति नहीं है।

●

स्वामी दयानन्द ने भारतीय समाज में व्याप्त निष्क्रियता, अन्धविश्वास और स्वार्थपरता के मूल में मध्ययुग के पुराणपंथ को माना है। यह धर्म पलायनवादी है। पलायनवादी मनोवृत्ति मनुष्य को आत्मकेन्द्रित, असामाजिक और स्वार्थपरायण बनाती है। दयानन्द के अनुसार वैदिक धर्म परम ब्रह्म परमेश्वर की उपासना का विधान है परन्तु पुराणपंथियों ने उसके स्थान पर अनेकेश्वरवाद, अवतारवाद, मूर्तिपूजा, देवी-देवताओं की पूजा और यहाँ तक अपदेवताओं तक की पूजा प्रचलित करके अपना स्वार्थ सिद्ध किया। वेद-समर्थित समाज में चार वर्णों की व्याख्या है, और यह व्यवस्था कर्म के आधार पर थी। इन वर्णों में ऊँच-नीच तथा छुआछूत का अन्तर नहीं था। ब्राह्मण को सम्मान उसकी त्याग और सेवावृत्ति के कारण प्राप्त था। क्योंकि वह निःस्वार्थ भाव से ज्ञान-साधना में लगा रहता था, समाज के नैतिक जीवन का संरक्षक था और समाज के अन्य अंगों में अपने विवेक से सन्तुलन बनाये रखता था, अतः उसे अन्यों का आदर भाव प्राप्त था। पौराणिकों ने वर्ण-व्यवस्था को जन्मना स्वीकार करके घोर अनर्थ किया और समाज की सारी गत्यात्मक क्षमता को कुंठित कर दिया। उनमें ऊँच-नीच और छुआछूत का भाव भर कर मनुष्य मात्र की बराबरी की वैदिक भावना को नष्ट कर दिया। वेदों में तो प्राणी मात्र को नश्वर तथा सम्माननीय माना है। इस ऊँच-नीच के चक्र ने सारे समाज को सहस्रों जाति-पाँतियों में विभक्त कर छिन्न-भिन्न कर दिया।

वेदों में व्यक्ति और समाज के सम्बन्धों की सुन्दरतम कल्पना है। व्यक्ति का विकास सामाजिक दायित्व को पूरा करने की प्रक्रिया में माना गया है। व्यक्ति के जीवन को चार आश्रमों में इसी दृष्टि से विभक्त किया गया है। प्रथम आश्रम में ब्रह्मचर्य धारण कर ज्ञानार्जन करने का विधान है। वस्तुतः इस आश्रम की कल्पना में व्यक्ति के विकास की पूरी सम्भावना है। शारीरिक, मानसिक और नैतिक शक्ति संगृहीत करने के और इस आश्रम में व्यक्ति समाज से पूरी सहायता और संरक्षण प्राप्त करता है। गृहस्थाश्रम में व्यक्ति पारिवारिक जीवन का दायित्व ग्रहण करता, और इस सीमा में वह समाज के प्रति अपना दायित्व पारिवारिक दायित्वों को निभाते हुए ही पूरा कर सकता है। वानप्रस्थ आश्रम में व्यक्ति पारिवारिक बन्धनों से मुक्त होकर पूर्ण सामाजिक दायित्व का वहन करता है। समाज के विकास के लिए वह हर सेवा के लिए प्रस्तुत रहता है। अन्त में संन्यास

आश्रम में व्यक्ति अपनी निजी आध्यात्मिक उपलब्धियों की ओर प्रवृत्त होता है और समाज के आध्यात्मिक जीवन के उन्नयन का दायित्व वहन करता है। इस प्रकार वैदिक आश्रमों की कल्पना व्यक्ति और समाज के आन्तरिक सम्बन्धों की ऐसी व्यवस्था है, जिसमें व्यक्ति की उन्नति और समाज के विकास की पूरी संभावना रक्षित है। इसी प्रकार विभिन्न ऋणों की कल्पना में भी व्यक्ति और समाज के सन्तुलन का दृष्टिकोण सुरक्षित है। व्यक्ति अपने विकास में समाज से पाता है, अतः उसे समाज को चुकाना भी चाहिए। प्रत्येक व्यक्ति पर स्वस्थ वंश-परम्परा चलाने, ज्ञान की परम्परा को आगे बढ़ाने, प्राणिमात्र की सेवा और सहायता करने तथा आध्यात्मिक जीवन को अग्रसर करने का दायित्व है। इन विभिन्न दायित्वों को पूरा किए बिना कोई व्यक्ति मुक्त हो नहीं सकता।

वेदों में समत्व की भावना प्राणिमात्र की बराबरी में विकसित हुई है। नारियों को नरक का द्वार, माया, ज्ञान की अनधिकारिणी, ताड़ना की अधिकारिणी आदि पौराणिकों ने माना है। यह ह्रासोन्मुखी मध्ययुगीन समाज का लक्षण है, और व्यक्तिपरक वैराग्यमूलक साधनाओं की दृष्टि से कहा गया है। वेदों में नारी को गौरवपूर्ण स्थान प्राप्त है, पुरुष के समकक्ष तो वे हैं ही। उनको वेदादि के ज्ञान प्राप्त करने का पुरुषों के समान ही अधिकार है। ज्ञानस्वरूप वेद ज्ञान प्राप्त करने का अधिकार सबको प्रदान करते हैं। वेद में समाज और समत्व की परिव्याप्ति है। वहाँ व्यक्तिगत उन्नति, यहाँ तक आध्यात्मिक उन्नति का मार्ग सामाजिक और नैतिक मूल्यों की उपलब्धि से होकर जाता है। व्यक्ति सामाजिक दायित्वों को पूरा करते हुए ही अपनी आत्मा के विकास में प्रवृत्त हो सकता है। इसी प्रकार वैदिक कर्मवाद शुद्ध कर्म की प्रेरणा और कर्म के सत् और असत् विचार पर प्रतिष्ठित है। मनुष्य की मुक्ति सत्कर्मों पर निर्भर है। कर्मों का परिणाम भोगना ही है, जन्मान्तर तक कर्म के इस बन्धन में जीव को रहना पड़ता है। आगे चल कर कर्म-फल का भावी-भवितव्यता आदि में पर्यवसान पुराणपंथियों के कारण हुआ है। मध्ययुग में कर्म का बन्धन ढीला पड़ गया। ईश्वर के कृपालु, भक्तवत्सल होने का अर्थ लगाया गया कि पापी से पापी व्यक्ति ईश्वर की शरण में चले जाने पर अपने कर्मबन्धन से मुक्त हो जाता है। यह समाज की व्यवस्था और ईश्वरीय विधान की दृष्टि से घातक परिकल्पना है।

दयानन्द ने मध्ययुग के व्यक्तिपरक धर्म, दर्शन, साधना तथा अध्यात्म को पुनः वैदिक समाजपरक आधार पर प्रतिष्ठित किया। मध्ययुगीन अद्वैत तथा अद्वैत आधारित दर्शनों को अस्वीकार कर उन्होंने वैदिक द्वैतवाद की स्थापना की। एक परम ब्रह्म परमेश्वर सर्वत्र व्याप्त, शाश्वत, अनादि, अनन्त सत्यस्वरूप

है। वह समस्त मानवीय गुणों का, परम मूल्यों का चरम स्थल है—दया, न्याय, करुणा ग्रादि का। वह हम जीवों का परम पिता है ग्रौर पालन-पोषण-संरक्षण करने वाला। वस्तुतः इस प्रकार की ग्रवधारणा में व्यक्ति ग्रौर समाज के सम्बन्धों का सुन्दर स्वरूप सुरक्षित है। इसी कारण दयानन्द ने ज्ञान और भक्ति के सूक्ष्म चिन्तन ग्रौर ग्रनुभव के स्तर पर विकसित होने वाले ग्रात्मा तथा ब्रह्म के ग्रद्वैतपरक भेदाभेद को महत्त्व नहीं दिया, वरन् उसे ग्रस्स्वीकार किया है। क्योंकि इस प्रकार का दार्शनिक चिन्तन जिस प्रकार की ग्राध्यात्मिक साधना को प्रेरित करता है, वह व्यक्ति सापेक्ष ग्रौर समाज निरपेक्ष है। जैसा उल्लेख किया गया है, दयानन्द का दृष्टिकोण भारतीय समाज को स्वस्थ ग्रौर सन्तुलित ग्राधार प्रदान करना था। उनके मन में ऐसे समाज की परिकल्पना थी जो शारीरिक स्वास्थ्य, मानसिक क्षमता, बौद्धिक विवेक, नैतिक दायित्व भावना, सामाजिक समत्व भाव से सम्पन्न हो। इसीलिए उन्होंने मध्ययुगीन धर्म, साधना, दर्शन, समाजनीति, राजनीति तथा ग्रर्थनीति का डट कर विरोध किया है। वे हर प्रकार की सामाजिक, धार्मिक तथा वैयक्तिक एकांगिता के विरोधी थे। पौराणिकों ने ग्राध्यात्मिकता के नाम पर समस्त भारतीय समाज में भावावेश पूर्ण भक्ति, रहस्यमयी साधनाग्रों ग्रौर जड़ मूर्तिपूजा का प्रचार किया था। समाज, जाति तथा राष्ट्र के राम तथा कृष्ण जैसे महान् नेताग्रों को ग्रवतार मान कर उनके चारों ग्रोर भक्ति ग्रौर लीला का ऐसा वातावरण बनाया गया था, जो व्यक्ति को व्यापक सामाजिक मूल्यों तथा दायित्वों के प्रति निरपेक्ष बनाता है। दयानन्द ने इस मध्ययुगीन वातावरण को छिन्न-भिन्न करके भारतीय जीवन को नयी प्राण-शक्ति ग्रौर प्रेरणा प्रदान करने का ग्रथक प्रयत्न किया।

स्वामी दयानन्द क्रान्तिकारी द्रष्टा थे। वे समन्वयवादी समाज-सुधारक नहीं थे। पुनरुत्थान काल के ग्रन्य सभी नेताग्रों ने समन्वय का सहारा लिया है। उन्होंने भारतीय संस्कृति की विशेषता मानी है कि वह समन्वयशील है। इस दृष्टि से उन्होंने सम्पूर्ण भारतीय परम्परा को स्वीकार कर ग्रपना समर्थन दिया है। ज्ञान से भक्ति का समन्वय, इनसे कर्म का समन्वय, वेदों से पुराणों तक का समन्वय, सभी विचार-धाराग्रों का समन्वय, सभी धर्मों का समन्वय, सभी सांस्कृतिक परम्पराग्रों का समन्वय ग्रौर ग्रन्ततः पूर्व से पश्चिम का समन्वय ...इस ग्रध्यवसाय में उनका ग्रधिकांश श्रम लगा। उनका विचार था कि इस प्रकार हम भारतीय संस्कृति को सुरक्षित रख सकेंगे ग्रौर पश्चिमी संस्कृति के ग्राधार पर ग्राधुनिक युग में विकास करने का मौक़ा भी पा सकेंगे। परन्तु दयानन्द की क्रान्तिकारी दृष्टि में यह समन्वय सत्य को लेकर समझौता करने की मनोवृत्ति

का परिचायक है। और इस मनोवृत्ति से कोई भी समाज न गतिशील हो सकता है और न सर्जनात्मक ही। समन्वय यदि समझौता है, दो विचारों, मूल्यों अथवा परम्पराओं की मिलावट है तो वह हेय ही नहीं किसी व्यक्ति, समाज या राष्ट्र की व्यक्तित्वहीनता का परिचायक भी है। दो विचार, दो मत अथवा दो संस्कृतियाँ एक दूसरे के लिए चुनौती रूप में उपस्थित होती हैं और इन चुनौतियों को स्वीकार करने की प्रक्रिया में उनमें नया संस्कार आता है, नई गति आती है और अन्ततः उनका नया सर्जनात्मक रूप व्यक्त होता है। यह एक स्वस्थ प्रक्रिया है। दयानन्द ने इसी स्तर पर और इसी रूप में चुनौतियों को स्वीकार किया है। निश्चय ही वेद उनके लिए आश्रय-स्थल रहे हैं, पर वेद के सत्य-ज्ञान की समस्त परिकल्पना उन्होंने भारतीय समाज की पुनर्रचना और गत्यात्मक क्षमता की दृष्टि से ही स्वीकार की।

उन्होंने स्पष्टतः अनुभव किया कि जब तक मध्ययुगीन मूल्यों, स्थापनाओं, मान्यताओं, जीवन-पद्धतियों और परम्पराओं का खुला विरोध नहीं किया जायगा, और भारतीय समाज को इनकी कुंठाओं, जड़ताओं और स्वार्थपरताओं से पूर्णतः मुक्त नहीं किया जायगा, इस समाज के पुनर्जीवित होने और फिर से मौलिक सर्जनशीलता से गतिशील होने का कोई अवसर नहीं है। इसी कारण उन्होंने इन सब पर कस कर प्रहार किया है, और इसमें उन्होंने कभी किसी प्रकार का कोई समझौता नहीं किया। इस क्रान्तिकारी व्यक्तित्व ने अपने सत्य को लेकर किसी बड़ी से बड़ी शक्ति से भय, लोभ, आतंक वश कभी समझौता नहीं किया। उनका एक ही उत्तर था—असत्य से समझौता कर के सत्य का प्रकाश करना कभी संभव नहीं है। वस्तुतः अपनी गहरी अन्तर्दृष्टि से उन्होंने समझ लिया था कि विजड़ित और कुंठित परम्परा से मुक्त होने का एकमात्र उपाय है उसको तोड़ कर फेंक देना। स्वामी दयानन्द यह भी समझते थे कि कोई भी प्राचीन संस्कृति की परम्परा से जुड़ा हुआ समाज अपने अन्तर्वर्ती ऐतिहासिक-सांस्कृतिक व्यक्तित्व से नितान्त विच्छिन्न होकर गतिशील नहीं हो सकता, वह नये मूल्यों की उपलब्धि में सक्षम नहीं हो सकता। इस दृष्टि से उन्होंने नई समाज-रचना के लिए, नये मानस के संघटन के लिए और नई सर्जन-क्षमता से सक्रिय होने के लिए भारतीय व्यक्तित्व को वैदिक संस्कृति के आधार पर प्रतिष्ठित किया है। कुछ आधुनिकतावादी इसको प्राचीन के प्रति उन्मुखता मानते हैं अथवा पीछे वापस जाना कहते हैं। परन्तु दयानन्द की क्रान्तिकारिता को देखते हुए यह कहना ग़लत है। उन्होंने वेदों के प्रामाण्य का आधार विवेक संगत ही ग्रहण किया है। वेद उनके लिए अपौरुषेय तथा परम सत्य-ज्ञान के स्रोत इसलिए नहीं हैं कि यह मात्र आस्था का

विषय है, वरन् परम सत्य को विवेक ज्ञान तथा आत्मसाक्षात्कार के स्तर पर ग्रहण किया जा सकता है। वेदों के स्वतः प्रमाण होने का भी यही अर्थ माना गया है कि उनमें जिस सत्य ज्ञान की अभिव्यक्ति है वह सहज ही सब के लिए समान रूप से ग्राह्य है, वह सार्वभौम और सार्वकालिक है, उसके बारे में युग की मर्यादा के महत्त्व अथवा समाज की सापेक्षता के बन्धन की चर्चा नहीं की जा सकती।

ध्यान देने की बात है कि वैदिक संस्कृति की व्याख्या के माध्यम से स्वामी दयानन्द ने जिन मानव मूल्यों की स्थापना की है, वे भारतीय समाज की आधुनिक प्रगति तथा रचना दृष्टि के अनुकूल है। ऐसा लग सकता है कि आधुनिक समाज-रचना और उसकी प्रगति की समस्त दिशाओं तथा सम्भावनाओं को निरूपित, व्याख्यायित तथा प्रतिष्ठित करने वाले मूल्यों को वेदों में ढूँढ़ने का प्रयत्न अतिवाद है। फ़ैशनपरस्त आधुनिकतावादी दयानन्द पर इस प्रकार का आक्षेप लगाते रहे हैं कि उन्होंने वेदों में आज के वैज्ञानिक आविष्कारों को खोज निकालने की चेष्टा की है। यह इसी प्रकार का आक्षेप है जैसे तथाकथित विज्ञानवादी गांधी पर आरोप लगाते हैं कि वे बैलगाड़ी के पक्षधर थे। वस्तुतः दयानन्द ने सदा इस बात पर बल दिया है कि वेदों का दृष्टिकोण सत्य के वैज्ञानिक अन्वेषण का रहा है। वेद-काल के मनीषियों ने भौतिक जीवन की उपेक्षा करके आध्यात्मिक जीवन के विकास पर कभी बल नहीं दिया था। उन्होंने भौतिक जीवन के सत्यों के अनुसन्धान में वैसी ही प्रवृत्ति दिखाई है जैसी आत्मिक सत्यों के आत्मानुभव के स्तरों की खोज की। सत्य का यह समस्त अनुसन्धान ज्ञान के प्रत्यक्ष अनुभव, विवेकशील चिन्तन और आत्मसाक्षात्कार के आधार पर हुआ है, अतः वे इसे वैज्ञानिक स्वीकार करते हैं। प्रत्यक्ष जीवन के अनुभवों के आधार पर ज्ञान की खोज में प्रवृत्त होने के कारण इन मनीषियों ने अनेक भौतिक सत्यों की खोज भी की थी। परन्तु जहाँ तक आधुनिक विज्ञान का प्रश्न है स्वामी दयानन्द का ध्यान उसकी ओर गया था और वे बहुत चाहते थे कि जर्मनी जाकर हमारे विद्यार्थी इस आधुनिक विज्ञान का समुचित अध्ययन करें और वापस आकर उसका प्रचार अपने देश में करें। उनके अनुसार इस आधुनिक विज्ञान के क्षेत्र में बिना अधिकार प्राप्त किये कोई देश या समाज आज उन्नति नहीं कर सकता।

वस्तुतः वैदिक संस्कृति में स्वस्थ और स्वच्छन्द जीवन के ऐसे मूल्यों की प्रतिष्ठा रही है जो व्यक्ति और समाज, व्यक्ति और परिवार, परिवार और समाज, व्यक्ति और राष्ट्र, व्यवहार और अध्यात्म, आत्मा और ब्रह्म के उचित सन्तुलन पर प्रतिष्ठित हैं। व्यक्ति के व्यक्तित्व के विकास की पूरी संभावनाएँ समाज की व्यवस्था में समाहित रही हैं और समाज की गति तथा सर्जनशीलता

को सुरक्षित रखने के लिए व्यक्ति दायित्व-बोध तथा आत्मानुशासन की प्रक्रिया से अपनी रचनात्मक क्षमता को समृद्ध बनाता रहा है। निश्चय ही संस्कृति की यह परिकल्पना भारतीय जीवन की नये स्तर पर संघटना तथा संरचना के लिए आकर्षक थी और इस भूमि पर भारतीय व्यक्तित्व को नये सन्दर्भों से जोड़ पाना अधिक उचित था। स्वामी दयानन्द के सामने यही संकल्प था कि भारतीय समाज अपनी तत्कालीन अधोगति से मुक्त होकर किसी प्रकार स्वस्थ होकर नई रचनात्मक क्षमता से गतिशील हो सके। उन्होंने स्पष्टतः इस समाज के पतन तथा ह्रास के कारणों को समझा और विवेचन किया। जैसा कहा गया मध्ययुगीन ब्राह्मणवाद, पुरोहितों-महन्तों का निहित स्वार्थ, पुराण-पंथ, धर्म और दर्शन की एकांगिता तथा आध्यात्मिक साधनाओं की व्यक्तिनिष्ठा आदि कारणों का विवेचन कर के दयानन्द ने इनका घोर विरोध किया। परन्तु भारतीय समाज के प्रचलित अन्धविश्वासों, अन्यायों, रूढ़ियों, कुरीतियों तथा जड़ताओं के कारण पश्चिमी संस्कृति से आकर्षित नेताओं के समान उन्होंने समस्त भारतीयता अथवा भारतीय संस्कृति को उपेक्षणीय तथा अविकसित नहीं मान लिया। उन्होंने भारतीय संस्कृति के आदि स्रोत तक जाकर उसकी आन्तरिक शक्ति और ऊर्जा का अन्वेषण किया, और फिर उन तत्त्वों के संयोजन के आधार पर भारतीय व्यक्तित्व को पुनः प्रतिष्ठित करने का अथक प्रयत्न किया। वस्तुतः दयानन्द आधुनिक भारत की समस्त अपेक्षाओं से भली भाँति परिचित थे और उनमें से प्रत्येक को सामने रखकर भारतीय समाज के पुनर्गठन का कार्य उन्होंने शुरू किया था।

•

भारतीय स्वाधीनता आन्दोलन के नेताओं ने, मुख्यतः गांधी ने देश का आह्वान करते समय अपने समाज की जिन समस्याओं की ओर ध्यान आकर्षित किया है और समाज के जिन क्षेत्रों में रचनात्मक कार्य के द्वारा गति प्रदान करने की चेष्टा की है, उन सभी समस्याओं को स्वामी दयानन्द ने बहुत बल देकर सामने रखा था और सभी क्षेत्रों में कार्य करना शुरू किया था। एक भी ऐसी समस्या नहीं है, जिसकी ओर उन्होंने संकेत न किया हो और कोई ऐसा क्षेत्र नहीं जिसे उन्होंने छोड़ा हो। समाज के वर्ण-भेद, उनकी असमानता, उनमें छुआछूत, जन्म से वर्णों के विभाजन आदि के बारे में दयानन्द ने अपने प्रखर विचार रखे थे। उन्होंने इस प्रकार की असमानता को, छुआछूत को, जन्म से वर्ण के निर्धारण को धर्म-विरुद्ध और असत्य प्रतिपादित किया। परन्तु उन्होंने कर्म पर आश्रित वैदिक वर्ण-व्यवस्था की स्वीकृति दी है। हम आधुनिकता के समर्थक यह कह सकते हैं कि कर्म पर आश्रित वर्ण-व्यवस्था को स्वीकार कर लेना एक प्रकार का समझौता है, क्योंकि

इस प्रकार हम दूसरे मार्ग से परम्परित वर्ण-व्यवस्था का समर्थन करते हैं। परन्तु स्थिति का यथार्थ-विवेचन करने से पता चलता है कि जिन्होंने वर्ण-व्यवस्था को पूरी तरह अस्वीकार करने का घोषणा की है, उन्होंने अपने जीवन में अभी तक जातिवाद को बहुत महत्त्व दे रखा है। भारतीय राजनीति के विभिन्न स्तरों पर जातिवाद का कितना प्रभाव है, इससे यह प्रमाणित हो जाता है। गांधी ने सन्त भाव से निम्न जातियों को 'हरिजन' कहा, पर 'हरिजन' शब्द 'अछूत' के समान एक पर्याय मात्र बन कर रह गया। इसकी तुलना में दयानन्द की दृष्टि अधिक स्पष्ट थी। पहले तो उन्होंने कहा कि समाज के विविध अंग रूप उसके वर्णों में ऊँच-नीच का भाव ही अधर्म है, क्योंकि अंगों का ऊँचा-नीचा स्थान उनकी श्रेष्ठता का निर्धारक नहीं हो सकता। यह कहना नितान्त मूर्खता है कि पैरों से हाथ इसलिए श्रेष्ठ हैं, क्योंकि प्राणी के खड़े होने पर वे ऊपर स्थित होते हैं। समाज की व्यवस्था और सन्तुलन के लिए कार्यों का विभाजन किसी न किसी रूप में अनिवार्य है। पर कार्य के सम्पादन की क्षमता जन्मतः सिद्ध नहीं हो सकती। अतः वर्ण का जन्म से कोई सम्बन्ध नहीं है। इस प्रकार के तर्क और व्यवस्था मे कितना बल है, यह स्पष्ट है। साथ ही दयानन्द ने वर्ण-व्यवस्था के नाम पर जो सामाजिक अन्याय हो रहा है था, उसका बड़ा विरोध किया था और इस विद्रोह भाव को समाज की नई रचना में समाहित करने का प्रयत्न भी किया था। बाद के समन्वय वादियों के दृष्टिकोण से उनका विचार कहीं अधिक क्रान्तिकारी रहा है। यह अलग बात है कि आधुनिक ज्ञान-विज्ञान के प्रयोग से जिस प्रकार की औद्योगिक और यांत्रिक प्रगति हो रही है, उसमें समाज-रचना का स्वरूप ऐसा बदल रहा है, जिसमें पिछली कर्माश्रित वर्ण-व्यवस्था असंगत हो गई है।

स्वामी दयानन्द ने सत्य धर्म एक ही माना है, और उनकी दृष्टि में वह धर्म वही हो सकता है जो श्रेष्ठ मानव मूल्यों की रचनात्मक प्रक्रिया को गतिशील रखने में सक्षम हो सके। बाद के समन्वयवादियों और अन्तर्राष्ट्रीयतावादियों ने दयानन्द को कट्टरपंथी और खण्डन-मण्डन करनेवाले सुधारक के रूप में प्रस्तुत करने की चेष्टा की है। परन्तु वस्तुस्थिति यह है कि उनके जैसा उदार मानवतावादी नेता दूसरा नहीं रहा है। उन्होंने धर्म की सदा भारतीय व्यापक परिकल्पना सामने रखी है। वे धार्मिक सम्प्रदायों को अस्वीकार कर शुद्ध मानव मूल्यों पर प्रतिष्ठित धर्म को स्वीकार करने के पक्ष में रहे हैं। इस दृष्टि से वे भारतीय सन्तों के समान उदार और व्यापक दृष्टिकोण के रहे हैं। पर सन्तों का दृष्टिकोण मुख्यतः आध्यात्मिक जीवन तक सीमित था, जब कि दयानन्द के सामने भारतीय जन-समाज के सर्वांगीण विकास का लक्ष्य था। उन्होंने धर्म के निरर्थक कर्मकाण्डों

के नाम पर चलाई गई कुरीतियों, अन्धविश्वासों, जड़ पूजाओं, मान्यताओं का घोर विरोध किया है। उन्होंने वस्तुतः जब कभी हिन्दू, मुसलमान या ईसाई धर्म का खण्डन किया है तो स्पष्टतः उन्होंने असत्य, अन्धविश्वास और जड़ मान्यताओं का उल्लेख किया है। और यह भी उन्होंने बार-बार घोषित किया है कि सभी धर्मों के मूल में शुद्ध मानव धर्म के तत्त्व विद्यमान हैं। यहाँ तक कि उन्होंने कई बार अन्य धर्म के नेताओं से प्रस्ताव भी किया कि सम्मिलित रूप से धर्म के मूल तत्त्वों पर विचार करके उन्हें निर्धारित कर लिया जाय और फिर सभी धर्म के नेता उन्हें स्वीकार करके उनका प्रचार-प्रसार करें। उनके मन में धर्म को लेकर कभी कोई दुराग्रह या पक्षपात नहीं रहा, उन्होंने सदा धर्म के श्रेष्ठ तत्त्वों पर ही बल दिया है। एक तथ्य की ओर ध्यान देना आवश्यक है। दयानन्द की प्रमुख चिन्ता भारतीय समाज के पुनरुद्धार की थी। उनके मन में उस समाज की अवस्था से अत्यन्त व्यथा थी। वे उसमें प्रचलित अन्धविश्वास, अन्याय, शोषण तथा नृशंसताओं से मर्माहत हो गये थे। क्रमशः उनको बोध हुआ था इस समाज की सदा से ऐसी अवस्था नहीं रही है। एक समय यह समाज मानव मूल्यों का वाहक रहा है। अतः उनका पहला संकल्प भारतीय व्यापक हिन्दू जन-समाज के उद्धार का था, और उसके लिए उन्होंने हिन्दू धर्म की जड़ताओं पर सर्वाधिक प्रहार किया है। उनका विश्वास था, इस आघात के बिना असत्य के मार्ग पर चलने वाले हिन्दू समाज के उद्धार का कोई उपाय नहीं है। उनका सबसे बड़ा विरोध पौराणिकों, ब्राह्मण-पुरोहितों और आडम्बर फैलाकर जनता को गुमराह करने वाले संन्यासियों से था। और दयानन्द के विरुद्ध यह निहित स्वार्थों का वर्ग ही सदा रहा। वस्तुतः इसलाम और ईसाई धर्म की आलोचना उन्होंने प्रासंगिक रूप में की है। क्योंकि हिन्दू धर्म के अन्धविश्वास आदि की आलोचना करके ये धर्मावलम्बी हिन्दुओं को मत-परिवर्तन के लिए प्रेरित करते थे, इस कारण दयानन्द ने यह प्रतिपादित किया है कि इन सभी धर्मों में हिन्दू-धर्म के समान अन्धविश्वास और जड़ताएँ प्रचलित हैं।

उनका धार्मिक उद्देश्य बहुत ऊँचा था। वस्तुतः उन्होंने संसार के सामने दो महत्त्वपूर्ण बातें रखी थीं। एक तो उन्होंने प्रतिपादित किया कि मूल सत्य त था मानवीय मूल्यों की सर्जनशीलता से प्रेरित एक ही धर्म है। यह धर्म तत्त्व (अथवा ये तत्त्व) सभी संसार के श्रेष्ठ धर्मों के मूल में निहित है। यह धर्मों की साम्प्रदायिकता है जो उन्हें अलग रूपों में प्रकट करती है। इसके साथ अनेक निहित स्वार्थ जुट जाते हैं और धर्म में अन्धविश्वासों तथा जड़ताओं का आश्रय लेकर असत्य का प्रवेश होता है। उन्होंने इसीलिए बार-बार प्रस्ताव किया कि सभी

धर्म के लोग शुद्ध मानवीय धर्म का पालन कर सकते हैं, क्योंकि किसी धर्म का इससे विरोध नहीं हो सकता है। और स्थान-स्थान पर यह स्वीकार किया है कि कोई भी धर्मावलम्बी आर्य-धर्म अर्थात् श्रेष्ठ मानव धर्म का पालन कर सकता है। वस्तुतः उनके लिए 'आर्य' शब्द किसी साम्प्रदायिक धर्म का पर्याय कभी नहीं बना, यह उनके द्वारा 'आर्य समाज' की स्थापना से भी सिद्ध है। 'आर्य-समाज' कभी किसी धर्म का रूप नहीं ले सका, यह उनकी इच्छा और विश्वास का ही परिणाम था। आजकल भारतीय राजनीति में धर्मनिरपेक्षता की चर्चा काफ़ी होती है, परन्तु उसकी विडम्बना भी स्पष्ट है। स्वामी दयानन्द ने मानव मूल्यों पर प्रतिष्ठित धर्म की जो व्यापक तथा सर्जनशील व्याख्या की थी, वह आज के भारत में अनेक धर्मों के स्वस्थ, सहज और रचनात्मक समन्वय की उचित भूमिका है।

स्वामी दयानन्द ने समाज में स्त्री के स्थान पर विशेष ध्यान दिया था। वे पुरुष के साथ नारी की समानता का पूर्ण समर्थन करते हैं। भारतीय समाज की हीनावस्था का एक महत्त्वपूर्ण कारण उनके अनुसार यह भी है कि इस समाज में नारी का सम्मानपूर्ण स्थान नहीं रह गया है। वे नारी और पुरुष के अधिकारों की पूर्ण समानता स्वीकार करते हैं, पर दोनों के कार्य-क्षेत्र का विभाजन मानते हैं। आज के बदलते हुए समाज में स्त्री-पुरुष के कार्य-क्षेत्रों का अलगाव सम्भव नहीं रह गया है। परन्तु इससे दयानन्द के विचारों को संकुचित नहीं माना जा सकता और न उनकी क्रान्तिकारिता पर प्रश्न किया जा सकता है। क्योंकि इस प्रकार जो समाज आज बनता जा रहा है, वह अपने आप में परिस्थिति की उपज है, उसे आदर्श समाज कहना विवादास्पद है। स्त्री-शिक्षा, बाल-विवाह, विधवा-विवाह, वेश्या-उद्धार आदि अनेक समस्याओं को दयानन्द ने अपने युग के सन्दर्भ में उठाया था और उनका उचित समाधान प्रस्तुत किया था। आज ये प्रश्न हमारे लिए अमहत्त्वपूर्ण हो गये हैं, परन्तु जिस साहस और दृढ़ता के साथ उन्होंने इन समस्याओं का समाधान समाज के सामने रखा था, उससे उनके व्यक्तित्व की क्रान्तिकारिता लक्षित होती है और उनका द्रष्टा रूप भी सामने आता है।

एक महत्त्वपूर्ण पक्ष है और वह स्वामी दयानन्द के व्यक्तित्व को सूक्ष्मता से उद्घाटित करता है। उन्होंने धर्म को मूल्य के स्तर पर ग्रहण किया है, उससे साम्प्रदायिक व्यवस्था और कर्मकाण्डी पक्ष को बिलकुल अलग कर दिया है। अतः धर्म संस्कृति के उच्चतम मूल्यों के स्तर को स्थापित करता है। जिस प्रकार संस्कृति के अन्तर्गत सामाजिक, राजनीतिक, आर्थिक स्तरों के मूल्यों का संचरण होता है, उसी प्रकार सूक्ष्म स्तर पर धार्मिक, कलात्मक तथा आध्यात्मिक मूल्यों

की उपलब्धि का क्षेत्र भी संस्कृति है। इस प्रकार संस्कृति मानवीय मूल्यों की सर्जनशीलता की दृष्टि से अधिक व्यापक है। दयानन्द का सारा प्रयत्न इस प्रकार सांस्कृतिक पुनरुत्थान से सम्बन्धित है। उनके लिए धर्म उसी सीमा तक महत्त्वपूर्ण है, जहाँ तक वह सांस्कृतिक मूल्यों के क्षेत्र में एक भूमिका प्रस्तुत करता है। यही कारण है कि उनके दृष्टिकोण में संस्कृति के सभी स्तरों का समाहार है। और उन्होंने भारतीय जीवन के सभी पक्षों तथा स्तरों के मूल्यों का इस प्रकार निरूपण किया है, जिससे उसका एक व्यापक तथा संश्लिष्ट सांस्कृतिक स्वरूप लक्षित होता है। इसके अन्तर्गत सामाजिक आचार, नैतिक आदर्श, व्यक्तित्व की स्वाधीनता और प्रतिष्ठा, लोक जीवन में समत्व, राजनीतिक आदर्श व्यवस्था, राजतंत्र की लोकसत्तात्मक तथा समत्वमूलक परिभाषा, लोकोन्मुखी तथा साम्यवादी अर्थतंत्र आदि के समस्त मूल्यों का संयोजन इस सांस्कृतिक रचना-विधान में आ जाता है। उन्होंने इन मूल्यों का प्रतिष्ठान वेदों को अवश्य माना तथा प्रमाणित किया है, परन्तु इनकी व्याख्या आधुनिक जीवन के अनुरूप की गई है। साथ ही द्रष्टा के रूप में दयानन्द ने इन समस्त मूल्यों को संस्कृति की धर्म तथा अध्यात्म सम्बन्धी उच्च भूमिओं पर प्रतिष्ठित कर तत्सम्बन्धी उच्च मूल्यों में उनका संक्रमण किया है। गांधी ने अपने सत्य और अहिंसा जैसे मूल्यों में व्यावहारिक तथा पारमार्थिक मूल्य-दृष्टियों का समाहार किया है और भौतिकतावादी तथा अध्यात्मवादी एकांगी संस्कृतियों की तुलना में गांधी के सांस्कृतिकसंतुलन को बहुत महत्त्व मिला है। पर यहाँ ध्यान देने की बात है कि दयानन्द ने लौकिक तथा आध्यात्मिक जीवन के मूल्यों के पारस्परिक अन्तःसम्बन्ध को जितनी स्पष्टता के साथ प्रतिपादित और विवेचित किया है, वह अन्यत्र नहीं मिलता। वस्तुतः एक जीवन्त, सप्राण, गतिशील तथा सर्जनात्मक संस्कृति में इन दोनों पक्षों का समाहार और उनके मूल्यों का अन्तःसंक्रमण अनिवार्य है। स्वामी दयानन्द ने संस्कृति के इसी रूप की परिकल्पना की है और उनकी दृष्टि में यही भारतीय संस्कृति का सच्चा स्वरूप है। उनकी संस्कृति सम्बन्धी अवधारणा के आधार पर आज के भारतीयकरण के प्रश्न का समुचित उत्तर दिया जा सकता है।

स्वामी दयानन्द आधुनिक युग में ऋषि और द्रष्टा माने जायँगे। उनमें जितनी गहरी यथार्थ की पकड़ थी, उतनी ही व्यापक इतिहास और परम्परा को ग्रहण करने की क्षमता भी। इतना ही नहीं, उन्होंने अपने समाज की प्रक्रिया को समझा, उसके भविष्य की संभावनाओं को पहचाना और फिर उसको एक स्वस्थ, सप्राण और सर्जनशील समाज-रचना की ओर उन्मुख करने का प्रयत्न किया। कोई भी परिकल्पना युग के साथ, परिस्थितियों के सन्दर्भ में परिवर्तित होती है।

इस दृष्टि से स्वामी दयानन्द की भारतीय समाज की नयी रचना की परिकल्पना में भी आज अन्तर पड़ जाना स्वाभाविक है। पर उनका भारतीय समाज की वर्तमान स्थिति का निदान आज भी उतना ही सटीक है, उनकी समाज-रचना की परिकल्पना भी बहुत कुछ आज स्वीकार की जा सकती है, क्योंकि उनकी सांस्कृतिक मूल्यों की अवधारणा मानव धर्म की व्यापक प्रतिष्ठा तथा सर्जनशीलता से सम्बन्धित है। परन्तु इनसे भी अधिक महत्त्व की बात है उनके व्यक्तित्व की क्रान्तिकारिता जो असत्य और अन्याय के सम्मुख अडिग खड़े होने की क्षमता प्रदान करती है और जिसके कारण उन्होंने कभी विश्व में समझौता नहीं किया। आज यह स्पष्ट हो गया है कि समस्त देशी-विदेशी पुराण-पंथ के विरुद्ध सतत विद्रोह करने के लिए ऐसे क्रान्तिकारी व्यक्तित्व की देश को सर्वाधिक आवश्यकता है। इसके बिना देश का कोई भविष्य नहीं है।

●●

अवतरण

एक मुक्तात्मा दीर्घ काल से ब्रह्मानन्द में मग्न, प्रभु के अनन्त ब्रह्माण्ड में स्वच्छन्द विचरता हुआ, एक दिन गिरिराज हिमालय के हिमाच्छादित सर्वोच्च शिखर गौरीशंकर पर आ निकला। वहाँ से जो चारों ओर दृष्टि डाली तो दूर तक फैला हुआ विस्तृत भूखण्ड दिखायी दिया। दक्षिण का यह भूभाग चिरपरिचित-सा जान पड़ा। ध्यान से जो देखा तो सहसा पुकार उठा, "अहा! यह तो आर्यावर्त है। वह देखो! जाह्नवी किसी विशाल सर्प की भाँति रेंगती चली जा रही है।" मुक्तात्मा के दिव्य नेत्र मानसरोवर से कन्याकुमारी तक और सिंधु से ब्रह्मपुत्र तक बड़ी आतुरता से कुछ खोजने लगे, मानो कोई माता अपने खोये हुए पुत्र को ढूँढ़ रही हो। फिर विस्मित होकर मन-ही-मन कहने लगा, "हैं! यह क्या बात है? न कहीं ऋषि-मुनियों के तपोवन दृष्टिगोचर हो रहे हैं, और न कहीं सघन वनों में चरती हुई असंख्य गौएँ दिखायी दे रही हैं। न कहीं से यज्ञों का धुआँ उठ रहा है, और न वेदपाठ की सुरीली ध्वनि ही आ रही है। आश्चर्य! महान् आश्चर्य! वे आश्रम और पुण्यस्थल आज कहाँ हैं, जहाँ मैंने दूसरी महान् आत्माओं के साथ बार-बार मनुष्य-जन्म लेकर युगों तप और योगाभ्यास किया था, वेद-मंत्रों के गूढ़ अर्थों पर विचार किया था; उनकी व्याख्या में ब्राह्मण-ग्रन्थ रचे थे; उनके आशय और रहस्यों को प्रकट करने के लिए उपनिषदों को लिखा था; आध्यात्मिक सत्यों का आविष्कार करके उनकी प्रत्यक्ष अनुभूति प्राप्त की थी; प्रकृति के रहस्यों का उद्घाटन करके सुख-शान्ति की वृद्धि की थी; शाश्वत और सनातन नियमों का अनुसंधान करके मानव समाज के कल्याणार्थ विविध विद्याओं और कलाओं को प्रकाशित और प्रचलित किया था; और अन्त में ब्रह्म का साक्षात्कार कर मोक्षपद प्राप्त किया था? उन स्थानों का यदि कहीं अस्तित्व है तो इतने विकृत रूप में कि पहचाने नहीं जाते हैं। इतना बड़ा उलट-फेर क्यों और कैसे हुआ?" मुक्तात्मा के मन में इस परिवर्तन के कारणों के जानने की इच्छा हुई और अतीत वर्तमान बनकर धीरे-धीरे सामने आने लगा।

पाँच सहस्र वर्षों का इतिहास-चक्र घूम रहा है

आर्यावर्त में धन-सम्पदा बहुत बढ़ गयी है। भोग-ऐश्वर्य के बढ़ जाने से राजा-प्रजा सभी सांसारिक विषय-भोगों में फँसने लगे हैं, धर्मरूप वेदों की शिक्षा को धीरे-धीरे भूलते जा रहे हैं। मनु के कथनानुसार[1] धर्माधर्म का ज्ञान तो उन्हीं को होता है जो विषयासक्त नहीं हैं, और ऐसे ही निर्लेप धर्मार्थी जनों के लिए वेद परम प्रमाण हैं। वैदिक काल की राज-व्यवस्था बिगड़ चली है। राजा पर वेदों में वर्णित[2] सभा और ऋषि-मुनियों का अंकुश शिथिल पड़ गया है। महाभारत के अनुसार शासकों को अप्रिय सत्य सुनने का अभ्यास नहीं रहा है।[3] भीष्म जैसा प्रतिष्ठावान् वीर, विद्वान् और धर्मात्मा पुरुष यह कह कर 'धन का मनुष्य दास है, धन किसी का दास नहीं। ऐसा मानकर मैं स्वार्थ में बँधा हुआ कौरवों के पक्ष में हूँ।'[4] कौरवों के अन्याय को चुपचाप सह लेता है।

योगिराज कृष्ण और महात्मा विदुर ऐसे नीतिज्ञ भी कौरवों-पाण्डवों की आपसी फूट और मनमुटाव को दूर न करा सके। दोनों में ही भयंकर और घोर युद्ध हुआ, जिसमें उस समय के लगभग सभी बड़े-बड़े वेदज्ञ विद्वान् विज्ञान-वेत्ता और योद्धा मारे गये। आर्यों का चक्रवर्ती राज्य नष्ट हो गया। यत्र-

---

१. अर्थकामेष्वसक्तानां धर्मज्ञानं विधीयते। धर्मं जिज्ञासमानानां प्रमाणं परमं श्रुतिः॥ —मनु०, अ० २।१३

२. त्रीणि राजाना विदथे पुरूणि परि विश्वानि भूषथः सदांसि।
—ऋ०, मं० ३। सू० ३८। मं०६।
राजा और प्रजा मिलकर सुख-प्राप्ति के लिए तीन सभाएँ नियत कर समग्र प्रजा को सब प्रकार से सुशिक्षा और धनादि से अलंकृत करें।
तं सभा च समितिश्च सेना च॥१॥—अथर्व, कां० १५।अनु० २।व० ९।मं०२
उस राज-धर्म को सभाएँ, व्यवस्था करनेवाली समितियाँ और सेना सब मिलकर पालन करें।
सभ्य सभां मे पाहि ये च सभ्याः सभासदः॥२॥
—अथर्व० का० १९। अनु० ७। व० ५५। मं० ६
सभा के सब सदस्य सभा की धर्मयुक्त व्यवस्था का पालन करें।

३. सुलभाः पुरुषा राजन्सततं प्रियवादिनः। अप्रियस्य तु पथ्यस्य वक्त श्रोता च दुर्लभः॥ —महाभारत, उद्योग पर्व, अध्याय ३७, श्लोक १५
हे राजन्! अधिकतर तो लोग प्रिय लगने वाले वचन ही बोलते हैं। अप्रिय परन्तु हितकर बात कहने और सुनने वाले तो बहुत कम ही लोग हैं।

४. अर्थस्य पुरुषो दासो दासस्त्वर्थो न कस्यचित्।
इति मत्वा महाराज! बद्धोऽस्म्यर्थेन कौरवैः। —महाभारत

तत्र मांडलिक राज्य स्थापित हो गये। प्राचीन आर्यों के वैभव का सूर्य सदा के लिए अस्त हो गया।

महाभारत के विनाशकारी युद्ध के पश्चात् योग्य पथप्रदर्शकों के अभाव में ब्राह्मणों में विद्या की कमी होती गयी, और उसका स्थान अभिमान और ढोंग लेने लगे। आत्मचिन्तन और ब्रह्मज्ञान ही आर्य जाति की विशेषता रहे हैं, उसी के कारण वह जगत्गुरु कहलायी। इस आत्मतत्त्व के मूल स्रोत वेद हैं। उनको लोग भूल गये। लोगों में केवल वेदों के नाम का आदर और उनमें श्रद्धा तो बनी रही, परन्तु उनके वास्तविक अर्थ भूल जाने के कारण लोग उनकी मूल शिक्षा ही भूल गये। अवैदिक काल के विद्वानों ने वेदों (संहिता) के साथ ब्राह्मण ग्रन्थों और उपनिषदों को भी मिला दिया, और उन्हें वेद की उपाधि दे डाली। सर्वसाधारण जन तो संस्कृत के सारे वाङ्मय को वेद-वाक्य मान बैठे। जनता की इस अज्ञानता का धूर्तों ने मनचाहा लाभ उठाया, और मनमाने श्लोक बना-बना कर अपने स्वार्थों की सिद्धि करने लगे।

वैदिक संस्कृत, लौकिक संस्कृत से पृथक् और भिन्न है। उसका ठीक-ठीक अर्थ जानने के लिए निघण्टु और निरुक्त आदि यौगिक ग्रन्थों का अध्ययन आवश्यक है। विद्वान इन अमूल्य ग्रन्थों की सहायता न ले कर वेदों के अर्थ यौगिक न कर साधारण लौकिक व्याकरण के आधार पर करने लगे। इसका फल यह हुआ कि वैदिक मान्यताओं का रूप बदल गया। एक परम ब्रह्म परमेश्वर की उपासना के स्थान पर अनेकेश्वरवाद, अवतारवाद, मूर्तिपूजा और सैकड़ों देवी-देवताओं की पूजा प्रचलित हो गयी। चार आश्रमों में केवल विकृत गृहस्थ और संन्यास आश्रम रह गये। ब्रह्मचर्य और वानप्रस्थ आश्रम लगभग लुप्त हो गये। वैदिक काल की स्त्री पुरुष की अर्द्धांगिनी थी। गृहस्थ-जीवन और समाज में उसका बहुत ऊँचा स्थान था। अब बड़े-बड़े आचार्य स्त्री को नरक का द्वार, ढोल और पशु के समान ताड़ना का अधिकारी कहने लगे। उसका विद्या पढ़ने और वेदाध्ययन का अधिकार छिन गया। चार वर्णों के स्थान पर सहस्रों जाति-पाँतियाँ गुण-कर्म-स्वभाव से न हो कर केवल जन्म के आधार पर बन गयीं। श्रमिक घृणा के पात्र बन गये। उनको दलित और अछूत तक की संज्ञा दे डाली गयी। वेदों के पढ़ने का अधिकार वेदों के ही आदेशानुसार मनुष्य मात्र को था,[1] वह

---

१. यथेमां वाचं कल्याणीमवादानि जनेभ्यः।
ब्रह्मराजन्याभ्यां शूद्राय चार्याय च स्वाय चारणाय॥

—यजु०, अ० २६।२

केवल थोड़े से नाम मात्र ब्राह्मणों को रह गया, वह भी अशुद्ध भाष्यों के आधार पर। उन्होंने मनमाने पाखण्ड चलाये। अर्थ का अनर्थ करके अहिंसा की शिक्षा देने वाले वेदों के नाम पर लोग यज्ञों में शुद्ध समिधा के स्थान पर गोमांस तक होम करने लगे।

ख़ुदा के बन्दों को देखकर ही ख़ुदा से मुनकिर हुई है दुनिया।
कि ऐसे बन्दे हैं जिस ख़ुदा के वह कोई अच्छा ख़ुदा नहीं है॥

इस शेर के अनुसार समझदार परन्तु वेदों से अनभिज्ञ लोग ब्राह्मणों, वेदों, और ईश्वर तक के विरुद्ध हो गये। महात्मा बुद्ध ऐसे ही लोगों में सबसे अधिक प्रसिद्ध व्यक्ति हैं। जब इस महापुरुष ने इस अमानुषी कृत्य (हिंसा) को रोकना चाहा तो पुरोहितों ने कहा, "पशु-बलि का विधान वेदों में है। वेद ईश्वर की वाणी है, उसका ज्ञान है। तुम वेदों से अनभिज्ञ हो। तुम उनकी व्यवस्था के विरुद्ध बोलने वाले कौन?" दयालु गौतम इस अत्याचार पर रो पड़े। उन्होंने दृढ़ता के स्वर में कहा, "यदि वेदों में इस प्रकार नृशंस हत्या की आज्ञा है तो मैं ऐसे वेदों को नहीं मानता, और यदि ये वेद ईश्वर प्रणीत हैं तो उस ईश्वर को भी दूर से ही मेरा नमस्कार है। धर्म के ठेकेदारो! तुम यदि इस दुष्कृत्य का परित्याग नहीं करते तो न करो। मैं अहिंसा का प्रचार जनसाधारण में उन्हीं की बोली में करूँगा। तुम फिर यज्ञ किससे कराओगे?" महात्मा बुद्ध वेदों से अपरिचित होने के कारण ही वेदों का विरोध करते हैं! फिर भी उन्होंने वैदिक शिक्षा का ही प्रचार किया। उनकी पाँच शिक्षाएँ (१) हिंसा मत करो, (२) चोरी मत करो, (३) पवित्रता धारण करो, (४) झूठ मत बोलो, (५) मद्य मत पियो, वास्तव में योग दर्शन के यम[1] और नियम[2] के ही अंग हैं, और मनु के बताये हुए धर्म के लक्षणों[3] में सम्मिलित हैं।

परमेश्वर कहता है कि जैसे मैं इस कल्याण करने वाली वेदवाणी का उपदेश सब मनुष्यों के लिए करता हूँ तुम भी ब्राह्मण, क्षत्रिय, वैश्य, शूद्र, अपने भृत्य व स्त्रियादि और अतिशूद्रादि को करो।

१. **तत्राऽहिंसासत्यास्तेयब्रह्मचर्यापरिग्रहा यमाः ॥——योग०, साधनपादे सूत्र ३०**

२. **शौचसन्तोषतपः स्वाध्यायेश्वरप्रणिधानानि नियमाः ॥ ——वही, ३२**

३. **अहिंसा परमो धर्मः ॥ मनु०**

धृतिः क्षमा दमोऽस्तेयं शौचमिन्द्रियनिग्रहः।
धीर्विद्या सत्यमक्रोधो दशकं धर्मलक्षणम् ॥ ——मनु० ६।९२

आर्य जाति वेदों की भ्रातृभाव[1] और मेल-मिलाप[2] की शिक्षा को भूल कर आपस में संगठित हो कर रहना भूल गयी। एक दूसरे के प्रति द्वेष और घृणा करने लगी। लोग बात-बात में एक-दूसरे को नीचा दिखाने की चिन्ता में रहने लगे। देश और जाति की ऐसी अवनति की दशा में बाहरी आक्रमण आरंभ हो गये।

जब आर्यावर्त में ही वैदिक शिक्षा का स्रोत सूख गया, तब मानव धर्म का सन्देश अन्य देशों को कौन ले जाता? फलतः वहाँ के निवासी पथ-भ्रष्ट होने लगे और वृषल बन गये। समय-समय पर सुधारकों ने अपनी शिक्षा द्वारा उन्हें सन्मार्ग दिखाने का प्रयत्न किया। परन्तु वेदों से अनभिज्ञ होने के कारण उनकी शिक्षाओं में वेदों के सत्य के साथ-साथ बहुत-सा असत्य भी मिल गया।

अरब-निवासी भी वैदिक धर्म को भूल गये। वे एक निराकार और सर्वव्यापक ईश्वर की उपासना छोड़ कर मूर्ति-पूजक हो गये। ऐसे समय अरब में एक महापुरुष ने जन्म लिया। उसने अपने देशवासियों को भ्रातृभाव और केवल

---

१. अज्येष्ठासो अकनिष्ठास एते, सं भ्रातरो वावृधुः सौभगाय।
युवा पिता स्वपा रुद्र एषां, सुदुधा पृश्निः सुदिना मरुद्भ्यः॥

—ऋ०, ५।६०।५

संसार भर के मनुष्य भाई-भाई हैं। सदा युवा रहने वाला परमात्मा उनका पिता है। उनमें न कोई बड़ा है और न कोई छोटा। वे सब मिल कर उत्तम ऐश्वर्य प्राप्त करें।

२. (१) ओ३म् संगच्छध्वसंवदध्वं सं वो मनांसि जानताम्।
देवा भागं यथा पूर्वे संजानाना उपासते॥
प्रेम से मिलकर चलो बोलो सभी ज्ञानी बनो।
पूर्वजों की भाँति तुम कर्त्तव्य के मानी बनो॥

२. (२) ओ३म् समानो मन्त्रः समितिः समानी समानं मनः सहचित्तमेषाम्।
समानं मन्त्रमभिमन्त्रये वः समानेन वो हविषा जुहोमि॥
हों विचार समान सब के चित्त मन सब एक हों।
ज्ञान देता हूँ बराबर भोग्य पा सब नेक हों॥

२. (३) ओ३म् समानी व आकूतिः समाना हृदयानि वः।
समानमस्तु वो मनो यथा वः सुसहासुति॥
हों सभी के दिल तथा संकल्प अविरोधी सदा।
मन भरे हों प्रेम से जिससे बढ़े सुख-सम्पदा॥

—ऋ०, मं० १०। सू० १९१। मं० २, ३, ४

एक ईश्वर की उपासना की शिक्षा दी, और मूर्ति-पूजा का निषेध किया, परन्तु उन्होंने उसका घोर विरोध किया। उस महापुरुष ने देखा कि उद्दण्ड और मूर्ख जाति को सन्मार्ग पर लाना कठिन है। उसने घोषणा की, "मैं अल्लाह का रसूल हूँ। उसने मुझे दीने इसलाम का प्रचार करने के लिए भेजा है। उसके आदेश क़ुराने पाक के रूप में मुझ पर उतरे हैं। तुम उसके आदेश को मानो! वह बड़ा दयालु है। उसी ने तुम्हें और सारे संसार को बनाया है। उसका क्रोध भी असीम है। यदि तुम अल्लाह और उसके रसूल पर ईमान नहीं लाओगे तो दोज़ख़ की जलती हुई भट्ठी में झोंक दिये जाओगे।" इस धमकी पर भी लोगों ने उसकी बातों पर कान न दिया, अपितु उसे सताने और पीड़ा देने पर उतर आये। तब उस महापुरुष ने अरब जाति की प्रकृति को दृष्टि में रख कर उन्हें इसलाम-मत स्वीकार करने के लिए प्रलोभन भी देने आरम्भ कर दिये कि तुम कई बीबियाँ और लौंडियाँ रख सकते हो। काफ़िरों को तलवार के घाट उतार कर उनकी सम्पत्ति हड़प सकते हो, और उनके स्त्री-बच्चों पर अधिकार जमा सकते हो। यदि लड़ाई में काम आये तो तुम्हारे लिए जन्नत का दरवाज़ा खुल जायेगा, जहाँ दूध और शहद की नदियाँ बहती हैं। वहाँ हूरें तुम्हारी बलाएँ लेंगी, ग़िलमा तुम्हारी सेवा के लिए हाथ बाँधे खड़े रहेंगे, फ़रिश्ते तुम्हारे क़दमों की ख़ाक का सुरमा बनायेंगे, रसूल तुम्हारे सिर पर बरकत का हाथ रखेंगे, खुदावन्द करीम तुम्हें सीने से लगायेंगे और कहेंगे, "तू मेरा प्यारा बन्दा है।"[1]

---

१. अल्लाह के मार्ग में लड़ो उनसे जो तुम्हारा सामना करते हैं। मार डालो तुम उनको जहाँ पाओ। क़त्ल से कुफ़्र बुरा है। यहाँ तक लड़ो कि कुफ़्र न रहे और होवे दीन अल्लाह का।

—कुरान, मं० १। सि० २। सू० २। आ० १७४, १७५, १७६, १७८, १७९।

और काटो जड़ काफ़िरों की। मैं तुम्हें सहायता दूँगा सहस्र फ़रिश्तों सहित। अवश्य मैं काफ़िरों के दिलों में भय डालूँगा बस मारो ऊपर गर्दनों के। मारो उनकी प्रत्येक पोरी (संधि) पर।

—कुरान, मं० २। सि० ९। सू० ८। आ० ७, ९, १२

और लड़ो उनसे यहाँ तक कि न रहे बल काफ़िरों का और होवे दीन तमाम वास्ते अल्लाह के। जो कुछ तुम लूटो वह निश्चय वास्ते अल्लाह के है, पाँचवाँ भाग उसका वास्ते रसूल के।

—कुरान, मं० २। सि० ९। सू० ८। आ० ३९, ४१

और आनंद का संदेश दे उन लोगों को जो ईमान लाये; उनके वास्ते बहिश्त

अरबों ने मुसलमान होकर क्रूरता का रूप धारण कर लिया। वे मतांध होकर हाथ में तलवार लिये और सिर पर कफ़न बाँधे अपने दीन के प्रसार के लिए निकल पड़े। आसपास के देशों के निवासियों को बलात् मुसलमान बनाने लगे। जिन्होंने अल्लाह और उसके रसूल पर ईमान लाने से इंकार किया उन्हें तलवार के घाट उतार दिया गया। उनमें से बहुत थोड़े ही व्यक्ति अपनी जान बचा कर भाग सके। भारत में बसने वाले पारसी ईरान से भागे हुए ऐसे ही लोगों के वंशज हैं। इस प्रकार अरबों ने एशिया, अफ़रीका, और यूरोप में मार-काट और लूट-मार की धूम मचा दी। नहीं मालूम कितने बच्चे अनाथ हो गये, कितनी स्त्रियों की लज्जा लुटी, और कितने मनुष्य दास बनाये जा कर भेड़-बकरी की भाँति बाजारों में कौड़ी के मोल बिके। कितने ही नगरों, पुस्तकालयों और विश्वविद्यालयों को जला कर राख कर दिया गया।

अरबों ने मिस्र पर आक्रमण करके मिस्त्रियों को परास्त कर दिया। अरब सेना सिकन्दरिया के पुस्तकालय में आग लगाने बढ़ी। वहाँ के विद्वान अरब सेना-नायक के पास पहुँचे और हाथ जोड़ कर बोले, "महाराज, पुस्तकालय की रक्षा हो। इसमें सहस्रों पुराने अमूल्य ग्रन्थ हैं। उनके नष्ट होने से हमारे पूवजों का युगों का एकत्र किया हुआ ज्ञान और अनुभव लोप हो जायगा। यह जलाया न जाय। आप इसके बदले में जितना धन चाहें हमसे ले लें।" सेना-नायक कुछ समझदार था। उसने खलीफ़ा से इसके विषय में आज्ञा माँगी। उसने उत्तर दिया, "तुम कहना क्या चाहते हो ? क्या इस पुस्तकालय की

है, जिसमें नहरें बहती हैं। जहाँ मेवों का भोजन है और पवित्र बीवियाँ सदैव रहती हैं।

—क़ुरान, मं० १। सि० १। सू० २। आ० २४

—क़ुरान, मं० १। सि० ३। सू० ३। आ० ११

जो अल्लाह और उसके रसूल का कहना मानेगा वह बहिश्त में जायेगा जहाँ नहरें चलती हैं और जो कहना न मानेगा वह सदा रहने वाली आग में जलाया जायेगा। —क़ुरान, मं० १। सि० ४। सू० ४। आ० १३,१४

जब तुम काफ़िरों से मिलो मारो गर्दन उनकी यहाँ तक कि चूर कर दो उनको। तारीफ़ उस बिहिश्त की जिसके बीच में नहरें हैं शुद्ध पानी की, दूध की, नहीं बदला स्वाद जिसका, बढ़िया शहद और शराब की, वास्ते पीने वालों के। जहाँ हैं मेवे हर प्रकार के।

—क़ुरान, मं० ६। सि० २६। सू० ४७। आ० ४,१३,१५

पुस्तकों में क़ुरान पाक से कुछ अधिक और विशेष है ? यदि तुम हाँ करते हो तो कुफ़्र के अपराध में दण्ड के भागी होते हो, और यदि उनमें कोई विशेषता नहीं है तो फिर उनके रहने का ही क्या प्रयोजन है ? उन्हें छोड़ दोगे तो कुफ़्र में ही तो वृद्धि होगी ?" और वह विशाल पुस्तकालय जला कर राख का ढेर कर दिया जाता है।

इसी प्रकार की कितनी घटनाएँ भारत में भी घटती हैं। मगध में नालंदा का विश्वविद्यालय बहुत प्रसिद्ध था। वहाँ दूर-दूर के देशों से विद्यार्थी अध्ययन के लिए आते थे। इस विश्वविद्यालय में लगभग एक सहस्र शिक्षक और दस सहस्र छात्र वास करते थे। उसका पुस्तकालय भी विशाल था। बारहवीं शताब्दी में क़ुत्बुद्दीन ऐबक के सेनापति बख़्त्यार ख़िल्जी ने उस पर गोले बरसाये। देखते-देखते वह राख का ढेर हो गया। पुस्तकालय, शिक्षक और शिक्षार्थी सब नष्ट हो गये। पुस्तकालय में इतनी अधिक पुस्तकें थीं कि वे दो सप्ताह तक बराबर जलती रहीं। सम्राट् हर्ष के समय में चीनी यात्री ह्वेनसांग ने इस पुस्तकालय को देखा था। उसका कहना था कि "मैंने इतना बड़ा पुस्तकालय संसार भर में कहीं नहीं देखा है। इसमें अमूल्य और दुष्प्राप्य ग्रन्थ भरे पड़े हैं।"

आठवीं शताब्दी (विक्रमी) लगभग आधी बीत चुकी है। मुसलिम साम्राज्य की बागडोर ख़लीफ़ा के हाथ में है, जिसकी राजधानी बग़दाद है। ख़लीफ़ा बड़ा विद्या-प्रेमी है। उसने भारत से विद्वान ब्राह्मणों को बुलाकर अपने यहाँ रख छोड़ा है। उसने उनकी सहायता से संस्कृत की बहुत-सी पुस्तकों का उल्था अरबी भाषा में करवाया है, और भारतीय विद्याओं-कलाओं का प्रचार अपने देश में किया है। गणित विद्या का नाम ही हिन्द के नाम पर इल्मे हिन्दसा रख दिया गया है। भारत की विद्याओं और कलाओं का प्रचार यूरोप और अफ़रीका के देशों में भी अरबों के सम्पर्क से हो रहा है। भारत के समीपवर्ती देशों के लोग मुसलमान बनाये जा चुके हैं। भारत पर भी अरब दाँत लगाये हैं। ख़लीफ़ा का संकेत पाकर बसरा के शासक हज्जाज ने सिंध पर आक्रमण करने की तैयारी के लिए एक सभा बुलायी। वह दरबार में बैठा है। सरदार और उच्च पदाधिकारी चुपचाप सामने बैठे हैं। हज्जाज ने एक युवक की ओर प्यार भरी दृष्टि डाल कर कहा, "बेटा ! तुम्हारा उत्साह सराहनीय है। परन्तु तुम अभी बच्चे हो। दाहिर पर विजय पाना कोई बच्चों का खेल नहीं है। वह बड़ा समृद्ध और शक्तिशाली राजा है। उसका राज्य मुलतान से सिन्ध के डेल्टे तक फैला हुआ है। इसलिए मैं चाहता हूँ कि शेख़ अहमद बिन अब्दुल्ला इस कठिन कार्य को अपने हाथ में लें।" शेख़ ने हाथ बाँध कर कहा, "श्रीमान्

की आज्ञा मेरे सिर-आँखों पर है।" मुहम्मद बिन कासिम बोल उठा, "चचा जान! आप मुझे स्नेहवश बच्चा समझ रहे हैं। मैंने बग़दाद में रह कर घास नहीं खोदी है। मैंने वहाँ ब्राह्मणों से हिन्दुओं के नीति-शास्त्र और युद्ध-विद्या सम्बन्धी ग्रन्थ पढ़े हैं और उनके द्वारा भारत की आधुनिक राज्य-व्यवस्था तथा सामाजिक अवस्था से भी अवगत हुआ हूँ। हिन्दुओं के पूर्वजों की सूझ-बूझ आश्चर्यजनक थी। उन्होंने विभिन्न विद्याओं के अद्भुत् और महत्त्वपूर्ण ग्रन्थों की रचना करके अपनी चमत्कारी बुद्धि का परिचय दिया है। राज्य-व्यवस्था और स्वदेश-रक्षा के विषय में उन्होंने जो कुछ लिखा है, उससे अपूर्व दूरदर्शिता प्रकट होती है। वे लिखते हैं कि जो राजा अज्ञान अथवा प्रमादवश अपने देश को देखभाल के बिना निर्बल होने देता है वह शीघ्र ही राज्य से च्युत होकर सपरिवार नष्ट हो जाता है। इसलिए शत्रु-सेना के प्रवेश को रोकने और उसकी गतिविधि से परिचित होने के लिए राजा को चाहिए कि दूर तक सब दिशाओं में ऐसी सैनिक टुकड़ियाँ नियुक्त करे जिनके अध्यक्ष निर्लोभी, निडर और विश्वस्त हों, और जो संकेत देने के साधनों से सम्पन्न हों, तथा हर प्रकार के अस्त्र-शस्त्र चलाने में निपुण हों।[1]

"परन्तु आज हिन्दुओं ने ऐश्वर्य में पड़ कर अपने सर्जनहार को भुला दिया है, और साथ-ही-साथ अपने पूर्वपुरुषों की शिक्षाओं को भी। अब वे अपने स्वामी स्वयं नहीं हैं अपितु सैकड़ों जड़ देवी-देवताओं और उनके स्वार्थी और लोभी पुजारियों के दास हैं। उनके शौर्य और पराक्रम ने नक्षत्र, ग्रह, शगुन-अशगुन आदि के कल्पित प्रभाव के आगे हथियार डाल दिये हैं। वे अब अपने पूर्वजों की भाँति संगठित नहीं हैं, बल्कि ईर्ष्या-द्वेष और घृणा के कारण सैकड़ों जातियों और दलों में विभक्त हैं। ऐसा होना भी चाहिए था, क्योंकि क़ुरान पाक में लिखा है —— अल्लाह ने काफ़िरों के दिलों, कानों और आँखों पर मोहर लगा दी है।[2]

---

१. मोहाद्राजा स्वराष्ट्रं यः कर्षयत्यनवेक्षया ।
सोऽचिराद् भ्रश्यते राज्याज्जीविताच्च सबान्धवः ।।
गुल्मांश्च स्थापयेदाप्तान् कृतसंज्ञान समन्ततः ।
स्थाने युद्धे च कुशलानभीरूनविकारिणः ।।

——मनु०, ७।१११,१९०

२. अल्लाह ने काफ़िरों के दिलों और कानों पर मोहर कर दी। उनकी आँखों पर परदा है। उनके लिए बड़ा अज़ाब है।

——क़ुरान, मं० १। सि० १। सू० २। आ० ५,६

दाहिर वीर और पराक्रमी है, परन्तु वह नीति-कुशल नहीं है। उसके राज्य की सीमाएँ सुरक्षित नहीं हैं। समुद्र तट पर उसके ही बन्दरगाहों में खड़े जहाज लूट लिये जाते हैं। हमारे भेदिये ब्राह्मणों का वेष बनाकर उसके देश में चारों ओर घूम रहे हैं। परन्तु दाहिर को इन बातों की कानों कान ख़बर नहीं। चचा जान! आप मुझ पर विश्वास करें। अल्लाह ने चाहा, तो मैं उस काफ़िर पर विजय प्राप्त करूँगा, वहाँ के धन से अपने देश को मालामाल कर दूँगा।" हज्जाज ने कहा, "अच्छा बेटा! जाओ, अल्लाह तुम्हारा रक्षक है। शेख़ जी तुम्हारे साथ रहेंगे, उनकी राय के बिना कोई काम न करना।"

अरब सेना अरब सागर पार करके सिंध की सीमा में घुस आयी। दाहिर का एक सैनिक भी न मिला। मुहम्मद बिन कासिम निर्विरोध बढ़ता हुआ दाहिर की राजधानी के निकट आ पहुँचा। राजा पण्डितों से शिवपुराण सुन रहा था। पण्डितों ने शिव-पूजा का माहात्म्य बताया—"जो शिवलिंग की पूजा-अर्चना करेगा उसकी कैलाशपति शिव स्वयं प्रकट होकर रक्षा करेंगे, उसके शत्रु का हनन करेंगे।" उसी समय द्वारपाल ने आकर सूचना दी, "महाराज! दक्षिण की ओर से प्रजा भागी आ रही है। अरबों ने हम पर आक्रमण कर दिया है। उनकी सेना मार-काट और लूट-मार करती हुई इसी ओर बढ़ रही है।" यह समाचार सुनकर पहले तो दाहिर सन्नाटे में आ गया, फिर सँभल कर उठ खड़ा हुआ। वह शीघ्रता में जितनी सेना एकत्र कर सका उतनी ही ले कर अरबों का सामना करने के लिए चल पड़ा। घमासान युद्ध हुआ। दाहिर ऐसी वीरता से लड़ा कि अरबों के पाँव उखड़ गये। उनकी भारी पराजय हुई। सेनापति ने भाग कर बड़ी कठिनाई से अपनी जान बचायी।

समुद्र का कोलाहल कुछ सुनने नहीं दे रहा है। रात्रि का अन्धकार विस्तृत जलराशि पर छाया हुआ है। तरंगों पर तरंगें बिखर कर चूर हो रही हैं। समुद्र-तट से कुछ हट कर एक खेमे में दीये के मद्धिम प्रकाश में दो व्यक्ति बैठे बातें कर रहे हैं। एक बोला, "शेख़ जी! आज तो हम लोगों की बड़ी मिट्टी पलीद हुई। अल्लाह का शुक्र है कि काफ़िरों ने हमारा पीछा नहीं किया, नहीं तो हम धोबी के कुत्ते के समान न घर के रहते न घाट के। हम सब कुत्ते की मौत मारे जाते।" शेख़ बोला, "ईश्वर बिगड़ी बनाने वाला है। अब तुरन्त सन्देश भेज कर बसरा से सहायता माँगनी चाहिए।" मुहम्मद ने कहा, "नहीं-नहीं! मैं इस लज्जाजनक हार की सूचना चचा जान को कदापि न दूँगा। या तो मैं पराजय का बदला लूँगा या फिर यहीं काफ़िरों के हाथ से मर कर जन्नत की राह लूँगा।" उसी समय तम्बू का द्वार खुलता है, और द्वारपाल प्रवेश करके सैनिक नमस्कार

करता है। सेनापति ने कहा, "कहो क्या है?" द्वारपाल बोला, "श्रीमान्! सुलेमान शेख एक तोंदल ब्राह्मण को लिये बाहर खड़े हैं। सरकार से मिलना चाहते हैं।" सेनानायक बोला, "अच्छा! उन्हें आने दो।" सुलेमान के साथ एक अधेड़ पुरुष आ कर सामने खड़ा हो गया। वह अपने दोनों हाथ उठा कर सेनापति को आशीष देता है। वह धोती और बंडी पहने है। उसके सिर पर रेशमी पगड़ी है। उसकी मोटी तोंद पर से ब्रह्मसूत्र बंडी के बाहर दाहिनी ओर लटक रहा है जिसमें कुंजियों का एक गुच्छा बँधा हुआ है। दाहिनी बगल में एक पोथी दबी है। उसके भाल पर चन्दन का लेप है। सेनापति ने आगन्तुक को ध्यानपूर्वक देखा, फिर सुलेमान की ओर इस प्रकार ताका, मानो पूछ रहा हो कि यह विचित्र मनुष्य यहाँ किस लिए आया है? सुलेमान ने अपनी भाषा में बताया, "हुज़ूर! यह प्रसिद्ध ज्योतिषी चूड़ामणि है। दाहिर का विश्वासपात्र है। यह हम लोगों की सहायता करना चाहता है।" सेनापति ने विस्मित हो कर पूछा, "क्या यह अपने राजा से विश्वासघात करेगा? क्या यह देश और धर्म-द्रोही बन कर अपनी मातृभूमि को शत्रुओं को सौंप देगा?" सुलेमान ने अपनी कार्यकुशलता जताई, "काफ़िरों को फोड़ लेना तो हुज़ूर के सेवक के बायें हाथ का खेल है। ये हिन्दू बड़े लोभी और नीच हैं। धन ही इनका भगवान है। पत्थरों को पूजते-पूजते ये भी उन्हीं के समान पाषाण-हृदय हो गये हैं।" फिर ज्योतिषी को सम्बोधित करके कहा, "यदि तुम अपने वचन के अनुसार हमारी सहायता करोगे तो हमारे सरदार तुम्हें मालामाल कर देंगे। सिंध का राज तुम्हें सौंप देंगे।" चूड़ामणि बोला, "सहायता तो अवश्य करना चाहता हूँ, परन्तु मुझे भी आपकी बातों का विश्वास हो जाना चाहिए।" सुलेमान ने मुहम्मद को समझाया कि इस लालची ब्राह्मण को कुछ धन दे कर संतुष्ट कीजिए। वह मन ही मन सोचता है कि यह मनुष्य है या पशु। नहीं-नहीं! यह तो पशु से भी गिरा हुआ कोई विचित्र जीव है। पशुओं को भी अपना स्थान प्यारा होता है। मृत्यु-दण्ड ही इसका उचित पुरस्कार है। फिर अशर्फ़ियों का एक तोड़ा मँगवा कर ज्योतिषी को देता है। ज्योतिषी की आँखें प्रसन्नता से चमकने लगीं। उसने कहा, "अब आपकी विजय में संदेह नहीं है। आप जैसे ही दाहिर के झण्डे को गिरा हुआ देखें, बड़े वेग से आक्रमण कर दें। मैंने ध्वजी को ठीक कर लिया है।"

अरबों की करारी हार के कारण दाहिर निश्चिन्त है। सब कहीं विजयोत्सव मनाया जा रहा है। दाहिर राजसभा में बैठा है। ज्योतिषी उसकी प्रशंसा कर रहा है—"महाराज के नक्षत्र बड़े बली हैं। जब तक श्रीमान् का झण्डा ऊँचा

रहेगा, संसार की कोई शक्ति आपको नीचा नहीं दिखा सकती।" उसी समय एक सैनिक ने आ कर सूचना दी कि अरब सेना फिर आ रही है। दाहिर फिर युद्ध के लिए तैयार हो गया। घोर युद्ध हुआ। दाहिर ने अरबों के छक्के छुड़ा दिये। उनके पैर उखड़ने वाले ही थे कि दाहिर की दृष्टि झण्डे पर पड़ी। झंडा उतरा हुआ था। तत्काल उसे ज्योतिषी की बात स्मरण हो आयी। उसका कलेजा धक से हो गया। काटो तो बदन में लहू नहीं। चेहरा पीला पड़ गया, मानो मृत्यु सामने खड़ी हँस रही हो। सेना ने भी अपना झण्डा गिरा देखा, उसी समय उन पर शत्रुओं का भीषण आक्रमण हुआ। राजा युद्ध में काम आया, ऐसा समझकर सेना के हाथ-पाँव फूल गये। भगदड़ मच गयी। दाहिर ने अपने आस-पास के योद्धाओं को रोक कर ऐसी वीरता से युद्ध किया कि शत्रु सेना में खलबली मच गयी। मुट्ठी भर सैनिकों ने अरबों के दाँत खट्टे कर दिये। पर यह लड़ाई न थी, प्राणों का जुआ था। दाहिर लड़ते-लड़ते वीर गति को प्राप्त हुआ। अरबों के हाथ सिन्ध के हिन्दुओं पर जो बीती उसका न कहना ही अच्छा है। हाँ, उस दुरात्मा देशद्रोही और कुलघाती चूड़ामणि को राज्य न मिला। वह कुत्ते की मौत ही मारा गया। उसकी प्यारी सन्तान और गृहलक्ष्मियाँ अन्य देश-वासियों के साथ दूर देशों में कौड़ी के मोल बिकीं, और दूसरों की सेवा-टहल करते-करते ही उनके प्राण गये।

वीर पराक्रमी दाहिर और नीच कायर चूड़ामणि दोनों ही ऋषियों की सन्तान कुलीन ब्राह्मण थे, परन्तु दोनों ने वेद और शास्त्रों की शिक्षाओं पर आचरण नहीं किया। अपने प्यारे देश को विदेशियों के हाथ में सौंप दिया। यह सब कुछ घट गया, परन्तु भारत के करोड़ों निवासियों के कानों पर जूँ नहीं रेंगी। आर्य ज़ाति ! तेरा घोर पतन हो गया है।

भारतीय रंगमंच पर दृश्य बदल रहे हैं

ग़ज़नी के महमूद ने भारत के मन्दिरों और उनमें एकत्र अनन्त धनराशि के विषय में अपने बचपन से ही सुन रक्खा है। शासन की बागडोर हाथ में आ जाने पर जब उसने एक दिन फिर इस विषय की चर्चा सुनी तो उसका मन ललचा उठा। उसने मन-ही-मन संकल्प किया "मैं मूर्ति-भंजन का पुनीत कार्य करूँगा। मन्दिरों की सम्पदा लूट कर और मूर्तियाँ तोड़ कर इहलोक और परलोक दोनों बनाऊँगा। एक पन्थ दो काज होंगे।" उसका पिता पंजाब के राजा से पेशावर का नगर हथिया चुका है। महमूद जानता है कि भारतवासी कितने पानी में हैं। वे वीर पराक्रमी होते हुए भी आपस में बँटे हुए हैं। एक दूसरे के साथ उनकी सहानुभूति नहीं है। न उनमें संगठन है और न ही दूरदर्शिता; न आपस

में प्रेम है और न ही एक दूसरे की हितकामना और चिन्ता। एक को मारो दस खड़े तमाशा देखेंगे। चाहे दसों को बारी-बारी मार लो। उनसे अच्छे तो पशु और पक्षी हैं। एक बन्दर को पकड़ो तो उनका झुंड-का-झुंड खों-खों करके घेर लेगा। एक कौवे पर आपत्ति आये तो सैकड़ों कौवे काँव-काँव करके आकाश सिर पर उठा लेंगे।

वह प्रति वर्ष कुछ साहसी और मनचले घुड़सवारों को लेकर भारत पर आक्रमण करने लगा। वह यहाँ के किसी-न-किसी बड़े नगर और उसके सैकड़ों मन्दिरों को लूटता, मूर्तियों को तोड़ता, और करोड़ों की सम्पदा बटोर कर ले जाता। वह अपने सैनिकों से कहीं अधिक संख्या में यहाँ के नर-नारियों को बन्दी बना कर ले जाता है। इसी प्रकार एक बार वह सैकड़ों मील की यात्रा करके पहाड़ों, जंगलों, और सिन्ध के मरुस्थल को पार करके काठियावाड़ में सोमनाथ के प्रसिद्ध मन्दिर के सामने जा पहुँचा। ग्यारहवीं शताब्दी में इस मन्दिर की धन-सम्पत्ति की ख्याति दूर-दूर फैल रही है, और साथ-ही-साथ सोमनाथ की आश्चर्यजनक शक्ति और चमत्कार की चर्चा भी चारों ओर है। सोमनाथ की विशाल प्रतिमा बिना किसी सहारे के मन्दिर की छत से लटक रही है। पुजारियों ने सर्वसाधारण पर अपनी धाक जमाने के लिए उन्हें विश्वास दिला रखा है कि सोमनाथ देव अजेय हैं। इसलिए मन्दिर की रक्षा के लिए कोई विशेष प्रबन्ध नहीं है। महमूद मन्दिर में घुस गया, और मूर्ति को तोड़ने के लिए उसने गदा उठायी। सोमनाथ का सारा चमत्कार और सामर्थ्य हवा हो गया। पुजारी सारी हेकड़ी भूल गये। वे महमूद के पैरों पर लोटने लगे, और गिड़गिड़ा कर कहने लगे, "महाराज ! इस जड़ मूर्ति ने क्या बिगाड़ा है ! दया करके इसे छोड़ दीजिए, और इसके बदले जितना धन आप चाहें हमसे ले लीजिए।" महमूद गरज कर बोला, "मैं मूर्तियों को तोड़ने आया हूँ, बेचने नहीं।" यह कह कर उसने अपनी गदा मूर्ति पर दे मारी। मूर्ति खण्ड-खण्ड हो गयी और उसके अन्दर से करोड़ों रुपये मूल्य के रत्न और मणि-माणिक्य उछल कर भूमि पर बिखर गये। महमूद ने मन्दिर और नगर को लूटा और लूट का माल सैकड़ों ऊँटों पर लाद कर ग़ज़नी ले जाता है। इस बार भी उसके साथ बन्दियों की संख्या कम न थी। वह अपने देश से सैकड़ों मील दूर भारत में कई मास रहा, और बिना किसी रोक-टोक और विरोध के लदा-फदा सुरक्षित लौट जाता है। क्या इससे अधिक लज्जा की कोई बात किसी जाति के लिए हो सकती है ?

यह कैसी जाति है? कैसा इसका संस्कार है? राष्ट्र की संघटित एकता का आह्वान करने वाली जाति की यह कैसी दशा है? बंधुत्व, समता, विवेक

और कर्तव्य को सामने रखने वाली जाति की यह कैसी विडम्बना है। अन्ध-श्रद्धा और जड़ विश्वास से तथा साधारण मनोरंजन के लिए तीर्थस्थानों, पर्वों, उत्सवों, आयोजनों में लाखों का जन-समाज एकत्र हो जाता है, पर मुट्ठी भर विदेशियों ने इस देश में सहस्रों मील अन्दर घुसकर इनकी क्या दुर्दशा कर दी है! और करोड़ों भारतवासी खड़े-खड़े देखते रहे, मानो वे मनुष्य नहीं, भेड़ बकरी हों। एक ही भेड़िया सैकड़ों भेड़ों में घुस कर एक भेड़ पकड़ ले जाता है, और वे मिमियाती तक नहीं। यदि वे एक ही साथ भेड़िये पर पिल पड़ें तो उसका कचूमर निकाल सकती हैं। परन्तु उनमें यह बुद्धि कहाँ, यह साहस कहाँ ?

अभागी आर्य जाति! इसने वेदशास्त्रों की समानता, भ्रातृभाव, आत्म-विश्वास और संघटित रहने की सुशिक्षाएँ भुला दी हैं। इसको असत्य, ढोंग, दुष्टाचार, वैमनस्य आदि दुर्गुण खोखला करते जा रहे हैं। क्या मनु भगवान् नहीं बता गये हैं कि थोड़े होने पर भी संगठित हो कर शत्रु की सेना में घुस जाओ, उसे पीड़ित करो। अन्न, जल, चारा और ईंधन को निरन्तर नष्ट एवं दूषित करते रहो ताकि शत्रु उनके अभाव में निर्बल और उत्साहहीन हो जाय। जलाशय और शत्रु के रक्षा-स्थानों को तोड़-फोड़ डालो, और इतना तंग करो कि वह शक्तिहीन हो जाय। परन्तु भारतीयों ने इस शिक्षा[1] की अवहेलना करके देश तथा जाति को विदेशियों की दया पर छोड़ दिया। इस समय तो मुट्ठी भर रणनीति में कुशल साहसी और संगठित योद्धा महमूद की थकी-मांदी, लूट के माल और बन्दियों की देखभाल में फँसी हुई सेना को नाकों चने चबवा सकते हैं और उसका पूर्णतः विध्वंस कर सकते हैं। किन्तु उनके भाग्य में कुत्ते की मौत मरना है, सीने पर गोली खा कर सिंह की मृत्यु नहीं। लाखों भारतीयों को घोर अपमान सहना पड़ा, कितने नरनारी दास बन कर कौड़ी के मोल बिके और कितनों को अपने धर्म और सभ्यता को तिलांजलि देनी पड़ी। अगणित भारतीय प्रजा तलवार के घाट उतारी गयी।

---

१. संहतान् योधयेदल्पान् कामं विस्तारयेद् बहून्।
सूच्या वज्रेण चैवैतान् व्यूहेन व्यूह्य योधयेत्॥
उपरुध्यारिमासीत राष्ट्रं चास्योपपीडयेत्।
दूषयेच्चास्य सततं यवसान्नोदकेन्धनम्॥
भिन्द्याच्चैव तडागानि प्राकार परिखास्तथा।
समवस्कन्दयेच्चैनं रात्रौ वित्रासयेत्तथा॥

—मनु०, अध्याय ७। श्लोक १९१,१९५,१९६

शताब्दियों के अन्तराल से फिर दृश्य बदलता है

विक्रम की तेरहवीं शती में इतिहास की पुनरावृत्ति होती है। शहाबुद्दीन ग़ौरी ने भारत पर आक्रमण करने आरंभ कर दिये हैं। दिल्ली के राजा पृथ्वीराज ने उसे युद्ध में कई बार हराया और एक बार पकड़ भी लिया। परन्तु अदूरदर्शी राजा ने अपने हाथ में आये हुए एक भयंकर शत्रु को छोड़ दिया। पृथ्वीराज से बार-बार परास्त होने पर भी शहाबुद्दीन ने भारत पर आक्रमण करना बंद नहीं किया। 'पराजित शत्रु की सेना का पीछा करना चाहिए।'[1] मनु की इस शिक्षा को भुला कर राजा अपमानित शत्रु की गतिविधि से नितान्त असावधान रहता है। उन्हीं दिनों वह एक दूसरी बहुत बड़ी और भयंकर राजनीतिक भूल कर बैठता है। वह कन्नौज के राजा जयचन्द की पुत्री को उसके पिता की स्वीकृति के बिना ही उड़ा ले जाता है और उससे विवाह करके रंग-रेलियाँ मनाने लगता है। इस प्रकार वह अपने देश के एक शक्तिशाली राजा को अपना कट्टर शत्रु और प्रबल विरोधी बना लेता है। 'विनाश काले विपरीत बुद्धि' के अनुसार वह भूल गया कि शहाबुद्दीन ग़ौरी के रूप में मृत्यु उसके सिर पर मँडरा रही है। वह भूल गया कि वेदों की आज्ञा है कि शत्रु को मार भगाने के लिए तुम्हारे अस्त्र-शस्त्र सदा तैयार रहें।[2]

नीतिकुशल ग़ौरी पृथ्वीराज और जयचन्द के आपसी वैमनस्य से लाभ उठाता है। जयचन्द को मिला कर वह पृथ्वीराज पर आक्रमण करता है। पृथ्वीराज लड़ाई में मारा जाता है, और रानी उसके शव को ले कर चिता में भस्म हो जाती है। दूसरे वर्ष देशद्रोही और कुलघाती जयचन्द की भी बारी आयी। वह ग़ौरी से पराजित हो कर गंगा में डूब मरता है। धीरे-धीरे विदेशी पूरे भारत के शासक बन बैठते हैं। भारतवासी अपने ही घर में बन्दी बन कर पराये दास हो जाते हैं।

आर्यजाति का यह घोर पतन क्यों? "मनुष्य मात्र ईश्वर के पुत्र हैं। उनमें कोई छोटा-बड़ा नहीं। वे भाई के समान मिल कर उन्नति करें और संगठित होकर रहें, क्योंकि परस्पर लड़ने वाले नष्ट-भ्रष्ट हो जाते हैं। आपस के वैमनस्य, द्वेष और घृणा को त्याग कर प्रेमपूर्वक रहें। वे आलस्य और प्रमाद छोड़

---

१. यदा मन्यते भावेन हृष्टं पुष्टं बलं स्वकम्।
परस्य विपरीतं च तदा यायाद्रिपुं प्रति ॥ —मनु० ७।१७१

२. स्थिरा वः सन्त्वायुधा पराणुदे। —ऋ० १।३९।२

कर श्रमशील बनें, क्योंकि ईश्वर आलसी को नहीं चाहता है।"[1] आदि वेदों की महान् शिक्षा उनके सामने रही है। वस्तुतः वेदों की शिक्षा को इस जाति ने भुला कर छोटे-बड़े, ऊँच-नीच, ईर्ष्या-द्वेष और भेद-भाव के दलदल में फँस कर अपनी यह गत बनायी है।

शहाबुद्दीन ग़ौरी के पश्चात् क़ुतुबुद्दीन दिल्ली का शासक है। भारत का एक बड़ा भाग उसके अधीन है। बंगाल अभी उसके राज्य में सम्मिलित नहीं है। वहाँ के राजा लक्ष्मणसेन की राजधानी नदिया में हैं। यह नगर धन, कला और विद्या के लिए सारे भारतवर्ष में प्रसिद्ध है। क़ुतुबुद्दीन के सेनापति बख्तियार के पुत्र मुहम्मद ने बंगाल पर चढ़ाई की। सेना से आगे बढ़ कर केवल अठारह सवारों के साथ उसने नदिया के नगर में प्रवेश किया। लोग समझे कि घोड़ों का कोई व्यापारी आया है। राजमहल के द्वार पर पहुँच कर वह तलवार खींच लेता है और मारकाट आरम्भ कर देता है। भोजन करते हुए राजा ने लोगों का रोना-धोना और कोलाहल सुना तो वह पिछले द्वार से भाग खड़ा हुआ, और विक्रमपुर पहुँचते-पहुँचते उसकी मृत्यु हो गयी। उसकी रानियाँ, बाँदियाँ, और सैकड़ों दूसरी स्त्रियाँ मुहम्मद के हाथ लगती हैं। कितने मनुष्यों की जानें गयीं और कितने बन्दी बने! अगणित हाथी और करोड़ों की सम्पत्ति विजेताओं को प्राप्त हुई।

कायर और अभागे राजा की विद्या और शास्त्र-ज्ञान उसकी प्रजा और आश्रितों की रक्षा करने में असमर्थ रहे। आततायियों को दण्ड देने की वैदिक अहिंसा को त्याग कर उसने बौद्धों की भ्रामक अहिंसा का अवलम्बन किया, और अपनी प्रजा तथा परिवार को क्रूर आक्रमणकारियों की दया पर छोड़ वह बहुत बड़ी हिंसा का भागी बना। शास्त्रों की आज्ञानुसार उसे अपने राज्य की रक्षा के लिए सदैव सतर्क रहना चाहिए था। उसने अपने जिस नश्वर शरीर को बचाने के लिए कर्त्तव्य से मूँह मोड़ कर अपनी अमर और अविनाशी आत्मा का हनन

---

१. अज्येष्ठासो अकनिष्ठास एते...सौभगाय। इत्यादि—ऋ०, ५।६०।५
संगच्छध्वं संवदध्वं सं वो मनांसि जानताम्। इत्यादि—ऋ०, संघटन सूक्त
मिथो विघ्नाना उपयन्तु मृत्युम्। —अ०, ६।३२।३
मा नो मर्ता अभिद्रुहन्। —ऋ०, १।५।१०
रसेन समगस्महि। —ऋ०, १।२३।२३
न ऋते श्रान्तस्य सख्याय देवाः। —ऋ०, ४।३३।११
इच्छन्ति देवाः सुन्वन्तम्। —ऋ०, ८।२।१८

किया, उसे भी सुरक्षित न रख सका। यद्यपि वह गीता और उपनिषद् में प्रति दिन पढ़ता था—आत्मा अमर है। उसे कोई वस्तु नष्ट नहीं कर सकती है। शरीर के नष्ट होने पर भी आत्मा नहीं मरती। वह तो केवल पुराने वस्त्र को उतार कर नया शरीर रूपी वस्त्र पहन लेती है।[1]

यथा राजा तथा प्रजा। प्यारी जननी जन्मभूमि का स्वतंत्रता रूपी सुहाग लुट रहा है; उसकी माँग का सिंदूर पुँछ रहा है, पर राजधानी में, देश में न कोई हलचल है, न मारकाट। माँ के सपूतों ने उसके लिए एक बूंद भी रक्त न गिराया। हाँ, शत्रुओं ने तो उनके खून की नदियाँ बहा दीं, परन्तु यह रक्त क्या उनकी इच्छा से बहा। आज तक किसी देश ने अपनी स्वाधीनता इतनी आसानी से न गँवायी होगी। यह राजनीतिक अधःपतन की चरम सीमा है।

●

इतिहास-चक्र घूमता हुआ वर्तमान पर रुकता है और काल से देश में उसका प्रवर्तन होने लगता है। मुक्तात्मा काल के प्रवाह से निकल कर परिव्राजक रूप में इस प्राचीन देश के भ्रमण के लिए निकल पड़ता है।

वह घूमता हुआ काश्मीर की राजधानी श्रीनगर पहुँचता है। वहाँ उसने एक कब्र पर बहुत से स्त्री-पुरुषों को एकत्र देख कर एक व्यक्ति से पूछा कि ये लोग यहाँ क्या कर रहे हैं? उसने बताया कि पंडित तेजकृष्ण के परिवार वाले, अपनी किसी मानता के पूरी हो जाने पर, इष्ट-मित्रों के साथ बुलबुल शाह के मज़ार पर चादर चढ़ाने आये हैं। परिव्राजक, "यह बुलबुल शाह कौन था?" इस पर वह व्यक्ति एक ठण्डी साँस ले कर बोला, "महात्मा जी! यह एक दुःखद ऐतिहासिक घटना है जिसने इस भूभाग का रूप-रंग ही बदल डाला।"

काश्मीर के शासन की बागडोर एक विदेशी राजा के हाथ में है, जो किसी भी प्रचलित मत का अनुयायी नहीं है, यद्यपि उसका झुकाव हिन्दू धर्म की ओर है। वह पंडितों से गीता प्रति दिन सुनता है। एक दिन किसी पंडित ने

---

१. नैनं छिन्दन्ति शस्त्राणि नैनं दहति पावकः।
न चैनं क्लेदयन्त्यापो न शोषयति मारुतः॥—गीता, २।२३
अजो नित्यः शाश्वतोऽयं पुराणो।
न हन्यते हन्यमाने शरीरे॥—गीता २।२०
वासांसि जीर्णानि यथा विहाय नवानि गृह्णाति नरोऽपराणि।
तथा शरीराणि विहाय जीर्णान्यन्यानि संयाति नवानि देही॥
—गीता, २।२२

गीता का यह श्लोक—'श्रेयान् स्वधर्मो विगुणः परधर्मात्स्वनुष्ठितात्। स्वभावनियतं कर्म कुर्वन्नाप्नोति किल्विषम्॥' (१८।४७) पढ़ कर अर्थ किया—अपना गुणहीन धर्म भी दूसरों के उत्तम धर्म की अपेक्षा कल्याण करने वाला होता है। राजा चौंक पड़ता है। वह मन-ही-मन सोचता है कि क्या हिन्दू शास्त्र धर्म-परिवर्तन की आज्ञा नहीं देते हैं? उसने अपनी शंका मिटाने के लिए पूछा, "पंडित जी! क्या मैं हिन्दू धर्म में दीक्षित हो सकता हूँ?" पंडित बोला, "राजन्! यह तो असम्भव है।" राजा निराश हो जाता है। दूसरे दिन उसने एक बूढ़े मनुष्य को राजमहल के पास से जाते देखा। राजा ने उसे अपने पास बुला कर पूछा, "तुम कौन हो? तुम्हारा क्या नाम है?" वृद्ध सज्जन, ने कहा, "मैं एक मुसलमान फ़क़ीर हूँ। मुझे लोग बुलबुल शाह कहते हैं।" राजा बोले, "मैंने सुना है कि मुसलमान केवल एक ईश्वर की उपासना करते हैं। उनमें कोई छुआछूत और भेदभाव नहीं है। सारे मुसलमान भाई-भाई हैं। और किसी भी मनुष्य को अपने मत में ले लेते हैं।" बुलबुल शाह ने कहा, "राजन्! आपने जो इसलाम मत के विषय में सुना है, वह सब सत्य है।" राजा ने कहा, "शाह जी, मैं मुसलमान होना चाहता हूँ, क्योंकि इसलाम हिन्दू धर्म की अपेक्षा कहीं अच्छा है। उसमें तो ईर्ष्या-द्वेष और घृणा का ही बोलबाला है। जो धर्म मनुष्य को पशु बना दे, उसे संसार में रहने का क्या अधिकार है?" फ़क़ीर राजा की बातें सुन कर आनन्द-विभोर हो गया, और उसे तत्काल कलमा पढ़ा कर इसलाम मत में दीक्षित कर लेता है।

राजा हिन्दू धर्म तथा उसके ठेकेदार ब्राह्मणों से इतना अधिक चिढ़ गया है कि वह बहुत से काश्मीरी पंडितों को बोरों में भर-भर कर झेलम नदी में डुबो देता है। इस घटना-स्थल का नाम बटमज़ार है। मरने के पश्चात् बुलबुल शाह यहीं गाड़ा गया। काश्मीर के अधिकांश हिन्दू मुसलमान बना लिये जाते हैं।

परिव्राजक पंडितों की दुर्बुद्धि पर मन-ही-मन दुःखी होता है। वह सोचता है कि पौराणिक पंडितों ने शाश्वत नियम एवं कर्तव्य आदि व्यापक अर्थों वाले धर्म शब्द का मत अथवा सम्प्रदाय के संकुचित क्षेत्र में कैसा अनर्थ किया है! इसी प्रकार उन्होंने अर्थ का अनर्थ करके वेद-शास्त्रों की मनमानी व्याख्या की और वैदिक धर्म को ऐसा विकृत और हास्यास्पद रूप दे दिया है कि वह संसार में मुँह दिखाने योग्य भी नहीं रहा है। फिर निर्दयतापूर्वक झेलम में डुबो दिये जाने वाले पंडितों के ही वंशजों द्वारा उसी दुःखद घटना के स्मारक रूप क़ब्र की पूजा होते देख परिव्राजक को बड़ी आत्मग्लानि होती है। वह उस देश को छोड़ कर चल देता है।

परिव्राजक पर्यटन करते हुए एक दिन लाल रंग से पुते हुए मन्दिर के सामने पहुँचता है। विश्राम के लिए अंदर जाता है तो मूर्ति के स्थान पर एक बड़ी क़ब्र बनी हुई पाता है। विस्मित हो कर वह वहीं एक ढोर चराने वाले ग्वाले से इसका कारण पूछता है।

कोई सरदार मतान्ध हो कर महावीर के मन्दिर को तोड़ कर मस्जिद बनाने के विचार से इस नगर पर चढ़ाई करता है। नगरवासियों और आसपास के ग्रामवासियों ने उसका डट कर सामना किया। परन्तु व्यवस्थाहीन और संघटन के अभाव में पराजित हुए। इस घमासान युद्ध में सरदार और उसका प्यारा घोड़ा मारे जाते हैं। घोड़ा तो युद्धस्थल पर ही गाड़ दिया गया, और सरदार महावीर मन्दिर में ला कर दफ़ना दिया गया। महावीर के लिए लगने वाले मेले अब लालपीर के मेलों के नाम से प्रसिद्ध होते हैं। घोड़े की कब्र पर भी एक छोटा सा मज़ार है। आततायी का मृतक घोड़ा भी घुड़शहीद बाबा बन कर पराजितों को चारों पदार्थों की प्राप्ति कराने लगता है। वे बड़ी श्रद्धा-भक्ति से उसकी क़ब्र पर यथासामर्थ्य मिट्टी, चाँदी और सोने आदि के छोटे-छोटे घोड़े बनवा कर चढ़ाते हैं और दूध-पूत पाने की कामना करते हैं। इसी प्रकार भारत भर में विदेशी आक्रमणकारियों की क़ब्रें और मज़ार पूजे जाते हैं।

परिव्राजक विचारता है कि भारतवासियों की यह दीन अवस्था और नैतिक पतन क्यों? आपस की फूट से दासता आती है। और दासता में मनुष्य आत्म-विश्वास खो कर निर्लज्ज हो जाता है। वह ठोकर मारने वालों के तलवे चाटता है। यह सब होता तभी है जब मनुष्य अपने परमपिता परमात्मा और उसके सत्य तथा अटल नियमों को, उसकी सद्शिक्षाओं को भूल जाता है; जब उसका प्रभु में अडिग और दृढ़ विश्वास नहीं रहता; जब वह आचार-भ्रष्ट हो जाता है।

परिव्राजक आगे बढ़ता है। उसे एक दाढ़ी वाला व्यक्ति मिल जाता है। परिचय पूछने पर उसने बताया, "मैं ख़ानज़ादा हूँ।" परिव्राजक ने पूछा, "यह क्या होता है?" वह बोला, "क्षत्रिय जब मुसलमान हो जाता है तो उसे ख़ानज़ादा कहते हैं। वैसे तो इसका शाब्दिक अर्थ है ख़ान से उत्पन्न।" परिव्राजक ने पूछा, "भाई, तुम्हारे शरीर में राम और कृष्ण का रक्त बह रहा है, फिर तुम दूसरों की सन्तान कैसे हो गये?" ख़ानज़ादा ने कहा, "महात्मा जी! यह एक दुःख भरी कहानी है। इसका आरम्भ मेरे दादा लालसिंह से होता है।" इसी प्रकार की मिलती-जुलती घटनाओं तथा विदेशी शासकों की धर्मान्धता के कारण बहुत से भारतीयों को अपने बाप-दादाओं के धर्म को छोड़ना पड़ा है। वे नवमुसलिम, मुसलिम राजपूत, और ख़ानज़ादे आदि कहलाते हैं। हृदय और संस्कार से हिन्दू

हैं, पर हिन्दू समाज उन्हें अपनाता नहीं। और अब तो उन्हें अपना पूर्व इतिहास विस्मरण कराने के प्रयोजन से मौलवी-मौलाने उन पर अपने पूर्वपुरुषों के रहन-सहन और रीति-रिवाज़ों को छोड़ देने के लिए दबाव डालने लगे हैं।

ठाकुर लालसिंह अपने खेतों की देखभाल कर रहे हैं। पास ही जंगल में पशु चर रहे हैं। उनकी कमर से तलवार लटक रही है। सहसा जंगल से निकल कर एक सवार उनके सामने आ खड़ा होता है। ठाकुर का हाथ तुरन्त तलवार की मूठ पर जाता है, परन्तु सवार बोल पड़ता है—"ठाकुर साहब! आप डरें नहीं। मैं आप पर वार नहीं करूँगा। मैं अपने साथियों से बिछुड़ गया हूँ। इस समय मैं अत्यन्त थका-माँदा और भूख-प्यास का सताया हूँ। दया करके मुझे तुरन्त पानी पिलाइए, नहीं तो मेरा दम निकल जायगा।" पानी पिलाने के बाद लालसिंह ने उसका बड़े प्रेम से आतिथ्य किया। वह प्रसन्न हो कर ठाकुर को एक अँगूठी देते हुए बोला, "ठाकुर साहब! यह बहुमूल्य अँगूठी लीजिए। जब आपको सहायता की आवश्यकता हो, तो लखनऊ के नवाब के यहाँ जा कर इसे दिखाइयेगा। लोग आपको मेरा पता बता देंगे।" सवार यह कह कर वहाँ से चला जाता है। ठकुराइन अँगूठी को एक हाँडी में रख कर भूल गयी। इस घटना को कई वर्ष बीत जाते हैं। एक साल वर्षा नहीं हुई; सूखा पड़ गया; चारों ओर हाहाकार मच गया। लोग और उनके पशु भूखों मरने लगते हैं। सहसा ठकुराइन को सवार और उसकी दी हुई अँगूठी का स्मरण हो आता है। उसने अँगूठी लाकर ठाकुर के हाथ में रखते हुए कहा, "इसे ले कर लखनऊ क्यों नहीं चले जाते? वह सवार तुम्हारी सहायता अवश्य करेगा, और यदि न भी करे तो अँगूठी को बेच कर ही पर्याप्त धन मिल जायगा।" ठाकुर लालसिंह सत्तू-चबेना बाँध अपने टट्टू पर बैठ कर लखनऊ चल दिये, परन्तु वे अपनी तलवार साथ लेना नहीं भूले। राम-राम करके एक संध्या वे लखनऊ पहुँच ही गये।

लखनऊ की तड़क-भड़क और वैभव देख कर लालसिंह की आँखें खुल गयीं। वे भौचक्के हो कर इधर-उधर घूमने लगे। उन्होंने देखा कि सामने से एक विशाल बारात बाजे-गाजे के साथ चली आ रही है। उसमें सैकड़ों हाथी और घोड़े हैं। वे झटपट घोड़े को दूर एक वृक्ष की डाल से बाँध कर स्वयं एक चबूतरे पर चढ़ गये। उनके आश्चर्य का ठिकाना न रहा जब उन्होंने देखा कि सब से आगे वाले हाथी पर उनका पूर्व परिचित सवार नवाबी ठाठ से बैठा है। एक सेवक उसके ऊपर छत्र लगाये है, दूसरा मोरछल डुला रहा है। लालसिंह उसके इस ठाट को देख कर दंग रह गये, परन्तु वे थे निरे ग्रामीण, उद्दंड और नितान्त निर्भीक। चबूतरे पर से ही अँगूठी दिखाते हुए पुकार उठे, "ओ

अँगूठी वाले सवार! ओ अँगूठी वाले सवार!" आज लखनऊ के नवाब का जन्म-दिवस है। यह उसके जन्मोत्सव का ही जुलूस है। चारों ओर शस्त्रधारी सैनिक और सवार जनता की भीड़ को रोकने और शान्ति बनाये रखने के लिए इधर-उधर दौड़ रहे हैं। एक सैनिक लालसिंह को पकड़ने बढ़ा ही था कि नवाब की दृष्टि उन पर पड़ गयी। तुरन्त पहचान गया और आज्ञा दी कि इन सज्जन को मेरे पास सम्मानपूर्वक लाया जाय। सब लोग विस्मित हैं कि बादशाह इस देहाती का क्या करेगा। परन्तु वे चकित हो गये, जब उन्होंने देखा कि नवाब का हाथी बैठ गया है, और नवाब ने अपने हाथों से उस साधारण मनुष्य को सहारा दे कर हाथी पर चढ़ा लिया है, और अपने निकट बिठा लिया है। लालसिंह की छाती गर्व से फूल कर दुगनी हो गयी।

नवाब ने लालसिंह को अपने साथ ही महल में रखा, और भोजन के लिए भी साथ ही बिठाया। वे पहले से ही नवाब के वैभव और प्रभुत्व से प्रभावित थे, फिर उसके सज्जनतापूर्ण और प्रेममय व्यवहार ने सोने में सुगंध उत्पन्न कर दी। जब नवाब की सुन्दर दासियाँ नाना प्रकार के पकवान व व्यंजन उनके सामने परोसने लगीं, और नवाब स्नेह और आग्रहपूर्वक उन्हें खिलाने लगा तो वे यन्त्रवत् उन वस्तुओं को मुँह में डालने लगे। वे यह भी भूल गये कि यवन का भोजन कर लेने से कच्चे धागे के सदृश उनका हिन्दू धर्म टूट गया है, और साथ ही साथ उनके भावी वंशजों का सम्बन्ध भी इस धर्म से सदा के लिए जाता रहा है।

ठाकुर लालसिंह लखनऊ से धन तो लाये परन्तु धर्म और प्रसन्नता वहीं छोड़ आये। वे अपने घर के द्वार पर आ कर रुक गये, अन्दर पैर नहीं रखा। अपने भाई-भतीजों से लखनऊ का सारा वृत्तान्त आदि से अन्त तक वर्णन कर दिया और कहा, "मैं तो अब बेधर्म हो ही गया, तुम लोगों को अपने साथ क्यों घसीटूँ? मेरे रहने का अलग प्रबन्ध कर दो। मैं अब तुम्हारी वस्तुओं को हाथ नहीं लगाऊँगा और न तुम्हारे साथ खाऊँगा-पीऊँगा ही।" वे अपने बाल-बच्चों को ले कर अलग रहने लगे। जब तक जिये गीता-रामायण का पाठ सायं-प्रातः करते रहे। न कभी नमाज़ पढ़ी और न रोज़े रखे। नाम उनका अवश्य लालसिंह से लालखाँ हो गया। उनके वंशज खानज़ादे कहलाते हैं। उनका रहन-सहन अभी तक हिन्दुओं का-सा है। वे दूसरे मुसलमानों का छुआ नहीं खाते। लड़के-लड़कियों के विवाह में ब्राह्मण ही भाँवरे डलवाता है। यदि कोई मौलवी दाल-भात में मूसलचन्द की भाँति कूद ही पड़ता है तो भाँवरों के पश्चात वह निकाह भी पढ़ा देता है। और फिर वह पर्यटक को समीपवर्ती अपने समधियाने के गाँव की घटना सुनाता है।

मुगलों की एक टुकड़ी बनगँवा के दक्षिण लगभग दस मील पर एक बाग़ में पड़ाव डाले पड़ी है। आसपास के ठाकुरों को सूचना मिलती है कि मुग़लों का विचार दुःखहरन-बाबा के मन्दिर को तोड़ कर मसजिद बनाने का है। फिर क्या था, सैकड़ों क्षत्रिय भाले, बल्लम और तलवारें ले कर मुग़ल सेना की ओर दौड़ पड़े। सेना का नायक चतुर है। उसने सोचा कि मेरे सैनिक संगठित और युद्धविद्या में कुशल हैं, शिक्षित हैं। उनके लिए मनुष्यों की इस अव्यवस्थित भीड़ को मूली-गाजर के समान काट डालना तो बायें हाथ का खेल है। मर कर वे हमारे किस काम आयेंगे। मैं ऐसा उपाय करूँगा कि ये हिन्दू बिना मारे ही मर जायँ और भूत बन कर अपने भाइयों को सदैव सताया करें। उसने बाग़ के कुएँ में गाय का मांस डलवा दिया और टुकड़ी को वहाँ से हटा ले जाता है। जब ठाकुरों का दल पड़ाव पर पहुँचा तो मैदान ख़ाली पाया। गर्मियों के दिन हैं और दोपहर का समय। उन लोगों ने बाग़ में विश्राम करने की ठानी। प्यास तो सभी को लग रही है। कुएँ से पानी निकाल कर पीने लगते हैं। अकस्मात् पानी में मांस का एक लोथड़ा दिखाई दिया। फिर कुएँ से गाय की दुम भी निकली। एक कोहराम मच जाता है। जिन्होंने पानी पिया वे तो बेधर्म हो गये और जिन्होंने नहीं पिया, वे भी अपने को धर्मच्युत समझने लगते हैं। उन्हें विश्वास है कि अपने निर्बुद्धि समाज के सामने स्वयं को निर्दोष सिद्ध करना टेढ़ी खीर है। और हुआ भी यही। वे सब अपनी बिरादरी से निकाल दिये जाते हैं।

परिव्राजक चलते-चलते एक नदी तट पर पहुँचता है। उसने देखा कि दस-बारह वर्ष के बालक का शव चिता पर रखा है। घरवाले उसकी पूर्ण वयस्का पत्नी को चिता पर चढ़ाने के लिए धर-पकड़ कर रहे हैं। वह हाथ छुड़ा-छुड़ा कर भाग रही है; रो रही है; बिलख रही है। वह सब की चिरौरी-विनती करती है कि उसे न जलाएँ, परन्तु उन हृदयहीन मनुष्यों को दया न आयी। उसे बलात् चिता पर चढ़ा कर आग लगाने ही जा रहे थे कि सवारों की एक टुकड़ी वहाँ आयी। स्त्री का हृदय-भेदी क्रन्दन सुन कर उनमें से एक युवक झपट कर युवती को चिता से खींच कर अपने पीछे घोड़े पर बैठा लेता है। भयभीत स्त्री उससे चिपक जाती है। युवती के घरवालों ने सवार से उसे छीनना चाहा तो उसके साथियों ने उन्हें मार कर भगा दिया, और वहाँ से नौ-दो ग्यारह हो जाते हैं। मार्ग में युवक के साथियों ने कहा, "यार गुलमुहम्मद! तुम्हें इन निर्दय मनुष्यों की मूर्खता के कारण एक सुन्दर जोरू अनायास ही मिल गयी।"

परिव्राजक मन-ही-मन विचारता है इस समाज की मूर्खता की कोई सीमा नहीं है। कहीं ये दस वर्ष के बच्चे का विवाह एक तरुणी से करते हैं, और कहीं साठ साल के बुड्ढे का विवाह चौदह वर्ष की बालिका से रचाते हैं; फिर पति के मर जाने पर उसके साथ ही बेचारी अबलाओं को सती कर देते हैं। भला इन अनमेल विवाहों से कभी पति-पत्नी का आपस में सच्चा प्रेम हो सकता है? क्या वे कभी स्नेह-बन्धन में बँध सकते हैं? इस प्रकार के विवाह और सती की अमानुषी प्रथा अवैदिक हैं। यह समाज अपनी इस मूर्खता के कारण कहाँ-से-कहाँ पहुँच गया है।

पर्यटक ने एक दिन किसी सुन्दर भवन के सामने जा कर पुकारा, "माता, तेरा सोहाग सदा बना रहे। तेरा बच्चा जुग-जुग जिये।" साधु के वचन सुन कर घर से एक स्त्री निकल कर बोली, "बाबा जी! आप यह आशीष किसे दे रहे हैं। कहीं वेश्या के भी पति होता है?" परिव्राजक ने दुःखी हो कर कहा, "माँ! इस घृणित वृत्ति को क्यों अपनाया है? इसे छोड़ क्यों नहीं देती हैं?" वेश्या व्यथित होकर बोली, "क्या मैं यह कार्य अपनी प्रसन्नता से करती हूँ? आप के ही पिशाचरूपी हिंसक समाज ने मुझे वेश्या बनने के लिए बाध्य किया है।" महात्मा ने चकित हो कर पूछा—"यह कैसे?" वह अपनी कथा परिव्राजक को सुनाती है।

उसका जन्म क्षत्रिय वंश में हुआ। अभी पन्द्रह वर्ष की भी न हुई थी कि उसके पिता उसका विवाह एक धनी और प्रतिष्ठित व्यक्ति से कर देते हैं। पति महोदय बहुत वृद्ध हैं। बुढ़ापे में विवाह करके वह तो नरकगामी हुआ ही, अपनी युवा स्त्री को इस संसार में जीते-जी ही नरक भोगने के लिए छोड़ जाता है। विधवा के लिए इस समाज में दुःख, सन्ताप और घृणा के अतिरिक्त और कुछ नहीं है। पुरुष तो मरते-मरते चाहे जितने विवाह करते जायँ, परन्तु बेचारी स्त्री पति के मरने के पश्चात् इच्छा रहने पर भी दूसरा विवाह नहीं कर सकती। ससुराल वाले उसे तंग करने लगते हैं। वे यहाँ तक उसके पीछे पड़े कि घर में रहना दूभर हो गया। वह घर का सारा काम-काज करती, सब छोटे-बड़ों की सेवा में रातदिन लगी रहती। फिर भी उसे रोटी-कपड़े के लाले ही रहते, कोई सीधे मुँह बात भी न करता। अभागी शुभ कामों में सम्मिलित होने को तरस जाती। वह यदि किसी बच्चे को प्यार की दृष्टि से देख भर लेती तो उसे नज़र लग जाती। नज़र झाड़ने वाले बुलवाये जाते। उसके घर में एक बुढ़िया आया करती है। उसने एक दिन उस विधवा बहू को अकेली पाकर बड़ी सहानुभूति दिखाते हुए कहा—"बड़ी बहू! तुम्हें यहाँ बहुत

कष्ट है। तुम्हारी दुर्दशा देख कर मेरा कलेजा मुँह को आता है। तुम्हारे मायके में तो कोई तुम्हें सहारा देने वाला है नहीं। तुम अपने कपड़े-लत्ते और माल-मत्ते ले कर किसी तीर्थस्थान पर जा कर क्यों नहीं रहतीं ?" उसने कहा—"घरवाले मुझे क्यों जाने देंगे ?" वृद्धा बोली—"यदि तुम कहो तो मैं अपने मझले लड़के को तुम्हारे साथ कर दूँ। वह तुम्हें चुपके से प्रयाग पहुँचा कर तुम्हारे ठहरने की उचित व्यवस्था करके लौट आयेगा। किसी को कानोंकान ख़बर न होगी। वह बहुत अच्छा लड़का है; यथाशक्ति तुम्हें किसी प्रकार की असुविधा अथवा कष्ट न होने देगा।" उसके घर के सभी लोग उस बुढ़िया और उसके परिवार पर बहुत विश्वास और भरोसा करते हैं, इसलिए वह उसकी बातों में आ गयी। बुढ़िया का लड़का उसे प्रयाग न ले जा कर लखनऊ ले गया, और वहाँ बलात् उसे अपनी रखेल बना कर रहने लगता है। वह गुंडा उसे बेधर्म करके उसके ही धन से उसके साथ मौज उड़ाने लगा। उसके पास की जब सारी पूँजी समाप्त हो गयी तो उसे चौक की रंडी नन्ही जान के हाथ बेच कर अपनी मुट्ठी गर्म करके वहाँ से चलता बना।

इतना कह कर वेश्या ने कहा—"महात्मा जी! अब आप ही निर्णय करें कि मुझे रंडी बनाने का दायित्व किसके कन्धों पर है ?"

परिव्राजक ने वेश्या की आत्मकथा सुन कर एक ठंडी साँस भरी, गला रुँध गया और उनके नेत्र अश्रुपूर्ण हो गये। उसके मुँह से ये शब्द निकल पड़ते हैं—"आह आर्य जाति! अनाथों और विधवाओं की आहों से तेरा सर्वनाश हुआ चाहता है। उनके आँसू तुझे डुबो कर ही छोड़ेंगे।"

परिव्राजक घूमता हुआ एक गाँव में पहुँचा। एक भूदेव एक बुड्ढे को मार रहे हैं। महात्मा को वृद्ध पर दया आ गयी, बोला—"महाराज! इस बेचारे को क्यों मार रहे हो ?" ब्राह्मण बोला—"यह साला चमार बड़ा दुष्ट है। हम लोगों की आँख बचा कर कुएँ से पानी भर रहा था। कहता है कि पोखरे का जल दुर्गन्ध करता है, पिया नहीं जाता। राम! राम! इसे छू लिया है, कुसमय नहाना पड़ेगा। परन्तु पहले पानी निकलवा कर कुएँ को शुद्ध करना होगा।"

परिव्राजक को भारतीयों में फैले इस छुआछूत के भयंकर रोग को देख कर मानसिक व्यथा हुई। उसने कहा—"यह रोग तो जान लेवा है; यह सारे प्राणियों को मित्र की दृष्टि से देखने वाले[1] आर्यों के वंशजों को कहाँ से लग गया है ?"

---

१. ओ३म् दृते दृ ँह मा मित्रस्य मा चक्षुषा सर्वाणि भूतानि समीक्षन्ताम्। मित्रस्याहं चक्षुषा सर्वाणि भूतानि समीक्षे। मित्रस्य चक्षुषा समीक्षामहे।।
—यजु०, अ० ३६। मं० १८

परिव्राजक गंगा के किनारे-किनारे चला जा रहा है। दिन बहुत थोड़ा रह गया है। सूर्यदेव अविरल गति से पश्चिम की ओर भागे चले जा रहे हैं। साधु की दृष्टि नदी तट से कुछ हट कर बायीं ओर फूस के झोंपड़ों पर पड़ी। उसने सोचा—"अब आगे बढ़ना ठीक नहीं है। शीघ्र ही अँधेरा हो जायगा। इसलिए आज यहीं विश्राम करना चाहिए।" यह सोच कर वह झोंपड़ों की दिशा में चल देता है। पास पहुँच कर एक झोपड़ी के द्वार पर उसने देखा—एक बूढ़ा आदमी खड़ा है, कमर झुकी हुई, पोपला मुँह, भौंहें तक सफ़ेद हो गयी हैं। लकड़ी के सहारे काँप रहा है। एक महात्मा को देख कर उसने हाथ जोड़ दिये। परिव्राजक ने कहा—"बच्चा! आज अपने राम यहीं धूनी रमाना चाहते हैं।" वह बोला—"महाराज! यह घर आपका ही है; आपका स्वागत है, परन्तु हम लोग मुसलमान हैं, कहीं आपको यहाँ असुविधा न हो।" यह सुन कर साधु को आश्चर्य हुआ। पूछा—"तुम तो केवट हो, अपने को मुसलमान क्यों कहते हो?" इस प्रश्न से बुड्ढे का जी दुःखा, उसकी आँखों से आँसू की दो बड़ी-बड़ी बूंदें गिर पड़ीं। उसने एक ठंडी साँस ली और कहा—"बाबा हम हिन्दू थे, और अब भी हैं। हरदेव बाबा और काली माई की पूजा पहले करते थे और अब भी करते हैं, परन्तु ऊँची जाति के हिन्दुओं ने हमें मार-मार कर मुसलमान बना दिया है। हमारे हाथ का छुआ न कुछ खाते हैं, न पीते हैं। हमारा तो होम करते हाथ जला। महात्मा जी ! बात यह हुई कि एक समय हमारे यहाँ विसूचिका की महामारी फैल गयी। बहुत-से लोग उसकी भेंट हो गये। हमारे बीच एक दरिद्र मुसलमान परिवार भी रहता था। उस परिवार का केवल एक बच्चा बचा था। मेरी माँ को उस नन्हें बच्चे पर दया आ गयी। माँ ने उसे अपना दूध पिला-पिला कर पाला-पोसा। मुसलमान कुछ न बोले, कदाचित् उन्हें पता ही न चला। परन्तु हिन्दू धर्म के ठेकेदारों ने कोलाहल मचाना आरम्भ कर दिया। वे कहने लगे कि केवटिन मुसलमान बच्चे के सहवास से धर्म-भ्रष्ट हो गयी है। चूँकि सब केवटों ने उस स्त्री के साथ खानपान का व्यवहार रखा, इसलिए वे भी बेधर्म हो गये हैं। बाबा जी ! अब हमें अपने बेधर्म होने का तनिक भी खेद नहीं है, परन्तु हिन्दुओं के भावी सर्वनाश की आशंका से मेरे रोंगटे खड़े हो जाते हैं। आजकल के छोकड़े बड़े-बूढ़ों के कहने में नहीं हैं। उन्हें मुल्ला-मौलवी सिखाते हैं—मूर्ति पूजा कुफ़्र है। बुतों को पूजना छोड़ दो। दिन में पाँच बार नमाज़ पढ़ा करो, और रमज़ान में रोज़े रखा करो। यदि बुतपरस्ती ही तुम्हारे मन बसी है, तो ताज़िये रखो, सैयद मर्द की क़ब्र पूजो। जब कभी अवसर मिले काफ़िरों को अपने दीन में मिला लो। खुदा एक दिन लायेगा जब इस देश पर हमारा फिर राज होगा। तब

मौज करना मौज, समझे। जैसे भी हो अपनी संख्या बढ़ाते जाओ। वे लौंडे जब घर आकर देवी-देवताओं के विरुद्ध विष उगलते हैं, तो सुन कर मेरा कलेजा सन्न हो जाता है। मेरी बोटी-बोटी काँपने लगती है। मेरे मुँह से निकल जाता —हाय भगवान्। राम-कृष्ण के नामलेवों की क्या गति होने वाली है। सुना है, प्रयागराज में हमारे पूर्वज निषादराज ने राम जी को अपनी नाव में बिठा कर गंगा मैया को पार कराया था।" फिर आँखों में आँसू भर कर महात्मा जी से पूछने लगा—"बाबा जी। जब इस देश के सब लोग बेधर्म हो जायँगे तो गीता-रामायण का पाठ कौन करेगा? वेद-पुराण का नाम कौन लेगा? हरे कृष्ण! हरे कृष्ण! हरे राम! हरे राम! कौन कहेगा?" परिव्राजक बेचारा इसका क्या उत्तर देता। उसकी आँखों के सामने आर्य जाति की दुर्दशा और सर्वनाश का ऐसा डरावना चित्र खिंच गया कि वह कलेजा थाम कर बैठ गया। उसे ऐसा जान पड़ा, मानो हृदय फटा जा रहा हो।

परिव्राजक जगन्नाथपुरी की ओर जा रहा है। मार्ग में एक छोटा गाँव मिला। वहाँ काली जी के मन्दिर के आगे लोग एकत्र हैं। कुछ व्यक्ति एक बालक को नहला रहे हैं, उसके पास ही खड़ी एक स्त्री मुँह ढाँपे सिसक-सिसक कर रो रही है। लोग उसे समझाते हैं। उसके इस त्याग के फलस्वरूप देवी की प्रसन्नता की ओर संकेत करते हैं। उसके कोप की धमकी देते हैं। वह बेचारी मन मार कर कुछ देर तो चुप रहती है, परन्तु फिर सिसकने लगती। महात्मा कुतूहलवश वहाँ खड़े हो कर उस कौतुक को देखने लगता है। नहलाने के पश्चात् लड़के को पीले वस्त्र पहना कर उसके माथे पर चन्दन लगाया गया। एक पुजारी हाथ पकड़ कर बालक को देवी के सामने लाता है। दूसरे पुजारी ने तलवार के एक ही वार से लड़के का सिर इस फुर्ती और दक्षता से धड़ से अलग कर दिया कि वह उछल कर देवी के ठीक गोद में जा पड़ता है। एक हृदयभेदी आह उस स्त्री (सम्भवतः लड़के की माँ) के मुँह से निकली और वह ज्ञानशून्य हो कर गिर पड़ती है। उधर सैकड़ों मनुष्यों के मुँह से गगनभेदी ध्वनि निकली—"काली मैया की जय।" इस पैशाचिक लीला को देख कर परिव्राजक का हृदय सिहर उठा, उसकी आत्मा रो उठी।

बंगाल में विचरण करते हुए परिव्राजक ने देखा कि उस प्रान्त में और विशेष कर उसके पूर्वी भाग में मुसलमानों की संख्या बहुत अधिक है। उसने इसका कारण एक वृद्ध सज्जन से पूछा। वह यह ऐतिहासिक घटना सुनाता है।

हमीदा ढाका के नवाब की लाड़ली और इकलौती सन्तान है। वह जितनी रूपवती है, उतनी ही मृदुल स्वभाव की भी। बड़े-बड़े घरानों के कई युवकों

ने उससे विवाह करने की इच्छा प्रकट की और नवाब के पास शादी के पैग़ाम भेजे, कितने मनचले प्रेमियों ने अपना हृदय उसको भेंट करना चाहा, पर हमीदा ने किसी की ओर आँख उठा कर भी न देखा। परन्तु एक दिन एक साधारण काफ़िर युवक को स्नान के लिए नदी की ओर जाते हुए देख कर उसका संयम टूट गया। वह उसे अपना दिल दे बैठी। वह भाग्यवान् (वास्तव में अभागा) युवक नगर के प्रसिद्ध और सम्मानित व्यक्ति पं० नीलकांत का पुत्र कलानिधि है। लंबा कद, तेजस्वी मुद्रा, कुंदन का-सा रंग, देवताओं का-सा रूप, गठी हुई देह, मुख से एक ज्योति-सी स्फुरित हो रही है। कोई राजकुमार मालूम होता है। उसका सौम्य रूप हमीदा की आँखों में बस गया, हृदय पर खिच गया। धीरे-धीरे यह बात नवाब के कानों तक पहुँची। पहले तो वह बहुत लाल-पीला हुआ, नाक-भौं सिकोड़ी, परन्तु जब उसने देखा कि पुत्री पर प्रेम का ऐसा गाढ़ा रंग चढ़ा है कि वह किसी उपाय से नहीं उतरता है तो कुछ ढीला पड़ा। उसने युवक को प्रलोभन दिया—"यदि तुम इसलाम धर्म स्वीकार कर लो तो मैं तुम्हें अपनी राजकुमारी का हाथ सौंप दूंगा। मेरे पश्चात् ढाका के नवाब हो जाओगे। तुम्हारी मान-मर्यादा और पद बढ़ जायगा।" उसका बाण लक्ष्य तक नहीं पहुँचता है। उसने धमकी का प्रयोग आरम्भ कर दिया। जब इस शस्त्र से भी काम न निकला तो वह कलानिधि को मृत्यु के घाट उतारने का विचार करने लगा। परन्तु इस विचार को वह निश्चय में परिणत नहीं कर पाता। हमीदा की म्लान मूर्ति सामने आ जाती और वह विचलित हो जाता। हमीदा कलानिधि के प्रेम में पागल हो रही है। वह अपने प्रीतम को पाने के लिए अपनी कुल-मर्यादा को तिलांजलि दे कर हिन्दू बनने को भी तैयार हो गयी। नवाब हिन्दुओं की मूर्खता को जानता है। वह समझता है कि वे काठ के उल्लू हमीदा को किसी अवस्था में भी हिन्दू धर्म में दीक्षित नहीं करेंगे। इसलिए उसने युक्ति से काम लिया। उसने कलानिधि को बुला कर कहा, "यदि तुम हमीदा को हिन्दू बना कर भी पत्नी रूप में ग्रहण कर लो तो मुझे कोई आपत्ति नहीं होगी। वह तुम्हें सच्चे दिल से प्यार करती है।" हमीदा के दिव्य अनुराग और विशुद्ध प्रेम ने कलानिधि के मन पर विजय पायी। गीली लकड़ी ने भी प्रज्वलित अग्नि में पड़ कर आग पकड़ ली। युवक की बुद्धि और प्रेम ने नवाब के प्रस्ताव को उचित ठहराया। वह हमीदा को ले कर घर की ओर चला। अब वे एक दूसरे के प्रेम में पगे हुए हैं। ढाका के हिन्दुओं में खलबली मच गयी। ब्राह्मणों में हलचल मची। उन लोगों ने चिल्ला-चिल्ला कर आकाश सिर पर उठा लिया—"कलजुग है, कलजुग! धर्म रसातल को चला जायगा। कहीं गदहे धुल कर घोड़े बन सकते

हैं ?" बंगाल के ब्राह्मणों से हताश होकर वह युगल जोड़ी काशी पहुँचती है। वहाँ के धर्माचार्यों से मुसलमान से हिन्दू बनने की व्यवस्था माँगी। उनसे अनुनय-विनय की, उनकी चिरौरी-विनती की। घुटने टेक कर धरती पर सिर रख दिया। तीन दिन और तीन रात भूखे और प्यासे गंगा-घाट की सीढ़ियों पर पड़े रहे। परन्तु हिन्दू धर्म के ठेकेदारों के पत्थर के हृदय नहीं पसीजे। उन्होंने उनकी प्रार्थना अस्वीकार कर दी और कहा—"मुसलमान से हिन्दू होना असम्भव है, यह कार्य शास्त्र-विरुद्ध है।" यह सुनते ही कलानिधि का मुख क्रोध की ज्वाला से तमतमा उठा; आँखों से अंगारे बरसने लगे। दोनों मुट्ठियाँ बँध गयीं, दाँत पीस कर बोला—"तुम हिन्दू समाज में हिंसक पशु, खून चूसने वाली जोंक, और वृक्षों की चोटी पर फलने वाला बंझा हो। तुम्हारी बुद्धि तो भाँग खा गयी है। जिस पारस को छूकर कितनी लौहरूप विदेशी जातियाँ सोना हो गयीं और पारस लोहा नहीं बना, उसी पारस रूप हिन्दू धर्म को तुमने मिट्टी में मिला दिया है।" उसने हमीदा का हाथ पकड़ कर कहा—"चलो, सामने मसजिद है। वहाँ चल कर निकाह पढ़ा लेवें।" दोनों का विवाह हो गया। कलानिधि कलमा पढ़ कर हमीदा का पति हामिद हो गया, और नवाब ने उसे अपना उत्तराधिकारी बनाया। हिन्दुओं के दुर्व्यवहार से वह इतना चिढ़ गया कि उसने अपने जीवन का उद्देश्य ही यह बना लिया कि हिन्दुओं को मारो-काटो, और उन्हें बलात् मुसलमान बनाओ। उसके हाथ में शक्ति है, हिन्दू असंगठित और निर्बल हैं। इसलिए वह अपने उद्देश्य को पूरा करने में खूब सफल हुआ। वह जिधर से निकल जाता हिन्दुओं में भगदड़ मच जाती। लोग "काला पहाड़! काला पहाड़!" चिल्लाते हुए इधर-उधर भागने लगते। इतिहास में कलानिधि हामिद न कहला कर 'काला पहाड़' के नाम से प्रसिद्ध है।

वृद्ध सज्जन से 'काला पहाड़' की कथा सुन कर परिव्राजक को बंगाल के ब्राह्मणों और काशी के पंडितों की बुद्धि पर रोना आ गया। वह सोचता है कि वेदों की घोषणा है कि संसार को आर्य बनाओ, और ये मूर्ख एक पवित्र स्त्री को भी आर्य न बना सके। कहते हैं गदहा घोड़ा नहीं हो सकता है। परन्तु मनुष्य मनुष्य में घोड़ा-गदहा का-सा जाति-भेद कहाँ है? यदि गदहा घोड़ा नहीं बन सकता तो घोड़ा भी तो गदहा नहीं बना। फिर ये निर्बुद्धि लोग घोड़ों को गदहे क्यों बनने देते हैं, अपनी मूर्खता से दिन-पर-दिन उनकी संख्या क्यों बढ़ा रहे हैं? यदि यह जाति शीघ्र नहीं चेती तो ये घोड़ों से बने गदहे इसे दुलत्ती मार-मार कर भारत से ढकेल कर समुद्र में डूबो देंगे।

परिव्राजक घूमता फिरता दक्खिन पहुँचा। उसे यह देख कर आश्चर्य हुआ

कि वहाँ ईसाई बहुत पहले ही से विद्यमान हैं, और वे सब-के-सब भारतीय हैं। खोज करने पर इस बात के रहस्य का पता चलता है।

लगभग दो सहस्र वर्ष पूर्व की बात है। इसराइल देश से एक चौदह वर्षीय बालक भाग कर आर्यावर्त आया। यहाँ उसने पंद्रह-सोलह वर्षों तक अध्ययन किया। वह विद्वान् हो कर जब स्वदेश लौटा तो उसके बचपन के गुरु यूहन्ना ने कहा—"लोगो! मैं तुम्हें धर्म की दीक्षा जल से देता हूँ, परन्तु मेरे पश्चात् मेरा शिष्य तुम्हें अग्नि द्वारा तुम्हारी आत्माओं को पवित्र करके धर्म में दीक्षित करेगा।" यूहन्ना की बात सच्ची निकली। उस ईसा नाम के महात्मा ने इसराइल में वैदिक धर्म के पुनरुत्थान में एड़ी-चोटी का बल लगा दिया। उसने घोषणा की, "ईश्वर एक है। हम सब उसके पुत्र हैं, वह हमारा पिता है। उसी की उपासना करना तुम्हारा धर्म है। प्राणी मात्र पर दया करो। किसी से द्वेष मत करो। ईश्वर हर एक को उसके कर्मों के अनुसार प्रतिफल देगा। अमरता की खोज करने वाले को वह अमर बना देता है, मुक्ति प्राप्त करा देता है।" थोड़े से लोगों ने उसकी बातें मानीं, शेष विरोध करने लगे। उसे सूली पर चढ़ा दिया गया। उसके शिष्यों ने उसकी शिक्षाओं का प्रचार किया, परन्तु तोड़-मरोड़ कर। उसके साधारण वाक्य—'हम ईश्वर के पुत्र हैं' का अर्थ लगा लिया कि ईसा ईश्वर का इकलौता बेटा था। 'ईश्वर हर एक को उसके कर्मों के अनुसार फल देता है' के स्थान पर प्रसिद्ध कर दिया कि हज़रत ईसा ईसाइयों के पापों को लेकर सूली पर चढ़ गये। अब जो भी ईसाई धर्म में सम्मिलित होगा उसके पाप क्षमा हो जायँगे। ईसाई मत का प्रचार खूब हुआ। यह सारे यूरोप पर छा गया। ईसाइयों में अन्धविश्वास इतना बढ़ा कि उनके हाथों भौतिक विज्ञानवेत्ताओं, भूगोल-खगोल इत्यादि के विद्वानों और आविष्कारकों को भीषणतम अत्याचार सहने पड़े, क्योंकि उनके कथनों से बाइबिल में वर्णित बहुत-सी बातें असत्य ठहरती थीं।

इसी ईसाई धर्म का अनुयायी पुर्तगाल देश का निवासी राबर्ट-डी-नोबली नामक पादरी अपने मत का प्रचार करने के लिए भारत में आया। उसने पहले यहाँ के लोगों के आचार-विचार का अध्ययन किया। उसने देखा कि यद्यपि वेद उनके लिए काला अक्षर भैंस बराबर हैं, फिर भी उनमें उनकी श्रद्धा और विश्वास असीम है। उसने एक ब्राह्मण विद्यार्थी के वेश में मदुरा जाकर संस्कृत पढ़ी। तत्पश्चात् बाइबिल के कुछ उपदेशों को संस्कृत भाषा में श्लोकबद्ध करके एक पुस्तक तैयार कर ली। अब वह एक हिन्दू संन्यासी के रूप में मद्रास प्रान्त में घूम-घूम कर अपने धर्म का लोगों में प्रचार करने लगा। वह भोले-भाले हिन्दुओं

से कहता—"यह यजुर्वेद का उपदेश है, इस पर आचरण करो।" थोड़े ही दिनों में उस पादरी के शिष्यों की संख्या सहस्रों तक पहुँच गयी। एक दिन उसने बहुत बड़े उत्सव की योजना की, जिनमें उनके शिष्यों के अतिरिक्त और लोग भी भारी संख्या में सम्मिलित थे। प्रसाद-वितरण के पश्चात् उसने बातों-ही-बातों में उन सब के सामने प्रकट कर दिया कि वह यूरोप का रहने वाला एक ईसाई पादरी है। लोगों को बड़ा आश्चर्य हुआ। उनके पाँव के नीचे से धरती खिसकती जान पड़ी। वे कर्त्तव्य-विमूढ़ होकर एक दूसरे का मुँह देखने लगे। यह समाचार आग की भाँति सब कहीं फैल गया। जाति और धर्म के ठेकेदारों ने इन बेचारों को जाति बाहर कर दिया। उन्होंने कहा—"इस धूर्त पादरी के साथ उठ-बैठ कर, और उसके हाथ से प्रसाद पाकर तुम लोग धर्म-भ्रष्ट हो गये हो। तुम्हें अपने साथ मिला कर हम अपना धर्म क्यों गवाँयें।" मान-न-मान मैं तेरा मेहमान की कहावत के अनुसार ईसाई धर्म उन सहस्रों लोगों के गले पड़ गया।

भारतवासियों के अज्ञान और अधःपतन की कहानियाँ सुनते-सुनते और दृश्य देखते-देखते परिव्राजक का मन दुःख से विह्वल हो गया और वह अशान्त चित्त से एक पहाड़ के शिखर पर चढ़ कर परमात्मा के ध्यान में लीन हो जाता है।

●

उन्नीसवीं शताब्दी का भारत है। शताब्दियों पहले देश की सोचने-समझने की मौलिक क्षमता समाप्त हो चुकी है। प्राचीन काल से मध्य काल तक चिन्तन की हर दिशा में चुनौतियों को स्वीकारने वाला मानस टीकाओं और व्याख्याओं के जाल में फँसता चला गया। उसकी मौलिक रचना-शक्ति समाप्त हो चुकी है, पिष्टपेषण और बाल की खाल निकालने की चेष्टा की जाती रही। लगता है समाज की जीवनी-शक्ति कहीं कुण्ठित हो गयी है। इस देश के मानस ने नयी चुनौतियाँ स्वीकारीं ही नहीं, वह केवल अपने पहले अर्जित ज्ञान की शाखाएँ-प्रशाखाएँ निकालने में व्यस्त रहा और मौलिकता के अभाव में सम्प्रदाय से सम्प्रदाय पैदा करने की क्षमता का परिचय देता रहा। कर्म के भोग के स्थान पर नियति के बन्धन में समाज छटपटा रहा है। ज्ञान परम्परित हुआ और भाव अतिशय अतिरंजित रूप में जीवन को घेरता हुआ कर्म को शिथिल कर रहा है। और सब से बड़ी कठिनाई थी प्रमाणवाद की। हर बात का प्रमाण खोज निकाला गया। यहाँ तक कि प्रमाण के लिए नये शास्त्रों और पुराणों की रचना की जाती रही।

पुरानी जड़ों पर परम्परा को पकड़े हुए प्रमाणों की दुहाई देता हुआ समाज इसलाम की टक्कर में अपनी रक्षा के लिए अन्तर्मुखी पलायन का रास्ता खोजता

रहा। आत्मरक्षा की चेष्टा में यह गतिरुद्ध समाज अधिकाधिक अपने अन्दर संकुचित होता गया। इस बीच यूरोप की गोरी जाति के लोग विभिन्न देशों के व्यावसायिक स्वार्थों के साथ इस देश में आते हैं और व्यावसायिक स्पर्धा के साथ अपने देश की राजनीतिक शक्ति को संगठित करने की चेष्टा भी करते हैं। उन्होंने व्यावसायिक बुद्धि, गोरी राजनीति और ईसाई मत के संगठित प्रयोग से भारत में अपनी शक्ति की जड़ें निरन्तर सुदृढ़ की हैं।

उनकी व्यावसायिक बुद्धि ने भारतीय उद्योग-धन्धे की समुन्नत परम्परा को समाप्त किया, क्रूरता के साथ यहाँ के कला-कौशल को नष्ट किया और क्रमशः सारे देश को कच्चे माल की मण्डी और अपने तैयार माल के बाज़ार में बदल दिया है। यूरोप की गोरी राजनीति ने इस देश के मानस को हीन भाव से भर दिया, धर्म और जातियों में बाँट दिया, बराबरी की भ्रामक धारणा से उनके बीच का संघर्ष बढ़ा दिया और किसी मार्ग-दृष्टि के अभाव में यह संघर्ष अधिकाधिक बढ़ा। प्राचीन काल से चली आयी ग्राम-पंचायतों के ढाँचे भी टूटते गये। इस बीच ईसाई धर्म ने यहाँ धार्मिक हीन भाव को बढ़ाया। यहाँ के विजड़ित और गतिरुद्ध समाज को यह आभासित करा दिया गया कि उनके धर्म से अधिक हीन, असत्य, पिछड़ा हुआ और भ्रमपूर्ण कोई धर्म नहीं है। इस समय ही नहीं, सदा से भारतीय जाति, समाज और धर्म ऐसे ही पिछड़े हुए, अति हीन और अन्धविश्वासी रहे हैं। यूरोप की गोरी संस्कृति को इस प्रकार भारतीय जीवन और संस्कृति पर आरोपित किया गया कि उसकी चमक-दमक के सामने समस्त भारतीय समाज हतवीर्य और चेतनाशून्य हो गया है।

आज उन्नत और गौरवशाली प्राचीन आर्य जाति का नाम-लेवा आधुनिक भारतीय समाज शारीरिक, मानसिक, आर्थिक एवं राजनीतिक हर प्रकार की दासता में जकड़ा हुआ है। इन दासताओं से छूटकारा पाने में उसके आलस्य, प्रमाद, अज्ञान, अन्धविश्वास और स्वार्थपरायणता आदि दुर्गुण बाधक हैं। समाधि से जाग कर मुक्तात्मा के मन में संकल्प जगा—इस प्राचीन जाति और समाज को उसके वास्तविक स्वरूप का बोध कराना है; उसका आलस्य-प्रमाद छुड़ा कर उसे श्रमशील बनाना है, वेद-शास्त्रों की शिक्षा द्वारा अज्ञान और अन्धविश्वास दूर करके उसको विवेकशील बनाना है; वैदिक भ्रातृभाव और मानवता[1] सिखा कर उसे पुरुषार्थी और परोपकारी बनाना है। मुक्ति और ब्रह्मानन्द को भी इसके लिए वह छोड़ने को प्रस्तुत है। ●●●

---

१. मनुर्भव—ऋग्वेद, १०।५३।६

महर्षि दयानन्द

१ | आदि विद्रोही

सूर्य की किरणें पूर्व से प्रकाश का सन्देश लाती हैं और अन्धकार को धीरे-धीरे दूर करती हैं। क्रमशः किरणें फैलती हैं और प्रकाश भ्रम और शंकाओं को दूर करता है। भारत के आधुनिक जीवन का प्रकाश-सूर्य पश्चिम से निकलने वाला था, कदाचित् यह युग की आन्तरिक समस्त जड़ता को काटने की प्रखर पीड़ा को झेल कर प्रकाश की संकल्प-किरणों के साथ उदय होना ईश्वरीय इच्छा का परिणाम था। हमारे देश के पश्चिमी भाग में अरब सागर की कच्छ की खाड़ी से लगा हुआ गुजरात के अन्तर्गत काठियावाड़ का प्रदेश है। इस प्रदेश में मच्छुकाँटा नदी के किनारे टंकारा नाम का एक बड़ा ग्राम है। उन्नीसवीं शती के तीसरे दशक में भारतीय जीवन सम्प्रदाय की परम्पराओं से जुड़ा हुआ किसी प्रकार चल रहा है। ग्राम के सीमान्त पर एक बड़ा शिवालय है। यह मन्दिर इस ग्राम के शैव भक्तों की भक्ति का प्रतीक-सा खड़ा है, वैसा ही जड़ और कठोर।

इस ग्राम में कर्षन जी की प्रतिष्ठा है, वे यहाँ के सम्पन्न और प्रतिष्ठित व्यक्ति हैं। मौरवी राज्य की ओर से इस क्षेत्र का प्रबन्ध उन्हीं के हाथ में है। राज्य से उनकी सहायता के लिए कुछ सैनिक भी मिले हुए हैं। उनकी अपनी ज़मींदारी टंकारा से कुछ दूर एक दूसरे ग्राम जीवापुर में है। वे औदीच्य वंशीय कुलीन ब्राह्मण हैं। आज उनके यहाँ पुत्र ने जन्म लिया है। शिशु अतीव सुन्दर, दर्शनीय और हृष्ट-पुष्ट है। पहली सन्ताम का मुख देख कर माता-पिता के आनन्द का पारावार नहीं है। गाँव भर में प्रसन्नता छायी है। घर में स्त्रियों का मंगलगान हो रहा है। द्वार पर भाट और चारण मंगलाचरण गा रहे हैं। बाजे बज रहे हैं। इष्ट-मित्र इस भाग्यशाली दम्पति को बधाई दे रहे हैं। उनका मुँह मीठा किया जा रहा है। कंगालों और मँगतों में अन्न बाँटा जा रहा है।

आँगन में पुरोहित जी एक आसन पर विराजमान हैं। हर्षातिरेक से उनकी तोंद और बढ़ गयी है, जिससे उनकी फतुही इतनी कस उठी कि उसके दो बटन टूट कर आगे गिर पड़े। मन में सोच रहे हैं कि आज तो यजमान से भरमुट्ठी दक्षिणा और भरपेट भोजन मिलेगा। नवजात शिशु का जात-कर्म संस्कार समाप्त हो चुका है। पंडित जी एक पाटी पर सीधी-तिरछी लकीरें खींच कर और फिर अंगुलियों पर कुछ गणना करके बोले—"बच्चे के जन्म-ग्रह बहुत बलवान् हैं और मित्र-ग्रह भी बहुत अच्छे हैं। यह बालक बड़ा प्रतिभावान् होगा। जिस सभा में जा बैठेगा इसका तेज सब पर पड़ेगा। शरीर आरोग्य रहेगा।" गृहिणी प्रसन्न हो कर बोली—"महाराज! आपके मुँह में घी-शक्कर।" पंडित जी हँस कर बोले—"परन्तु शक्कर फीकी है।" उपस्थित जन हा-हा करके ठठा कर हँस पड़े। कर्षन जी भी मुस्करा कर कहने लगे—"पंडित जी! आपका कहना ठीक है। मन मोदकनि कि भूख बुझाई!" उन्होंने दिल खोल कर पुरोहित जी को दान-दक्षिणा दी।

बालक का नाम-करण संस्कार भी धूमधाम से हुआ। उसका नाम मूलजी रखा गया। लोग उसे मूलशंकर और दयाल जी भी कह कर पुकारते हैं। वह माता-पिता की स्नेहमयी गोद में शुक्लपक्ष के चन्द्रमा की भाँति दिन-दिन बढ़ रहा है। उसकी शिक्षा का आरम्भ पाँच वर्ष की अवस्था से ही हो गया है। वह बड़ा ही कुशाग्रबुद्धि और शान्त प्रकृति का बालक है। उसकी स्मरण-शक्ति विलक्षण है। उसने थोड़े ही दिनों में बहुत-से स्तोत्र, मंत्र और श्लोक कण्ठस्थ कर लिये हैं।

बालक के पिता निष्ठावान् शैव हैं, और उनकी शिव के प्रति अनन्य भक्ति है। नियम के अनुसार वह शिव-पूजा आदि का आयोजन करते हैं। उनकी कामना है कि उनका बड़ा पुत्र मूलजी उनके समान ही शैव सम्प्रदाय का निष्ठावान्

अनुयायी बने। पुत्र चौदह वर्ष का हो रहा है। उसने 'रुद्राध्याय' की शिक्षा के पश्चात् 'यजुर्वेद संहिता' का अध्ययन आरंभ किया है। पर पिता की अभिलाषा है कि पुत्र सम्प्रदाय के व्रत-उपवास आदि का नियमानुसार पालन करे। शिवरात्रि का व्रत समीप आ रहा है। उस देश में यह शिव-व्रत फाल्गुन के स्थान पर माघ बदी चौदस को किया जाता है। माता का कहना है—"देखो, अभी मूलजी कोमल बालक है, तुम्हारा यह कठिन व्रत उसके वश का नहीं है।" कर्षन जी दृढ़ चरित्र के व्यक्ति हैं—"तुम स्त्रियों का स्वभाव कोमल होता है, पर मनुष्य को कठोर जीवन अपनाना होता है। मोह-बुद्धि छोड़ो, मूलजी अब बच्चा नहीं है। वह चौदह पार कर रहा है, वेद-शास्त्रों का अध्ययन कर रहा है। अभी यदि उसका मन भगवान् शंकर की पूजा में नहीं लगा तो आगे कठिनाई हो सकती है।" माता ने बात सँभालने का प्रयत्न किया—"मैं कह रही थी कि अभी उस पर शास्त्रों के अध्ययन का बहुत भार है। न हो तो एक-दो वर्ष और रहने दिया जाय। फिर तो उसे यह सभी कुछ करना ही है।" परन्तु पिता के आगे माता की एक न चली। पिता ने पुत्र को इस व्रत के माहात्म्य की कथा सुनाई और रात भर जाग कर निराहार व्रत रखने के फलस्वरूप विद्यादि की प्राप्ति और अन्य सुखों की उपलब्धि का वर्णन इस प्रकार किया कि मूलजी व्रत रखने के लिए तैयार हो गया।

संवत् १८९४ की बात है। आज शिवालय में बड़ी चहल-पहल है। टंकारा और उसके आसपास के ग्रामों के सर्वसाधारण और प्रतिष्ठित लोग मन्दिर के विशाल प्रांगण में एकत्र हो रहे हैं। बहुत से शिव-भक्तों ने शिवरात्रि का निराहार व्रत रखा है। वे वहाँ रात भर जागरण करके शिवाराधना करेंगे। दीपकों के प्रकाश से सारा देवालय जगमगा रहा है। धूप और अगर की सुगन्ध उड़ रही है। यज्ञ-हवन की सुगन्धित वायु सारे वायुमण्डल को परिपूर्ण कर रही है। मुख्य पूजा अभी आरम्भ नहीं हुई है। लोग कर्षन जी की प्रतीक्षा कर ही रहे थे कि वे मूलजी को लिये हुए आ पहुँचे।

अब शिव-पूजन आरम्भ हुआ। भक्तजन और दर्शकवृंद मन्दिर की छत से लटकते हुए भारी घंटे को पकड़-पकड़ कर हिला रहे हैं, उसकी टन-टन की ध्वनि के साथ अपने हर-हर महादेव के उच्च नाद से वायुमण्डल को गुँजा रहे हैं। कोई भक्त महादेव को दूध से नहला रहा है, तो कोई उन पर बेल तथा बेल-पत्र आदि चढ़ा रहा है। कुछ श्रद्धालु शिवलिंग के आगे खड़े हो कर सुरीले और भक्तिपूर्ण स्वर में शिवस्तोत्र पढ़ रहे हैं। एक पंडित जी—"ओ३म् नमः शम्भवाय च नमोभवाय च। नमः शंकराय च मयस्कराय च। नमः शिवाय च शिवतराय

च ॥"[1] वेद-मंत्र का उच्च स्वर से पाठ करके शिवाराधना कर रहे हैं। कुछ मनचले भक्त बड़े प्रेम से शिवबूटी छान रहे हैं। वे व्रतोपवास के झमेले में नहीं पड़ना चाहते। थोड़ी दूधिया और दो-एक धतूरे के फल-फूल आशुतोष भगवान् पर चढ़ा देंगे। उनके प्रसन्न हो कर वरदान देने में क्या देर लगती है? वह तो पूरे भोले बाबा हैं। बम-बम भोले। उनकी यही धारणा है, यही विश्वास है।

यह पूजा-क्रम ग्यारह बजे तक तो बड़े उल्लास और समारोह के साथ चला। फिर दर्शक और उपासक, जिन्हें रात भर जागना अभीष्ट नहीं है, अपने-अपने घरों को लौट जाते हैं। शेष भक्त थोड़ी देर तो स्तुति-प्रार्थना करते और भजन गाते और ढोल-मृदंग आदि बजाते रहे, परन्तु जैसे-जैसे रात भीगती गयी, उनका उत्साह मंद पड़ता जा रहा है। निद्रादेवी ने उन पर आक्रमण करके उनके श्रद्धा-भक्ति के भाव को पराजित कर दिया है। आधी रात होते-होते सारे भक्त एक-एक करके उसकी गोद में चले गये और आनन्द से खर्राटे भरने लगे। सोने वालों में भी कर्षन जी सर्वप्रथम ही रहे। वे भक्तों के सिरमौर जो ठहरे। पुजारियों ने जब भक्तों की यह दशा देखी, तो उन्होंने भी मन्दिर के बाहरी भाग में जा कर लम्बी तानी।

ऐसे गम्भीर, निस्तब्ध, नीरव और सन्नाटे के समय शिवालय की समस्त वस्तुओं एवं शिवपिण्डी को दो ही ज्योतियाँ प्रकाशित कर रही हैं। एक तो दीपक की ज्वलन्त बत्ती, दूसरी जागरूक बालक मूलशंकर की उज्ज्वल चित्त-वृत्ति। बत्ती तो जड़ है, ज्ञानशून्य है, परन्तु मूलशंकर की चित्तवृत्ति ज्ञानवती और ग्रहण-शक्ति-सम्पन्न है। इस भय से कि कहीं आँख लग जाने से व्रत निष्फल न हो जाय वह बड़े प्रयास से जाग रहा है। उसके पिता ने उसे ऐसा ही बता रखा है।

सहसा बालक की दृष्टि एक चूहे पर पड़ी। वह बड़ी सतर्कता से इधर-उधर देखता हुआ शिव-लिंग की ओर बढ़ रहा है। मूर्ति के समीप पहुँच कर पहले तो उस पर चढ़ाई हुई वस्तुओं का भोग लगाता है, फिर मगन हो कर उस पर घूमने लगता है, मानो कैलास की यात्रा पर निकला हो। बालक के मन में आया कि इस क्षुद्र और मलिन जन्तु को शिव जी के ऊपर से भगा दे, परन्तु तत्क्षण उसे शिव-माहात्म्य की कथा स्मरण हो आयी, उसके सामर्थ्य की बात याद आ गयी। वह त्रिशूलधारी दैत्यों का हनन करने वाला है। उसके तांडव नृत्य से प्रलय मच जाता है। वह त्रिनेत्र त्र्यम्बक है, त्रिपुरारि और कामारि है। वह

---

१. यजुर्वेद —अ० १६। मं० ४१।

कैलासपति डमरू बजाने वाला अस्त्र-शस्त्र सम्पन्न वर-शाप देने वाला समर्थ परब्रह्म है। जब वह पाशुपतास्त्र से बड़े-बड़े राक्षसों का संहार करता है तो क्या वह इस तुच्छ चूहे को नहीं भगा सकता? बालक के मन में शंका उत्पन्न हो जाती है। यह शिवलिंग सच्चा महादेव नहीं हो सकता।

संसार में लाखों मनुष्य चूहों को देवालयों में इधर-उधर घूमते और देव-मूर्तियों पर चढ़ कर चढ़ावा खाते प्रति दिन देखते रहते हैं, परन्तु क्या किसी को इसमें कुछ भी विचित्रता लगती है! एक वृद्ध को तथा एक शव को देख कर केवल महात्मा बुद्ध को ही वैराग्य उत्पन्न हुआ, वैसे तो ये दृश्य कौन नहीं देखता! वृक्ष से फल धरती पर गिरते देख कर न्यूटन के मन में प्रश्न उठा कि यह नीचे क्यों आया, आकाश की ओर क्यों नहीं गया? इस साधारण-सी घटना से न्यूटन ने पृथ्वी की आकर्षण-शक्ति का पता लगाया।[1] जो लोग छोटी-छोटी नित्य-प्रति होने वाली घटनाओं को देख कर अश्रुतपूर्व परिणामों पर पहुँचते हैं वे ही आगे चल कर महापुरुष कहलाते हैं।

भावी महापुरुष मूलशंकर के भीतर इस अति साधारण घटना को देख कर एक आन्दोलन उठ खड़ा हुआ। मूर्तियों के प्रति उसका विश्वास जाता रहा, श्रद्धा हट गयी। वह सच्चे शिव की खोज के मार्ग पर आ खड़ा हुआ। अब उसे उस जड़ महादेव के लिए उपवास असह्य हो गया। वह अपनी शंकाओं को मिटाने के लिए व्याकुल हो उठा। पिता को जगा कर पूछता है—"वह देखिए! चूहा शिव जी पर चढ़ा नैवेद्य खा रहा है। उनके शरीर को गंदा कर रहा है। पिता जी! वे इसे भगाते क्यों नहीं? यदि यह शिवलिंग इतना अशक्त और निर्बल है कि अपनी छाती पर सवार एक छोटे से चूहे को नहीं भगा सकता, तो फिर दैत्यों और असुरों को क्या मारेगा? जो अपनी स्वयं रक्षा करने में असमर्थ है वह दूसरों की रक्षा क्या करेगा? इसका पूजन-अर्चन सब व्यर्थ ही प्रतीत होता है।" पुत्र के मुख से ये विचित्र और अनोखे प्रश्न सुन कर कर्षन जी का मुँह आश्चर्य से खुला रह जाता है। फिर सँभल कर पुत्र को गंभीरता से समझाने लगे—"बेटा, इस कलिकाल में महादेव के साक्षात् दर्शन नहीं होते, इसलिए उसकी मूर्ति बना कर प्राण-प्रतिष्ठापूर्वक उसका पूजन किया जाता है। इन पाषाण आदि की मूर्तियों को यदि कोई देव-भावना से पूजे तो इससे देवता अपनी

---

१. पृथ्वी की आकर्षण-शक्ति का ज्ञान आर्यों को पहले से था। न्यूटन से लगभग आठ सौ साल पहले भास्कराचार्य ने भी अपने प्रसिद्ध ग्रन्थ 'सूर्यसिद्धान्त' में यह बात बताई है कि पृथ्वी अपने केन्द्र की ओर सब वस्तुओं को खींचती है।

पूजा के समान ही प्रसन्न हो जाते हैं।" बालक ने तर्क किया—"पिता जी ! प्राण-प्रतिष्ठा के पश्चात् मूर्ति में हाथ-पाँव हिलाने की शक्ति आ जानी चाहिए थी, परन्तु यह तो अब भी पत्थर के समान ही निश्चेष्ट और जड़ है।" कर्षन जी को धृष्ट बालक की जड़ता और नास्तिकता पर क्रोध आता है, पर वे उसे पी गये, वैसे ही जैसे उनके इष्टदेव शंकर भगवान् विष पान कर गये थे। वे प्रकृतिस्थ हो कर बोले—"बेटा ! यह सत्य है कि शिवपिंडी साक्षात् देवता नहीं। यह तो उसकी मूर्ति भर है। तेरी तर्क-बुद्धि विलक्षण है, फिर भी तू अभी निरा बच्चा है। धर्म के ये गूढ़ विषय तेरी समझ में नहीं आयेंगे। श्रद्धा-भक्ति से शिव जी की पूजा-अर्चना किये जा। बड़े होने पर सब आप ही आप समझ में आ जायगा। छोटे मुँह बड़ी बात उचित नहीं।" पिता के इस उपदेश से बालक को सन्तुष्टि नहीं हुई। शंकाएँ घटने के स्थान पर और बढ़ गयीं। उसने मन-ही-मन संकल्प किया कि मैं सच्चे शिव की खोज करूँगा और केवल उसी की उपासना करूँगा।

अब बालक मूलशंकर के लिए मन्दिर में ठहरने और जागने का कोई प्रयोजन न रहा। इसलिए उसने अपने पिता से उसी समय घर जाने की आज्ञा माँगी। पिता अपने पुत्र की बुद्धि का चमत्कार अभी-अभी देख चुका था। इस डर से कि कहीं बालक फिर ऐंड़े-बेंड़े प्रश्न न कर बैठे, कर्षन जी ने अपना पिंड छुड़ाने के लिए उसे घर जाने की अनुमति दे दी, और एक सेवक के साथ घर भेज दिया। घर पहुँचते ही मूलजी ने माँ से भोजन माँगा। माँ ने मिठाई देते हुए प्यार से कहा—"मैं कहती न थी कि तुमसे भूखा न रहा जायगा। अपने इस व्रत-भंग की बात अपने बाप से न कहना, नहीं तो मार पड़ेगी।" बालक ने कहा—"माँ ! भूखा तो मैं रह लेता और सोता भी न, यदि मन्दिर की मूर्ति ही सच्चा शिव होती।" मूलजी खा-पीकर सो जाता है। दूसरे दिन किसी प्रकार व्रत-भंग की बात कर्षन जी को ज्ञात हो गयी। बालक को इस अपराध का दण्ड मिला, परन्तु वह प्रसन्न है कि व्रतोपवास के आडम्बर से उसका पिंड सदा के लिए छूट गया।

संकल्प और अभिनिष्क्रमण

टंकारा के एक प्रतिष्ठित सज्जन के यहाँ उनके पुत्र का जन्मोत्सव बड़े धूमधाम से मनाया जा रहा है। प्रसिद्ध गवैये और नर्तक बुलाये गये हैं। सोलह वर्षीय मूलशंकर भी अपने पिता के साथ इस उत्सव में सम्मिलित है। हरीराम कत्थक अपनी नृत्य-कला का प्रदर्शन कर रहा है। सारी सभा पर उसका रंग जम गया है। उसके बाद एक प्रसिद्ध गवैया भजन गाने लगता है। मूलशंकर को

इस भजन में बड़ा रस मिल रहा है। यह भजन अभी समाप्त ही हुआ था कि उसके घर से एक सेवक बड़े वेग से भागता हुआ आया और हाँफता हुआ कर्षन जी से बोला—"बड़ी बिटिया को विसूचिका का बड़ा भयानक आक्रमण हो गया है। शीघ्र घर चलिए।" इस समाचार ने उन पर व्रजपात किया। पिता-पुत्र दोनों के हाथ-पाँव फूल गये। तुरन्त उठ कर घर चल दिये। मूलशंकर अपनी इस चौदह वर्षीया छोटी भगिनी को बहुत प्यार करता था। उसकी शोचनीय दशा देख कर उसका हृदय सिहर उठा, कलेजा धक्-धक् करने लगा। सारा परिवार रुग्णा की सेवा-शुश्रूषा में लग गया। बड़ी दौड़-धूप करने पर भी वह कराल मृत्यु के मुख से बचायी न जा सकी।

सारा परिवार रो-रो कर घर भर रहा है, परन्तु मूलशंकर चुपचाप अश्रु-विहीन नेत्रों से अपनी प्यारी बहन के निर्जीव शव और मुख को टकटकी लगाये देख रहा है। वह न जाने क्या सोच रहा है। अड़ोसी-पड़ोसी और घर वाले उसकी यह दशा देख कर आपस में कहने लगे, "देखो! यह लड़का कितना पाषाणहृदय, हृदयहीन और निष्ठुर है। जिस बहन पर वह जान देता था, उसी के लिए आज उसकी आँखों में एक आँसू भी नहीं है।"

साधारण संसारी लोग क्या जानें कि उसके दिल पर क्या बीत रही है। वे तो सदा मरने वालों के लिए रोया ही करते हैं। इससे अधिक वे कर भी क्या सकते हैं। परन्तु भावी महापुरुष मूलशंकर की बात ही और है। जैसे वायु का झोंका नौका के मुख को फेर देता है, जैसे चट्टान से टकरा कर नदी का बहाव बदल जाया करता है, वैसे ही मृत्यु की घटना मूलशंकर की विचारधारा को वैराग्य की ओर मोड़ देती है। सच्चे शिव की खोज का व्रत तो वह शिवरात्रि पर ही ले चुका था। वह इस विषय का चिन्तन बहुधा किया करता था, लोगों से उस चेतन शिव की प्राप्ति का उपाय भी पूछा करता था। परन्तु आज वह यह सोचने के लिए बाध्य हो गया कि मेरी भगिनी के ही समान सभी लोग एक दिन अवश्य ही विकराल काल के गाल का ग्रास बनेंगे। निश्चय ही मुझे भी उसी पथ का अनुगामी होना पड़ेगा। यह जीवन क्षण-भंगुर है तो फिर यह मृत्यु क्या है? क्या उससे छुटकारा पाने का कोई उपाय है?

धीरे-धीरे तीन वर्ष और बीत गये। अब मूलशंकर की आयु का उन्नीसवाँ वर्ष है। विद्याध्ययन में उसका मन बहुत लगता है। उसके पिता की इच्छा है, कि वह घर का भी कुछ काम-धन्धा किया करे। अभी उन्हें राज्य के कार्य के अतिरिक्त अपनी ज़मींदारी और लेन-देन के कामों को भी अकेले ही देखना पड़ता है। कर्षन जी के लिए अपने सब से बड़े लड़के से इन कामों में सहायता पाने की

आशा करना स्वाभाविक ही है। परन्तु मूलशंकर इन बखेड़ों में फँसना नहीं चाहता है। उसकी तो दो ही कामों में रुचि है, अध्ययन में संलग्न रहना या फिर मनन-चिन्तन में तल्लीन होना। ऐसे समय एक और घटना घटी जिसने उसके वैराग्यरूपी अग्निकुण्ड में घृत-धारा का काम किया।

मूलशंकर के चाचा बड़े विद्वान् और धार्मिक व्यक्ति थे। वे अपने बड़े भतीजे को बहुत प्यार करते थे। सहसा वे किसी भयानक रोग के चंगुल में फँस गये। कोई दवा, कोई उपचार या चिकित्सा सफल होते नहीं जान पड़ी। उन्होंने अपना अन्त समय निकट आया जान अपने प्रिय भतीजे को बुला कर समीप बैठने का संकेत किया। अपने स्नेह-पात्र से सदा के लिए विदाई लेते समय उनके नेत्रों से अश्रुधारा बह चली। अपने प्यारे चाचा की यह दशा देख कर मूलशंकर का हृदय एक अज्ञात भय से काँपने लगा, वह अधीर हो उठा और फूट-फूट कर रोने लगता है। रोते-रोते उसकी आँखें सूज गयीं। उसे इतना रोते कभी किसी ने नहीं देखा था। आग लग चुकी है। गीली लकड़ी में पड़ कर चिनगारी धीरे-धीरे सुलग रही है। चाचा की आकस्मिक मृत्यु ने सूखी पत्तियों का काम दिया। आग सूखी पत्तियों को पा कर एकाएक धधक उठी। वैराग्य का नन्हा पौदा बढ़ कर एक विशाल वृक्ष हो गया। मूलशंकर ने देखा कि सम्पूर्ण दृश्य-जगत् असार है। यहाँ स्थायी कुछ भी नहीं। उसने अपने अध्यापक से सुना था कि योगाभ्यास द्वारा मृत्यु का उल्लंघन करके अमृतत्व प्राप्त किया जा सकता है, और तभी सच्चे शिव की उपलब्धि भी संभव होती है। मूलशंकर ने मन ही मन कठोर प्रतिज्ञा की—"मैं गृहस्थी के बन्धन में नहीं फँसूंगा, घर-बार छोड़ कर उस सत्य की खोज करूँगा, जो अविनाशी है, अमर है।"

मूलशंकर के वैराग्य की बात शनैः-शनैः उनके माता-पिता को भी ज्ञात हो गयी। बहुधा माँ-बाप ऐसी स्थिति में विवाह को रामबाण समझते हैं। कर्षन जी और शोभा बाई ने भी मूलशंकर पर इसी अमोघ औषध के प्रयोग करने की ठानी। उन्होंने सोचा, यह वैराग्य की आग अनुराग की वर्षा से आप ही शांत हो जायगी। मूलशंकर को भी पता चल गया कि मुझे सदा के लिए जकड़ने के निमित्त एक प्रबल पाश की खोज आरम्भ हो गयी है। वह सतर्क हो गया। उसने अपने मित्रों द्वारा माता-पिता के इस विचार का घोर विरोध किया। उसने अपने पिता से अनुरोध किया कि आप मुझे व्याकरण, ज्योतिष और आयुर्वेद पढ़ने के लिए काशी भेज दें। पिता ने पुत्र के मन की बात जान ली। उसके अभिप्राय को समझ लिया कि मूलशंकर ब्याह से बचने के लिए यह ताना-बाना बुन रहा है। उन्होंने पुत्र को समझाया—"तुम जो कुछ

पढ़ चुके हो वही हमारे प्रयोजन के लिए पर्याप्त है, अधिक पढ़ कर क्या करोगे? तुम्हारे विवाह में अब अधिक विलम्ब नहीं है। तुम्हें गृहस्थ बनना है, इसलिए घर के कामकाज में जी लगाओ।" ब्याह का नाम सुनते ही मूलशंकर का मुँह लटक गया। बात टालने के लिए उसने कहा—"अच्छा, काशी न सही, पंडित विद्याभूषण जी के पास जा कर पढ़ने की अनुमति तो दे दीजिए। वे हमारी भूमिहारी के निकट ही रहते हैं। वहाँ मुझे कोई कष्ट न होगा। एक पन्थ दो काज होंगे, पंडित जी से पढ़ूंगा और अपनी ज़मींदारी की देख-भाल भी करूँगा। एक-दो वर्ष और पढ़ लेने दीजिए फिर आपकी जैसी इच्छा हो कीजियेगा।" बाण लक्ष तक पहुँच गया। पिता ने पुत्र की बात मान ली, और इस प्रकार विवाह की बला मूलशंकर के सिर से कुछ दिनों के लिए टल गयी।

बात की बात में दो वर्ष निकल गये। कर्षन जी के यहाँ उनके बड़े लड़के मूलशंकर के विवाह की तैयारी बड़ी धूमधाम से होने लगी। सारा घर लिप-पुत कर निर्मल और स्वच्छ हो गया है। चारों ओर आम और अशोक के पत्तों के बीच-बीच में ग्रंथित रंग-बिरंगे फूलों की बंदनवारें लटक रही हैं। द्वार पर बाजे और शहनाई बज रही है। इष्ट-मित्र, बंधु-बांधव, मेली-जोली और सम्बन्धी एकत्र हो रहे हैं। माता मन में स्वर्ण-स्वप्नों को लिए वर-वधू के लिए वस्त्राभूषण सजा कर रख रही है। नाना प्रकार की मिठाइयाँ और पकवान बन रहे हैं। भाई-बहन प्रसन्न हो कर घर भर में नाच रहे हैं, उछल-कूद रहे हैं कि उनकी एक अच्छी-सी, सुन्दर-सी भाभी आयेगी। घर-बाहर सभी लोग हर्ष से फूले नहीं समा रहे हैं। आज उनकी प्रसन्नता की सीमा नहीं है। वे हर्षित और आह्लादित क्यों न हों, उनके प्यारे मूलशंकर का विवाह जो होने जा रहा है। परन्तु जिसको ले कर सब लोगों का मन प्रफुल्लित है, वही दुःखित और चिन्तित है। यह दैव की विडम्बना नहीं तो और क्या है? वह सोच रहा है कि अब इस विवाह रूपी बन्धन से छुटकारा पाने के लिए घर-बार छोड़ कर चल देने के अतिरिक्त मेरे पास दूसरा कोई उपाय नहीं है। हाय भगवान्! मैं क्या करूँ? मेरे एक ओर खाई है तो दूसरी ओर कुआँ। माता-पिता के इस सांसारिक सुख की पराकाष्ठा के अवसर पर मेरे गृहत्याग के तुषारपात से उनकी लहलहाती आशालता एकाएक मुर्झा जायगी। मेरे वियोग में स्नेहमयी जननी का हृदय टूक-टूक हो जायगा, पूज्य पिता जी की कमर टूट जायगी। इसके स्मरण मात्र से ही कलेजा मुँह को आता है, हृदय फटा जाता है। मैंने तो बहुत हाथ-पाँव मारे कि साँप मर जाय पर लाठी न टूटे, परन्तु पिता जी ने काशी जाने ही नहीं दिया। न वहाँ की पढ़ाई समाप्त होती और न ब्याह के बंधन में फँसता। माता-पिता

और बान्धवों से सदा के लिए विच्छेद भी न होता। अब तो गले में फाँसी का फंदा पड़ने ही वाला है। उससे जान बचाने का केवल एक ही उपाय शेष है। चुपचाप इसी समय घर से निकल पड़ूं। मेरा तीव्र वैराग्य मुझे मातृ-पितृद्रोह के रूप में पाप करने पर बाध्य कर रहा है। ईश्वर मेरे इस जघन्य पापाचार को क्षमा करे। यह सोचते-सोचते वह ममता-मोह को त्याग कर और स्नेह-अनुराग के बंधनों को तोड़ कर घर का परित्याग करने को समुद्यत हो गया। यह कहते हुए कि "फिर लौट कर घर न आऊँगा" वह रात के समय सब की आँख बचा कर चुपचाप घर से निकल पड़ता है। इस समय मूलशंकर की अवस्था इक्कीस वर्ष हो चुकी थी।

जब घर वालों को पता चला कि मूलशंकर अचानक कहीं चला गया है, तो मानों उन्हें काठ मार गया हो। एक कुहराम मच गया। माँ ने सुना तो एक हृदयभेदी आह उसके मुँह से निकली और वह पछाड़ खा कर पृथ्वी पर गिर पड़ी। पिता की व्याकुलता का ठिकाना नहीं रहा। रंग में भंग हो गया। वही भरा-पूरा घर था, वही सुनहरी चाँदनी एक निःशब्द संगीत की भाँति प्रकृति पर छाई हुई थी, वही मित्र-समाज था, वही मनोरंजन के सामान थे। परन्तु जहाँ हास्य की ध्वनि थी, वहाँ अब करुण क्रंदन और अश्रु-प्रवाह था।

चारों ओर आदमी दौड़ाये गये, सवार भेजे गये। जहाँ-जहाँ मूलशंकर के जाने की सम्भावना थी, वहाँ-वहाँ खोजने वाले पहुँचे। काशी में खोज करायी गयी, परन्तु उसका धरती-आकाश में कहीं पता न चला।

●

मूलशंकर घर से भाग तो खड़ा हुआ, परन्तु हर समय यही आशंका लगी रहती कि कहीं कोई मुझे पकड़ न ले। वह सार्वजनिक मार्गों को छोड़ कर ऊबड़-खाबड़ डगरों और सूनी पगडण्डियों से भागा चला जा रहा है। रात किसी सुनसान मन्दिर या निर्जन स्थान पर जैसे-तैसे किसी प्रकार काट देता है। एक दिन मार्ग में उसको साधु वेष में ठगों का एक दल मिल गया। उन्होंने देखा कि बटोही की अंगुलियों में सोने की अँगूठियाँ हैं। इस मर्म को भी भाँप लिया कि यह युवक रस्सी तुड़ा कर भागा हुआ बछड़ा है। वैरागी बना हुआ ठगों का नायक मार्ग में मूर्ति स्थापित किये बैठा था। उसने मूलशंकर से कहा—"तुमसे आभूषण तो छोड़े न गये, वैराग्य-सिद्धि क्या खाक होगी। बड़ा त्यागी बनने चला है। यदि अपनी मनोकामना पूर्ण करना चाहता है तो अँगूठियाँ निकाल कर इस देवता के अर्पण कर दे; नहीं तो यों ही धूल फाँकता फिरेगा।" उसके चिढ़ाने से

मूलशंकर ने अपनी सब अँगूठियाँ उतार कर बहुरूपियों के आगे फेंक दीं, और आगे बढ़ गया। मूलशंकर कई दिनों के पश्चात् सायले ग्राम पहुँचा। वहाँ लाला भक्त के घर पर उसकी भेंट अनेक साधु-सन्तों से हुई। उसे वहीं एक ब्रह्मचारी जी से नैष्ठिक ब्रह्मचारी बनने की प्रेरणा मिली। मूलशंकर ने ब्रह्मचारी जी से दीक्षा ले कर काषाय-वस्त्र धारण कर लिये, और हाथ में एक तूंबा ले लिया। अब मूलशंकर शुद्धचैतन्य ब्रह्मचारी बन गया। शुद्धचैतन्य कुछ दिन सायले में रह कर साधुओं से योग की क्रियाएँ सीखता रहा। वह एक रात मठ के बाहर एक विशाल बरगद के पेड़ के नीचे बैठा साधना में रत था। सहसा पेड़ पर कोई पक्षी भयानक ध्वनि में 'घुघु' बोल उठा। बेचारा ब्रह्मचारी अपने लड़कपन के भूत-प्रेत के भ्रमपूर्ण संस्कारों के कारण डर गया, और बेंत की तरह काँपने लगा। वह भाग कर मन्दिर में घुस गया।

शुद्धचैतन्य घूमता हुआ अहमदाबाद के समीप कोट काँगड़ा नाम के एक छोटे नगर में जा पहुँचा। वहाँ उसे बैरागियों की एक टोली मिली। वे बड़े धूर्त थे। बैरागियों के फंदे में फँसी हुई एक रानी भी उनके साथ थी। शुद्धचैतन्य अपनी अँगूठियाँ तो पहले ही ठगों की भेंट कर चुका था, अब उसके पास केवल वस्त्र और थोड़े से रुपये थे। वस्त्र गेरुए रँगे होने पर भी रेशमी थे। बैरागी उसके कपड़ों को देख कर नाक-भौं सिकोड़ने लगे। वे मुँह बिचका कर बोले––"देखो! कैसा बगुला भगत बना फिरता है। बड़ा तूंबाधारी बना है, पर रेशमी वस्त्रों का मोह नहीं छोड़ा जाता है। इन कपड़ों को त्याग दे, और हमारी मण्डली में मिल कर बैरागी बन जा।" उनके इस प्रकार चिढ़ाने से शुद्धचैतन्य ने एक सूती अँचला मोल ले कर पहन लिया, और अपने कपड़े उतार कर उन धूर्तों के आगे फेंक दिये। वह इन अज्ञ बैरागियों से दूर एक महात्मा के पास ठहर कर शास्त्राध्ययन व योगाभ्यास करने लगा। अब शुद्धचैतन्य के पास घर की कोई वस्तु या धन न रहा, कोट काँगड़े में ही उसने सिद्धपुर में कार्तिक मास में होने वाले मेले की चर्चा सुनी। वह योगी जनों की खोज में उसी ओर चल पड़ा।

शुद्धचैतन्य अभी कोट काँगड़े से बहुत दूर नहीं गया है कि सहसा सामने से एक पूर्वपरिचित बैरागी आता हुआ दिखायी दिया। वह टंकारा के पड़ोस के गाँव का रहने वाला है, और ब्रह्मचारी के घरवालों को भली-भाँति जानता है। शुद्धचैतन्य बैरागी से कतरा कर निकल जाना चाहता है, परन्तु वह मूलशंकर को इस परिवर्तित वेष में भी पहचान जाता है। वह चकित हो कर बोला—"अरे मूलशंकर भैया! तुम यहाँ इस वेष में कैसे?" गृहत्याग के अनन्तर बहुत दिनों के पश्चात् मूलशंकर को अपने गाँव व देश का एक स्नेही व्यक्ति मिला था। उसे

देख कर मूलशंकर का जी भर आया और आँखों से टप-टप आँसू गिरने लगे। उसे रोते देख बैरागी के नेत्र भी अश्रुपूर्ण हो गये। मूलशंकर ने बैरागी को अपना सारा वृत्तान्त आदि से अन्त तक कह सुनाया। बैरागी को मूलशंकर की विचित्र वेश-भूषा और तूंबा को देखकर हँसी आ गयी। फिर गम्भीर हो कर मूलशंकर को समझाने लगा—"भैया! तुमने घर से भाग कर अच्छा काम नहीं किया। तुम्हारे घर वालों की क्या दशा होगी। तुम्हारी माँ तुम्हें न पा कर रो-रो कर घर भर रही होंगी, पिता छटपटा रहे होंगे। तुम मेरे साथ घर लौट चलो। सूखी खेती पानी पा कर लहलहा उठेगी। तुम्हें कोई कुछ न कहेगा।" मूलशंकर ने दुःखित हो कर कहा—"बैरागी जी! मैंने तो घर सदा के लिए छोड़ दिया है। यह मेरा दृढ़ निश्चय है। अब मैं सिद्धपुर के मेले पर साधु-महात्माओं और योगियों के दर्शन और मिलापार्थ जा रहा हूँ। मेरी इस भेंट की चर्चा या संकेत किसी से भी न करना।" यह कह कर उसने बैरागी को वहीं छोड़ कर अपनी राह ली।

सिद्धपुर के मेले में बड़ी चहल-पहल है। गृहस्थ और साधु, किसान और ज़मींदार, राजा और रंक, बूढ़े और बच्चे, स्त्री और पुरुष हर श्रेणी और अवस्था के नर-नारियों से मेला खचाखच भरा हुआ है। जहाँ साधु-महात्माओं की कमी नहीं, वहाँ चोर-उचक्कों की भी भरमार है। हर प्रकार के व्यापारी भाँति-भाँति की वस्तुओं से अपनी दूकानों को सजाये बैठे हैं। नाना प्रकार के आमोद-प्रमोद के साधन उपलब्ध हैं। सहस्रों जन इष्ट-मित्रों सहित घूम-घूम कर मेले की शोभा देख रहे हैं। कोई झूलों और हिंडोलों पर झूल रहा है, कोई जादू का खेल देख रहा है, कोई हलवाई की दुकान पर डटा मिठाइयों का स्वाद ले रहा है, तो कोई बच्चों के लिए खिलौने मोल ले रहा है। सारांश यह कि सब लोग अपनी-अपनी रुचि के अनुसार मनोरंजन में लगे हुए हैं। साधु-महात्मा भी उद्यानों में, मठ-मन्दिरों में डेरा डाले हैं। उनके यहाँ हर समय धर्म-चर्चा चलती रहती है। कहीं कोई धर्म-ग्रन्थ पढ़ा जा रहा है, तो कहीं कथा-वार्ता हो रही है। भक्तों का मन सुन-सुन कर गद्गद हो रहा है। श्रोतागण आह्लादित हो रहे हैं। परन्तु अपनी धुन के पक्के शुद्धचैतन्य को ये सारे कौतुक अपनी ओर आकर्षित करने में असमर्थ हैं। वह वैराग्य के रंग में रँगा हुआ एक-एक कुटिया का चक्कर लगा रहा है, एक-एक महात्मा के स्थान पर जा कर माथा टेक रहा है कि कोई उसे योग-विद्या की प्राप्ति करा दे, सच्चे शिव की उपलब्धि का मार्ग बता दे।

प्रभात का समय है। शुद्धचैतन्य एक शिवालय के चबूतरे पर बैठा हुआ

कुछ सोच रहा है। सहसा उसके पिता चार-पाँच सैनिकों समेत वहाँ आ धमके। पिता को देख कर उसका कलेजा धक् से रहा गया। वह एक क्षण हत्बुद्धि-सा बैठा रहा, फिर उठ कर पिता के चरणों में लोट गया। शुद्धचैतन्य को समझने में देर न लगी कि यह आग बैरागी की ही लगायी हुई है। उसी से पिता जी को मेरे यहाँ होने की बात ज्ञात हुई। पुत्र को गेरुए बाने में देख कर कर्षन जी क्रोध से आग हो गये। उन्होंने दाँत किटकिटा कर कहा—"तेरी माँ ने तेरे वियोग में रो-रो कर जान दे दी। तू कुलघाती, कुलकलंक, हृदयहीन और स्नेह-रहित पशु है।" इस प्रकार डाँट-डपट करते हुए उन्होंने उसके गेरुए वस्त्र चीर-फाड़ डाले, और तूंबा धरती पर पटक कर चकनाचूर कर दिया, फिर दूसरे कपड़े पहना कर अपने डेरे पर ले गये।

शुद्धचैतन्य अब अपने पिता का बन्दी है। वह अकेले कहीं आ-जा नहीं सकता है। सैनिकों को आदेश है कि रात्रि में भी वे बारी-बारी से जाग कर उस दुष्ट पर कड़ी दृष्टि रखें। वह जाल में फँसी मछली की तरह छटपटा रहा है। हाय भगवान्! इस आपत्ति से कैसे मुक्ति पाऊँ? हे दीनानाथ! इस बन्धन से कैसे छुटकारा मिले? इसी उधेड़बुन में दो दिन बीत गये।

शुद्धचैतन्य को पिता के चंगुल में फँसे आज तीसरी रात है। उसने प्रातः पिता को सिपाहियों से कहते सुना कि कल सवेरे हम लोग यहाँ से प्रस्थान करेंगे। अब वह अपने छुटकारे के लिए बहुत बेचैन है। चिन्ता के कारण उसे नींद नहीं आ रही है। वह बिछौने पर आँखें बंद किये हुए पड़ा-पड़ा सोच रहा है—"अभी नहीं तो कभी नहीं। यदि आज रात को न भाग सका तो फिर अवसर मिलना कठिन है।" उसने देखा कि पहरे वाला मारे नींद के ऊँघ-ऊँघ कर गिरा पड़ रहा है। शुद्धचैतन्य सतर्क हो गया। सिपाही ने जागते रहने का बहुत प्रयत्न किया, परन्तु निद्रा देवी के सामने उसकी एक न चली। अन्त में अपने मन को समझाता हुआ कि मूलशंकर भैया सो रहे हैं, वह गाढ़ी नींद में सो गया। अब क्या, बिल्ली के भागों छींका टूटा, मन चाहा अवसर हाथ लगा। शुद्धचैतन्य बिछौने से चटपट उठ खड़ा हुआ, हाथ में एक लोटा ले कर बाहर निकल पड़ता है, मानों शौच के लिए जा रहा हो। सिद्धपुर से लगभग एक मील दूर एक बड़ा उद्यान मिलता है। उसमें एक विशाल वृक्ष से मिला हुआ एक पुराना मन्दिर है। वह बरगद की जटाओं के सहारे उस मन्दिर के शिखर पर चढ़ता है, और वहाँ पत्तों की आड़ में छिप कर बैठ जाता है। मन-ही-मन ईश्वर का स्मरण कर रहा है और मना रहा है कि भगवान् कुशल करे, कोई मुझे देख न पाये।

इधर जब दूसरे पहरे वाले की बारी आयी तो वह मूलशंकर के कक्ष में

गया। उसने देखा कि सिपाही सो रहा है और मूलशंकर का कहीं पता नहीं है। यह दृश्य देख कर उसकी सारी देह सितार के तार की भाँति काँपने लगी। उसने घबरा कर अपने साथी को जगाया, और पूछा कि मूलशंकर भैया कहाँ हैं? वह हड़बड़ा कर उठ बैठा। मूलशंकर की चारपाई पर जो उसने दृष्टि डाली तो उसे सूनी पाया। उसका हृदय दहल गया। "हाय, मैं कर्षन जी को क्या मुँह दिखाऊँगा"—कहता हुआ वह पागल की भाँति मूलशंकर की खोज में इधर-उधर दौड़ने लगा। कर्षन जी ने जब सुना कि मूलशंकर एक बार फिर आँखों में धूल झोंक कर नौ-दो ग्यारह हो गया है, तो उन्हें वात्सल्य के कारण मानसिक व्यथा और हार्दिक क्लेश हुआ, परन्तु साथ ही झुँझलाहट भी। ऐसा प्रतीत हुआ, मानों किसी नौसिखिये ने उन्हें अखाड़े में पछाड़ दिया हो या कोई चपल बालक उन्हें चिढ़ा कर दूर खड़ा हँस रहा हो। उन्होंने मूलशंकर की खोज में चारों ओर आदमी दौड़ाये। उनमें से एक व्यक्ति ढूँढ़ते-ढूँढ़ते उस मन्दिर के निकट पहुँचा, जिसकी चोटी पर मूलशंकर पत्तों की आड़ में छिपा बैठा है। सिपाही को देखते ही उसके प्राण सूख गये। वह दम साधे उसकी ओर देखता रहा, और मन-ही-मन डरता रहा कि कहीं वह मुझे देख न ले। सिपाही ने बड़ी सतर्कता से मन्दिर के बाहर-भीतर सब कहीं ढूँढ़ा, परन्तु उसे वहाँ चिड़िया का पूत भी न मिला। वह निराश हो कर जब वहाँ से लौट गया, तब जाकर मूलशंकर की जान-में-जान आयी। वह मन्दिर से उतर कर आगे चल देता है।

बहुत खोज करने पर भी मूलशंकर का कहीं पता न चला तो कर्षन जी हताश हो कर हाथ मलते हुए घर लौट गये। उनका दिल ऐसा टूटा कि उन्होंने पुत्र की खोज का विचार ही त्याग दिया। सिद्धपुर में पिता-पुत्र का यह मिलन अन्तिम ही है। उसके पश्चात् मूलशंकर को केवल एक बार प्रयाग में उसके गाँव के कुछ लोग मिले। वे उसे संन्यासी-वेष में पहचान न सके और न उसने ही उन्हें अपना कोई परिचय दिया। वह सदा सावधान रहता कि उसकी किसी बातचीत से किसी को उसका पूर्व परिचय न मिल पाये।

मानव सत्य की खोज

शुद्धचैतन्य अहमदाबाद होता हुआ बड़ौदा पहुँचा। वहाँ ब्रह्मानन्द आदि संन्यासियों की संगत से पक्का वेदांती बन गया है। वेदांत का रंग उस पर ऐसा चढ़ा कि वह स्वात्मा से भिन्न सब को मिथ्या मानने लगा। यद्यपि उसने 'अहं ब्रह्मास्मि' वाक्य को अपने ऊपर घटा लिया है, तथापि उसके उन्नतिशील अन्तःकरण में जो जिज्ञासा की ज्योति जग रही है वह वेदान्त की प्रचलित

मान्यताओं से शान्त न हो सकी । वह विद्वानों और महात्माओं की खोज में नर्मदा की ओर बढ़ गया । नर्मदा नदी के किनारे-किनारे भ्रमण करता हुआ, अनेक विद्वानों से विभिन्न धर्म-ग्रन्थ पढ़ता हुआ वह चाणोद कल्याणी पहुँचा। वह इस समय अपने हाथ का बनाया भोजन ही करता है, क्योंकि जिस श्रेणी के ब्रह्मचर्य की उसने दीक्षा ली है, उसमें ऐसा ही विधान है। विद्याध्ययन में बाधा पड़ते देख कर उसे संन्यास लेने की प्रबल इच्छा हुई । उसने श्री चिदाश्रम जी से प्रार्थना की कि मुझे संन्यास की दीक्षा देने की कृपा कीजिए। श्री चिदाश्रम जी एक उच्च कोटि के विद्वान् और सच्चे संन्यासी हैं। वे शुद्धचैतन्य की तीक्ष्ण बुद्धि और विद्या-प्रेम से प्रभावित हैं । परन्तु महात्मा जी ने उसकी युवावस्था देख कर उसे संन्यास आश्रम का अधिकारी नहीं समझा । ब्रह्मचारी हतोत्साह नहीं हुआ। वह विद्याध्ययन और योग-साधन में लगा हुआ किसी ऐसे संन्यासी की खोज में रहा जो उसे संन्यास आश्रम में दीक्षित करने में सहमत हो जाय। शुद्धचैतन्य ने एक दिन सुना कि चाणोद से तीन मील दूर जंगल में एक दाक्षिणात्य दण्डी स्वामी पूर्णानन्द सरस्वती आ कर विराजे हैं। वे बड़े विद्वान् और उत्तम संन्यासी हैं । उसने अपने एक मित्र दक्षिणी पंडित को ले कर उन महात्मा जी की सेवा में उपस्थित हो कर संन्यास ग्रहण करने की अपनी उत्कट इच्छा उन पर प्रकट की। उसकी युवावस्था के कारण पहले तो वे भी आनाकानी करते रहे और उसे संन्यास की दीक्षा देने के लिए तैयार नहीं हुए। उसके मित्र दक्षिणी पंडित ने कहा—"महाराज ! यह ब्रह्मचारी अति सुशील और विनीत है । इसका चरित्र निष्कलंक है । ब्रह्मविद्या पढ़ने और योगाभ्यास में इसकी बड़ी रुचि है। परन्तु बेचारा क्या करे । इसका बहुत-सा समय भोजन बनाने के बखेड़े में ही नष्ट हो जाता है । इच्छानुसार न पढ़ पाता है और न साधना ही कर सकता है । आप इस पर कृपा-दृष्टि करके इसे चतुर्थाश्रम में दीक्षित करने की दया कीजिए । यह इसके सर्वथा योग्य है।" इस प्रकार बहुत कहने-सुनने और अनुनय-विनय करने पर वे मान गये। दण्डी जी ने ब्रह्मचारी शुद्धचैतन्य को विधिपूर्वक संन्यास धारण कराया । अब मूलशंकर शुद्धचैतन्य ब्रह्मचारी से संन्यासी हो कर स्वामी दयानन्द सरस्वती हो गया ।

संन्यास आश्रम में दीक्षित हो जाने के पश्चात् स्वामी दयानन्द सरस्वती ने अपना सारा बल विद्याध्ययन और योगाभ्यास में लगा दिया । वे महात्माओं, विद्वानों, संन्यासियों और योगियों की खोज में भिन्न-भिन्न स्थानों में घूमे। उन्होंने अहंकार और संकोच सर्वथा त्याग कर शिष्य भाव से विद्यार्थी बन कर जिससे जो भी प्राप्त हुआ उसे कृतज्ञता पूर्वक ग्रहण किया। जिन खोजा तिन पाइयाँ के

अनुसार उन्हें स्वामी ज्वालापुरी और महात्मा शिवानन्द गिरि नाम के दो परम योगी मिले। स्वामी दयानन्द उनसे क्रिया समेत पूर्ण योगविद्या सीखते हैं, और आबू पर्वत पर किसी अन्य योगिराज से योग के विशेष तत्त्वों और रहस्यों की उपलब्धि करते हैं।

इस प्रकार परम विद्वान् और पूर्ण योगी बन कर स्वामी जी अन्य अभ्यासियों और योगियों के मिलाप और सत्संग से लाभान्वित होने की इच्छा से हिमालय की यात्रा पर चल पड़े। हरिद्वार, ऋषिकेश आदि पुनीत स्थलों पर अपनी मनोकामना पूरी करते हुए, नयी-नयी विद्याएँ और योग की क्रियाएँ सीखते हुए टिहरी पहुँच कर नगर के बाहर एक स्वच्छ और एकांत स्थान पर उन्होंने आसन जमाया। उस समय उनके साथ एक ब्रह्मचारी भी है।

टिहरी के राजपंडित अपनी विद्या के लिए प्रसिद्ध हैं। उनके पास संस्कृत साहित्य, व्याकरण, कोश और काव्य के दुष्प्राप्य ग्रन्थ हैं। स्वामी जी ने तंत्र-ग्रन्थों का अवलोकन पहले-पहल यहीं किया। उन्होंने काली-तंत्र नाम की पुस्तक में पढ़ा—"मद्यं मांसं च मीनं च मुद्रा मैथुनमेव च। एते पंच मकाराः स्युर्मोक्षदा हि युगे युगे।" अर्थात् मद्य, मांस, मछली, मुद्रा और मैथुन ये पाँच मकार हर युग में अवश्य ही मोक्ष देने वाले हैं। एक दूसरे महानिर्वाण तंत्र ग्रन्थ में देखा—"पीत्वा पीत्वा पुनः पीत्वा यावत्पतति भूतले। पुनरुत्थाय वै पीत्वा पुनर्जन्म न विद्यते।" मदिरा पियो, बार-बार पियो और यहाँ तक पियो कि मदमत्त हो कर धरती पर गिर पड़ो। उठ कर फिर पियो। ऐसा करने से निस्संदेह तुम्हारा पुनर्जन्म न होगा। स्वामी जी तंत्र ग्रन्थों को इस प्रकार की और इससे भी अधिक ऊटपटाँग और अश्लील बातों से भरा पाते हैं। वे इस निष्कर्ष पर पहुँचे कि इन पुस्तकों के रचयिता महा धूर्त, स्वार्थी और दुष्ट थे। इसलिए वे तांत्रिक मत के तीव्र आलोचक बन गये हैं।

टिहरी में स्वामी जी एक दिन अपने आसन पर विराजमान हैं। सामने ब्रह्मचारी बैठा पढ़ रहा है। उस समय एक प्रतिष्ठित राजपंडित उनकी सेवा में उपस्थित हुआ, और श्रद्धापूर्वक नमस्कार करके विनय की—"महाराज! आज मेरे यहाँ पुत्र-विवाह के उपलक्ष में प्रीति-भोज है। आप उसमें ब्रह्मचारी सहित सम्मिलित होने की कृपा अवश्य करें। मेरा सेवक आपको नियत समय पर आकर लिवा ले जायगा।" स्वामी जी ने स्वीकृति दे दी। वे जब निमंत्रण-दाता के घर के सामने पहुँचे तो क्या देखते हैं कि एक राजपंडित लम्बे छुरे से बकरे की गर्दन काट रहा है। वह बेचारा छटपटा रहा है। एक अन्य व्यक्ति मारे हुए पशुओं के अंगों को काट कर बोटी-बोटी कर रहा है। कहीं मांस आग

पर भूना जा रहा है, तो कहीं उसे बेसन में फेंट कर कढ़ाई में तला जा रहा है। सारांश यह कि चारों ओर यही पैशाचिक लीला हो रही है, और मांस जलने की दुर्गन्ध वायुमंडल में फैली हुई है। यह वीभत्स दृश्य देख कर स्वामी जी अत्यन्त चकित और घृणा से व्याकुल हो कर जहाँ-के-तहाँ खड़े रह गये, मानों उन्हें काठ मार गया हो। उन्होंने उलटे पाँव लौट पड़ने के लिए ब्रह्मचारी को संकेत किया। उन्हें आया हुआ देख कर गृहस्वामी उनके स्वागत के लिए बढ़ा और सम्मुख आकर उसने बड़े आदर और स्नेह से कहा--"महाराज ! आइए, पधारिए। आपने सेवक पर बड़ी कृपा की।" परन्तु घृणा के कारण स्वामी जी को वहाँ एक क्षण भी ठहरना असह्य हो रहा है। इसलिए "उत्सव की भीड़-भाड़ है। आपको पचासों कार्य हैं। आप अपना काम देखें। मेरी चिन्ता करने की आवश्यकता नहीं है" यह कहते हुए वे वहाँ से तुरन्त लौट पड़ते हैं। राजपंडित स्वामी जी का स्वागत करके किसी आवश्यक कार्य के लिए दूसरी ओर चला गया, अतः उसने स्वामी जी को वहाँ से जाते नहीं देखा। जैसे ही उसे इस बात का पता चला, वह दुःखित हो कर अपना सब काम छोड़ स्वामी जी के निवासस्थान को दौड़ा आता है और हाथ जोड़ कर स्वामी जी से प्रार्थना करता है--"कृपया चलिए, भोजन बिल्कुल तैयार है। गरमा-गरम खाने में जो स्वाद मिलता है वह ठण्डे भोजन से कहाँ उपलब्ध हो सकता है। आप जाने क्यों भोजन किये बिना लौट आये ! क्या किसी ने आपका अपमान या अनादर किया है ? हमने तो आप के लिए मांस के उत्तमोत्तम और स्वादिष्ट व्यंजन और नाना प्रकार के पकवान तैयार करवाये हैं।" वह यह सारी बातें एक साँस में कह गया। ग्लानि के कारण स्वामी जी की साँस फूल रही है। उन्होंने स्पष्ट कह दिया--"मेरे लिए आपका यह सारा परिश्रम व्यर्थ और निष्फल है। आप मेरे खाने की चिन्ता न करें। मैं मांस नहीं खाता। मांस खाना तो दूर रहा, मैं तो उसे देख कर ही रोगी हो जाता हूँ। मुझे तो आप क्षमा ही करें। मुझे अत्यन्त खेद है कि आप विद्वान् ब्राह्मण हो कर भी मांसभक्षी हैं। मांस खाना और पशुओं का बलिदान करना हिंसात्मक कार्य हैं और वेद अर्थात् परमेश्वर की आज्ञा के विरुद्ध हैं, इसलिए पापकर्म हैं।" राजपंडित को वास्तविक बात का अब जाकर ज्ञान हुआ। घर पहुँच कर उसने स्वामी जी तथा ब्रह्मचारी के भोजन के लिए फलादि कुछ निरामिष खाद्य पदार्थ भिजवा दिये।

टिहरी से चल कर स्वामी जी कुछ दिनों श्रीनगर के समीप वृक्षों से ढँकी एक पहाड़ी पर गंगागिरि नामक एक अच्छे विद्वान् महात्मा के पास ठहरते हैं। फिर रुद्रप्रयाग आदि स्थानों में घूमते हुए अगस्त्य मुनि की समाधि पर पहुँचे

और उसके उत्तर की ओर स्थित शिवपुरी नाम के पर्वत-शिखर पर शरद् ऋतु के चार मास व्यतीत करते हैं। तदन्तर विभिन्न पहाड़ी तीर्थस्थानों में विचरते हुए वहाँ के निवासियों की दरिद्रता व पिछड़ापन और ब्राह्मण-पुजारियों के स्वार्थपूर्ण और आडम्बरमय आचरण का अध्ययन करते हुए तुंगनाथ की चोटी पर स्थित मन्दिर में जा पहुँचे। परन्तु यहाँ भी वही सब अज्ञान-लीला देख कर वे वहाँ से तुरन्त नीचे की ओर चल दिये।

तुंगनाथ की चोटी से एक संन्यासी धीरे-धीरे नीचे उतर रहा है। वह चिन्तित दिखायी पड़ता है। वह सोच रहा है कि जो हिमालय के रम्य स्थल किसी समय साधकों और योगियों से पूर्ण थे, विद्याध्ययन और योगाभ्यास के लिए शान्त, निर्विघ्न सर्वथा उपयुक्त थे, वे आज जड़ मूर्तियों और अज्ञ व स्वार्थी पुजारियों और पंडों से भरे हैं। तुंगनाथ के मंदिर की ऐसी ही दुरवस्था देख कर वहाँ ठहरने का उसका मन न हुआ, यद्यपि वह बहुत थका है। संन्यासी एक ठण्डी साँस लेता है और फिर सोचने लगता है—हे परमात्मन्! कुम्भकर्ण की नींद सोयी हुयी यह आर्य जाति क्या कभी जागेगी? सदाचार सम्बन्धी जिसकी उच्च अभिलाषा मर चुकी है, भविष्य की उन्नति के लिए जो बिल्कुल चेष्टा नहीं करती और भलाई करने वालों का विरोध करने में जो सदा तत्पर है—ऐसी मृतप्राय जाति में क्या कभी प्राण-संचार हो सकेगा! इस समाज में अज्ञानी ने ज्ञानी का ढोंग करके बुद्धि-जीवी का स्थान ग्रहण कर लिया है। श्रमिकों ने श्रम से जी चुरा कर भभूत रमा ली है, और गाँजा-चरस का दम लगाने लगे हैं। इन धूर्त-पाखंडियों ने अपना उल्लू सीधा करने के लिए देश में अज्ञान और अन्धविश्वास फैला रखा है। फलतः यह जाति कर्म और ज्ञान, श्रम और बुद्धि से विमुख हो गयी है। आलस्य, प्रमाद और अज्ञान ने इस देश में पैर जमा लिये हैं। फिर यह जाति परमेश्वर से विमुख होकर और उसकी आज्ञा का उल्लंघन करके दरिद्र, दीन-हीन और दूसरों की दास क्यों न हो? उसकी शिक्षा है कि जब मनुष्य कह सकेगा कि कर्म मेरे दाहिने हाथ में है तो विजय उसके बायें हाथ में होगी।[1] मनुष्य काम करते हुए ही सौ वर्ष जीने की इच्छा करे, ऐसे कर्म जो उसे संसार में फँसाने वाले न हों, अपितु ऊँचा उठानेवाले हों। उन्नतिशील होकर जीने का केवल यही मार्ग है, दूसरा नहीं।[2] ईश्वर केवल शिक्षा दे कर ही नहीं रह गया। उसने अपनी

---

१. कृतं मे दक्षिणे हस्ते, जयो में सेव्य आहितः।

२. कुर्वन्नेवेह कर्माणि जिजीविषेच्छतं समाः।—अ०, ७।५२।८।
एवन्त्वयि नान्यथेतोऽस्ति न कर्म लिप्यते नरे॥—यजु०, ४०।२।

सृष्टि का उदाहरण मानव के सामने रखा। उसका कण-कण गतिशील है। जहाँ गति रुकी कि प्रलय हुयी, पानी का बहाव रुका कि गन्दा हुआ। यह समाज आज गतिहीन है। क्या प्रमादी और आलसी मनुष्य स्वस्थ रह सकता है? उन्नति कर सकता है? अपने उद्देश्य को प्राप्त कर सकता है?

सामने मार्ग का कोई चिह्न न देख कर संन्यासी सहसा रुक जाता है। अब उसके लिए केवल दो ही उपाय हैं, पीछे लौटे अथवा आगे सघन वन में प्रवेश करे। दायें पहाड़ की खड़ी दीवार और बायें नदी की गहरी घाटी। इस समय संन्यासी की साँप-छछूंदर की गति हो रही है।

जो मार्ग उतरते समय ढालू होने के कारण सुगम जान पड़ा था, अब एक रेखा के समान चोटी तक खड़ा दिखाई दे रहा है। पथिक थका हुआ है और दिन ढल चुका है, इसलिए फिर ऊपर चढ़ना बहुत कठिन जान पड़ता है। मरता क्या न करता। वह नीचे की ओर जाने के लिए घने वन में घुस पड़ा। शाखाओं और झाड़ियों को पकड़-पकड़ कर वह जैसे-तैसे एक सूखे नाले के तट पर आ निकला। उसके चारों ओर पहाड़ की ऊँची-ऊँची चोटियाँ और वृक्षों के अतिरिक्त कुछ भी नहीं दिखाई देता। इस समय सूर्य भी अस्त हुआ ही चाहता है। यात्री को चिन्ता ने आ घेरा। वह सोचता है कि इस निर्जन स्थान पर न कुछ खाने को है और न पीने को। रात्रि में शीत बढ़ जाने पर अग्नि जलाने का यहाँ कोई साधन भी नहीं है। मेरी यहाँ क्या दशा होगी। इस क्षणिक मानसिक चिन्ता को दूर कर वह साहसी कर्मवीर निर्भीक भाव से जंगल में प्रवेश करता है।

सूरज बहुत पहले डूब चुका है, और अँधेरा चोर की भाँति धीरे-धीरे बढ़ रहा है। आँधी-सी चलने लगी है। ऊपर आकाश में बादल भीषण गर्जन कर रहे हैं। ओखी मठ के बड़े महन्त बैठे सितार बजा रहे हैं। एक साधु सामने बैठा भजन गा रहा है। तभी एक पुजारी ने आ कर सूचना दी––"महाराज, कोई तेजस्वी महात्मा ऊपर से आ रहे हैं। कदाचित् मार्ग भूल गये थे। जंगल के बीच से आने के कारण उनके वस्त्र काँटों से तार-तार और शरीर लहूलुहान हो रहा है।" "तो उन महापुरुष को शीघ्र अन्दर ले आओ," यह कह कर महन्त जी ने गाना-बजाना बन्द कर दिया और द्वार की ओर देखने लगे। उन्होंने देखा–– एक सुन्दर सुडौल युवा संन्यासी मन्दिर में प्रवेश कर रहा है। भूख-प्यास और थकावट से वह क्लांत-शरीर अवश्य है, परन्तु मुख पर तेज बरस रहा है। महन्त जी ने आगन्तुक का आदर-सत्कार पूर्वक स्वागत किया और उसके खाने-पीने और रहने की उचित व्यवस्था कर दी। रात अधिक हो जाने के कारण साधारण

शिष्टाचार के वार्तालाप के पश्चात् वे दोनों महानुभाव विश्राम के लिए अपने-अपने स्थान पर चले जाते हैं।

ओखी मठ के बड़े महन्त को मनुष्यों की आश्चर्यजनक पहचान है। पिछली रात देखते ही उन्होंने भाँप लिया कि यह युवा कोई साधारण संन्यासी नहीं है। यह ज्ञान और सद्गुणों का भण्डार है। वे उसकी प्रतिभा पर लट्टू हो गये। प्रातः जब उसे वहाँ से चलने को उद्यत देखा तो उन्होंने कहा—"अरे आप तो प्रस्थान करने के लिए तैयार हैं। इतनी शीघ्रता क्या है? कुछ दिन तो यहाँ निवास कीजिए। मेरी तो इच्छा आपको यहाँ सदैव रखने की है। क्या आप मेरा शिष्य बनना स्वीकार करेंगे? यदि आप मेरी बात मान जायँ तो इस बड़े मन्दिर की महन्ती के अधिकारी हो जायेंगे। इधर-उधर भटकना न पड़ेगा, प्रातः-सायं उदरपूर्ति की चिन्ता से मुक्ति मिल जायगी। मेरे पश्चात् आप गद्दी के स्वामी बन जायंगे, लाखों की सम्पत्ति हाथ लगेगी, मान-प्रतिष्ठा में वृद्धि होगी। यहाँ निश्चिन्तता स्वच्छन्दतापूर्वक रह कर यथेष्ट सुख प्राप्त होगा और लोक-परलोक की उपलब्धि भी।" महन्त जी का यह प्रलोभन उस संन्यासी को माया के जाल में फँसाने के लिए वैसा ही है जैसे कच्चा धागा हाथी को बाँधने के लिए। उसने उत्तर दिया—"मेरे पिता की सम्पत्ति आपकी पूजा-पाठ द्वारा अर्जित पूँजी से कहीं अधिक थी। मैंने जब उसे ही मिट्टी के ढेले के समान त्याग दिया तो आपकी गद्दी और धन-सम्पत्ति कौन इन्द्रासन अथवा कुबेर का धन है जिसमें मैं बँध जाऊँ? मैंने संसार का त्याग ऐश्वर्य-भोग के लिए नहीं किया है। जिस उद्देश्य की पूर्ति के लिए मैंने घरबार और स्नेही माता-पिता छोड़े हैं, उसकी ओर आप लोगों का न तो ध्यान है, न उसका ज्ञान ही। ऐसी दशा में चेला बनना तो दूर रहा मेरा आपके पास रहना भी असम्भव है।" महन्त जी अपनी आशा के विपरीत संन्यासी के मुँह से लक्ष्मी के प्रति तिरस्कार के ये वचन सुन कर स्तब्ध रह गये। उन्होंने चकित हो कर पूछा—"आपका वह उद्देश्य क्या है, जिसकी उपलब्धि के लिए आप घरबार छोड़ कर महान् कष्ट और घोर क्लेश उठा रहे हैं?" संन्यासी ने बताया—"जिस तत्त्वज्ञान के प्राप्त होने से मुक्ति रूपी परम पद की उपलब्धि सम्भव होती है, उसी के उपार्जन के हेतु मैंने संसार त्यागा है। मैं योग द्वारा ब्रह्म की प्राप्ति रूप मोक्ष चाहता हूँ। गृहत्याग के समय तो मुझ पर केवल एक ही धुन सवार थी—'सच्चे शिव की प्राप्ति और मृत्यु से छुटकारा'। परन्तु जब मैं अपने इस परमोद्देश्य की प्राप्ति के लिए आर्यावर्त के विभिन्न स्थानों में योगियों और महात्माओं की खोज में घूम रहा था, तो ऋषि-सन्तान आर्य जाति का घोर पतन और महादुर्दशा देख कर केवल अपनी

मुक्ति-प्राप्ति की मेरी कामना जाती रही। अब तो मैं अपने पथ-भ्रष्ट और प्रमाद व आलस्य-ग्रस्त देशवासियों के दुर्गुणों और दुर्व्यसनों को छुड़ा कर उन्हें मुक्ति-प्राप्ति के पथ पर लगाना चाहता हूँ। संसार के सब मत-मतांतरों से असत्य दूर करके और उनके आपसी झगड़ों को मिटा कर सब मानवों को एक सूत्र में पिरोना चाहता हूँ। क्या मेरे इस कार्य में आप लोगों का सहयोग मिल सकता है? क्या आप से पाखण्ड रूप असत्य छोड़ा जा सकता है?" महन्त जी ने प्रभावित होकर कहा—"महाराज! आपका उद्देश्य अत्युत्तम, पवित्र और महान् है, परन्तु उसके लिए चाहिए तप, त्याग, योगाभ्यास और महान् पांडित्य। हममें यह कुछ भी नहीं है।" संन्यासी बड़े महन्त जी के आतिथ्य के लिए कृतज्ञता प्रकट करते हुए वहाँ से चल पड़ता है।

उपर्युक्त घटना को कई वर्ष बीत गये हैं। ओखी मठ के बड़े महन्त उस विचित्र संन्यासी की बात लगभग भूल चुके हैं। एक दिन हरिद्वार के कुम्भ मेले में घूमते हुए सहसा उनकी दृष्टि एक मंडप के ऊपर फहराती हुई पताका पर पड़ी। उस पर लिखा था—'पाखण्ड खण्डिनी।' उन्हें उसके विषय में जानने की उत्कंठा हुई। लोगों ने बताया कि बहुत बड़े विद्वान् और वेदशास्त्रों के पूर्ण ज्ञाता संन्यासी स्वामी दयानन्द सरस्वती यहाँ ठहरे हुए हैं। वे मूर्ति-पूजा का खण्डन और मृतकों के श्राद्ध-तर्पण का निराकरण करते हैं, अवतारों को भ्रामक, पुराणों को काल्पनिक और पर्व-स्नानों के माहात्म्य को निराधार एवं मिथ्या बताते हैं। सारांश यह कि हिन्दू धर्म की बहुत-सी प्रचलित मान्यताओं को डंके की चोट पर निर्मूल और वेद-विरुद्ध घोषित करते हैं। इस विषय पर वे किसी भी विद्वान् से शास्त्रार्थ करने के लिए सर्वदा उद्यत रहते हैं। महंत जी को उस अनोखे संन्यासी के दर्शनों की इच्छा हुयी। वे कुतूहलवश मंडप के भीतर चले गये। उनके आश्चर्य का ठिकाना न रहा जब उन्होंने देखा कि यह प्रसिद्ध संन्यासी स्वामी दयानन्द सरस्वती तो उनका वही पूर्वपरिचित एक रात का अतिथि विचित्र युवा संन्यासी है, जिसने उस दिन ओखीमठ की समृद्ध और सम्पत्तिशाली गद्दी पर लात मार दी थी।

●●

२ | सत्य की खोज और गुरु-दक्षिणा

अनवरत खोज और नये संकल्प

स्वामी दयानन्द सरस्वती ओखीं मठ से चल कर जोशी मठ पहुँचे। वहाँ उन्हें कुछ महाराष्ट्रीय संन्यासी और उच्च कोटि के योगी मिलते हैं। उनसे उन्होंने योग की कुछ नवीन क्रियाएँ सीखीं और उनके सत्संग से आध्यात्मिक ज्ञान की वृद्धि की। फिर बदरी नारायण की ओर चल पड़ते हैं। वहाँ के महन्त रावल जी एक सुपठित व्यक्ति हैं। उन्हें शास्त्रों का अच्छा ज्ञान है। प्रचलित हिन्दू धर्म में संशोधन की आवश्यकता को किसी सीमा तक वे भी स्वीकार करते हैं, परन्तु स्वार्थवश इस कार्य में हाथ डालते डरते हैं। विचारों की समानता ने स्वामी जी और रावल जी में सौहार्द्य उत्पन्न कर दिया। स्वामी जी उनके पास कुछ दिन ठहर जाते हैं। बातों ही बातों में एक दिन स्वामी जी को पता चलता है कि आसपास ही कहीं सिद्धों की गुफाएँ हैं। सिद्ध जन इस मन्दिर के दर्शनों के लिए आते हैं, परन्तु उन्हें कोई पहचान नहीं पाता है। बस फिर क्या? स्वामी जी को उनके अन्वेषण की धुन सवार हो गयी। एक दिन प्रातः उठ कर सिद्धों की खोज में निकल पड़ते हैं। वे अलकनन्दा के किनारे-किनारे चलते हुए ऊपर की ओर बढ़े और नदी के उद्गम स्थान तक पहुँच गये। सामने हिमाच्छादित पहाड़ की सीधी दीवार खड़ी है। आगे बढ़ने का मार्ग अवरुद्ध है। चारों ओर पर्वतों की ऊँची-ऊँची चोटियाँ हिम की श्वेत चादरें ओढ़े खड़ी हैं। सूर्य की किरणों से वे ऐसी चमक रही हैं, मानो उनमें मणि-माणिक्य और मुक्ता टँके हों। अलकनन्दा एक जलप्रपात के रूप में बड़ी ऊँचाई से गिर कर घोर चीत्कार कर रही है, मानो उसे किसी ने ऊपर से ढकेल दिया हो और वह चोट खा कर आर्तनाद कर रही हो।

स्वामी जी थोड़ी देर के लिए कर्तव्य-विमूढ़ हो गये। फिर मार्ग की खोज में उन्होंने नदी पार करने का निश्चय किया। वे कुछ पीछे लौट कर नदी को पार करने के लिए पानी में घुसते हैं। उस स्थान पर नदी का पाट लगभग आठ-दस हाथ है। जल कहीं बहुत गहरा और कहीं केवल दो हाथ है। नदी छोटे-छोटे तीक्ष्ण नुकीले हिम-खण्डों से भरी है। वे स्वामी जी के पैरों में गड़-गड़ कर उन्हें

घायल करने लगे। उनकी अंगुलियाँ तथा तलवे छिल गये और उनसे रक्त बहने लगा। परन्तु ठंडक की अधिकता के कारण उनके पाँव ऐसे सुन्न हो गये हैं कि उन्हें उन घावों से रक्त-स्राव होने का भास ही न हुआ। स्वामी जी के शरीर पर वस्त्र बहुत ही थोड़े हैं। इसलिए हिमप्रदेश की अति शीतल वायु उनके शरीर को तीर की भाँति छेदने लगी। इस समग्र पृथ्वी, आकाश और वायुमण्डल में शीत का ही साम्राज्य है। उसने स्वामी जी के शरीर की स्वाभाविक गरमी पर भी धीरे-धीरे अधिकार जमाना आरम्भ कर दिया। वे अचेत होने लगे। वे मूर्छित हो कर जल में गिरने वाले ही हैं कि सहसा उनके मस्तिष्क में यह विचार बिजली की भाँति कौंध जाता है, "यदि ज्ञानशून्य होकर जल में गिर पड़ा तो जल-समाधि हो जायगी।" और कोई अदृश्य [illegible] उन्हें सँभाल लेता है। वे बड़े साहस और प्रयास से नदी के बाहर निकल सके। वे उस समय नितान्त निर्बल और अशक्त हो रहे हैं। अब उन्हें भूख-प्यास सताने लगी और पैरों की पीड़ा भी बेचैन करने लगी। उन्होंने हिमकणों को चूस कर क्षुधा की तृप्ति करनी चाही, परन्तु कहीं ओस के चाटने से प्यास बुझती है! स्वामी जी ने वस्त्रों को उतार कर दोनों पैरों में घुटनों तक लपेट लिया, फिर भी वे वहाँ से एक पग भी आगे बढ़ने में असमर्थ रहे। ऐसे घोर संकट के समय परम पिता परमात्मा अपने परम भक्त की सहायता करता है—उसी समय दो पहाड़ी सज्जन उधर आ निकले। वे एक परमहंस महात्मा को विपद्ग्रस्त पाते हैं। वे उसकी उस दुरवस्था का कारण तुरन्त जान जाते हैं। एक व्यक्ति ने अपनी पोटली से झट-पट कुछ निकाल कर स्वामी जी को खाने के लिए दिया। दूसरा मनुष्य दौड़ कर कुछ पत्तियाँ तोड़ लाता है और पत्थर से कुचल कर स्वामी जी के पाँवों में बाँध देता है। फिर दोनों मिल कर आग जलाते हैं और स्वामी जी को उसके पास ले जा कर बैठाते हैं। जब वे कुछ स्वस्थ हुए तो उन पहाड़ियों ने बड़ी नम्रता पूर्वक प्रार्थना की—"महाराज! आप हमारे साथ चलने की कृपा करें। हम और हमारा सारा परिवार आपकी सेवा करेगा।" परन्तु स्वामी जी अब भी चलने में असमर्थ हैं, बोले—"प्रिय बन्धुओ! मुझे खेद है कि मैं आपके निमंत्रण को स्वीकार करने में असमर्थ हूँ। मैं आपकी इस कठिन समय की सहायता के लिए अत्यन्त आभारी हूँ, और हार्दिक आशीर्वाद देता हूँ। परन्तु सबसे बड़ी कृपा उस दयालु प्रभु की है जिसने आप जैसे सहृदय सज्जनों को यहाँ भेज कर मेरी रक्षा की। उसे मेरा कोटिशः धन्यवाद और बारंबार प्रणाम है। वही करुणानिधि आगे भी सहायक होगा। आप लोग मेरी चिन्ता न करें।" वे दोनों व्यक्ति दुःखित मन स्वामी जी से विदा हो कर चल पड़ते हैं। स्वामी जी बहुत देर तक

वहाँ विश्राम करते रहे। जब उनके शरीर में कुछ शक्ति आयी और चित्त शांत हुआ तो उठ कर वहाँ से चल देते हैं। इधर-उधर सिद्धों का पता लगाते रहे, और अन्त में निराश हो कर आठ बजे रात को बदरीनारायण के मन्दिर में लौट आते हैं।

रावल जी तथा मन्दिर के अन्य लोगों को स्वामी जी के विषय में चिन्ता हो रही थी। उन्होंने उनकी देह की बड़ी बुरी दशा देख कर विस्मित हो कर पूछा––"आज आप दिन भर कहाँ रहे? आपकी यह अवस्था कैसे हुयी? क्या कोई हिंसक पशु मिल गया था?" स्वामी जी सिद्धों की खोज का सारा वृत्तांत कह सुनाते हैं। उसे सुन कर सब लोगों ने दाँतों तले अँगुली दबायी और स्वामी जी के साहस, धैर्य और ईश्वर-विश्वास की भूरि-भूरि प्रशंसा की।

दूसरे दिन रावल जी से विदा हो कर स्वामी जी रामपुर की ओर चल पड़ते हैं। वहाँ उनकी भेंट रामगिरि नाम के महात्मा से हुयी, जिनकी विशेषता है कि वह रात भर जाग कर कथा-वार्ता कहते रहने पर भी अशांत नहीं होते। फिर काशीपुर होते हुए द्रोणसागर जा कर शीतकाल बिताते हैं। वहाँ एक बार उनके हृदय में यह विचार आया कि हिमालय के हिमप्रदेश में पुनः जा कर परमपिता परमात्मा के ध्यान में स्थित होकर जीवन-लीला समाप्त कर देनी चाहिए, परन्तु दूसरे ही क्षण देश और समाज के प्रति अपने कर्तव्य का स्मरण हो आया और मन की यह क्षणिक दुर्बलता दूर हो गयी।

विभिन्न स्थानों में घूमते हुए स्वामी जी गढ़मुक्तेश्वर पहुँचते हैं। उनके पास टिहरी के राजपंडितों से प्राप्त कई ग्रन्थ ऐसे हैं जिनमें नाड़ी-चक्र का बड़ा विस्तृत वर्णन है। स्वामी जी किसी सिद्धांत को बिना भली-भाँति जाँचे और परीक्षा किये नहीं मानते। नाड़ी-चक्र के विषय में अपनी शंकाओं के निवारण करने का उन्हें अभी तक अवसर नहीं मिला है। एक दिन गंगा के तट पर विचरते हुए संयोगवश वह अवसर उनके हाथ लग जाता है। उन्हें जल में बहता हुआ एक शव दिखायी दिया। उसे देखते ही उन्हें नाड़ी-चक्र की बात स्मरण हो आती है। स्वामी जी ने सोचा––क्यों न आज इस शव की परीक्षा करके नाड़ी-चक्र सम्बन्धी शंकाओं को मिटा लिया जाय? इस विचार के मन में आते ही वे नदी में कूद पड़े, और बड़े परिश्रम से शव को बाहर निकाल लाये। फिर अपने झोले से एक तीक्ष्ण छुरी निकाल कर लगे शव को चीरने-फाड़ने। सावधानी से चीर कर वे सब से पहले हृदय निकालते हैं, और उसकी आकृति, लम्बाई-चौड़ाई आदि को पुस्तकों में लिखित वर्णन के साथ देर तक मिलाते हैं। इसी प्रकार प्रत्येक अंग की सूक्ष्म परीक्षा पुस्तकीय अंगों के विवरण से मिला कर करते हैं,

तो दोनों में आकाश-पाताल का अन्तर पाते हैं। इस परीक्षण से स्वामी जी को पूर्ण विश्वास हो गया कि इन पुस्तकों में चक्रों का उल्लेख काल्पनिक है। फिर उन्होंने उन ग्रन्थों को ढोते फिरना व्यर्थ समझ कर उन्हें शव के साथ ही गंगा में बहा दिया।

स्वामी जी गंगा के किनारे चले जा रहे हैं, और मन में सोच रहे हैं-- "अवैदिक काल के विद्वानों ने बिना परीक्षा के ही ऊटपटाँग और अटकलपच्चू बातें लिख मारी हैं, जिससे आर्यजाति प्राचीन ज्ञान खो कर भ्रमजाल में फँस रही है। योग के इन नवीन ग्रन्थों ने पतंजलि ऋषि के योगदर्शन पर आवरण डाल दिया है।" तत्पश्चात् स्वामी जी वेद, उपनिषद्, पातंजल और सांख्य से भिन्न योग-विषयक ग्रन्थों को मिथ्या समझने लगते हैं।

स्वामी दयानन्द सरस्वती गंगा के तटवर्ती ग्रामों और नगरों से होते हुए पूर्व की ओर बढ़ रहे हैं। उनका हर श्रेणी के लोगों से सम्पर्क होता है। वे विद्वानों की विद्या से, ज्ञानियों के ज्ञान से लाभान्वित और जनता में फैले हुए अज्ञान एवं दरिद्रता से परिचित होते हुए काशी पहुँचते हैं। उस विद्या की नगरी में भी वे आर्यजाति को अनेक संप्रदायों में बँटी हुई और अज्ञान व अविवेक के दलदल में आकंठ फँसी हुई पाते हैं। वहाँ से चल कर वे चण्डालगढ़ के समीप किसी गाँव में पहुँचे। उस गाँव में एक उच्च कोटि के पहुँचे-हुए संत रहते हैं। स्वामी जी उन्हीं के पास ठहरते हैं।

भारत के साधु-सँन्यासी बहुत ही थोड़े वस्त्रों का प्रयोग करते हैं। कुछ अर्द्ध नग्न और कोई-कोई तो पूर्ण नग्न तक रहते हैं। वे बहुधा भिन्न-भिन्न जलवायु वाले प्रदेशों में घूमा करते हैं। इसलिए सरदी, गरमी और परिवर्तित जलवायु के प्रभाव से बचने के लिए वे गाँजा, चरस आदि मादक वस्तुओं का प्रयोग करने लगते हैं। स्वामी जी साधुओं के इन व्यसनों से बचे रहे, परन्तु बदरीनारायण के महन्त रावल जी के आग्रह के कारण यात्रा की थकान मिटाने के लिए कभी-कभी विजया का सेवन कर लिया करते थे। इसलिए जब महात्मा जी ने स्वामी जी को थका-माँदा जान कर भाँग तैयार करवायी और उनसे पीने का आग्रह किया तो वे उनके इस प्रेमपूर्ण अनुरोध को न टाल सके।

स्वामी जी रात्रि में विश्राम के लिए एक शिवालय में चले गये। वे भाँग पीने के अभ्यासी नहीं हैं, इसलिए नशा अधिक चढ़ जाता है। वे जब जाग्रत और सुषुप्ति के बीच की अवस्था में मदमत्त हैं, तो उन्हें ऐसा आभास हुआ कि महादेव और पार्वती उनके समीप खड़े परस्पर बातें कर रहे हैं। गौरी ने शंकर से कहा --"दयानन्द अभी युवक है। इसका विवाह शीघ्र हो जाना चाहिए।" शिव जी

बोले—"तुम स्त्रियों को विवाह की ही पड़ी रहती है। इस गँजेड़ी-भँगेड़ी का ब्याह कौन करेगा?" विवाह का नाम सुनते ही स्वामी जी की तन्द्रा टूट जाती है। स्वप्न का स्मरण करके उनके रोंगटे खड़े हो गये, और उन्हें बहुत दुःख, क्लेश और मानसिक ग्लानि हुई। उन्होंने उसी समय मन में दृढ़ संकल्प कर लिया कि मैं भाँग का सेवन फिर कभी न करूँगा।

इस समय मूसलाधार वर्षा हो रही है। स्वामी जी उठ कर मन्दिर के बाहरी भाग में आते हैं। वहाँ नन्दी वृषभ की एक विशाल मूर्ति स्थापित है। उन्होंने पुस्तकादि अपना सामान उस मूर्ति पर रख दिया और उसके निकट ही बैठ कर अपने विचित्र स्वप्न की बात सोचने लगते हैं। सहसा उनकी दृष्टि उस वृषभ के खोखले पेट के भीतर जा पड़ी। उन्हें वहाँ कोई मनुष्य छिपा बैठा दिखाई दिया। स्वामी जी ने कुतूहलवश जैसे ही उसकी ओर अपना हाथ बढ़ाया, वह भयभीत हो कर वहाँ से निकल कर गाँव की ओर भाग गया। स्वामी जी उस मूर्ति के पेट में घुस कर सुखपूर्वक सो रहे। प्रातः मुँहअँधेरे ही एक वृद्धा वहाँ आयी और उस शिव के वाहन वृषभ देवता का बड़ी श्रद्धा भक्ति से पूजन करके गुड़ और दही का भोग उसके मुँह से लगाया। परन्तु वह बुढ़िया चकित रह गयी, जब किसी ने अन्दर से हाथ बढ़ा कर उस नैवेद्य को ग्रहण कर लिया। वह बेचारी समझी कि आज देवता मुझ पर प्रसन्न हुए हैं, और इसीलिए उसकी भेंट स्वीकार हुई है। इसके पहले तो सदैव सारी चढ़ाई हुई सामग्री उसे गाँव में ले जा कर प्रसाद रूप में बाँट देनी पड़ती थी। आज वृद्धा की वर्षों की तपस्या सफल हुई। वह आनन्द-विभोर हो गयी। वह श्रद्धा और प्रेम के आँसू बहाती हुई अपने घर लौट जाती है।

इधर नशे में स्वामी जी को भूख लग रही है। उन्होंने मूर्ति के पेट में बैठे ही बैठे दही-गुड़ का भोग लगाया। दही बहुत खट्टा है। उसे खाते ही उनका नशा हिरन हो जाता है। वे प्रकृतिस्थ हो कर अपनी भाँग पीने की मूर्खता पर और उस श्रद्धालु भोली-भाली वृद्धा की अज्ञानता पर बहुत हँसे।

स्वामी जी नशे की अवस्था में किये हुए संकल्प को फिर दुहराते हैं—"मैं भाँग का सेवन अपने जीवन में फिर कभी नहीं करूँगा।"

स्वामी दयानन्द सरस्वती को घर छोड़े बारह वर्ष बीत गये हैं। अब तक उन्होंने गुजरात, राजस्थान और उत्तर भारत के हिमालय एवं गंगा के तटवर्ती स्थानों में घूम-घूम कर आध्यात्मिक तथा भौतिक ज्ञान की उपलब्धि की, देश की सामाजिक और राजनीतिक अवस्था को भली भाँति जाना और समझा। अब वे मध्य भारत में बसने वाली आर्य जाति की वास्तविक दशा का

ज्ञान प्राप्त करने के लिए गंगा का किनारा छोड़ कर नर्मदा-तट पर विचरने लगे। वे नर्मदा के उद्‌गम-स्थान अमरकंटक की ओर चल पड़ते हैं।

मार्ग पहाड़ी है, और वनों में से होकर गया है। स्वामी जी बिना मार्ग पूछे चुपचाप दक्षिण की ओर मुँह किये घने जंगल में चले जा रहे हैं। न कहीं कोई मनुष्य दिखायी देता है और न वन का ओर-छोर ही। उन्हें भूख लग रही है, परन्तु भगवान् का नाम लेने के अतिरिक्त अन्य कोई चारा नहीं है। थोड़ी देर और चलने के पश्चात् उन्हें मार्ग से कुछ हट कर बायीं ओर धुआँ उठता दिखाई दिया। स्वामी जी ने विचारा कि बिना कारण के कार्य नहीं होता। वहाँ अवश्य अग्नि है, और उसे प्रज्वलित करने वाला मनुष्य भी। वे उसी दिशा में चल पड़े। समीप पहुँच कर उन्होंने छोटी-छोटी झोपड़ियों का एक समूह देखा। सामने वृक्ष के नीचे कुछ बालक भेड़-बकरियाँ चरा रहे हैं। उन्होंने घास-फूस और पत्तियों को बटोर कर उनमें आग लगा दी है, और वे उसके चारों ओर तालियाँ बजा-बजा कर उछल-कूद रहे हैं, ऊपर उठती हुई लाल-लाल लपटों की क्रीड़ा देख रहे हैं। एक मड़ैया के सामने एक बूढ़ा बैठा नारियल पी रहा है, और बीच-बीच में खाँसता जाता है। उसके पास ही बैठा एक युवक रस्सी बट रहा है। वे दोनों स्वामी जी को देखते ही उठ कर खड़े हो गये और हाथ जोड़ कर बोले—"महाराज! इस विकट वन में आना कैसे हुआ ?" उत्तर बिना सुने ही वे संन्यासी के आदर-सत्कार में लग गये। वृद्ध ने झटपट स्वामी जी के लिए आसन बिछा दिया, और युवक ने एक लोटे में जल और दूसरे में दूध ला कर सम्मुख रख दिया। स्वामी जी ने मुँह-हाथ धो कर दूध पी लिया और चलने के लिए तैयार हो गये। यह देख कर वृद्ध ने कहा—"महात्मा जी ! आगे विस्तृत निर्जन वन है। उसमें हिंसक पशु घूमा करते हैं। कहीं-कहीं तो वह इतना घना है कि उसमें से हो कर आगे बढ़ना कठिन ही नहीं बल्कि लगभग असम्भव है। आप यहाँ विश्राम करके पीछे लौट जाइये।" स्वामी जी बोले—"वत्स ! मेरा निश्चय अमरकंटक तक जाने का है। मार्ग की ये विघ्न-बाधाएँ मुझे वहाँ जाने से नहीं रोक सकतीं। मेरा रक्षक मेरा प्रभु मेरे साथ है।" यह कह कर वे चल देते हैं। स्वामी जी वहाँ से अभी थोड़ी दूर ही गये हैं कि आगे मार्ग एकदम लुप्त हो जाता है। केवल पगडंडियाँ ही चारों ओर को गयी हैं। उन्होंने उन्हीं में से एक को पकड़ लिया। थोड़ी दूर जाने के पश्चात् वह पगडंडी भी लुप्त हो गयी। अब वे एक बेरी के वन में हैं। उनके चारों ओर घनी और लम्बी घास और झरबेरी के वृक्ष हैं। वे वहाँ रुक कर सोचने लगे कि अब किस ओर से बढ़ा जाय। सहसा उन्हें किसी जंगली पशु का घोर शब्द सुनाई दिया। उन्होंने देखा कि एक बहुत बड़ा काला

रीछ चीत्कार करता हुआ उनकी ओर बढ़ा चला आ रहा है। वह उनके समीप आ कर अपनी पिछली टाँगों पर खड़ा हो गया और मुँह फैलाये उन पर आक्रमण करने को लपका। स्वामी जी कुछ क्षण तो आश्चर्य-चकित हो कर निष्क्रिय खड़े रहे, परन्तु जब उन्होंने देखा कि रीछ उन पर झपटा ही चाहता है तो उन्होंने अपना सोंटा उसकी ओर बढ़ाया। वह पशु दण्ड को देख कर उलटे पाँव भागा। उसी समय भालू के घोर नाद को सुन कर झोपड़ियों के लोग शिकारी कुत्तों को लिये हुए घटना-स्थल पर आ पहुँचे। स्वामी जी को सुरक्षित और रीछ को भागते देख कर उन्हें बड़ा आश्चर्य हुआ और साथ ही साथ प्रसन्नता भी। स्वामी जी का आतिथ्य करने वाले वृद्ध ने कर-बद्ध प्रार्थना की कि "महाराज मेरे साथ लौट चलें और आगे न बढ़ें।" स्वामी जी बोले—"प्यारे भाई! मेरे प्रति आप लोगों के स्नेह और हितकामना के लिए मैं आप सब का बहुत आभारी हूँ। आप मेरे लिए चिन्ता न करें। मेरा रक्षक मेरा प्रभु तो मेरे साथ है। अभी-अभी उसी ने मेरी रक्षा की है और आगे भी वही करेगा।" वनवासियों ने देखा कि महात्मा जी अपने निश्चय पर अटल हैं और उससे भी अधिक अटल है उनका विश्वास। जब वे हताश हो कर उनसे विदा होने लगे तो वृद्ध ने उन्हें अपनी लम्बी, मोटी और सुदृढ़ लाठी दे दी और मार्ग का निर्देशन भी किया। उन लोगों के लौट जाने पर स्वामी जी ने उस लाठी को वहीं फेंक कर अपना सोंटा उठा लिया और आगे चल पड़ते हैं।

स्वामी जी को मार्ग में बड़ी-बड़ी कठिनाइयाँ और महाकष्ट झेलने पड़े। कहीं-कहीं उन्हें कँटीली झाड़ियों में से हो कर आगे बढ़ना पड़ता। ऐसा करने के लिए वे कभी घुटनों के बल सरकते और कभी पेट के बल रेंगते। नुकीले और पैने काँटों से उनके वस्त्र तार-तार और शरीर छलनी हो गया है। परन्तु स्वामी जी हतोत्साह नहीं हुए और एक दिन अपने निर्दिष्ट स्थान अमरकंटक पहुँच ही जाते हैं। वहाँ उनकी बहुत से योगी-महात्माओं से भेंट हो गयी। स्वामी दयानन्द सरस्वती तीन वर्ष पर्यन्त मध्य भारत में घूमते रहे। इस बीच उन्हें अनेक उच्च कोटि के साधु-सन्तों का सत्संग प्राप्त हुआ। उन्होंने अपने अन्तःकरण रूपी स्वर्ण को उन महात्माओं के सम्पर्क से और तपस्या की अग्नि में तप्त करके कुन्दन बना लिया।

एक दिन स्वामी जी विद्वानों और महात्माओं की मण्डली में बैठे हैं। वहाँ उन्होंने मथुरा के श्री विरजानन्द जी के विमल यश और पांडित्य की चर्चा सुनी। वे और विद्याध्ययन एवं विशेष ज्ञान-प्राप्ति की इच्छा से मथुरा की ओर चल पड़ते हैं।

सत्य का असत्य से संघर्ष

स्वामी दयानन्द सरस्वती ने जब से स्वामी विरजानन्द दण्डी जी के पांडित्य की ख्याति सुनी वे मथुरा पहुँचने के लिए उतावले हो रहे हैं। स्वामी जी जंगलों और पहाड़ों को पार करते हुए, दुर्गम स्थानों से होते हुए, और कठिन मार्गों को तय करते हुए मथुरा की ओर बढ़ रहे हैं। एक दिन गोधूलि बेला में वे वन से मिले हुए किसी गाँव के निकट पहुँचे। रात बिताने की चिन्ता हुई। इतने में बायीं ओर गाँव के बाहर एक मन्दिर दिखाई पड़ा, जिसके सुनहरे कलश पर डूबते हुए सूर्य की किरणें पड़ रही हैं। स्वामी जी ने सोचा—यह अवश्य कोई पुराना देवस्थान है, वहाँ चल कर विश्राम करना चाहिए। एक किसान हल-बैल लिये खेत से लौट रहा है। उसने संन्यासी को देख कर कहा—"महाराज! दण्डवत।" स्वामी जी मुस्कराते हुए बोले—"बच्चा! दण्डवत् तुम ही होगे, मैं तो मनुष्यवत् हूँ।" वह ग्रामीण इस उत्तर की बारीकी को न समझ पाया। उसने विचारा—कदाचित् यह भी महात्मा जी के आशीर्वाद देने का कोई ढंग होगा। फिर स्वयं कहने लगता है, "महाराज! सामने जो मन्दिर दिखायी देता है वह किसी बुन्देले राजा का बनवाया हुआ है। वहीं उसने अपने शत्रु किसी नवाब की सेना को परास्त किया था, और यह मन्दिर उसी विजय का स्मारक है। पर अब इस गाँव के सभी लोग शाक्त हैं। वे देवार्चन के लिए उस मन्दिर में नहीं जाते हैं। देवी की मढ़ी गाँव के दूसरी ओर एक उजाड़ स्थान में जंगल के समीप है। सुनहरे कलश वाले मन्दिर के सामने ही कालीदीन चौधरी का बनवाया हुआ एक पक्का सरोवर है, जिसमें सफ़ेद और लाल कमल खिले हैं। उसकी मछलियाँ शाक्त लोग भी नहीं पकड़ते हैं। वह स्थान साधु-सन्तों के ठहरने के लिए बड़ा सुविधा जनक है।" स्वामी किसान को आशीष देते हुए उसी ओर बढ़ जाते हैं।

किसान घर पहुँच कर अपनी पत्नी से बोला—"अरी सुक्खू की माई! एक महात्मा मन्दिर की दिशा में गये हैं। आज वहीं धूनी रमायेंगे। अँधेरी रात में उस ओर गाँव का कोई आदमी नहीं जाता है। कालीदीन चौधरी का प्रेत जो तालाब का चक्कर लगाया करता है, मर कर भी उसका माया-मोह न गया। बप्पा कहा करते थे कि उसने कई कलसे मोहरों से भर कर इस पोखरे की पेंदी में गाड़े थे। अभी कुछ-कुछ प्रकाश है, कुछ खाने को दे दो, महात्मा जी को दे आऊँ, नहीं तो बेचारे का एकादशी व्रत हो जायगा।" स्त्री तनिक रूठ कर बोली—"अभी से क्या धरा है उस निखट्टू के लिए। पहन लिये गेरुए कपड़े बस बन गये पूरे जोगी। करने को काम-धाम कुछ नहीं, परन्तु खाने को चाहिए हलुवा-पूरी।

तुम तो हो निरे छिया के ताऊ। जहाँ कोई सण्डा-मुसण्डा साधु देखा, बस लग गये उसकी दुम के पीछे। तुम्हारी इन करतूतों से घर चल चुका, तुम इसे मिट्टी में मिला कर ही छोड़ोगे।" पति ने ठकुरसुहाती की—"नहीं लछमी! वे कोई ऐसे-वैसे द्वार-द्वार घूमने वाले मँगता नहीं जान पड़ते हैं। कोई तेजस्वी मूर्ति हैं। तुम उन्हें देखती तो ऐसा न कहती, अपितु उनके मार्ग में पलकें बिछाती। अँधेरा हुआ चाहता है। फुर्ती करो।" स्त्री तनिक शांत हो कर बोली—"तुम तो रट लगा देते हो। कह तो दिया, अभी घर में महात्मा जी के खाने योग्य कोई वस्तु नहीं है। उतावली है तो जा कर श्यामा को दुह लं और बाबा जी को दूध पिला आओ।"

रामसुख बड़ा भक्त और परोपकारी व्यक्ति है। किसी को कष्ट या आपत्ति में देखता तो वह तन-मन-धन से उसकी सहायता व सेवा करने दौड़ पड़ता है। उसकी घर वाली को उसका यह परोपकारी स्वभाव एक आँख न भाता। फिर भी यह सूरमा, अपनी पत्नी की जीभ से छोड़े तीक्ष्ण बाणों की वर्षा के सामने भी, अपने सेवा-व्रत से तिल भर भी नहीं डिगाता। वह दूध ले कर जल्दी-जल्दी पग धरता मन्दिर पहुँचता है। उसने देखा कि महात्मा पद्मासन लगाये ध्यान में लीन हैं। वह समीप जाकर उनकी मनोहर छवि को एकटक निहारने लगा। उसे अपने तन-बदन की सुध-बुध न रही। कुछ समय के पश्चात् संन्यासी ने नेत्र खोल कर 'ओ३म्' का उच्च, और सुरीले स्वर में कई बार उच्चारण किया। उसी समय भक्त ने उनके चरण-कमलों पर अपना मस्तक रख कर नमस्कार किया, और कहा—"बाबा जी! कालीदीन चौधरी के प्रेत के डर से रात में यहाँ गाँव का कोई व्यक्ति आने का साहस नहीं करता, इसलिए जल्दी में मैं केवल दूध ही आप की सेवा में ला सका हूँ। अभी लौट जाना है।" स्वामी जी ने अपना कमण्डल दिखा कर कहा—"वत्स! दूध इसी में डाल दो। इस स्नेह और कष्ट के लिए तुम्हें धन्यवाद है। मुझे निराहार ही रह जाना पड़ता। भिक्षा के लिए गाँव तो जाता नहीं। परन्तु भाई! तुम्हारे दूध का मूल्य तो मुझे चुकाना ही है।" रामसुख बोल पड़ा—"नहीं, नहीं, महाराज! दूध का दाम तो मैं किसी से नहीं लेता, फिर एक महात्मा से।" स्वामी जी—"सभ्य! संन्यासी के पास धरा ही क्या है, जो तुम्हें दूध का मूल्य दे सके। मैं तुम्हें धन से बड़ी वस्तु विवेक देना चाहता हूँ। थोड़ी देर बैठ जाओ। पहले तुम मुझे यह बताओ कि तुम्हें विश्वास है कि चौधरी का प्रेत यहाँ आकर पहरा दिया करता है?" रामसुख बोला, "महाराज, इसमें विश्वास न करने की क्या बात है? सारा गाँव कहता है और मानता है। मेरे बप्पा ने स्वयं अपनी आँखों से देखा था।" स्वामी

जी बोले, "मेरे भोले भाई ! तुम मेरे शरीर को देख रहे हो या आत्मा को ?" रामसुख बोला, "आत्मा को नहीं, शरीर को देख रहा हूँ ।" स्वामी जी ने समझाया—"चौधरी का शव तो जला दिया गया होगा । फिर तुम्हारे पिता ने किसे देखा था ? यह सब तुम्हारे भ्रमपूर्ण संस्कारों का दोष है। भूत-प्रेत नाम की कोई वस्तु इस संसार में नहीं है । जब मनुष्य मर जाता है तो उसके शव को प्रेत कहते हैं। दाह-संस्कार हो जाने के पश्चात् वह भूत अर्थात् बीता हुआ हो जाता है। लोग कहते हैं कि अमुक नाम का व्यक्ति था। जब कोई प्राणी मरता है, तब उसका जीव पुण्य-पाप के वश होकर परमेश्वर की व्यवस्था से सुख-दुःख-रूपी फल भोगने के लिए दूसरा जन्म धारण करता है। क्या अविनाशी परमात्मा की व्यवस्था का कोई उल्लंघन कर सकता है, उसे नाश कर सकता है ? परन्तु जिसको शंका, कुसंग, कुसंस्कार होते हैं, उसको भय और शंका रूपी भूत-प्रेत, शाकनी-डाकिनी आदि अनेक भ्रमजाल सताया करते हैं ।" स्वामी जी का उपदेश सुन कर किसान की आँखें खुल गयीं । वह उनके चरण-कमलों को बड़े प्रेम और भक्ति से पकड़ कर बोला—"महाराज ! आज आपने मेरे ज्ञान-चक्षु खोल दिये। मैं अब समझ गया कि भूत-प्रेत केवल अपने अन्दर बैठा हुआ डर है, और कुछ भी नहीं ।"

रामसुख महात्मा जी को दूध दे कर लौट रहा है। मार्ग से कुछ हट कर दुर्गासिंह मुखिया की चौपाल में कुछ लोग इकट्ठे हैं। ज़ोर-ज़ोर से कोई वाद-विवाद चल रहा है। रामसुख का पेट फूल रहा है। चौपाल में जा कर सूचना दी, "एक बड़े पहुँचे हुए सन्त पुराने मंदिर में ठहरे हैं। मैं दूध दे कर अभी उन्हीं के पास से आ रहा हूँ। बहुत ही बलिष्ठ, सुन्दर और तेजस्वी मूर्ति है। उनकी अवस्था भी अधिक नहीं है।" यह कह कर वह घर की ओर भागा, क्योंकि भूतों के डर की निवृत्ति हो जाने पर भी घरवाली का आतंक अभी शेष है।

चौपाल में एक दाढ़ी वाला व्यक्ति जिसके वस्त्र पीले हैं, और गले में रुद्राक्ष की माला धारण किये हुए है, चिल्ला पड़ा—"दुर्गा मैया की जय ।" सभी लोग बोल उठे, "पुजारी जी ! यह बे-समय की शहनाई कैसी ?" पुजारी बोला, "माता का प्रताप इसे कहते हैं। बलिदान का बकरा घर बैठे आ गया । मुझे तो बड़ी चिन्ता थी । दुर्गा अष्टमी के उत्सव को केवल एक सप्ताह रह गया है। आप सब लोग कानों में तेल डाले बैठे हैं ।" एक बोला—"तुम तो पहेली बुझा रहे हो। बकरा कहाँ है ?" पुजारी—"सुनो ! अभी-अभी रामसुख बता गया है कि मन्दिर में एक हट्टा-कट्टा युवा साधु ठहरा हुआ है। उसे सेवा-शुश्रूषा से प्रसन्न

कर लो, फिर आग्रहपूर्वक अष्टमी तक रोक लो।" यह सुन कर सब लोग ठहाका मार कर हँस पड़ते हैं।

दूसरे दिन प्रातः जब सब लोग सरोवर के समीप पहुँचे तो संन्यासी को यात्रा के लिए तैयार पाया। वे पहले हताश हुए, परन्तु दुर्गासिंह आगे बढ़ा और हाथ जोड़ कर बोला—"महाराज के दर्शनों से नयनों की तृष्णा बुझी नहीं, कानों ने श्रीमुख से कोई उपदेश सुना नहीं, हाथों ने श्रीचरणों की कोई सेवा की नहीं और आप जा रहे हैं। यह हम लोगों के किस अपराध का दण्ड है? कम-से-कम दो चार दिन तो ठहर कर हमारा आतिथ्य ग्रहण करने की कृपा करें।" स्वामी जी ने कहा—"सभ्य पुरुषो! मैं किसी की सेवा का भूखा नहीं। हाँ, यदि उपदेश सुनना चाहो तो अवश्य दो दिन रुक सकता हूँ। तुम में जो कुछ असत्य व्यवहार अथवा कुसंस्कार पाऊँगा, तुम्हारे मुँह पर कह दूँगा, बुरा लगे चाहे भला। प्रातः-सायं सत्संग हुआ करेगा।"

सन्ध्या हो चली है। स्वामी जी सरोवर-तट के समीप एक शिला पर विराजमान हैं। सामने गाँव के लोग बैठे उनका उपदेश सुन रहे हैं। दुर्गा के मन्दिर का पुजारी भी उपस्थित है। स्वामी जी ने उससे पूछा—"पुजारी जी! भला यह तो बताइए कि पुजारी शब्द का अर्थ क्या है?" वह चुप रहा, तब स्वामी जी ने मुस्कराते हुए कहा—"पुजारी पद का अर्थ है 'पूजा का शत्रु' जैसा नाम वैसा ही काम।" पुजारी मन-ही-मन चिढ़ रहा है। और कह रहा है—"ठहरो बच्चू! अष्टमी के दिन पुजारी का काम देख लेना।" महाराज ने उपदेश दिया—"परमेश्वर ने यजुर्वेद[1] में मनुष्यों को शिक्षा दी है:—'ए मानव! तू उस प्रभु की उपासना कर और उसी से रक्षा की कामना भी, जिसका कोई रूप या मूर्ति नहीं है। जो अजर, अमर, और पूर्ण है। जो न कभी जन्म लेता है, और न शरीर धारण करता है। जो तेज वाले सूर्य आदि लोकों के उत्पत्ति का कारण है, और आज्ञापालन एवं सत्याचरण ही वास्तव में जिसका नाम स्मरण है।' भोले भाले मनुष्यो! परमात्मा सर्वत्र है। उसे वश में कोई नहीं कर सकता। तुम उसकी अथवा उसकी भिन्न भिन्न शक्तियों की कपोल-कल्पित मूर्तियाँ गढ़ते हो। उनसे अपनी भलाई की कामना करते हो, और अपने हाथ से ताला लगा कर उन्हें मन्दिरों में बन्द कर देते हो। देवी और शक्ति भी परमेश्वर के

---

१. न तस्य प्रतिमा अस्ति यस्य नाम महद्यशः।
हिरण्यगर्भ इत्येष मा मा हिंसीदित्येष यस्मान्न जात इत्येषः॥
—यजु०, अ० ३२। मं० ३।

के ही नाम हैं। तुम उनकी प्रतिमाएँ बना कर उन पर मूक और असहाय पशुओं की बलि देते हो, और हिंसा रूप पाप के भागी होते हो। तुम ही सोचो कि उनमें ईश्वरीय शक्ति और सामर्थ्य कहाँ है? वे न वर दे सकते हैं और न शाप। जड़ रूप हैं। अपनी रक्षा करने में असमर्थ। यदि कल्याण चाहो तो हृदय में परमात्मा का पूजन किया करो। हिंसा त्याग कर जन-सेवा एवं परोपकार में रत रहो।"

यह उपदेश सुन कर रामसुख गद्‌गद् हो गया। औरों को कोई रस न मिला, अपितु वे मन ही मन ऐंठते और बल खाते रहे। अपने प्रयोजन सिद्धि के विचार से वे कड़वे घूँट पीकर रह जाते हैं।

इस ग्राम में रहते महात्मा जी को आज दो दिन बीत गये हैं, यहाँ के लोगों ने उनकी बड़ी सेवा की है। वे चलने को तैयार खड़े हैं। मुखिया दुर्गासिंह महाराज के चरणों को पकड़े बैठा है। कुछ लोग उन्हें घेरे खड़े हैं। मुखिया चिरौरी विनती कर रहा है, "भगवन्! दुर्गा अष्टमी को हमारा पर्व है। तब तक ठहरने की कृपा करें।" सरल स्वभाव संन्यासी समझा कि भक्त लोग श्रद्धा और भक्ति के कारण मुझे रोक रहे हैं। उनके अत्याग्रह ने उन्हें ठहरने के लिए बाध्य कर दिया।

पर्व का दिन आ गया। वे लोग शाक्त हैं। देवी के मन्दिर में एकत्र हो कर गाने बजाने लगे। उस दिन मुखिया ने स्वामी जी से प्रार्थना की—"आज हमारे देवस्थान में महोत्सव है। आप वहाँ अवश्य चलिये।" उन्होंने बहुत समझाया कि भाई देवी की मूर्ति में मेरा विश्वास नहीं, परन्तु वह एक न माना। पाँव पकड़ कर बोला—"यदि आज इस शुभ अवसर पर आप मन्दिर में न पधारेंगे तो हम लोगों का सारा उत्साह भंग हो जायेगा और बना बनाया खेल बिगड़ जायगा। आप मूर्ति को नमस्कार आदि कुछ न कीजियेगा। हमारे कहने से चले तो चलिये।"

यह देवालय गाँव से बाहर एक उजाड़ स्थान में है। उसके पास ही जंगल है। दुर्गासिंह मुखिया के विवश करने पर स्वामी जी को वहाँ जाना पड़ता है। मन्दिर के आँगन में उस समय होम हो रहा है। लोग उत्सव मना रहे हैं, गा-बजा रहे हैं। कुछ लोग स्वामी जी को दुर्गा की मूर्ति दिखाने के बहाने भीतर ले जाते हैं। वे सहज स्वभाव देवी की प्रतिमा के सम्मुख जा कर खड़े हो गये। मूर्ति के पास ही एक बलिष्ठ व्यक्ति नंगी तलवार लिये खड़ा है। वहाँ वे लोग स्वामी जी से कहने लगे—"महात्मा जी! माता के आगे झुक कर नमस्कार अवश्य कीजिये।" उन्होंने स्पष्ट शब्दों में कहा कि मुझसे ऐसी आशा करना दुराशा

मात्र है। उनके इस वचन से पुजारी चिढ़ गया और निकट आ कर उनकी ग्रीवा को पकड़ कर उनके सिर को देवी के आगे झुकाने लगता है। महात्मा चकित हैं कि यह हो क्या रहा है। जैसे ही दुर्गासिंह की खोज में उन्होंने पीछे घूम कर देखा, उन्हें एक विचित्र दृश्य दिखाई पड़ा। वह खड्गधारी व्यक्ति उनके सिर पर आ गया है और उनकी गर्दन पर तलवार चलाना ही चाहता है। वे सावधान हो गये और उन्होंने झपट कर उसके हाथ से तलवार छीन ली। पुजारी तो उनके बाएँ हाथ के एक ही धक्के से मन्दिर की दीवार से जा टकराया। तलवार घुमाते हुए वे आँगन में आ गये। उस समय वहाँ के सभी लोग कुल्हाड़ी, छुरा आदि शस्त्र ले कर स्वामी जी की ओर लपके। उन्होंने जो द्वार की ओर ताका तो उसमें ताला लटक रहा है। तब अपने को बलिदान से बचाने के लिए वे उछल कर दीवार पर चढ़ गये और दूसरी ओर कूद कर भाग खड़े हुए। उनका पीछा करने के लिए जब लोग बाहर निकले, वे बहुत दूर जंगल में घुस कर अदृश्य हो गये हैं। स्वामी जी के अतीव बल, पराक्रम और साहस को वे देख चुके हैं, इसलिए आगे न बढ़े। हाथ मलते हुए लौट गये। रंग में भंग पड़ जाने से उनका उत्सव शोक सभा में परिणत हो जाता है। इस शोक सभा में केवल रामसुख सम्मिलित नहीं हुआ। वह मन-ही-मन प्रसन्न हो रहा है कि दयालु और सर्व-व्यापक प्रभु ने महात्मा जी की इन दुष्टों के हाथ से रक्षा की है। वे उसके परम भक्त जो हैं। जा को राखे साइयाँ मार सके न कोय।

स्वामी जी दूसरे दिन शाक्तों के चंगुल से बहुत दूर किसी गाँव के समीप पहुँच रहे हैं। थोड़ी दूर एक पीपल के वृक्ष के समीप कई बालक बकरी चरा रहे हैं। उनकी काली लाल सफ़ेद बकरियाँ हरे-हरे मैदानों में उछल-कूद रही हैं। सामने मृगों का एक झुण्ड चौकड़ियाँ भरते भागा जा रहा है। आकाश में विहंगा-वलियाँ अपने पंखों को फैलाए नितान्त स्वच्छन्दता और आमोद-प्रमोद के साथ उड़ी चली जा रही हैं। स्वामी जी ने यह सब-कुछ न देखा। वे किसी अथाह चिन्ता सागर में निमग्न हैं। वे सोच रहे हैं––मानव का पतन इससे अधिक और क्या हो सकता है? संसार को अहिंसा का पाठ पढ़ाने वाली,[1] और

---

१. अहिंसयेन्द्रियासंगैर्वैदिकैश्चैव कर्म्मभिः ।
तपश्चरणैश्चोग्रैस्साधयन्तीह तत्पदम् ॥ ––मनु० ६।७५
प्राणी मात्र से निर्वैर भाव, इन्द्रिय निग्रह, वेदोक्त कर्म और तप एवं त्याग के जीवन से ही मानव इस लोक और परलोक में सुख व आनन्द प्राप्त करता है।

अँगुली पकड़ कर सदाचार एवं सभ्यता की शिक्षा देने वाली[1] आर्य-जाति में आज ऐसे क्रूर और असभ्य जन भी हैं जो मनुष्य तक को अपने इष्ट देवों के समक्ष बलिदान करने में धर्म की पराकाष्ठा मानते हैं। क्या यह जाति फिर कभी अपने पूर्व गौरव को प्राप्त कर सकेगी? फिर स्वामी जी मन-ही-मन संकल्प करते हैं—"मैं आर्य-जाति को उसके गौरवशाली अतीत का दिग्दर्शन कराऊँगा, उसकी निष्क्रियता छुड़ा कर उसे कर्मशील बनाऊँगा। उसकी स्वार्थपरता मिटा कर उसे परोपकारी बनाऊँगा। उसे अविश्वासी से आत्मविश्वासी बनाऊँगा। उसे सहस्रों वर्षों की निद्रा से जगा कर उसमें चेतना भरूँगा और पुनः उसे एक जीती-जागती जाति बनाऊँगा। हे परमपिता परमात्मा! तू सच्चिदानन्द अनन्त, न्यायकारी, पवित्र, दयालु और सर्वशक्तिमान है। तू मेरे इस निश्चय को पूरा करने में सहायक हो।" तत्पश्चात् वे—सर्वात्मा सच्चिदानन्दोऽनन्तो यो न्यायकृच्छुचिः। भूयात्तमां सहायो नो दयालुः सर्वशक्तिमान्॥ ऐसी प्रार्थना करते हुए गाँव के बाहर ही एक वृक्ष के नीचे बैठ कर समाधिस्थ हो गये।

अपूर्व गुरु-दक्षिणा

ऋषिकेश में गंगा स्नान करके एक महात्मा वस्त्र बदल रहे हैं। उनकी कानों में किसी के सिसक-सिसक कर रोने की आवाज़ पड़ी। इधर-उधर देखने लगे। जहाँ वे खड़े हैं वहाँ से कुछ दूर हट कर नदी तट पर एक बालक घुटनों पर सिर रखे रो रहा है। महात्मा को उस पर दया आ गई। उसके निकट जाकर प्यार से बोले—"प्यारे! तू रोता क्यों है?" स्नेह और सान्त्वना के शब्द सुन कर बालक फूट-फूट कर रो पड़ता है। महात्मा उसे हाथ पकड़ कर उठाते हुए बोले —"मेरे साथ तू चल, कई दिन का भूखा प्रतीत होता है।" बालक जब खड़ा हुआ तो महात्मा की दृष्टि उसके मुख पर पड़ी। वे चौंक कर बोल उठे—"यह बेचारा तो चक्षुहीन है।" फिर बालक से पूछा कि तू अकेले यहाँ कैसे आ गया। बालक की आँखें फिर गीली हो गईं। वह रुधे कण्ठ से बोला—"बाबा जी! यह मेरे दुर्भाग्य की कहानी है। मैं अभी पाँच वर्ष का ही था कि शीतला ने मुझ पर कृपा की और मेरी दोनों आँखें उसकी भेंट हो गईं। ग्यारह वर्ष का होते-होते मेरे

---

१. एतद्देशप्रसूतस्य सकाशादग्रजन्मनः।
स्वं स्वं चरित्रं शिक्षेरन् पृथिव्यां सर्वमानवाः। —मनु० २।२०
संसार के सारे मानव आर्यावर्त के ब्राह्मणों (विद्वानों) से अपने-अपने कर्तव्य और आचार की शिक्षा प्राप्त करें।

प्यारे माता-पिता की छत्रछाया मेरे सिर से उठ गई। माँ-बाप का प्रेम उठ गया तो सभी निष्ठुर हो गये। भाई-भावज के लिए मैं भार-रूप हो गया। घर में कोई प्रेम करने वाला न था। अंधा होने के कारण मैं घर के काम-काज में अधिक सहयोग न दे पाता था। भाभी मुझसे सीधे मुँह बात न करती। भैया से एक की दो लगाया करती। मैं नित्य घुड़कियाँ और तमाचे खाने लगा। फिर भी निरादर और निष्ठुरता सह कर घर में रहता रहा। एक दिन भाभी भैया से कह रही थीं कि तुम्हारा यह अंधा भाई न काम का न काज का, पर उसे खाने को चाहिए दोनों जून और वह भी भरपेट। वह कुछ नहीं कर सकता तो भिक्षा तो माँग ही सकता है, या वह भी नहीं। इतनी बात सुनने के बाद मुझे घर में रहना असह्य हो गया। मेरे स्वाभिमान को ठेस पहुँची। मैं घर से बिना कुछ खाये-पिये ही चुपके से चल दिया।"

महात्मा ने उस अंधे बालक को ला कर अपने आश्रम में रखा और उसके खाने-पीने तथा शिक्षा-दीक्षा का समुचित प्रबन्ध कर दिया। जब किसी का एक अंग विकृत होता है तो परमात्मा उसके दूसरे अंगों को विशेष शक्ति प्रदान करके केवल उस कमी को ही पूरा नहीं करता अपितु उसे साधारण मनुष्यों से बहुत ऊपर उठा देता है। इस बालक की बुद्धि असाधारण और विलक्षण है। उसकी स्मरण-शक्ति तो इतनी अद्भुत है कि जिस पाठ को वह एक बार सुनता उसे वह अक्षरशः सुना देता। एक वर्ष में ही उसे बहुत से ग्रन्थ कण्ठस्थ हो गये। उसमें ईश्वर-भक्ति और कष्ट-सहन की शक्ति इतनी अधिक थी कि वह घंटों गंगा जल में बैठा गायत्री का जाप किया करता। ऋषिकेश से वह कनखल में स्वामी पूर्णानन्द जी से व्याकरण पढ़ने लगा।

अध्ययन समाप्त करने के पश्चात् वह नेत्रहीन बालक, जो अब युवावस्था को प्राप्त हो चुका है, प्रयाग आदि तीर्थ स्थानों में घूमता हुआ सोरों आ निकला। अब वह दण्डी संन्यासी स्वामी विरजानन्द के नाम से प्रसिद्ध है। एक दिन दण्डी जी गंगा स्नान करके विष्णु-स्तोत्र का पाठ बड़े मधुर स्वर में कर रहे हैं। उस समय अलवर के राजा विनय सिंह जी वहाँ आ गये। उन्होंने जो यह पाठ सुना तो मुग्ध हो गये। उन्होंने दण्डी जी से अपने साथ अलवर चलने की प्रार्थना की। राजा के आग्रह से विवश हो कर वे मान तो गये, परन्तु राजा से यह वचन ले कर कि वह इनसे प्रतिदिन नियमित रूप से पढ़ा करेगा, अलवर जाते हैं। एक दिन राजा अपने वचन का पालन न कर सका तो दण्डी जी अपना सारा सामान वहीं छोड़ कर चल पड़ते हैं। कुछ दिन मुरसान और भरतपुर की रियासतों में रह कर मथुरा आ जाते हैं।

मथुरा में रेलवे स्टेशन से यमुना के विश्राम घाट तक आज जो राजपथ जाता है, उसी पर एक छोटी-सी अट्टालिका दण्डी जी की निवास स्थान है। वही छोटा-सा स्थान उनकी पाठशाला का भी काम देता है। एक बार एक दक्षिणी पंडित दण्डी जी के पड़ोस में ठहरा। उसका यह नित्य का नियम है कि वह प्रातः मुँह-अँधेरे उठ कर सम्पूर्ण अष्टाध्यायी का पाठ करके ही दूसरा काम करता है। दण्डी जी को अष्टाध्यायी का पाठ बहुत अच्छा लगा। वे उसे ध्यानपूर्वक सुनने लगे और दो-चार बार सुनने-मात्र से ही पूरी अष्टाध्यायी उन्हें कण्ठस्थ हो गई। उन्होंने उस ग्रन्थ में व्याकरण को गागर में सागर की भाँति बन्द पाया। दण्डी जी को वह ऋषि-प्रणीत व्याकरण ग्रन्थ इतना भाया कि उन्होंने अनार्ष रचनाओं को पढ़ाना ही छोड़ दिया। अब वे कौमुदी, मनोरमा, शेखर आदि के स्थान पर निघण्टु, निरुक्त, अष्टाध्यायी और महाभाष्य प्रभृति व्याकरण के ग्रन्थ पढ़ाया करते हैं। वे सारे भारत में अपने व्याकरण के विशेष ज्ञान के लिए प्रसिद्ध हो गये। वे स्पष्ट-वक्ता, निष्कपट-स्वभाव और सरल-वृत्ति साधु हैं। वे ज्ञान-ध्यान में निमग्न रहने वाले अभ्यासी और उच्च कोटि के दण्डी संन्यासी हैं। वे आर्ष ग्रन्थों के प्रबल पक्षपाती तथा प्रचारक हैं। अब उनकी अवस्था इक्यासी वर्ष की हो रही है।

●

ऐसे ही अनोखे गुरु की सेवा में एक अनोखे भावी शिष्य ने कार्तिक सुदी २, संवत् १९१७ वि० को उपस्थित हो कर उसकी कुटिया का द्वार खटखटाया। दण्डी जी ने पूछा--"कौन है?" उत्तर मिला, "दयानन्द सरस्वती। श्री-चरणों में बैठ कर सरस्वती देवी की आराधना करने आया हूँ।" दण्डी जी--"कुछ व्याकरण ग्रन्थ भी पढ़े हैं?" दयानन्द--""महाराज! सारस्वत आदि ग्रन्थ पढ़े हैं।" इसके पश्चात् दण्डी जी किवाड़ खोल देते हैं। प्रणाम करने के उपरान्त स्वामी दयानन्द गुरु जी के सामने बड़े विनीत भाव से बैठ गये। दण्डी जी ने स्वामी जी के अब तक के अध्ययन के विषय में अवगत हो कर कहा--"दयानन्द! अभी तक तुमने अनार्ष ग्रन्थों का ही अधिकतर अध्ययन किया है। ऋषि-कृत ग्रन्थों की शैली बड़ी सरल और सुन्दर है, परन्तु लोग उसका अवलम्बन नहीं करते। जैसे एक नन्हे-से बीज में विशाल वृक्ष समाया होता है, वैसे ही ऋषियों ने गागर में सागर बन्द कर दिया है। अनार्ष ग्रन्थों के अध्ययन में परिश्रम करना 'खोदा पहाड़ निकली चुहिया' के समान ही व्यर्थ है। आजकल के बड़े-बड़े विद्वान् भी आर्ष ग्रन्थों के मूल्य को नहीं जानते हैं, और न इस ओर उनका ध्यान ही है। ऋषि-प्रणीत व्याकरण-ग्रन्थों के अध्ययन के बिना वेद-शास्त्रों के आशय

का ठीक-ठीक समझना असम्भव है। आर्य-जाति का अपने प्राचीन आदर्शों से गिरने का यही मूल कारण है; उसकी अवनति और घोर पतन का यही रहस्य है। जब तक अनार्ष पद्धति का परित्याग न होगा, तब तक आर्ष ग्रन्थों का महत्त्व और मर्म समझा न जा सकेगा। इसलिए तुम जा कर पहले अपनी अनार्ष आधुनिक पुस्तकों को यमुना में बहा आओ, तभी मैं तुम्हें पढ़ा सकूँगा।" स्वामी दयानन्द गुरु जी की आज्ञा का पालन सहर्ष करते हैं। इसके बाद दण्डी जी से विद्याध्ययन का क्रम आरम्भ हो जाता है।

●

स्वामी दयानन्द सरस्वती संन्यासी हैं, परन्तु किसी से कुछ माँगते नहीं। ईश्वर-कृपा से जो कुछ मिल गया उसी पर सन्तोष कर लेते हैं। शिक्षा निःशुल्क होने पर भी पुस्तकों और भोजन-वस्त्र आदि के लिए तो द्रव्य चाहिए ही। भक्त-वत्सल भगवान् ने यहाँ भी अपने भक्त की सहायता की। अमरलाल नामक एक बड़े ज्योतिषी मथुरा में निवास कर रहे हैं। उनकी ज्योतिष-विद्या से प्रसन्न हो कर महाराजा सिन्धिया ने उन्हें एक गाँव प्रदान किया। वे ज्योतिषी बाबा के नाम से प्रसिद्ध हैं। एक दिन विश्राम घाट पर उनकी स्वामी दयानन्द से भेंट हो गई। वे उनकी अद्‌भुत् प्रतिभा, विलक्षण बुद्धि, दिव्य देह, ब्रह्मचर्य-तेज से चमकते हुए मुखमण्डल को देख कर उनकी ओर आकर्षित हो जाते हैं। उसी दिन से स्वामी जी के भोजन का प्रबन्ध उनके यहाँ हो गया। उन्होंने स्वामी जी को खिला कर ही स्वयं भोजन करने का नियम बना लिया। गुरु जी की कृपा से नगर के कुछ प्रतिष्ठित व्यक्तियों ने उनके लिए पुस्तकें मँगवा दीं। एक दिन लाला गोवर्धन सर्राफ़ ने स्वामी जी को सड़क के किनारे एक लालटेन के मद्धिम प्रकाश में पढ़ते देख कर तुरन्त अपने मुनीम को आज्ञा दी कि इन संन्यासी जी को चार आने मासिक तेल के व्यय के लिए दुकान से दिये जाया करें। इसी प्रकार हरदेव पत्थर वाले ने उस संन्यासी विद्यार्थी के अध्यवसाय को देख कर उसके दूध के लिए दो रुपये मासिक बाँध दिये। उनके रहने का प्रबन्ध विश्राम घाट पर लक्ष्मी नारायण के मन्दिर की एक छोटी-सी कोठरी में हो जाता है। इस प्रकार प्रभु की कृपा से उनकी सारी आवश्यकताएँ पूरी हो गईं, और वे निश्चिन्त हो, गुरु-चरणों में बैठ कर विद्याध्ययन और ज्ञानार्जन में संलग्न हो जाते हैं।

स्वामी जी हर प्रकार से एक आदर्श शिष्य हैं। जैसे पढ़ने में सब विद्यार्थियों से आगे हैं, वैसे ही गुरु-सेवा में भी उन्होंने सब सहपाठियों को पछाड़ दिया। गुरु जी यमुना-जल ही पीते और उसी से स्नान भी करते हैं। इसमें लगभग पन्द्रह बीस घड़े जल लग जाता है। स्वामी जी बड़ी रात रहते ही उठ कर, गहरे पानी

में पैठ यमुना का शुद्ध और निर्मल जल अपने कन्धों पर ढो-ढो कर गुरु-स्नान के पहले ही इकट्ठा कर देते। माघ-पूस का कड़ाके का जाड़ा, और सावन-भादों की मूसलाधार वर्षा भी उनके सेवाकार्य में बाधा न पहुँचा पाते। कुटी के झाड़ने-बुहारने और उसे साफ़-सुथरा रखने का भार भी उन्हीं के कन्धों पर है। आज्ञा-पालन, सेवा-शुश्रूषा और विलक्षण प्रतिभा के कारण स्वामी दयानन्द अपने गुरु-देव के पूर्ण स्नेह और कृपा के पात्र हो गये हैं। बहुधा देखने में आता है कि गुरुजनों का स्नेह जिन बच्चों के प्रति जितना अधिक होता है उतना ही अधिक वे उनके प्रत्येक कार्य पर कड़ी दृष्टि रखते हैं। वे उन्हें त्रुटि-रहित और सर्वगुण-सम्पन्न देखना चाहते हैं। इसलिए वे उनकी छोटी-छोटी भूलों पर भी उन्हें टोका करते हैं, उनकी भर्त्सना किया करते हैं। यही बात स्वामी विरजानन्द और उनके प्रिय शिष्य दयानन्द के विषय में चरितार्थ है। स्वामी दयानन्द की स्मरण-शक्ति अपने गुरु के समान ही प्रबल है। उनकी धारणा-शक्ति भी ऐसी अद्भुत है कि किसी कठिन से कठिन विषय के समझने और उसके मूल तत्त्वों को ग्रहण करने में उन्हें देर नहीं लगती। गुरु शिष्य के इन गुणों पर मुग्ध हैं। एक दिन अष्टाध्यायी की कोई प्रयोग-सिद्धि इतनी क्लिष्ट थी कि स्वामी जी अपने निवास-स्थान पर पहुँचते-पहुँचते उसे भूल गये। पहले ऐसा कभी न हुआ था। इसलिए उन्हें इस विस्मृति के लिए बहुत दुःख होता है। उन्होंने बाध्य हो कर गुरु जी से वह विस्मृत प्रयोग-सिद्धि फिर पूछी। यह बात गुरु जी की आशा के विपरीत है। वे झिड़क कर बोले—"जाओ, स्मरण करके आओ।" दयानन्द जी ने पुनः प्रार्थना की, "कृपा करके एक बार फिर बता दीजिये। मैं अपना सारा बल लगा कर हार चुका, परन्तु वह पाठ ध्यान में नहीं आता है।" गुरु जी उन पर बरस पड़े—"यदि पाठ याद नहीं होता है तो यमुना में जा कर डूब मरो। मेरा समय नष्ट क्यों करते हो।" यद्यपि गुरु जी ने यह बात क्रोध में वैसे ही कह दी, तथापि शिष्य ने गुरु की आज्ञा का अक्षरशः पालन करने की ठान ली। स्वामी जी ने मन में संकल्प कर लिया कि यदि आज सायंकाल तक वह प्रयोग मुझे स्मरण न हो आया तो मैं यमुना में कूद कर प्राण त्याग दूँगा। वे सीता घाट की बुर्जी पर जा कर बैठ गये, और उस भूले हुए प्रयोग को स्मृति-पट पर लाने के लिए मस्तिष्क पर बल देने लगे। वे इस क्रिया में ऐसे तल्लीन हुए कि उन्हें अपने तन-बदन की सुधि जाती रही। उनकी स्वप्न की सी अवस्था हो गई। तब उन्हें ऐसा जान पड़ा, मानों कोई व्यक्ति सामने खड़ा उनकी पढ़ी हुई प्रयोग-सिद्धियाँ सुना रहा हो। उन्हें सुन चुकने के पश्चात् वे सचेत हो गये, जैसे अभी-अभी सोकर उठे हों। स्वामी जी की प्रसन्नता का पारावार न रहा, दौड़े-दौड़े गुरु-चरणों में आ कर आदि

से अन्त तक सारी प्रयोग-सिद्धि सुना दी। आनन्द-विभोर हो कर गुरु ने शिष्य को गले से लगा लिया। उस दिन से स्वामी जी को एक अच्छी युक्ति हाथ लग गई। जब कभी कुछ भूल जाते तो वे उसी प्रकार समाधिस्थ हो कर स्मरण कर लिया करते।

बहुत से सद्गुणों के साथ ही साथ दण्डी जी में एक दुर्बलता भी है। वे क्रोधी प्रकृति के मनुष्य हैं। वे विद्यार्थियों को साधारण बातों पर भी मार बैठा करते हैं। जिस लाठी को टेक कर वे चलते हैं उसी से दण्ड देने का काम ले लेते हैं। एक दिन पढ़ाते समय दण्डी जी स्वामी जी से रुष्ट हो गये। उन्होंने स्वामी जी की भर्त्सना करते हुए उन पर लाठी भी चला दी। उनके हाथ में बड़ी चोट आई, परन्तु उनका ध्यान उस ओर नहीं है। उन्हें गुरु जी के कोमल और निर्बल हाथों में चोट लगने का खेद है। वे गुरु जी के हाथों को सहलाने लगे। दण्डी जी के मुँह लगे शिष्य नयनसुख को गुरु जी का यह व्यवहार अच्छा न लगा। वह बोला "गुरु जी ! दयानन्द जी एक योग्य संन्यासी हैं, साधारण विद्यार्थी नहीं, जो जब जी चाहा उन्हें रुई की भाँति धुन कर रख दिया।" दण्डी जी ने अपनी भूल स्वीकार की और कहा--"अच्छी बात है, भविष्य में हम उन्हें सम्मान पूर्वक पढ़ायेंगे।" विद्यार्थी जब पाठशाला से बाहर निकले तो स्वामी जी नयनसुख से उलाहना देने लगे--"तुमने मेरे लिए गुरु जी को क्यों कुछ कहा। उनका हमारे प्रति कोई द्वेष-भाव तो है नहीं । हमारी हितकामना से प्रेरित हो कर ही वे हमें दण्ड देते हैं।"

यह पहले ही कहा जा चुका है कि स्वामी जी अपनी स्मरण-शक्ति और विनय के कारण दण्डी जी के कृपापात्र बन गये हैं । इसीलिए उनके सहपाठी उनसे ईर्ष्या करने लगे। उनका जब और कोई बस न चला तो अन्त में उन्हें गुरु जी की कृपा से वंचित करने का प्रयत्न करने लगे। उन्होंने गुरु जी से कहा--"महाराज ! दयानन्द बड़ा अविनीत और नटखट है। वह आपके सामने तो नम्रता की मूर्ति बन जाता है, और मीठी-मीठी बातें करता है, परन्तु पीठ-पीछे आपकी नक़लें करता है। आँखें बन्द करके आपकी तरह चलने का अभिनय करता है, और आपकी हँसी उड़ाता है। उसकी इस दुष्टता पर हम लोगों को बड़ा क्रोध आता है, परन्तु करें क्या ? आप तो उसे विनय का पुतला समझते हैं, और आपकी उस पर विशेष कृपा रहती है।" उनकी यह चाल काम कर जाती है। गुरु जी कोपावेश में आ कर दयानन्द जी पर लाठी का प्रहार कर बैठे। स्वामी जी की भुजा में लाठी की नोक घुस गई और घाव हो गया, जिसका चिह्न उनके जीवन भर बना रहा। उसे जब देखते स्वामी जी गुरु जी के उपकारों का स्मरण करने लगते।

स्वामी विरजानन्द के यहाँ दण्ड का यह भी एक विधान है कि जब वे अपने किसी शिष्य से असन्तुष्ट या अप्रसन्न हो जाते तो उसकी ड्योढ़ी बन्द कर देते अर्थात् उसे अपने यहाँ आने से रोक देते। स्वामी दयानन्द को यह अनोखा दण्ड भी कई बार भोगना पड़ता है। एक दिन वे गुरु जी के बैठके में झाड़ू लगा कर फेंकने के लिए टोकरी लाने चले गये। दैवयोग से गुरु जी उसी समय कमरे में आ गये, और उनका पाँव कूड़े पर पड़ गया। बस वे आग हो गये। आलसी, प्रमादी इत्यादि अनेक वचन कहते हुए उन्होंने स्वामी जी की ड्योढ़ी बन्द कर दी।

एक बार उनकी ड्योढ़ी तब बन्द होती है जब वे दयावश गुरु जी के किसी सम्बन्धी को उनके दर्शन करवा देते हैं। वह घटना इस प्रकार है : गुरु जी का एक सम्बन्धी मथुरा आया। उसे उनसे मिलने की बड़ी उत्कण्ठा है। परन्तु उनकी आज्ञा थी कि विद्यार्थियों या विद्वानों के अतिरिक्त कोई मनुष्य उनके पास न आने पाये। वह व्यक्ति दयानन्द जी को मार्ग में मिला और उनसे चिरौरी विनती करने लगा—"महाराज ! मुझे किसी प्रकार दण्डी जी के दर्शन करवा दीजिये। मैं बड़ी दूर से आया हूँ। वे बहुत बूढ़े हैं। यदि इस बार उनके दर्शन न हुए तो फिर कभी न हो सकेंगे। मैं चुपचाप उनके दर्शन भर कर लूँगा; मुँह से कुछ न बोलूँगा।" उसके बहुत कहने सुनने पर स्वामी जी को उस पर दया आ गई। वे उसे ले जा कर दण्डी जी के दर्शन करवा देते हैं। दोनों सीढ़ियों से उतर ही रहे हैं कि स्वामी जी के एक सहपाठी ने उन्हें देख लिया। उसने जा कर गुरु जी को बता दिया कि दयानन्द के साथ कोई अपरिचित व्यक्ति यहाँ आया है। पहनावे से पंजाबी प्रतीत होता है। यह सुन कर वे आपे से बाहर हो गये। उन्होंने कहा—"दयानन्द ने मुझे नेत्रहीन जान कर ही मेरी आँखों में धूल झोंकी है। मैं ऐसे दुष्ट का मुँह देखना नहीं चाहता, उससे कह दो कि अब वह मेरे यहाँ न आये।" गुरु जी को क्रोध जैसे शीघ्र आ जाता है वैसे ही दूध के उबाल की नाईं शान्त भी तुरन्त हो जाता है। नन्दन चौबे और नयनसुख आदि सज्जनों के कहने-सुनने पर गुरु जी अपने प्रिय शिष्य पर तत्काल प्रसन्न हो जाते हैं।

स्वामी दयानन्द सरस्वती पूर्ण ब्रह्मचारी हैं। स्त्री-स्पर्श तो दूर रहा वे किसी स्त्री की ओर आँख उठा कर भी नहीं देखते। वे सदा नीची दृष्टि किये मार्ग पर चलते। उस समय उनकी अवस्था ३५ वर्ष की हो चुकी है। तप्त ताम्र और कुन्दन स्वर्ण की भाँति उनका मुखमण्डल उद्दीप्त है। अखण्ड ब्रह्मचर्य के कारण उनके चेहरे पर तेज बरसता है। वे सारे मथुरा नगर में अपने ब्रह्मचर्य और सद्गुणों के लिए प्रसिद्ध हैं। एक दिन की घटना है—

सावन का महीना है और सवेरे का समय। आकाश पर उषा की लाली छाई है। आज कई दिनों के पश्चात् बादल छटे हैं। हरे-भरे वृक्ष हरे दुशाले ओढ़े खड़े हैं। मृदु समीर सावन का राग गा रहा है, और पक्षी डालियों पर बैठें हिंडोले झूल रहे हैं। स्वामी दयानन्द सरस्वती यमुना-तट पर बैठे ध्यान में लीन हैं। एक स्त्री स्नान करके आई। उसने देखा एक परमहंस पद्मासन लगाए समाधिस्थ हैं। श्रद्धामयी देवी ने भक्ति-भाव से निकट आ कर स्वामी जी के चरण-कमलों में सिर रख कर नमस्कार किया। भीगे और शीतल केश के स्पर्श से उनकी समाधि टूट गई। उन्होंने नेत्र खोले तो देखा--उनके पैरों पर एक माँ का सिर रखा है। वे चौंक पड़े और माता कहते हुए उस स्थान से उठ कर चले गये।

मनु भगवान् का आदेश है कि ब्रह्मचारियों के लिए स्त्रियों का दर्शन-स्पर्शन वर्जित है।[1] आज अनजान में उनसे इस आज्ञा का उल्लंघन हो गया है। इसलिए प्रायश्चित्त करने के लिए वे किसी निर्जन स्थान में एक पुराने मन्दिर के भीतर जा बैठे और तीन दिन और रात निराहार प्रभु के ध्यान में निरत रहे। चौथे दिन जब अध्ययन के लिए गुरु-सेवा में उपस्थित हुए तो गुरु जी ने उनकी इस असाधारण अनुपस्थिति का कारण पूछा। अपने प्रिय शिष्य से सारा वृत्तान्त सुन कर उन्होंने दाँतों-तले उँगली दबाई और गद्‌गद हो कर बोले--"दयानन्द! तुम धन्य हो। इस कठोरता के साथ शास्त्र-आज्ञा पालन करने वाले ब्रह्मचारी आज कहाँ हैं? तुम्हारे जैसा शिष्य पा कर मेरा अध्यापन सार्थक और जीवन सफल हुआ।" यह कहते गुरु जी की आँखों से आनन्द के आँसू बहने लगे। उन्होंने स्वामी जी को अपनी छाती से चिपटा लिया।

स्वामी दयानन्द सरस्वती को मथुरा आये ढाई वर्ष बीत रहे हैं। उन्होंने अपने गुरु स्वामी विरजानन्द दण्डी से 'अष्टाध्यायी', 'महाभाष्य', 'वेदान्त-सूत्र' आदि अनेक ग्रन्थों का अध्ययन किया। वे साधारण विद्यार्थी नहीं हैं कि गुरु जी जैसा पढ़ाते या व्याख्या करते वे चुपचाप सुनते जाते। अन्य शिष्यों को गुरु जी से बीच में प्रश्नोत्तर करने की न तो क्षमता है और न साहस ही। परन्तु स्वामी जी की बात ही और है। वे जब पढ़ने बैठते तो तर्क-युक्त प्रश्नों की झड़ी लगा देते। गुरु जी कहते--"दयानन्द! आज तक मैंने सैकड़ों विद्यार्थियों को पढ़ाया है, परन्तु जो स्वाद, जो आनन्द तुम्हें पढ़ाने में आया वह कभी नहीं मिला। दयानन्द! तुम काल-जिह्व हो। जैसे काल सब पर बली

---

१. स्त्रीणां च प्रेक्षणालम्भम् (वर्जयेत्) --मनु० २।१७९

है वैसे ही तुम्हारी तर्क-शक्ति भी प्रबल है। वाद विवाद में तुम्हें कोई भी जीतने में समर्थ नहीं है। मुझे तुमसे बड़ी आशा है । तुम्हीं ने मेरे आशय को पूर्ण रीति से समझा है।" सारांश यह कि गुरु जी स्वामी जी को पूर्ण अधिकारी समझ कर अपने जीवन भर का अर्जित ज्ञान और अनुभव उन्हें सौंप कर संतुष्ट और निश्चिन्त हो जाते हैं।

●

आज स्वामी दयानन्द सरस्वती अपने प्रिय और पूज्य गुरु से विदा लेने वाले हैं। वे सोच रहे हैं——मैं संन्यासी हूँ । गुरु-दक्षिणा देने योग्य मेरे पास कोई वस्तु नहीं है, परन्तु दक्षिणा देना भी आवश्यक है, आर्य परम्परा है। गुरु महाराज को लौंग बहुत प्रिय है, तो क्या इन थोड़ी-सी लौंगों को गुरु-चरण कमलों में रख कर हाथ जोड़ लूँ? क्या वे इस तुच्छ भेंट से संतुष्ट होंगे? इसी उधेड़-बुन में वे गुरु जी की सेवा में पहुँच कर चुपचाप खड़े हो जाते हैं । गुरु जी आहट से पहचान लेते हैं, बोले——"दयानन्द ! तुम मेरे मानस पुत्र हो। आज मेरा पुत्र मुझ से विदा हो रहा है। तुम्हारे विछोह का मुझे हार्दिक दुःख है, परन्तु मुझे यह विश्वास है कि तुम मेरे उस मनोरथ को अवश्य पूरा करोगे, जिसको मैं नेत्रहीन होने के कारण पूरा न कर सका। इस विश्वास ने मुझे तुम्हारे वियोग के कष्ट को सहन करने के योग्य बना दिया है।" स्वामी दयानन्द ने डरते-डरते लौंगों को श्री-सेवा में समर्पित करते हुए कहा——"गुरुदेव ! आपकी मुझ पर असीम कृपा रही है। आपके उपकारों से उऋण होना मेरे लिए सम्भव नहीं है। मैं आपको क्या दे सकता हूँ । ये थोड़ी-सी लौंगें स्वीकार करने की कृपा करें ।" गुरु जी बोले——"तू तो पूरा कंजूस मक्खीचूस निकला । मैंने तुझे इतना पढ़ाया और उसके प्रतिकार स्वरूप ये थोड़ी-सी लौंगें? मैं इनसे संतुष्ट होने वाला नहीं हूँ। मुझे देने को तेरे पास बहुत-कुछ है। यदि देगा तो वही लूँगा। उससे एक रत्ती कम नहीं।" स्वामी जी ने गुरु-चरणों को स्पर्श करके कहा——"महाराज! इन चरण-कमलों पर तो दास अपने प्राणों को भी न्योछावर करने को तैयार है। आप कुछ आदेश तो दें। मैं आपकी प्रत्येक आज्ञा शिरोधार्य करने के लिए उद्यत हूँ।" गुरु महाराज ने शिष्य के सिर को स्पर्श करके कहा, "वत्स! भारत देश में दीन-हीन जन अनेकविध दुःख पा रहे हैं। जाओ, उनका उद्धार करो। मत-मतान्तरों के कारण जो अनेक कुरीतियाँ प्रचलित हो गई हैं, उन्हें निवारण करो। आर्य जनता की बिगड़ी दशा को सुधारो। कुसंस्कारों और अन्धविश्वासों को दूर करके आर्य सन्तान को उबारो। पठन-पाठन की आर्ष शैली प्रचलित करके वैदिक और आर्ष ग्रन्थों के पढ़ने-पढ़ाने में लोगों को प्रवृत्त

करो। गंगा-यमुना के निरन्तर गतिशील प्रवाह की भाँति लोकहित कामना से क्रियात्मक जीवन व्यतीत करो। प्रिय पुत्र! गुरु दक्षिणा में मुझे यही सब कुछ तुमसे पाने की इच्छा है, और आशा है तुम उसे पूर्ण करोगे।" स्वामी दयानन्द गुरु जी से उसी समय प्रतिज्ञा करते हैं, "मैं गुरु-आदेश का अक्षरशः पालन करूँगा ." चलते समय गुरु ने शिष्य के सिर पर हाथ रख कर आशीर्वाद देते हुए कहा— "वत्स, तुम्हारे सकल मनोरथ सिद्ध हों। ईश्वर तुम्हें सुख-सफलता से संपन्न करे। परन्तु दयानन्द, एक बात स्मरण रखना—साधारण मनुष्य-कृत ग्रन्थ परमात्मा और ऋषि-मुनियों की निन्दा से पूर्ण हैं, परन्तु आर्ष ग्रन्थों में इस दोष का नितान्त अभाव है। आर्ष और अनार्ष ग्रन्थों की यही सब से बड़ी परख और पहचान है। इस कसौटी को हाथ से कभी न जाने देना।"

किसी गुरु को किसी शिष्य से कभी ऐसी दक्षिणा मिली होगी, ऐसा किसी को विश्वास नहीं हो सकता। इस दक्षिणा के सामने संसार की अब तक की सारी गुरु-दक्षिणाएँ फीकी हो गई हैं।

३ | सत्य का अभियान

अभियान का प्रारम्भ

स्वामी जी गुरुचरणों से विदा हो कर आगरा पहुँचे। वहाँ के यमुना के किनारे भैरव मन्दिर के निकट लाला गल्लामल रूपचन्द अग्रवाल के उद्यान में आसन जमाते हैं। वहीं उनकी भेंट कैलाश पर्वत नाम के एक संन्यासी से हो गई। वे स्वामी जी के पांडित्य और सद्‌गुणों को देख कर उनके प्रशंसक बन जाते हैं। उन्होंने धर्म के जिज्ञासुओं को परामर्श दिया—"दयानन्द जी बहुत बड़े विद्वान् हैं। आप लोग इनसे संस्कृत और धर्म-ग्रन्थों का अध्ययन किया करें।" राय बहादुर पं० सुन्दर लाल ने कहा—"महाराज! संस्कृत तो मृत भाषा है, इसके पढ़ने में व्यर्थ परिश्रम क्यों किया जाय?" इस पर कैलाश पर्वत जी तो कुछ न बोले, परन्तु स्वामी जी ने उत्तर दिया—"बन्धुवर! संस्कृत मृत भाषा नहीं, देव भाषा है। संसार की भाषाओं की जननी है। आर्य-जाति के पूर्व गौरव और प्राचीन सभ्यता तथा संस्कृति को सुरक्षित रखने वाला वृहत् कोष है। यदि संस्कृत रूपी सूर्य अस्त हो जाय तो आर्य-जाति का भविष्य सदा के लिए अंधकार-मय हो जायेगा। यदि अपना और दूसरों का कल्याण करना अभीष्ट है तो संस्कृत अवश्य पढ़नी चाहिए।" इन वचनों से प्रेरित हो कर पं० सुन्दर लाल और बालमुकुन्द आदि सज्जन स्वामी जी से अष्टाध्यायी का अध्ययन आरम्भ कर देते हैं।

स्वामी जी ने भगवद्‌गीता की कथा भी आरम्भ कर दी है। श्रोता-जन उनके श्लोक-उच्चारण पर, उनकी मनोरंजक और अपूर्व अर्थ-वर्णन की शैली पर, और वचन-माधुर्य पर मुग्ध हो जाते।

स्वामी जी सुधार-कार्य की ओर धीरे-धीरे अग्रसर हो रहे हैं। उन्हें जब किसी विषय में सन्देह हो जाता तो वे गुरु जी से पत्र-व्यवहार करके अथवा उनके पास स्वयं जा कर अपनी शंकाओं का निवारण कर लेते हैं। आगरे से उन्होंने राजस्थान की ओर प्रस्थान किया। वहाँ धर्म-प्रचार करके और लोगों का ध्यान समाज में प्रचलित बुराइयों की ओर आकर्षित करके वे संवत् १९२३ वि० में पुनः आगरा पधारते हैं। यहाँ से वे पाँच विद्यार्थियों सहित गुरु जी के दर्शनों के लिए

मथुरा गये। उन्होंने एक स्वर्ण मुद्रा और एक मलमल का थान गुरु-चरणों में रख कर बड़ी श्रद्धा और नम्रता से उनके चरण स्पर्श किये। अब तक के कार्यों से गुरु जी को अवगत किया और भविष्य के कार्यक्रम के विषय में उनकी सम्मति माँगी। कुछ दिनों गुरु-सेवा में रह कर उन्होंने हरिद्वार के लिए प्रस्थान किया।

यह देख कर कि उनका होनहार शिष्य निर्दिष्ट मार्ग पर दिनोंदिन आगे बढ़ रहा है, गुरु जी को पूर्ण सन्तोष और असीम आनन्द हुआ। आदर्श गुरु और आदर्श शिष्य का यह मिलाप अन्तिम सिद्ध हुआ और उसी वर्ष हरिद्वार के कुम्भ मेले से गुरुदेव की सेवा में भेजी हुई 'महाभाष्य' की एक पुस्तक, एक स्वर्ण मुद्रा और मलमल का एक थान शिष्य की अन्तिम भेंट हुई।

●

स्वामी जी शाहबाजपुर के एक उद्यान में ठहरे हुए हैं। भोजन के उपरान्त विश्राम के लिए वे अभी लेटे ही हैं कि कासगंज निवासी पंडित चैनसिंह दो-तीन सज्जनों के साथ वहाँ आ पहुँचे और सूचना दी कि दण्डी महाराज का देहान्त कुँआर बदी १३ संवत् १९२५ को हो गया है। इस शोक समाचार को सुनते ही स्वामी जी का मुख मलिन पड़ जाता है। उन्होंने दोनों आँखें बंद कर लीं। और उनके गालों पर आँसू बह चले। जिस महापुरुष ने अपने प्यारे माता-पिता और सगे-सम्बन्धियों को तृणवत् त्याग दिया, वही आज अपने पूज्य गुरु की मृत्यु पर आँसू बहा रहा है। वस्तुतः गुरु-शिष्य का सम्बन्ध एक पवित्र और अलौकिक स्नेह-बंधन है। शोक का आवेग जब कुछ शान्त हुआ तो बोले— "आज व्याकरण का सूर्य अस्त हो गया।" उसी समय बादल के एक टुकड़े ने सूर्य को ढँक लिया, मानों उसने स्वामी जी के कथन का समर्थन किया हो।

स्वामी दयानन्द सरस्वती प्रतिभाशाली तो पहले से ही थे, परन्तु गुरु की शिक्षा ने उनमें सोने में सुगन्ध उत्पन्न कर दी है। वे योग-बल और विद्या-बल से सुसज्जित हो कर जन-सुधार के कार्य-क्षेत्र में उतर पड़े। सब से पहले उन्होंने हिन्दुओं में प्रचलित वेद-विरुद्ध मान्यताओं का खण्डन आरम्भ किया। उन्होंने आर्य जाति को विभक्त और एक-दूसरे से अलग करने वाले वैष्णव, शैव और शाक्त आदि सम्प्रदायों की कड़ी आलोचना की उस जाति को व्यभिचार में गिराने वाले वाम-मार्ग आदि कुपन्थों की पोल खोली; उसे आलसी, प्रमादी, और क्रूर बनाने वाली मूर्ति-पूजा को आड़े-हाथों लिया; उसे ढोंगी बनाने वाले कण्ठी, तिलक, छाप और माला आदि के ऊपरी और दिखाऊ चिह्नों और आडम्बरों का निराकरण किया; उसे पाप-पंक में फँसाने वाले गंगादि नदियों के स्नान,

एकादशी आदि व्रतोपवासों और ढोंगी गुरुओं के माहात्म्य को असत्य बताया; उसे अविश्वासी और पुरुषार्थहीन बनाने वाले अवतारवाद, मनुष्य-पूजा और पुराणादि अनार्ष ग्रन्थों को वेद-विरुद्ध ठहराया। वे साहस, निर्भीकता, दृढ़ता, और निर्लोभ की जीती-जागती मूर्ति हैं। जिन बातों को वे मनुष्य जाति के लिए अहितकर समझते हैं उसके विषय में वे समझौता करना जानते ही नहीं। उसके लिए चाहे कितना भी बड़ा त्याग करना पड़े, कष्ट भोगना पड़े या हानि उठानी पड़े।

इस प्रकार सुधार-कार्य करते हुए मथुरा से आगरा, धौलपुर, ग्वालियर, जयपुर, अजमेर होते हुए और ग्वालियर, जयपुर के महाराजों की पौराणिक लीला में सम्मिलित होने और उसमें सहयोग देने के निमंत्रणों और प्रलोभनों को ठुकराते हुए पुष्कर पहुँचे। वहाँ वे ब्रह्मा जी के मन्दिर में ठहरे। उस मन्दिर के महन्त मानपुरी जी एक सज्जन व्यक्ति हैं। पहले पहल जब "मैं पत्थर पूजा का दूध नहीं पीता" यह कह कर पुरी जी के द्वारा भेजा हुआ दूध स्वामी जी ने अस्वीकार कर दिया, तो वे कुछ रुष्ट हुए। परन्तु थोड़े ही दिनों में जब वे स्वामी जी का दृष्टिकोण समझ गये, तो उनके मित्र और सहायक बन जाते हैं।

एक दिन मानपुरी जी और स्वामी दयानन्द जी दोनों बैठे हुए वार्तालाप कर रहे हैं। महन्त जी ने कहा—"स्वामी जी! बात तो आप सोलहों आने ठीक कहते हैं, परन्तु उसे मान कर राजा भोज से गाँगू तेली बनने का साहस किसे है?" स्वामी जी बोले, "बन्धुवर! आजीविका के चले जाने के भय से लोग सत्याचरण और सत्य के प्रचार से व्यर्थ ही हिचकते हैं। तुमने जो बोया है उसे काटोगे अवश्य। खीर, मोहनभोग आदि प्रारब्धजन्य भोग तुम्हें सत्याचार से भी पुष्कल मात्रा में प्राप्त होते रहेंगे।" फिर विनोद में कहते हैं—"पुरी जी! आप को तो यह ढाई मन की मूर्ति का पारस पत्थर मिल गया है। इससे आप जितना सोना चाहें बनायें। इस पारस पत्थर को आप से यदि छोड़ते नहीं बनता है तो न छोड़िये, परन्तु एक सम्मति मेरी भी मान लीजिये।" पुरी जी ने सन्तोष की साँस ले कर पूछा, "वह क्या है?" स्वामी जी—"यही कि उस धन को मन्दिर में रंडी-भाँड़ों के नाच-गाने करवा कर या सण्डों-मुसण्डों को खिला-पिला कर वृथा न गँवाओ, अपितु उसे परोपकार और लोकहित के कार्यों में लगाओ।"

शिवदयाल पुजारी उन दोनों महानुभावों का वार्तालाप सुनता है। स्वामी जी की बातों ने उस पर ऐसा प्रभाव डाला कि उसने मूर्ति-पूजन छोड़ दिया और अन्य ब्राह्मणों की भाँति दान लेना भी त्याग दिया। वह डाक-घर में नौकरी करके अपने बाल-बच्चों का भरण-पोषण करने लगता है।

एक दिन स्वामी जी अपने आसन पर विराजमान हैं। एक बुढ़िया उनके दर्शनों के लिए आई। स्वामी जी ने पूछा––"माता! कहाँ से आ रही हो?" वृद्धा बोली––"ब्रह्मा जी के दर्शन करके आई हूँ।" स्वामी जी––"क्या ब्रह्मा जी ने आपको कोई उपदेश दिया है?" वह बोली, "हाँ दिया है।" तब तो स्वामी जी झट उठ खड़े हुए। उस स्त्री को साथ लिये हुए ब्रह्मा जी की प्रतिमा के आगे जा कर खड़े हो गये, और बोले––"माता! अब मेरे सम्मुख इस मूर्ति से कहो कि बोले।" वह देवी है प्रत्युत्पन्नमति, हँस कर बोली––"स्वामी जी! यह मूर्ति तो क्या आपके सामने बड़े-बड़े मनुष्य भी चुप हो जाते हैं। जो बोलता है, वह आपकी पीठ पीछे ही बोलता है।"

स्वामी जी के खण्डन से वहाँ के ब्राह्मण और सम्प्रदायवादी रुष्ट हैं, परन्तु उनके सामने आने का साहस किसी में नहीं। वे बहुत-कुछ कह-सुन कर और अनुनय-विनय करके व्यंकट शास्त्री को स्वामी जी से शास्त्रार्थ करने पर उद्यत कर सके। शास्त्री जी काशी के पंडित बाल-शास्त्री के समान ही विद्वान् हैं। शास्त्री जी अभी सोच-विचार ही में हैं कि स्वामी जी स्वयं उनके पास जा पहुँचते हैं। विभिन्न विषयों पर वाद-विवाद होने के पश्चात् शास्त्री जी स्वामी जी के पांडित्य का लोहा मान जाते हैं, और उनके पक्ष की सत्यता को स्वीकार कर लेते हैं।

शास्त्री जी स्वामी जी को अपने गुरु अघोरी बाबा से भी मिलाते हैं। वार्तालाप की समाप्ति पर अघोरी बाबा ने उपस्थित सज्जनों से कहा––"दयानन्द जी का कथन सत्य है। उनसे झगड़ा मत करो।"

स्वामी जी अघोरी बाबा के यहाँ से लौट रहे हैं। मार्ग में उन्हें एक पण्डा मिला। उसने कहा––"महाराज! मैं संन्यासियों का पुरोहित हूँ। मुझे कई संन्यासियों ने श्लोक बना दिये हैं। कृपा करके आप भी बना दीजिये।" स्वामी जी ने हँस कर कहा––"अरे! तू हमारा भी पुरोहित बनता है।" उन्होंने श्लोक तो बना कर न दिया, परन्तु उपदेश करके उसके गले से कण्ठी उतरवा दी। स्वामी जी ने कहा––"देखो भाई! जैसे तुम भिन्न-भिन्न लोगों से श्लोक बनवा कर सब को सुनाते फिरते हो, वैसे ही अनेक स्तोत्र और माहात्म्य के श्लोक धूर्त लोगों ने बना कर आचार्यों के नाम से प्रसिद्ध कर दिये हैं। इसी प्रकार 'भागवत' भी व्यासकृत नहीं है।" पंडे ने कहा––"महाराज! मैं मूर्ति-पूजा न करूँ तो फिर भगवान् की उपासना कैसे करूँ। रामानुजियों के गुरु जी तो मुझे वैष्णव सम्प्रदाय में सम्मिलित होने के लिए कहते हैं। वे कहते हैं कि विष्णु के शंख, चक्र, गदा और पद्म के चिह्न को अपनी भुजा पर अंकित करवा लो।"

फिर उसने झोले से एक पोथी निकाल कर कहा—"उन्होंने मुझे यह पुस्तक भी दी है। इसमें लिखा है कि पाँच संस्कारों का अर्थात् विष्णु के पाँच चिह्नों को भुजा पर अंकित करवाने का प्रमाण वेदों में है।" स्वामी जी ने एक ठण्डी साँस ली और बोले—"पंडा जी ! इस समय तो देर हो रही है, नित्य कर्म और सन्ध्या आदि करना है। कल मेले में उपदेश करते समय इसी विषय पर बोलूँगा। और तुम्हारी शंकाओं का समाधान हो जायेगा।"

दूसरे दिन प्रातःकाल स्वामी जी मेले में लोगों को उपदेश कर रहे हैं। बहुत से स्त्री-पुरुष एकत्र हैं। वे स्वामी जी का व्याख्यान ध्यानपूर्वक सुन रहे हैं। कल वाला पंडा भी उपस्थित है। स्नान करके जो उधर से निकला, तो वहाँ खड़े हो कर उपदेश सुनने लगता है। स्वामी जी दर्शनीय हैं। उनकी वाणी में अलौकिक माधुर्य और अद्‌भुत आकर्षण है। वे कह रहे हैं—"किसी बैरागी के दो चेले थे। वे प्रतिदिन गुरु जी के पाँव दाबा करते। दोनों ने एक-एक पैर बाँट लिया था। एक चेला दाईं टाँग को दबाता तो दूसरा बाईं को। वे सदैव अपनी-अपनी ही टाँग को दाबते। एक टाँग का दूसरे से छू जाना भी उन्हें फूटी आँख न भाता। एक दिन दाईं टाँग वाले चेले को गुरु जी ने किसी काम से कहीं भेज दिया। बाईं टाँग वाले चेले ने समय पर सेवा-कार्य आरम्भ कर दिया। अभी वह बायाँ पैर दबा ही रहा था कि गुरु जी ने करवट बदली। ऐसा करने से गुरु जी का दायाँ पैर बाएँ पर पड़ गया। यह देखना था कि चेला आग-बबूला हो गया, उसने डंडा उठा कर उस पर दे मारा। इतने में दूसरा चेला भी आ गया। उसने जो अपनी टाँग को पिटते देखा तो उसकी आँखों में लहू उतर आया। उसने डंडा ले कर बाईं टाँग की अच्छी पिटाई की। दोनों चेले क्रोधान्ध हो कर गुरु जी की टाँगों पर डंडे बरसा रहे थे और गुरु जी बेचारे हाय-हाय कर रहे थे, चिल्ला रहे थे। यह कोलाहल सुन कर बहुत-से लोग वहाँ आ गये। और उन्होंने गुरु को शिष्यों के पंजे से मुक्त कराया। उनमें से एक बुद्धिमान् पुरुष सारे वृत्तान्त को सुन कर शिष्यों को समझाने लगा, "देखो ये दोनों पैर तुम्हारे गुरु जी के हैं। उन दोनों की सेवा करने से उन्हीं को सुख पहुँचता है और पीड़ा देने से दुःख भी उन्हीं को होता है। इसलिए मूर्खो ! तुम आपस में लड़ कर और गुरु जी की टाँगें तोड़ कर अपने गुरु का ही अंग-भंग करके उन्हें अत्यधिक कष्ट और पीड़ा दे रहे हो।"

"ठीक इसी प्रकार भिन्न-भिन्न संप्रदाय और मत के लोग एक अखण्ड सच्चिदानन्द अनन्त स्वरूप परमात्मा के भिन्न-भिन्न विष्णु, शिव, शक्ति आदि नामों को ले कर आपस में लड़ते-झगड़ते हैं। एक-दूसरे के नाम की निन्दा करते

हैं। ये मन्दमति तनिक भी अपनी बुद्धि से काम नहीं लेते। वे यह नहीं विचारते कि ये ब्रह्मा, विष्णु, महेश आदि सैकड़ों नाम एक अद्वितीय, सर्वनियन्ता, सर्वान्तर्यामी जगदीश्वर के अनेक गुण-कर्म स्वभावयुक्त होने में उसी के वाचक हैं। फिर ये लोग डेढ़ चावल की खिचड़ी क्यों पकाते हैं। हर संप्रदाय वाले अपनी-अपनी डफली अपना-अपना राग अलापते हैं। हे ऋषि-मुनियों की संतानो! यदि तुम संसार में फिर गौरवशाली होना चाहते हो तो वेदों की ओर लौटो। उनके आशय को समझो। वेद-मंत्रों के यथार्थ अर्थों को जानो। ये साम्प्रदायिक लोग अपनी मनगढ़न्त और कपोलकल्पित मान्यताओं की पुष्टि वेद-मंत्रों से करते हैं। वैष्णव कहते हैं कि जो मनुष्य विष्णु भगवान् के पाँच चिह्नों से अपने शरीर को दग्ध करवाता है उसका कल्याण होता है, ऐसा वेदों में कहा गया है।[1] जिस वेद-मंत्र[2] की ओर उनका संकेत है उसमें आये हुए 'अतप्त तनू!' के अर्थ का कैसा अनर्थ किया गया है। उसका वास्तविक अर्थ इस प्रकार है :—'हे ब्रह्माण्ड के स्वामी! तेरा शुद्ध और पवित्र तेज संसार में सब कहीं फैला हुआ है। शुद्ध-स्वरूप प्रभु! तू हमारे रोम-रोम में समाया हुआ है। परन्तु जिसने तपश्चर्या अर्थात् संयम द्वारा अपनी इन्द्रियों को वश में नहीं कर लिया है, वह तेरे इस व्यापक पवित्र रूप तेज को प्राप्त नहीं कर पाता। केवल तपस्वी ही तेरे इस शुद्ध-स्वरूप की भली भाँति अनुभूति और उपलब्धि करते हैं।'

"अब आप विचार करें, ये लोग इस मंत्र से चक्रांकित होना कैसे सिद्ध करते हैं। इस मंत्र में 'अतप्ततनूः' शब्द है न कि 'अतप्तभुजैकदेशः'। तन से तो पूरे शरीर का तात्पर्य होता है। फिर वे अपने पूरे शरीर को क्यों नहीं जलाते, यद्यपि उनका यह कार्य भी वेद-मंत्र के आशय के विपरीत होगा। क्योंकि मंत्र में तप से इन्द्रियनिग्रह द्वारा सत्यभाषणादि पवित्र कर्म करने का ही अभिप्राय है। तैत्तिरीय उपनिषद[3] से भी यही अर्थ सिद्ध होता है। धातु को तपा के शरीर का दग्ध करना तप नहीं कहाता है। देखो, तुम्हारी दुर्गति इन संप्रदायों के कारण ही हुई है। इन्हीं ने आर्य जाति में फूट डलवा दी है। इधर तुम एक

---

१. तापः पुण्ड्रं तथा नाम माला मन्त्रस्तथैवच। अमीहि पंच संस्काराः परमैकान्तहेतवः॥ अतप्त तनूर्न तदामो अश्नुते। इति श्रुतेः रामानुजपटलपद्धता

२. पवित्रं ते विततं ब्रह्मणस्पते प्रभुर्गात्रणि पर्येषि विश्वतः।
अतप्त तनूर्न तदामो अश्नुते शृताम इद्वहन्तस्तत्समाशत॥—ऋ० ९।८३।१

३. ऋतं तपः सत्यं (तपः श्रुतं तपः शान्तं) तपो दमस्तपः स्वाध्यायस्तपः॥
—तैत्तिरीय० प्र १०। अ० ८

दूसरे के शत्रु हो रहे हो, उधर बाहरी शत्रु तुम पर बड़ी निर्दयता से आक्रमण कर रहे हैं, तुम्हारा विनाश कर रहे हैं । भाइयो, अपने-अपने घरौंदों को बिगाड़ डालो और वैदिक धर्म रूपी दुर्ग में एकत्र हो जाओ। उसके भीतर तुम सुरक्षित हो जाओगे। शत्रु के गोली-गोले तुम्हारा कुछ बिगाड़ न सकेंगे । इसके विपरीत तुम्हारी गोलियाँ उन्हें मैदान से उखाड़ देंगी ।

"अपनी भलाई चाहते हो तो नीच-ऊँच, छोटे-बड़े इत्यादि भेद और द्वेष-भाव को त्याग कर संगठित हो जाओ। वेद की शिक्षा पर चलो और सदाचारी बन कर एक सर्वव्यापक सर्वशक्तिमान्, निराकार परब्रह्म परमेश्वर की उपासना करो। ओ३म् शांतिः शांतिः शांतिः ।" स्वामी जी का यह उपदेश पंडे ने सुना तो उसकी आँखें खुल गईं । उसका विश्वास पूर्णतः कण्ठी-तिलक आदि अवैदिक प्रथाओं और अनार्ष ग्रन्थों से उठ गया ।

स्वामी जी पुष्कर से अजमेर पहुँच कर बंसीलाल के उद्यान में ठहरे। इन दिनों अजमेर में गवर्नर जनरल का एजेण्ट कर्नल ब्रुक है । वह गेरुए कपड़ों वालों से बहुत चिढ़ता है । दैवयोग से वह उसी उद्यान में किसी कार्यवश आ गया । स्वामी जी कुरसी पर बैठे हैं । उपस्थित लोग कर्नल ब्रुक को वहाँ आता देख डर गये कि वह कहीं स्वामी जी का अपमान न कर बैठे। उन्होंने घबरा कर स्वामी जी को कमरे के अन्दर चले जाने की सम्मति दी और स्वयं भी इधर-उधर छिप गये। परन्तु स्वामी जी कुरसी पर डटे रहे । समीप आते ही वह टोपी उतार कर स्वामी जी की ओर बढ़ा। स्वामी जी भी उसके स्वागत के लिए खड़े हो गये। फिर दोनों ने हाथ मिलाया और आमने-सामने कुरसियों पर बैठ कर विविध विषयों पर वार्तालाप करने लगे। अन्त में बातचीत गोरक्षा पर होने लगी। स्वामी जी ने कहा कि "भारत एक कृषि प्रधान देश हैं। गाय-बैल लाभकारी पशु हैं और इस देश के लिए अत्यन्त आवश्यक हैं। उनको मार कर आप लोग अच्छा काम नहीं करते । मुसलमान सम्राट् अकबर ने अपने राज्यकाल में गोवध बन्द कर दिया था । सुना है कि सम्राज्ञी विक्टोरिया बड़ी दयालु प्रकृति की हैं। क्या आप यत्न करके गोवध बन्द नहीं करा सकते ? इससे सारे भारतवासियों का लाभ होगा। और इस शुभ-कार्य का श्रेय आपको मिलेगा।" कर्नल ब्रुक ने उत्तर दिया--"स्वामी जी ! गोवध बन्द कराना मेरे अधिकार में नहीं है। परन्तु मैं आपको एक चिट्ठी दूँगा । उसे ले कर आप बड़े लाट साहब से मिलें। वे आप से सम्मानपूर्वक मिलेंगे और यथाशक्ति आपकी सहायता करेंगे।"

जब कर्नल ब्रुक स्वामी जी से वार्त्तालाप के पश्चात् हाथ मिला कर और नमस्कार करके चल पड़ा तो लोग कमरे से निकल कर बाहर आये और कहने

लगे—"महाराज! हमें तो बड़ा आश्चर्य है कि वह उद्दंड अँग्रेज़ आप के आगे इतना विनम्र और शिष्ट कैसे हो गया। वह तो काषाय वस्त्रधारी साधुओं को ठोकर मार देता है।" स्वामी जी ने कहा—"वत्स ! इसका साधुओं से चिढ़ना अकारण तो नहीं है । अनधिकारी लोगों ने साधु-संन्यासी बन कर इस वेष को कलंकित कर दिया है । जो मनुष्य मानव हित शून्य हो कर अपाहिजों की भाँति गली-गली में भटकते-फिरते हैं, जन-जन के आगे हाथ पसारते हैं, और घर-घर के टुकड़ों के चटोरे बन जाते हैं, वे संन्यास-आश्रम की मान-मर्यादा और महत्त्व को धूल में मिलाने वाले हैं। शारीरिक सामर्थ्य रखते हुए अनुपकारी जन का पराये अन्न पर पेट पालना एक प्रकार का पतित कर्म है। इन निकम्मे साधुओं ने हमारे देश की दरिद्रता को बढ़ा दिया है। इन्हें अपनी आजीविका परिश्रम करके चलानी चाहिए।"

●

स्वामी जी पौराणिक दंतकथाओं को नहीं मानते हैं। वे केवल वेदों और वेदों के अनुकूल आर्ष ग्रन्थों को ही प्रमाण कोटि में रखते हैं। परन्तु यदि अन्य मत वाला हिन्दुओं के महापुरुषों या देवी-देवताओं की हँसी उड़ाता तो स्वामी जी उसे मुँह-तोड़ उत्तर देते और कहते—"आर्य लोगों (हिन्दुओं) की दशा अत्यन्त शोचनीय है। ये लोग अपनी रक्षा करना तो जानते ही नहीं। अन्य बातें तो जाने दो, जब कोई ईसाई या मुसलमान इनके धर्म पर आक्रमण करता है और ब्रह्मा जी की कथा सुनाता है तो यह मुँह ताकते रह जाते हैं। उनसे उत्तर तक नहीं बन पड़ता । ब्रह्मा की कहानी तो किसी प्रामाणिक पुस्तक में नहीं है, परन्तु लूत की कथा तो बाइबिल में विद्यमान् है। यदि ये लोग दूसरों के ग्रन्थ देखें तो ऐसी बातों से उनका मुँह बन्द कर सकते हैं।"

●

एक दिन अजमेर में स्वामी जी बैठे भक्तों को उपदेश दे रहे हैं। उसी समय साँवले रंग के दो युवक तपस्वी स्वामी जी से मिलने के लिए आते हैं। वे नाग पर्वत के जंगल में साधना और योगाभ्यास किया करते हैं। स्वामी जी उन्हें बड़े आदर-सत्कार से बैठाते हैं, और उनके भोजन की भी व्यवस्था कर देते हैं। वे केवल संस्कृत में बातचीत करते हैं। कुछ काल तक स्वामी जी और उनमें योग सम्बन्धी चर्चा होती रही। चलते समय वे कहने लगे—"हम तो अब पूर्णकाम और प्रशान्त हैं।" स्वामी जी ने उनके अहंकार को ताड़ लिया। वे हँस कर बोले—"नहीं महात्मा जी ! अभी अहंकार जीतना तो शेष है।" उन्होंने कहा—"स्वामी जी! आप क्या कहते हैं । हमने अहंकार सर्वथा जीत लिया

है।" तपस्वी अभी बाहर निकले ही हैं कि स्वामी जी का संकेत पा कर एक ब्रह्मचारी उनके पास आ कर बोला––"तुम लोगों ने रूप अच्छा बना रखा है, परन्तु सच-सच बताओ अपने बाल-बच्चों को कहाँ छोड़ आये हो?" ब्रह्मचारी ने तो यह सोलहों आने झूठी बात उन्हें चिढ़ाने के लिए ही कही है। प्रभाव भी इच्छित ही हुआ। उन्होंने चिढ़ कर कहा––"रे शठ! असत्यं किम वदसि?" इसी पर उनमें कलह आरम्भ हो गया, और वह झगड़ा इतना बढ़ा कि वे आपस में गुत्थमगुत्था हो जाते हैं। कोलाहल सुन कर स्वामी जी और दूसरे लोग घटनास्थल पर आ कर उनमें बीच-बचाव करते हैं। स्वामी जी ने उन युवकों को अपने आसन पर ले जा कर समझाया––"आप लोग अभी बच्चे हैं, इसलिए आपने हमारे कथन को नहीं माना। परन्तु अब परीक्षा से सिद्ध हो गया कि हमारा कहना सत्य है। मनुष्य को और विशेषतः अभ्यासी को अभिमान कदापि नहीं करना चाहिए।" वे दोनों तपस्वी बहुत लज्जित हुए और स्वामी जी से क्षमा-याचना करने लगे। हमारे दोषों को बताने वाला और त्रुटियों को समझाने वाला व्यक्ति ही हमारा सच्चा मित्र है, वही हमारा हितैषी है। मुँह पर प्रशंसा करने वाले और पीठ पीछे बुराई करने वाले मित्र तो इस संसार में बहुत हैं, परन्तु वे बंधु नहीं शत्रु हैं। युवक तपस्वी सच्चे साधक थे, अतः उन्होंने अपनी कमी को बताने के लिए स्वामी जी का उपकार माना और कई बार उनसे मिल कर योग के विषय में अपनी जिज्ञासा शान्त की।

●

स्वामी जी अभी भ्रमण करके लौटे ही हैं कि बहुत सी देवियाँ उनके पास आईं। स्वामी जी ने पूछा––"माताओ! कहाँ से आ रही हो?" स्त्रियों ने उत्तर दिया––"महाराज! साधु-महात्माओं के पास से हो कर यहाँ आई हैं।" स्वामी जी बोले––"उनके पास किस प्रयोजन से गई थीं?" स्त्रियाँ––"दर्शनों के लिए गई थीं। आप कहें तो यहाँ भी आ जाया करें।" स्वामी जी––"हम सब के दर्शनों से तुम्हें क्या लाभ होता है?" स्त्रियाँ––"महाराज! हम महात्माओं की सेवा करती हैं और उनके उपदेश सुनती हैं।" स्वामी जी––"माताओ! स्त्रियाँ मृदुल स्वभाव और कोमल प्रकृति की होती हैं, और मनुष्य कठोर जीवन का अभ्यासी होता है। तुम उस कोमल लता के समान हो जो कठोर और दृढ़ वृक्ष के सहारे बढ़ती और फलती-फूलती है। यदि सहारा हटा लिया जाय तो बेल धरती पर लोटने लगेगी। इसलिए स्त्री को अपने पिता, पति या पुत्र का सहारा लिये बिना कोई कार्य स्वतंत्र रूप से नहीं करना चाहिए। अपने पतियों को हमारे पास भेजो। हम उन्हें उपदेश देंगे। वे उसे सुन कर तुम्हें भी बता देंगे।

तुम्हारा कार्य-क्षेत्र तो तुम्हारा घर है। स्त्रियाँ भोली-भाली होती हैं, और आजकल साधु-वेष में ढोंगी और ठग ही अधिक हैं। उनमें से सच्चे साधु को खोज निकालना साधारण मनुष्य का कार्य नहीं है। इसलिए स्त्रियाँ सहज ही में ईश्वर विश्वास खो कर पति-सेवा के स्थान पर उन ठगों की सेवा करती फिरती हैं, और वे बेचारी तथाकथित साधुओं के फेर में पड़ कर अनेक प्रकार के दुःख और कष्ट भोगती हैं। इन्हीं कारणों से मैं देवियों को उपदेश नहीं देता हूँ।" यह सुन कर स्त्रियाँ वहाँ से चली गईं। भगवान् जाने उन्हें स्वामी जी का यह सूखा उपदेश अच्छा लगा या नहीं। परन्तु जब तक स्वामी जी वहाँ रहे उन्हें महात्माओं के यहाँ चक्कर लगाते फिर नहीं देखा गया।

●

स्वामी जी को अजमेर से उनके भक्त कृष्णगढ़ ले जाते हैं। वहाँ का राजा वल्लभ संप्रदाय का अनुयायी है। यह जान कर कि स्वामी जी 'भागवत् की तीव्र आलोचना करते हैं, उसने अपने पंडितों को उनसें शास्त्रार्थ करने के लिए भेजा। वे वल्लभ मत को सर्वोत्तम और वेद सम्मत तो न सिद्ध कर सके, किन्तु धींगामुश्ती करने लगे और झगड़ा करने पर उतर आये। उस समय स्वामी जी अपने आसन पर खड़े हो कर उन्हें डाँट कर बोले--"शास्त्रार्थ के लिए तो मैं कटिबद्ध हूँ, पर यदि तुम लोग शस्त्रार्थ करने पर उतारू हो तो मैं उसके लिए भी तैयार हूँ।" स्वामी जी के इस साहस ने उन्हें परास्त कर दिया।

स्वामी जी कृष्णगढ़ आदि स्थानों में धर्म प्रचार करते हुए जयपुर पधारे। महाराजा जयपुर को उनके दर्शनों की इच्छा हुई। परन्तु व्यास बक्षीराम आदि कुछ स्वार्थी लोगों ने किसी बहाने उन दोनों की भेंट न होने दी। क्योंकि उन्हें भय है कि स्वामी जी के प्रभाव में आ कर महाराजा मूर्ति-पूजा से उदासीन हो जायेंगे, और उनकी स्वार्थ-सिद्धि में बाधा पहुँचेगी।

संवत् १९२३ वि० में आगरे में एक दरबार होने वाला है। उसमें सम्मिलित होने के लिए देश भर के राजे-महाराजे एकत्र हो रहे हैं। नगर में बड़ी भीड़-भाड़ हुई। धर्म-प्रचार और सामाजिक सुधार का एक अच्छा अवसर देख स्वामी जी जयपुर से आगरे पधारते हैं। उन्होंने मौखिक उपदेश देने के अतिरिक्त एक छोटी-सी पुस्तक 'भागवत्' खण्डन पर लिखी और उसे छपा कर लोगों में बाँटा। उसकी कई सहस्र प्रतियाँ हरिद्वार में कुम्भ मेले के अवसर पर बाँटने के लिए अपने साथ ले गये।

●

अपने देश व समाज की दुर्दशा और अधःपतन से स्वामी दयानन्द सरस्वती

का मन दुःखी है। उन्हें आठों पहर अपनी जाति के सुधार की चिन्ता है। वे सोचते हैं—मस्तिष्क रूपी ब्राह्मण और संन्यासी यदि विवेकशील हो कर अपने कर्तव्यों का पालन ठीक प्रकार से करने लग जायँ तो समाज का सुधार सहज ही में हो जायेगा। स्वामी जी पहले ब्राह्मणों को ठीक मार्ग पर लाने के प्रयत्न में लगते हैं। वे विविध स्थानों में घूम-घूम कर उनकी अज्ञानता को दूर करने का प्रयास करते हैं, उन्हें जातीय हित के सामने व्यक्तिगत स्वार्थों को हेय और त्याज्य समझने का उपदेश करते हैं। वे एक सच्चे ब्राह्मण और संन्यासी का आदर्श अपने उत्तम चरित्र के माध्यम से उनके समक्ष रखते हैं। परन्तु ब्राह्मणों का सहस्रों वर्षों का स्वार्थपरायण जीवन उन्हें अपने स्वार्थों से ऊपर उठने नहीं देता है। अज्ञ और अवरुद्ध समाज में ही उनके स्वार्थ सुरक्षित हैं। इसलिए वे इस महापुरुष के सुधार के शुभ कार्य में सहायक न हो कर उसके मार्ग के रोड़े बन जाते हैं।

तब स्वामी जी की दृष्टि साधु-संन्यासियों की ओर जाती है। यह वर्ग त्यागी और विरक्त है; घरबार और बाल-बच्चों के झंझटों से मुक्त है। इसके पालन-पोषण का भार भी दूसरों पर है। इस आश्रम का निर्माण ही समाज की सेवा और उसे सन्मार्ग पर रखने के लिए हुआ है। लाखों साधु-संन्यासी देश भर में फैले हैं, और जनता से उनका नित्य सम्पर्क होता रहता है। उनके द्वारा सुधार-कार्य सुगमता से हो सकता है। इस लिए उनके सुधारने की चेष्टा करना चाहिए। ऐसा विचार कर वे हरिद्वार के कुम्भ मेले में पदार्पण करते हैं। इस समय यहाँ सहस्रों साधु-वैरागी, योगी-संन्यासी और लाखों नर-नारी एकत्र हैं।

स्वामी जी ने भीम-गोडे के ऊपर सप्त-स्रोत के निकट थोड़ा स्थान घेर कर अपना आसन जमाया, और प्रति दिन सत्य का उपदेश करने लगे। उनके स्थान के द्वार पर एक ध्वजा फहरा रही है। उस पर मोटे अक्षरों में लिखा है—'पाखण्ड खण्डिनी पताका'। देश और जाति के इतिहास में वह दिन सदा स्मरणीय रहेगा, जिस दिन एक निर्भीक और आत्म-त्यागी महात्मा ने अकेले ही साम्प्रदायिक मतों के गढ़ और पौराणिक धर्म के केन्द्र हरिद्वार में सत्य का नाद किया, और आर्य-जाति में प्रचलित कुरीतियों, कुसंस्कारों एवं अन्धविश्वासों का खण्डन करके सत्य सनातन वैदिक धर्म की घोषणा की।

परन्तु स्वामी जी की आशा पर पानी फिर गया, जब लाख हाथ-पाँव मारने पर भी उन्हें सहस्रों ज्ञान और तप का दम्भ करने वाले साधु-संन्यासियों में एक भी ऐसा त्यागी व पराक्रमी महात्मा न मिला जो भगवद्भक्ति और प्रजा-प्रेम की माला एक साथ जपता। उस समय वे अपने-आप को अकेला अनुभव

करने लगे। अब उन्हें केवल भगवान् ही का सहारा है। फिर भी वे हताश नहीं हुए। उन्होंने सोचा--सत्य और सेवा का प्रतिपादन कर आर्य-जाति का उद्धार एक महा यज्ञ है। उसे पूर्ण करने का मैंने व्रत लिया है। परन्तु यह यज्ञ पूरा तभी होगा जब मैं इसकी पूर्णाहुति में अपना सर्वस्व स्वाहा कर दूँ। इस विचार के मन में आते ही उन्होंने वस्त्र, पुस्तकें आदि अपना सारा सामान लोगों में बाँट दिया, और केवल एक कौपीन धारण करके हरिद्वार से गंगा के किनारे-किनारे चल पड़ते हैं।

इस समय उनका जीवन कठोर तपस्या और त्याग का है। कई-कई दिनों उन्हें खाने को कुछ नहीं मिलता है। रात में गंगा के किनारे बालू पर पड़ कर ही सो जाते हैं। कभी तीन-चार दिनों के पश्चात् किसी किसान से दो-तीन बैंगन ले कर क्षुधातृप्ति करते हैं और कभी कोई माँझी कई दिनों से बिना कुछ खाये-पिये अपने झोपड़े के निकट बालू पर पड़ा देख कर उन्हें अपनी रोटी का कुछ भाग श्रद्धापूर्वक भेंट करता है। जो कोई उनके समीप आता है, उसे वे उपदेश देते हैं।

धीरे-धीरे स्वामी जी सुधार-कार्य के क्षेत्र में उतरने लगे। अब वे गंगा के किनारे-किनारे विचरण करते हुए लोगों को सत्य धर्म का संदेश सुनाने और उनके अन्ध-विश्वासों को छुड़ाने लगे। साधारण जनता को समझा कर, और विद्वानों से शास्त्रार्थ करके उनके अज्ञान का निवारण करते। एक सुधारक के रूप में उनकी ख्याति दूर-दूर फैलने लगती है।

●

रामघाट में आ कर स्वामी जी एक पर्णकुटी में ठहरे हुए हैं। यहाँ के गोसाईं शम्भु गिरि को स्वामी जी से बड़ा प्रेम हो गया है। वे जब आते हैं अपने साथ तुलसी दल लाते हैं और स्वामी जी को अर्पण करके विनोद में कहते हैं कि "स्वामी जी, हमारे तो आप ही शालिग्राम हैं!" एक दिन कुछ भक्त लोग स्वामी जी की सेवा में उपस्थित हुए। स्वामी जी ने एक व्यक्ति से उसका परिचय पूछा। उसने कहा--"महाराज! मैं कर्णवास का रहने वाला एक ब्राह्मण हूँ। मेरा नाम टीकाराम है। मैं कर्णवास के ठाकुरों के मन्दिर का पुजारी हूँ।" स्वामी जी--"आप सन्ध्यादि नित्य कर्म भी करते हैं या केवल पूजा-पाठ का पाखण्ड ही?" टीकाराम--"मुझे गायत्री कण्ठाग्र है, उसी का जाप करता हूँ।" और पेट-पूजा के लिए पुजारी का कार्य भी।" स्वामी जी--"अच्छा, सुनाओ।" टीकाराम--"महात्मा जी! गुरु जी ने किसी के सामने गायत्री का पाठ करने के लिए निषेध किया है।" स्वामी जी--"भद्र! संन्यासी ब्राह्मणों का भी

गुरु होता है, इस लिए मेरे सामने मंत्र पढ़ने में संकोच न करो।" स्वामी जी टीकाराम के मुख से मंत्र का शुद्धोच्चारण सुन कर बहुत प्रसन्न हुए, और उसे प्रोत्साहित करके संन्ध्यादि कार्यों में उसकी रुचि उत्पन्न कर दी। उन्होंने सन्ध्या का सारा पाठ अपने हाथों से लिख कर दिया। टीकाराम स्वामी जी से कुछ शास्त्रविषयक चर्चा करके उनके प्रकाण्ड पांडित्य को देख ऐसा प्रभावित हुआ कि उसने कर्णवास जा कर ठाकुर गोपाल सिंह, जयराम सिंह आदि अपने यजमानों से स्पष्ट कह दिया कि अब मैं पुजारी का कार्य न करूँगा। रामघाट पर एक महात्मा ठहरे हुए हैं। वे अद्वितीय विद्वान् और सन्त पुरुष हैं। उनके उपदेश और सत्संग से मुझे पूरा विश्वास हो गया है कि सत्याचरण, पुरुषार्थ, सेवा, परोपकार रूप कर्म और एक निराकार घट-घट-वासी परमात्मा की उपासना से ही मनुष्य का कल्याण होता है, पाखण्ड रूप प्रतिमा-पूजन और घृणा-द्वेष से नहीं। टीकाराम की ये बिल्कुल नई और अनोखी बातें सुन कर ठाकुरों को आश्चर्य हुआ। परन्तु उनके मन में भी ऐसे विचित्र महात्मा के दर्शनों की इच्छा हुई। धीरे-धीरे वे सब स्वामी जी के पक्के भक्त और अनुयायी बन जाते हैं।

●

स्वामी जी अनूपशहर में पधारे हैं। वे नर्मदेश्वर के मन्दिर के समीप सती की मढ़ी में निवास करते हैं। पड़ोस में ही नवलजंग महामल्ल का अखाड़ा है। वह पंजाब का रहने वाला सारस्वत ब्राह्मण है। अब वह अपनी ब्रह्मचारिणी बहिन के साथ यहीं रहता है। वह बड़ा सदाचारी और सुशील है, और इतना साहसी कि बारहों मास गंगा को तैर कर पार कर जाता है। उसकी बहिन तो वर्षा-ऋतु में एक हाथ में तलवार ले कर नदी को तैर कर पार कर लेती है। वह पहलवान स्वामी जी के तप व त्याग को देख कर उनका परम भक्त बन गया। स्वामी जी को किसी से अपनी सेवा करवाना रुचिकर नहीं है, परन्तु नवलजंग के प्रेममय आग्रह को देख वे उसे अपनी सेवा करने से न रोक सके। वह प्रति दिन प्रातःकाल उठ कर स्नानादि करके गंगा की शुद्ध मिट्टी लाता और चन्दन की भाँति रगड़ कर स्वामी जी के शरीर भर में रमाता है।

एक दिन की बात है। स्वामी जी अपनी कुटी में विराजमान हैं। कई शराबी हाथ में मदिरा की बोतलें लिये वहाँ आ जाते हैं। वे कहते हैं कि आज हम इस धूर्त पंडित दयानन्द को पिला कर ही छोड़ेंगे। वे ऊटपटाँग बकते और चिल्लाते हैं—"अरे दयानन्द! तू मांस-मदिरा और देवी-पूजा की बुराई करता है। निकल बाहर। आज तुझे देवी का प्रसाद वारुणी पिला कर शुद्ध करें।" स्वामी जी ने इन मतवाले वामियों का कोलाहल सुन कर पहलवान को पुकारा—

"वत्स नवलजंग! तनिक यहाँ आ कर इनका मद तो उतारना।" स्वामी जी की पुकार सुन कर वह उन पर ऐसा झपटा, मानो सिंह हाथियों के झुण्ड पर जा पड़ा हो। वे वहाँ बोतल-ओतल छोड़-छाड़ कर अपनी जान ले कर भागे।

'बँधवाने नहीं छुड़ाने आया हूँ'

एक दिन स्वामी जी पद्मासन लगाये भगवान् के ध्यान में निरत हैं। वे तेजस्वीबली, विशालबाहु हैं। उनका ललाट उज्ज्वल और उन्नत, आँखें बड़ी और कमलवत् हैं। वे सुश्री दर्शनीय हैं। उन्होंने जब आँखें खोलीं तो सामने राजा जयकृष्णदास और नगर के कई सेठों को खड़े पाया। स्वामी जी ने बड़े प्रेम से उनका स्वागत किया, और आसन ग्रहण करने के लिए संकेत किया। विभिन्न विषयों पर वार्तालाप होता रहा। बातों-ही-बातों में एक सेठ ने स्वामी जी को बड़े गर्व और हर्ष के साथ बताया कि मैंने बहुत-सा धन व्यय करके लक्ष्मी-नारायण का एक विशाल मन्दिर बनवाया है। स्वामी जी ने दुःखित होकर कहा —"सेठ जी! आपने यह अच्छा कार्य नहीं किया। मन्दिर बनवाना तो मानो अपनी सन्तान और जाति के लिए अविद्या का एक सुदृढ़ केन्द्र स्थापित कर जाना है, उन्हें अज्ञान के गहरे गढ़े में गिराना है। यदि इतना धन किसी जन-हित के कार्य में लगाते तो तुम्हारा और समाज का कल्याण होता। देश में चारों ओर दरिद्रता मुँह फैलाए लोगों को निगल रही है, और घोर अविद्या तथा अज्ञान के बादल छाए हैं। इस धनराशि से यदि उद्योग-धन्धों के केन्द्र स्थापित करते, आर्य-भाषा (हिन्दी) तथा देव-भाषा (संस्कृत) की पाठशालाएँ खोलते, तो देश की निर्धनता और अज्ञानता को थोड़ा-बहुत दूर करने में सहायक होकर यश के भागी बनते। विधवाओं की दुःख भरी आहों से, अनाथों के निरन्तर आर्तनाद से, गोबध के जघन्य कार्य से इस देश का सर्वनाश हो रहा है। यदि इनकी रक्षार्थ उस धन को काम में लाते तो अपना लोक-परलोक दोनों बनाते। परन्तु तुमने ऐसा कोई भी सर्वहितकारी कार्य न करके लाखों रुपये लगा कर मन्दिर खड़ा कर दिया है। प्रिय बन्धु! यह तो बताओ कि इससे लाभ क्या हुआ है? मन्दिरों की तो यहाँ वैसे ही कमी नहीं है। यदि कमी है तो सच्चे प्रभु के सच्चे उपासकों की। तुम्हारा यह कार्य धार्मिक न हो कर अनर्थकारी ही हुआ।" स्वामी जी के वचन सुन कर सेठ अवाक् रह जाता है। परन्तु उनके ऐसे उदात्त विचार सुन कर और देश एवं जाति के प्रति उनका ऐसा प्रगाढ़ प्रेम देख कर उनके लिए राजा जयकृष्णदास के मन में ऐसी श्रद्धा-भक्ति उत्पन्न हुई कि वे सदा के लिए उनके अनुयायी बन जाते हैं।

सेठ जी अपनी सुन्दर कोठी के एक सुसज्जित कमरे में आराम-कुरसी पर बैठे हैं। वे चिन्तित प्रतीत होते हैं। कभी वे ठण्डी साँसें भरते हैं और कभी आप-ही-आप कहते हैं—"हा! आज इस नास्तिक संन्यासी ने सब के सामने मेरा अपमान कर मुझे हतोत्साहित किया है। मैंने उसके सामने मन्दिर बनवाने की बात ही क्यों चलाई? परन्तु संसार में ऐसा कौन है जो अपनी प्रिय और सुन्दर वस्तु दूसरों को दिखा कर प्रसन्न न होता हो, उनके मुख से उसकी प्रशंसा सुन कर उसका मन नाच न उठता हो? वस्तुतः वह संन्यासी ही विचित्र है। आज मैंने अपने जीवन में पहली ही बार किसी साधु-महात्मा से ऐसी बे-सिर-पैर की बातें सुनी हैं। मैंने क्या देश और समाज का ठेका ले रखा है? जिन लक्ष्मीनारायण ने मुझ पातकी की सदा रक्षा की है, क्या मैं ऐसे भक्त-वत्सल भगवान् के नाम पर एक मन्दिर भी न बनवाता?" यह सोचते-सोचते सेठ जी की आँखों से प्रेम और श्रद्धा के आँसू बह निकले। रूमाल से आँखें पोंछ कर खिड़की के पास आ खड़े हुए, सूरज बहुत पहले डूब चुका है। पूर्णिमा का गोलाकार चन्द्रमा अपने पूरे यौवन के साथ आकाश में चमक रहा है। उसकी शीतल किरणें उनके मुँह पर भी पड़ीं, परन्तु उनके उद्विग्न मन को शांत न कर सकीं। वे अनमने हो कर पलंग पर जा कर पड़ रहे। उनके जीवन की अनेक घटनाओं के चित्र एक-एक करके उनकी आँखों के सामने आने लगते हैं।

पचास वर्ष पूर्व—

किसी महामारी में एक पाँच वर्षीय बालक के माता-पिता उसे अनाथ और असहाय छोड़ कर परलोक सिधार गये हैं। पड़ोस की एक बुढ़िया तरस खा कर उसका पालन-पोषण करने लगती है। बच्चा बड़ा नटखट है। दिन भर मोहल्ले के लड़कों के साथ गोली खेला करता है। बुढ़िया का कहना बिल्कुल नहीं सुनता है। अब वह अठारह वर्ष का युवक है। कुसंगत में पड़ कर वह पक्का जुआरी और चोर बन गया है। एक रात वह बुढ़िया का गला घोंट उसकी हँसली और दूसरे गहने ले कर चम्पत हो जाता है। वह भाग कर एक बड़े नगर में पहुँचता है। वहाँ भी वह बुरे लोगों की संगत में पड़ कर अपनी सारी पूंजी गँवा बैठता है। भूखों मरने लगता है। निरन्तर कई दिनों के उपवास के कारण वह मुर्झाया हुआ किसी बड़े भवन के सामने पड़ा है। एक सुन्दर युवक को इस अवस्था में देख कर गृहस्वामी को उस पर दया आ जाती है। वह भोजन करा कर उसे अपनी दूकान में नौकर रख लेता है। युवक अपनी कार्य-कुशलता से थोड़े ही दिनों में स्वामी की नाक का बाल हो जाता है। स्वामी उसका बहुत विश्वास करने लगता है। परन्तु वह स्वामी से विश्वासघात करता है। वह बड़े मुनीम

से मिल कर ऐसा षड्यंत्र रचता है कि स्वामी की अकस्मात् मृत्यु हो जाती है। वह स्वामी के कारबार पर अधिकार जमाना चाहता है, परन्तु भेद खुलते देख वह माल-मता ले कर वहाँ से नौ-दो ग्यारह हो जाता है। और इस अपरिचित नगर में आ कर सोने-चाँदी की दूकान खोल लेता है। लक्ष्मीनारायण अब तक उसकी रक्षा करते आये थे, यहाँ भी उसके सहाय होते हैं। चोर-डाकुओं से माल ले-ले कर वह लखपती हो जाता है।

घटनाक्रम के समाप्त होने के बाद फिर उसके मन में यही बात घूमती है कि जिन लक्ष्मीनारायण ने मुझ पातकी की सदा रक्षा की है, क्या मैं ऐसे भक्त-वत्सल भगवान् के नाम पर एक मन्दिर भी न बनवाता।

उसी समय कमरे का द्वार धीरे-धीरे खुलता है और नौकर अन्दर आता है। सेठ जी की तंद्रा भंग हो जाती है। उन्होंने कुछ विरक्त हो कर पूछा—"क्यों, क्या है?" नौकर—"सरकार ! पंडित अम्बादत्त जी आये हैं।" सेठ जी सँभल कर कहते हैं—"अच्छा यहीं भेज दो।" नौकर के चले जाने पर सेठ जी गम्भीर हो कर कुरसी पर आ बैठे। द्वार फिर खुला और एक सज्जन भीतर आये। वे वृद्ध हैं। उनके बाल पक गये हैं। उनकी आँखों पर पुरानी चाल का चश्मा चढ़ा हुआ है। वे आगे को कुछ झुक कर चलते हैं। सेठ जी ने पंडित जी का हाथ जोड़ कर अभिवादन किया और वे आशीष देते हुए धम्म से सामने की एक कुरसी पर बैठ गये। थोड़ा दम ले कर पंडित जी बोले, "कहिए सेठ जी ! सब कुशल तो है?" सेठ जी ने एक दीर्घ निःश्वास छोड़ कर कहा—"पंडित जी ! यहाँ कुशल कहाँ। उस वेद-शास्त्र के निन्दक संन्यासी ने हिन्दू धर्म की मिट्टी पलीद कर रखी है। हमारी मान्यताओं की खिल्ली उड़ाता है और विश्वासों को अंधविश्वास बताता है। वह कहता है कि वर्ण-व्यवस्था गुण, कर्म और स्वभाव के अनुसार होनी चाहिए। मूर्ति-पूजा से पाप होता है। शूद्र क्या कभी ब्राह्मण बन सकता है? परम्परा से मूर्ति-पूजा चली आ रही है। क्या वह अनिष्टकर हो सकती है? आप जैसे विद्वानों के होते हुए वह अकेला ही हमारी छाती पर कोदों दल रहा है। मेरी इच्छा है कि उसे शास्त्रार्थ के लिए ललकारें। उसे परास्त करके हिन्दू धर्म की रक्षा करें।" पंडित जी बोले—"सेठ जी ! स्वामी दयानन्द सरस्वती वेदों के धुरंधर पंडित हैं। उनकी तो यह डंके की चोट पर घोषणा है कि मूर्ति-पूजा, छुआछूत, बाल-विवाह, मृतकों का 'श्राद्ध', मांस-भक्षण, जन्म से वर्ण-व्यवस्था, अवतारवाद आदि मान्यताएँ अवैदिक हैं। वेदों की अप्रवृत्ति के कारण धूर्त विद्वानों और स्वार्थी लोगों ने इन कुसंस्कारों और कुप्रथाओं को आर्यों (हिन्दुओं) में प्रचलित कर दिया है। वे इन विषयों पर शास्त्रार्थ

करने के लिए सर्वदा उद्यत रहते हैं। सेठ जी ! मैं आपसे क्या बताऊँ। स्वामी जी के मुँह से ऐसा तेज टपकता है कि उनके समक्ष पहुँचते ही प्रतिपक्षी के हाथ-पाँव फूल जाते हैं और वह निरुत्तर हो जाता है।" सेठ जी बोले—"वाह पंडित जी ! आप तो लगे उसी के राग अलापने। मुझे तो आप से बड़ी आशा थी। जब सनातन धर्म के शिरोमणि पंडित लोग उसके आगे हथियार डाल देंगे तो हो चुकी धर्म की रक्षा !" पंडित जी ने बात बनायी, "भाई, मैं शास्त्रार्थ से कब भागता हूँ ? मेरा आशय था कि बुद्धा पंडित आदि अन्य विद्वानों को भी बुलवा लिया जाय तो स्वामी जी को परास्त करने में सुगमता होगी।"

●

एक दिन प्रातः नदी तट से स्नानादि नित्य कर्मों से निवृत्त हो कर जब स्वामी जी अपने निवासस्थान को लौटे तो देखा एक पंडित मण्डली उनकी प्रतीक्षा में है। उसके अगुआ वयोवृद्ध पंडित अम्बादत्त हैं। नमस्कारादि शिष्टाचार के पश्चात् स्वामी जी उन्हें बड़े प्रेम और सम्मान-पूर्वक बैठाते हैं। फिर पंडितों को सम्बोधित करके कहा—"इतने विद्वानों का मिल कर एक साथ आने का अवश्य कोई विशेष कारण होगा। मैं आप लोगों की सेवा के लिए उपस्थित हूँ।" पंडित अम्बादत्त ने कहा—"स्वामी जी ! आप मूर्ति-पूजा का खण्डन करते हैं, परन्तु वाल्मीकि रामायण में लिखा है कि श्री राम ने रामेश्वर में शिव-लिंग का पूजन किया।" स्वामी जी बोले—"पंडित जी ! वाल्मीकि 'रामायण' के जिन श्लोकों[1] की ओर आपका संकेत है उनका तो अर्थ है कि हे सीते ! तुम्हारे वियोग में जब हम व्याकुल हो कर यहाँ घूमते थे तो उस सर्वव्यापक देवों के देव महादेव परमात्मा ने हम पर बड़ी कृपा रखी। और देखो, यह सेतु हमने बाँध कर लंका में प्रवेश किया था, और रावण को मार कर तुम्हें ले आये।[1] उसमें प्रतिमा पूजन का लेश भी नहीं है।" पहला वार खाली जाते देख पंडित जी ने दूसरा वार किया—"अच्छा ! आप 'महाभारत' को तो मानते हैं या नहीं ?" स्वामी जी—"हाँ, मानता हूँ।" पंडित जी ने श्लोक पढ़ कर कहा—"इसमें लिखा है कि एकलव्य भील ने द्रोणाचार्य की मूर्ति सामने रख कर धनुर्विद्या सीखी।" स्वामी जी—"आपने जो प्रमाण दिया है उसमें प्रतिमा

---

१. अत्र पूर्वं महादेवः प्रसादमकरोद्विभुः।
सेतुबंध इति विख्यातं. . . . आदि ॥

—वाल्मीकीय रामायण, युद्धकांड, सर्ग १२५,
श्लोक २०, २१ आदि।

पूजन की आज्ञा नहीं है। केवल यही लिखा है कि एक भील ने ऐसा किया था। उसको ऐसा करने की शिक्षा किसी ने नहीं दी थी, और न वह कोई ऋषि-मुनि था जिससे उसका कर्म प्रमाण माना जाय। जैसे सैनिक लोग चाँदमारी करते हैं वैसे ही वह भी लक्ष्य-बेध का अभ्यास करता था। कोई पूजन करने के लिए द्रोण की प्रतिमा उसने भी नहीं रखी थी। यदि कहो कि द्रोण की प्रतिमा पास रखने से वह धनुर्विद्या में निपुण हो गया तो यह भी मिथ्या है। धनुर्विद्या में प्रवीण होने का कारण मूर्ति नहीं थी, किंतु उसका निरन्तर अभ्यास था।" स्वामी जी का युक्तियुक्त उत्तर सुन कर पंडित अम्बादत्त चुप हो जाते हैं। तत्पश्चात् स्वामी जी ने मूर्ति-पूजा के वेद विरुद्ध होने के पक्ष में युक्तियों और प्रमाणों की झड़ी लगा दी। पंडितों ने आश्चर्य-सागर में डूब कर दाँतों तले अँगुली दबाई। पंडित अम्बादत्त को स्वामी जी के तर्कों का कोई उत्तर नहीं सूझा। सहायता के लिए अपने साथियों का मुँह ताकने लगते हैं, परन्तु वहाँ तो पहले ही फटकार बरस रही है। अपना पक्ष हारता देख उस वृद्ध पंडित का दम घुटने लगा और साँस फूल गई। वे लगे जोर-जोर से हाँफने। उनकी इस दयनीय अवस्था को देख कर स्वामी जी बोले, "आप घबराइये नहीं। आप वृद्ध हैं और सम्भवतः अधिक बोलने का अभ्यास भी नहीं है।" फिर बुद्धा पंडित ने साहस बटोर कर शिव पूजा पर बात चलाई। स्वामी जी ने कड़ी आलोचना की—"जब तुम्हारा शिव अपनी ही रक्षा करने में असमर्थ है तो उसकी पूजा से तुम्हें क्या लाभ होगा? तुम यह भी कहते हो कि महादेव कैलास पर निवास करते हैं और विष्णु बैकुण्ठ में विराजमान हैं। इससे भी यही परिणाम निकलता है कि ये दोनों देव यहाँ मन्दिर में नहीं हैं। जब वे यहाँ हैं ही नहीं तो पूजा किसकी सिद्ध करना चाहते हो?" बुद्धा पंडित को स्वामी जी के कथनों को स्वीकार करना पड़ता है। स्वामी जी बुद्धा पंडित के धारा-प्रवाह संस्कृत भाषण पर ऐसे मुग्ध हुए कि उन्होंने उनको बुद्धा से बुद्धि-सागर बना दिया। अन्त में पंडित अम्बादत्त भी स्वामी जी के साथ सहमत हो जाते हैं।

●

सन्ध्या हो चली है। दूर पश्चिम में सूर्यास्त हो रहा है। माली ने क्यारियों में पानी छोड़ दिया है, और दिन भर के मुरझाये फूल जीवन-दान पा कर खिल उठे हैं। सेठ जी ने ऊब कर बही-खाते को एक ओर पटक दिया और मुनीम से बोले—"इसे फिर कभी लाना, जाँच दूँगा। इस समय तो मन नहीं लग रहा है।" मुनीम उठ कर जाने लगा तो उसे रोक कर कहा—"जरा नये पुजारी को भेज देना, कुछ काम है।" "बहुत अच्छा सरकार!" कह कर मुनीम चला जाता

है। सेठ जी अनमने से कमरे में घूमने लगते हैं। स्वामी दयानन्द के आगे पंडितों का इस प्रकार आत्मसमर्पण उन्हें खल रहा है। वे किसी भी मूल्य पर इस काँटे को निकाल डालना चाहते हैं। थोड़ी देर में पुजारी आया और हाथ जोड़ कर खड़ा हो जाता है। सेठ जी—"उस दिन मेरा चित्त तनिक अशान्त था तुम रुपयों के विषय में क्या कह रहे थे?" पुजारी—"अन्नदाता! मेरी लड़की सयानी हो गई है। उसी के ब्याह के लिए दो सौ रुपये माँगे थे।" सेठ जी—"अच्छा दो सौ के स्थान पर पाँच सौ लो, परन्तु एक काम करना होगा। वैसे तो बड़े पुजारी उस कार्य को सहर्ष करने को तैयार हैं, पर उन्हें नगर का बच्चा-बच्चा जानता है।" पुजारी—"अपने स्वामी का कार्य क्यों न करूँगा, आप कहें तो।" सेठ जी—"कोई कठिन काम नहीं है। तुम नर्मदेश्वर के पास वाले बाबा को जानते हो?" पुजारी—"जी हाँ। वह तो बड़ा दुष्ट है। उसकी चली तो हम लोगों से भीख मँगवा कर ही छोड़ेगा।" सेठ जी—"हाँ वही। तुम्हें केवल उसके पास जा कर कुशलता पूर्वक एक कार्य करना है। बस हमारा उद्देश्य सिद्ध हो जायगा। न रहेगा बाँस न बजेगी बाँसुरी। इस नगर में अपरिचित होने के कारण पकड़े भी न जा सकोगे। एक पंथ दो काज बन जायेंगे। आँखों का काँटा निकल जायगा और पुत्री का विवाह भी धूमधाम से हो जायगा।"

दूसरे दिन सवेरे स्वामी जी अपने आसन पर विराजमान हैं। सामने भक्त लोग बैठे उनसे अपनी-अपनी शंकाओं का समाधान कर रहे हैं। इन दिनों सैय्यद मुहम्मद वहाँ का तहसीलदार है। वह अरबी-फ़ारसी का एक अच्छा विद्वान् है। वह नित्य प्रति स्वामी जी के समीप आया करता है। उनके सत्संग के प्रभाव से, उनके कथन के माधुर्य से और विद्या बल से मोहित हो कर तहसीलदार एक प्रकार से उनके भक्तों में ही सम्मिलित हो गया है। उस समय भी वहाँ उपस्थित है। उसने पूछा, "महाराज! क्या मुसलमान भी किसी प्रकार आर्य बन सकता है? स्वामी जी ने उत्तर दिया—"हाँ, वेदानुकूल उत्तम आचार-व्यवहार करने से वह अवश्य आर्य बन सकता है। आर्य कोई मत का नाम नहीं है। उत्तम कार्य करने वाला श्रेष्ठ पुरुष ही आर्य कहलाता है।" थोड़ी देर के पश्चात् तहसीलदार उठ कर चला जाता है। तभी एक ब्राह्मण स्वामी जी के पास आया। यह व्यक्ति इधर कई दिनों से सत्संग में भक्तिभाव से सम्मिलित हो रहा है। उसने अपना पनडब्बा खोल कर बड़े विनीत भाव से स्वामी जी की ओर बढ़ा दिया। व्यसन न होने पर भी स्वामी जी भक्तों का भक्ति-भाव से दिया हुआ पान खा लिया करते हैं। इसलिए वे एक बीड़ा ले कर सहज स्वभाव से

मुँह में रख लेते हैं। परन्तु उसका रस लेते ही वे जान गये कि उसमें विष है। वे बिना कुछ कहे-सुने ही चुपके से उठ कर गंगा पार चले जाते हैं। वहाँ वे देर तक हठ-योग की बस्ती और न्योली क्रियाएँ करते रहे। फिर आसन पर आ विराजे। रुई में लपेटी हुई आग की भाँति यह दुष्कर्म छिपा न रह सका। स्वामी जी को पान में विष दिये जाने का भेद किसी प्रकार तहसीलदार महाशय को भी ज्ञात हो जाता है। स्वामी जी के चरणों में श्रद्धा होने के कारण वह भगीरथ प्रयत्न करके अपराधी को खोज निकालता है। उसे बन्दीगृह में डाल कर वह स्वामी जी को यह सुसमाचार सुनाने चल पड़ा। 'आज मैंने स्वामी जी के शत्रु को पकड़ कर उससे उनका बदला लिया है। इसलिए वे प्रसन्न हो कर मुझे आशीर्वाद देंगे और मेरे इस कार्य की प्रशंसा करेंगे।'—यह सोच कर उसका मन उल्लास से पूर्ण है। परन्तु जब वह स्वामी जी के सम्मुख पहुँचा तो उन्होंने मुँह फेर लिया और उससे कोई बातचीत नहीं की। तहसीलदार आश्चर्य से चकित रह जाता है। उसने बड़ी नम्रता से स्वामी जी की अप्रसन्नता का कारण पूछा। स्वामी जी ने कहा—"मैंने सुना है कि मेरे लिए आपने एक मनुष्य को बन्दी बना लिया है। मैं मनुष्यों को बँधवाने नहीं आया हूँ, अपितु उन्हें छुड़ाने आया हूँ। यदि दुष्ट अपनी दुष्टता को नहीं छोड़ता तो हम क्यों सज्जनता का परित्याग करें? परन्तु आपकी कार्य-कुशलता और कर्तव्य-परायणता प्रशंसनीय है।" स्वामी जी की ये बातें सुन कर तहसीलदार के आश्चर्य की सीमा न रही। उसने आज तक क्षमा का ऐसा धनी प्रशांत पुरुष दूसरा न देखा था। वह महर्षि को हाथ जोड़ नमस्कार करके चला जाता है। अपने कार्यालय पहुँचते ही उसने बन्दी को छोड़ देने का आदेश दे दिया।

अद्भुत शक्ति और दृढ़ता

स्वामी जी कर्णवास पधारे हैं। सूर्यग्रहण के अवसर पर सहस्रों नर-नारी गंगा स्नान के लिए उमड़े चले आ रहे हैं। स्वामी जी ने जनता से सम्पर्क स्थापित करने और उनके भ्रामक विचारों को दूर करने का एक अच्छा अवसर जान कर उपदेशों का क्रम प्रारम्भ किया। दर्शकों के झुण्ड-के-झुण्ड स्वामी जी के स्थान पर आने लगे। वे उनकी सुन्दर तेजस्वी मूर्ति को देख कर और मधुर वचनों को सुन कर अपने को धन्य मानते हैं।

एक दिन सैकड़ों स्त्री-पुरुष स्वामी जी का उपदेश सुन रहे हैं, उसी समय पंडित हीरावल्लभ वहाँ आ जाते हैं। वे अनूप शहर में स्वामी जी का विद्या-बल देख चुके हैं, परन्तु हारे हुए जुआरी की भाँति वे एक दाँव फिर लगाने

के लिए उद्यत हो गये। उन्होंने आते ही स्वामी जी के सामने एक छोटा-सा सुन्दर सिंहासन रख कर उच्च स्वर में घोषणा की कि मैं दयानन्द से ठाकुर जी को भोग लगवा कर ही छोड़ूँगा। यह कह कर वे स्वामी जी से शास्त्रार्थ छेड़ देते हैं। जब वे किसी प्रकार स्वामी जी से पार न पा सके तो उन्होंने व्याकरण की शरण ली। वे अड़ोस-पड़ोस में व्याकरण के एक प्रसिद्ध पंडित माने जाते हैं। वे क्या जानते थे कि स्वामी जी इस विषय के भी अथाह सागर हैं। उन्होंने पंडित जी के प्रश्नों के उत्तर में उन-उन ब्याकरण ग्रन्थों का उल्लेख किया और उनके प्रमाण प्रस्तुत किये जिन्हें इन वैयाकरण महोदय ने कभी स्वप्न में भी नहीं देखा था। वे सारी हेकड़ी भूल कर चारों खाने चित हो गये। परन्तु पंडित जी हैं अपने वचन के पक्के। वे मूर्तियों सहित सिंहासन उठा कर गंगा में फेंक देते हैं और बहुत-सी बातों में स्वामी जी से सहमत हो जाते हैं। स्वामी जी ने उनके दृढ़ चरित्र और सारग्राही स्वभाव की बहुत प्रशंसा की।

●

एक दिन स्वामी जी अपने आसन पर विराजमान हैं। लोग उनसे अपनी शंकाओं का समाधान कर रहे हैं। डिबाइ निवासी शिवदयाल ने पूछा—"भगवन्! सूर्यग्रहण के समय भोजन करना चाहिए या नहीं?" स्वामी जी—"जब भूख लगे तभी खा लेना चाहिए। ग्रहण का कोई प्रभाव भोजन पर नहीं पड़ता है। राहु द्वारा सूर्य-चन्द्र के ग्रस्त होने की बात निरी मनगढ़ंत है। 'सिद्धान्त-शिरोमणि' और 'सूर्यसिद्धान्त' आदि ज्योतिष-ग्रन्थ बताते हैं कि सूर्यग्रहण सूर्य पर चन्द्रमा की छाया पड़ने से और चन्द्रग्रहण चन्द्रमा पर पृथ्वी की छाया पड़ने से होता है।" शिवदयाल ने फिर यज्ञोपवीत के विषय में प्रश्न किये। स्वामी जी ने बताया—"यह संस्कार प्रत्येक पढ़ने वाले बालक-बालिका का होना चाहिए। बिना इसके कोई वैदिक कर्म करने का अधिकारी नहीं होता। यह सूत्र आर्यों का धार्मिक चिह्न है। यह सदा मनुष्यों के कर्तव्यों का स्मरण कराता रहता है। यदि कोई मनुष्य सदाचार से गिर जाय तो उसका जनेऊ उतार लेना चाहिए।"

●

बुलन्दशहर के कलेक्टर महोदय मेले के अवसर पर कर्णवास आये हैं। उन्होंने स्वामी दयानन्द की कीर्ति सुन रखी है। जब उन्होंने सुना कि वे प्रसिद्ध सुधारक संन्यासी आजकल यहीं हैं, तो उनसे मिलने के लिए उनके स्थान पर पहुँच कर अपने आने की सूचना करवाई। स्वामी जी भोजन के उपरान्त लोगों से नहीं मिलते हैं। इसलिए सेवकों ने कह दिया कि स्वामी जी को अभी अवकाश नहीं है। कलेक्टर साहब ने पूछा—"उन्हें कब अवकाश होगा?" सेवकों को अब

स्वामी जी से पूछने की आवश्यकता जान पड़ी। स्वामी जी ने पुछवाया कि फिर कलेक्टर महाशय अपने काम से कब निवृत्त रहेंगे। उन्होंने कहला भेजा कि मुझे चार घंटे के बाद छुट्टी-ही-छुट्टी रहेगी। यह सुनते ही स्वामी जी बाहर निकल आते हैं और आदरपूर्वक कलेक्टर साहब को ले जा कर बिठाते हैं। स्वामी जी देर तक उन्हें राज्य-धर्म का उपदेश करते रहे। वे चकित हैं कि एक भारतीय संन्यासी जो केवल संस्कृत का विद्वान् है और जो आधुनिक युरोपीय शिक्षा से नितान्त अनभिज्ञ है, उसे राजनीति का ऐसा उत्कृष्ट ज्ञान कहाँ से हुआ। अन्त में स्वामी जी ने कहा—"जिसके सिर पर एक परिवार के भरण-पोषण का बोझ होता है, उसे सिर खुजलाने के लिए भी समय नहीं मिलता, परन्तु बड़े आश्चर्य की बात है कि आपके कंधों पर सहस्रों मनुष्यों के कुशल-क्षेम का भार होते हुए भी आपको चार घंटे के बाद अवकाश-ही-अवकाश है।" स्वामी जी के द्वारा प्रजा-हित से प्रेरित हो कर की गई अपनी भर्त्सना सुन कर कलेक्टर महोदय स्वामी जी को अपने कर्तव्य की ओर ध्यान आकर्षित करने के लिए धन्यवाद देते हुए अत्यन्त संतुष्ट और प्रसन्न हो कर वापस लौटे।

एक दिन की बात है। प्रातःकाल का समय है। अत्यन्त शीतल पछुआ हवा बड़े वेग से चल रही है। स्वामी जी नित्य कर्मों से निवृत्त हो कर कुटिया के बाहर पद्मासन लगाए बैठे हैं। उन्होंने केवल कौपीन धारण कर रखी है। दर्शक और भक्त जन सामने बैठे हैं। यद्यपि वे पर्याप्त वस्त्र पहने हैं फिर भी जाड़े से काँप रहे हैं। उनके हाथ-पाँव ठिठुर रहे हैं, परन्तु स्वामी जी ऐसी कड़ाके की सर्दी में भी अटल और अकम्प हैं। वे सदा की भाँति शान्त भाव से लोगों से वार्तालाप कर रहे हैं। ठाकुर गोपालसिंह हाथ जोड़ कर पूछते हैं—"भगवन् ! यह ठण्डी हवा और ठर्रन तो हम लोगों की जान ले रहे हैं, परन्तु महाराज की ओर ये आँख उठा कर भी नहीं देखते। इसका क्या कारण है?" स्वामी जी ने मुस्करा कर कहा कि ब्रह्मचर्य और योगाभ्यास ही इसका कारण है।" गोपालसिंह ने कहा—"महाराज ! हम कैसे जानें?" यह सुन कर स्वामी जी अपने हाथों के अँगूठों को घुटनों पर रख कर बलपूर्वक दबाते हैं। लोग यह देख कर आश्चर्य चकित हो गये कि स्वामी जी के माथे पर ओस के कणों के समान स्वेद बिन्दु चमक रहे हैं; तन पर रमाई सारी मिट्टी भीग गई है, और शरीर से पसीना टप-टप चू रहा है।

थोड़ी देर में नन्दकिशोर उपाध्याय मटर की फलियाँ ला कर स्वामी जी के चरणों में भेंट करता है। स्वामी जी यह कह कर कि मैं चोरी का माल नहीं लेता, फलियों को लौटा देते हैं। नन्दकिशोर भौंचक्का हो कर बोला—"महाराज,

आप यह क्या कहते हैं? मैंने किसकी चोरी की?" स्वामी जी ने हँस कर कहा —"अच्छा बताओ, क्या तुमने खेत वाले से पूछ कर फलियाँ तोड़ी हैं?" फलियों की बात को ले कर कुछ देर लोग हँसते रहे फिर एक सज्जन ने ठा० गोपालसिंह के कान में कुछ कहा। ठाकुर गोपालसिंह ने स्वामी जी से प्रार्थना की—"भगवन्! सुनते हैं प्राचीन काल में ऋषि-मुनि सामगान किया करते थे। क्या महाराज की कृपा हम लोगों पर होगी। हम लोग सामगान सुनने के इच्छुक हैं।" महर्षि भक्तों के आग्रह को न टाल सके। उन्होंने सामवेद के मंत्रों को ऐसे भक्तिपूर्ण भाव और मधुर स्वर में गाया कि सभी उपस्थित सज्जनों को ऐसा जान पड़ा मानो आनन्द की वर्षा हो रही है। वे ऐसे मग्न हुए कि उन्हें अपने तन-बदन की सुध-बुध जाती रही; उन्हें ऐसा प्रतीत हुआ कि नर्मदेश्वर का मन्दिर, सती की मढ़ी, नवलजंग का अखाड़ा और आसपास के वृक्ष ये सभी इस स्वर्गीय राग को सुन कर अपना सिर धुन रहे हैं। स्वामी जी के गाना बन्द करने के उपरान्त भी बहुत देर तक वही समा बँधा रहा।

●

रतीराम एक बड़ा प्रसिद्ध पहलवान कर्णवास के पड़ोस के किसी गाँव का रहने वाला है। उसे अपने बल पर बड़ा घमण्ड है। एक दिन वह झूमता-झामता स्वामी जी की कुटिया के पास से निकला तो उसकी दृष्टि उनके सुन्दर, बलिष्ठ और गठे हुए शरीर पर पड़ती है। वह तिरस्कार पूर्वक यह कहता हुआ कि यह बाबा तो बड़ा हृष्ट-पुष्ट है, स्वामी जी के अत्यन्त निकट पहुँच जाता है। स्वामी जी ने उस पर एक दृष्टि डाली। आँखें चार होते ही पहलवान एक विलक्षण प्रभाव से दौड़ कर श्री-चरणों में पड़ जाता है।

स्वामी जी के व्यक्तित्व में, उनकी चाल-ढाल में, उनकी बातचीत में, उनके प्रत्येक कार्य में कुछ ऐसी मोहनी शक्ति, कुछ ऐसा विलक्षण आकर्षण है कि वह उनके सम्पर्क में आये हुए व्यक्तियों को बिना प्रभावित किये नहीं रहता।

कर्णवास से प्रस्थान करके स्वामी जी गाँव-गाँव विचरने लगते हैं।

●

जाड़े की रात है। शुक्ल पक्ष का अपूर्ण गोलाकार चन्द्रमा अपने किरण-जाल से दिगदिगन्तर को स्निग्ध आलोक-छटा से विभासित कर रहा है। गंगा एक विशाल सर्प की भाँति सरकती चली जा रही है। उस नीरव रजनी में केवल गंगा का कल-कल निनाद सुनाई देता है या फिर कभी-कभी कगारों के गिरने के शब्द। ऐसे सन्नाटे के समय एक छोटी-सी नौका किनारे पर आ लगती है और उस पर से दो अँग्रेज उतर कर किसी के आने की प्रतीक्षा कर ही रहे हैं कि

दूसरी नाव ने वहाँ आ कर लंगर डाला। नाव से कई देशी व्यक्ति सामान ले कर उतरे। वे नदी-तट से कुछ हट कर झटपट एक छौलदारी खड़ी करके अग्नि प्रज्वलित करते हैं। साहब लोग चाय-पान के उपरान्त शिकारी वेश में, हाथ में बन्दूक लिये और कन्धे पर कारतूस की पेटी डाले आखेट को चल पड़ते हैं। अपने लम्बे कोट की बड़ी-बड़ी जेबों में बोतलें भरे दो अरदली भी साथ हो लिये। साहब लोग कपड़ों पर कपड़े पहने हैं, परन्तु शीतल वायु के झोंकों से उनका कलेजा काँप रहा है, और शीत से हाथ-पाँव शिथिल हुए जाते हैं। साधारणतया शीतप्रधान देश के रहने वालों के लिए भारत का जाड़ा तो सामान्य जाड़ा ही होता है, परन्तु पहाड़ों पर हिम-पात हो जाने के कारण आज पश्चिम से शीत लहरी बह रही है। वे बारंबार बोतलों से ले कर मदिरा पीते हैं, और सिगार जलाते हैं। वे नदी के किनारे-किनारे लगभग आध मील पूर्व की ओर जाते हैं। सहसा उनकी दृष्टि एक नंगे-धड़ंगे मनुष्य पर पड़ी जो आँखें बंद किये बालू पर बैठा है। उन्हें लगा जैसे चाँदी की विशाल शिला पर तप्त सुवर्ण की प्रतिमा विराजमान है, ऐसी प्रतिमा जिसको किसी चतुर मूर्तिकार ने बड़े परिश्रम से बनाया है, जिसका प्रत्येक अंग सुडौल और सुन्दर है। वे एक संन्यासी की ध्यान-मग्न मूर्ति देख कर विस्मित हो पास खड़े हो जाते हैं। बहुत देर तक खड़े रहने पर भी जब उसमें स्पंदन का आभास न मिला तो उन्होंने एक व्यक्ति वहीं छोड़ दिया और यह आदेश दे कर कि महात्मा की समाधि खुलने पर हमें सूचित करना, शिकार के लिए चले जाते हैं।

शिकार से वे लौट ही रहे हैं कि मार्ग में संन्यासी के पास छोड़ा हुआ अरदली उन्हें मिला। उसने बताया कि महात्मा जी अब जाग्रत अवस्था में आ गये हैं, परन्तु अभी आँखें बन्द किये ही किये मंत्रों का पाठ कर रहे हैं। जब ये लोग महात्मा के समीप पहुँचे तो वे आँखें खोल चुके हैं। उन्होंने महात्मा जी को प्रणाम किया। महात्मा जी ने आशीर्वाद दे कर उनका परिचय पूछा। अँग्रेजों में से एक बोला—"मैं बदायूँ का कलेक्टर हूँ और ये मेरे मित्र पादरी हैं। यहाँ धर्म-प्रचार के लिए अभी हाल ही में स्वदेश से आये हैं। हमें बड़ा आश्चर्य है कि इतना शीत पड़ रहा है, ठण्डी वायु चल रही है, नदी का किनारा है और रात्रि का समय, पर आप केवल लँगोट पहने हिम समान शीतल बालू पर बैठे हैं। क्या आप को जाड़ा-पाला नहीं लगता !" संन्यासी के उत्तर देने के पूर्व ही पादरी ने कलेक्टर से अपनी भाषा में कुछ कहा। परन्तु अँग्रेजी भाषा का ज्ञान न होते हुए भी उस प्रतिभाशाली महात्मा ने उसका आशय समझ लिया और बोले—"क्या पादरी महाशय का यह अनुमान है कि यह संन्यासी हृष्ट-पुष्ट है, बढ़िया-

बढ़िया माल उड़ाता होगा, पौष्टिक पदार्थ खाता होगा, गाँजा चरस आदि का दम लगाता होगा, अन्य मादक वस्तुओं का सेवन करता होगा तो फिर इसे जाड़ा कहाँ से लगे। क्यों कलेक्टर महोदय, है न यही बात ?" कलेक्टर ने उस संन्यासी की चमत्कारी बुद्धि और असाधारण सूझ-बूझ पर दाँतों-तले अँगुली दबाई। वह स्वीकृति में सिर हिला देता है। तब महात्मा जी ने हँस कर कहा —"हम दाल-रोटी के खाने वाले क्या माल खायेंगे ? बहुत साहस किया तो किसी माई के लाल ने दूध पिला दिया। वह भी कभी-कभी ही बड़े भाग्य से प्राप्त होता है। हम तो परिव्राजक हैं, कोई मठाधीश नहीं जो सेंत का माल उड़ाया करें। परन्तु आप लोग तो मांस-अण्डे आदि गरम पौष्टिक पदार्थ खाते हैं, मदिरा का सेवन करते हैं और तंबाकू पीते हैं। इसलिए यदि माल खा कर शीत सहा जा सकता है तो कपड़े उतार कर आइए और थोड़ी देर ही मेरे साथ बालू पर बैठिए।" इस पर पादरी अत्यन्त लज्जित हुआ और क्षमा-याचना करके बोला—"कृपया आप ही बताएँ कि आप को जाड़ा क्यों नहीं लगता ?" संन्यासी ने कहा—"इसका सहज ही समझ में आने योग्य कारण तो अभ्यास है। आपका मुख सदैव नंगा रहता है, इसलिए आप को उसे ढाँपने की आवश्यकता इस समय भी प्रतीत नहीं होती है। परन्तु मनुष्य की सम्पूर्ण देह गरमी-सर्दी और अन्य कष्टों को सहन करने के योग्य ब्रह्मचर्य और योगाभ्यास से ही होती है।" पादरी ने पूछा—"ब्रह्मचर्य किसे कहते हैं ?" संन्यासी ने बताया—"योग-शास्त्र में अभ्यासी को प्रारम्भिक शिक्षा पाँच यमों के पालन करने की दी गई है। ब्रह्मचर्य चौथा यम है। इसमें वीर्य के रक्षित रखने और उसे ऊर्ध्व गति वाला बनाने का नियम है। और आर्यों के चार आश्रमों में पहला आश्रम ब्रह्मचर्य आश्रम है। जिस में ब्रह्मचारी को स्त्री-संभोग आदि व्यसनों से दूर रह कर केवल अध्ययन में लगा रहना ही उचित माना गया है। वास्तव में वीर्य की रक्षा होने से मन की चंचलता जाती रहती है और मन के शान्त होने से सारी इन्द्रियाँ वश में हो जाती हैं, और उन्हें कष्ट सहन का अभ्यास हो जाता है।" महात्मा जी ब्रह्मचर्य के विषय में बता ही रहे हैं कि कलेक्टर को सहसा कोई बात स्मरण हो आई। वह बोला, "मुझे ऐसा जान पड़ता है कि आप प्रसिद्ध बाल ब्रह्मचारी स्वामी दयानन्द सरस्वती हैं।" यह सुन कर स्वामी जी हँसने लगे और कहा—"आपका अनुमान ठीक ही है।" पादरी ने जो दयानन्द का नाम सुना तो वह चौंक पड़ता है। उसने अँग्रेजी में कहा—"अरे! यह तो भारत में ईसाइयों के कार्य में सब से बड़ी बाधा है। यदि यहाँ के लोग इसकी शिक्षा पर चलने लगें तो ईसाई पादरियों के साथ-ही-साथ अँग्रेज शासकों को भी यहाँ

से बोरिया-बिस्तर गोल करना पड़ेगा।" पादरी की बात सुन कर स्वामी जी इस प्रकार मुस्करा रहे हैं, मानो वे कह रहे हों—"बच्चा! तेरे एक-एक शब्द का आशय मैं समझ रहा हूँ।" कलेक्टर ने पूछा—"स्वामी जी! हम लोग सर्द देश के रहने वाले हैं। बिना मदिरा पिये काम नहीं चलता, और इसके सेवन से काम में मन भी बहुत लगता है। इसके पीने में क्या हानि है?" स्वामी जी ने कहा—"यह तो ठीक है कि मादक वस्तुओं के सेवन से मनुष्य का मन एक विचार में गड़ जाता है, परन्तु इससे वस्तु के यथार्थ रूप का ज्ञान नहीं होता। यथार्थ ज्ञान तो एक दूसरे के साथ उनके गुणों की तुलना करने से होता है। गुण-गुणी का ज्ञान और सत्यासत्य का विवेक मादक वस्तुओं के प्रभाव में होना असम्भव है। जब मन की एकाग्रता और कष्ट सहन की शक्ति दूसरे उपायों से प्राप्त हो सकती है तो मदिरा पान का अनावश्यक कार्य क्यों किया जाय। परन्तु वास्तविक बात तो यह है कि जब मनुष्य अपने को किसी व्यसन में फँसा लेता है तो वह व्यसन भूत बन कर उस पर सवार हो जाता है और आसानी से नहीं छूटता।" स्वामी जी का यह उत्तर सुन कर कलक्टर महोदय तो संतुष्ट हो गये, परन्तु पादरी दयानन्द का नाम सुन कर उत्पन्न हुए द्वेष-भाव को दबा नहीं पाता है। उसके मुँह से निकल ही गया—"सुनते हैं कि आप ईसाई धर्म की कड़ी आलोचना करते हैं। तनिक सँभल कर बोला कीजिए, नहीं तो आप पर कभी आपत्ति भी आ सकती है।" स्वामी जी बोले—"पादरी महाशय! मैं जो कुछ कहता हूँ, वह आपके ग्रन्थों का पाठ-मात्र होता है, मेरा अपना कुछ नहीं होता। यदि आप की धर्म-पुस्तकों को सुनाना खण्डन है तो ऐसा खण्डन तो आप भी करते हैं। मैं द्वेष बुद्धि से कुछ नहीं कहता और न ही अनुचित और असत्य समालोचना ही करता हूँ।" फिर तनिक गंभीर हो कर, परन्तु मुस्कराते हुए बोले—"सत्य के लिए विपत्ति में पड़ना, कारावास में जाना अथवा फाँसी पर लटक जाना कोई लज्जाजनक बात नहीं है, अपितु बड़े सौभाग्य और सम्मान की बात है। फिर लोगों के डरवाने धमकाने से सत्य के प्रकाश से मुँह कैसे मोड़ लूँ? महात्मा ईसा को भी तो लोगों ने सूली पर चढ़ा ही दिया था।" कलेक्टर साहब ने पादरी को और न बोलने के लिए संकेत किया और वे दोनों स्वामी जी को नमस्कार करके वहाँ से चल पड़ते हैं।

●

कुछ दिनों निरन्तर भ्रमण करने के उपरान्त स्वामी जी गंगा के किनारे चासी ग्राम पहुँच कर किसी रमणीक और एकान्त स्थान पर एक कुटी में निवास करते हैं। उस स्थान से कुछ दूर हट कर एक वैरागी रहता है। वह ओझाई

करता है और उसे थोड़ा बहुत ज्योतिष का भी ज्ञान है। लोग उसके पास भूत-प्रेत झड़वाने और अपने ग्रह-नक्षत्र आदि विचरवाने आया करते हैं। उसकी आजीविका का केवल यही आधार है। एक संन्यासी को वहाँ आया देख लोग उसके पास भी जा कर अपनी विपदा सुनाने लगे। स्वामी जी उन्हें समझाते हैं —"भाई! तुम लोग भूत-चुड़ैल के भ्रमजाल में क्यों पड़े हो? भूत तो बीते हुए समय का नाम है। यह कोई योनि विशेष नहीं है। आयुर्वेद में ऐसे अनेक रोगों का वर्णन है जिनमें रोगी की उन्मत्त दशा हो जाती है।" वे उन्हें सेवन करने के लिए औषध भी दे देते।

वे शनि देवता के सताए हुओं से कहते हैं—"ये ग्रह और नक्षत्र तो जड़ हैं। वे न किसी को दुःख पहुँचाने की चेष्टा कर सकते हैं, और न किसी को सुख ही दे सकते हैं। वे अपनी किरणों द्वारा उष्णता, शीतलता अथवा ऋतुवत् कालचक्र के सम्बन्ध से प्राणियों की प्रकृति के अनुकूल-प्रतिकूल सुख-दुःख के निमित्त होते हैं। मनुष्य के सुख-दुःख का कारण तो उसके अपने ही कर्म-फल हैं, अथवा परमपिता परमात्मा के नियमों के विरुद्ध उसका आचरण है। दुःखों की निवृत्ति के लिए पुरुषार्थी बनो और निष्पाप हो कर ईश्वर की प्रार्थना उपासना करो। रोगों से छुटकारा पाने के लिए परिश्रमी बनो और किसी कुशल वैद्य के पास जाओ।"

"ये आजकल के ज्योतिषी तो तुम्हें फलित ज्योतिष के चक्कर में डाल कर अपना उल्लू सीधा करते हैं। 'सूर्यसिद्धान्त' आदि ज्योतिष के प्रामाणिक ग्रन्थों में बीजगणित, अंकगणित, भूगोल, खगोल और भूगर्भ विद्या हैं। उनमें फलित या भूत-भविष्यत् काल का ज्ञान नहीं लिखा है, और न उनमें मनुष्य के सुख-दुःख के ज्ञान का ही उल्लेख है। इस विषय में ज्योतिषियों के निर्णय निरे अटकल-पच्चू हुआ करते हैं। जैसे एक कौआ नारियल के वृक्ष के नीचे से उड़ता हुआ निकला तो अचानक एक फल उसके ऊपर गिरा और वह उसकी चोट से तुरन्त मर गया। यह घटना दैवयोग से हो गई। इसका ज्ञान न तो कौए को था और न फल को ही। ज्योतिषियों के उत्तर भी इसी प्रकार कभी-कभी सच्चे हो जाते हैं। यदि उनके उत्तर गणित पर आधारित होते तो वे सदा सत्य ठहरते, क्योंकि दो और दो मिल कर कभी पाँच नहीं होते।"

स्वामी जी के इस प्रकार समझाने-बुझाने पर कुछ लोग ओझा जी को बिना भेंट चढ़ाए ही लौटने लगे। इस बात से वह वैरागी चिढ़ गया, और रात-दिन इसी उधेड़-बुन में रहने लगा कि किस प्रकार इस साधु को यहाँ से चलता किया जाय। उसने लक्ष्य किया कि जो भोजन सब से पहले आ जाता है, स्वामी

जी उसी को ग्रहण कर लेते हैं। उसने स्वामी जी के इसी नियम से लाभ उठाने की ठानी। अब वह सब से पहले दो-एक जले-मुने टिक्कड़ स्वामी जी के आगे ले जा कर रख देता, और वे वीतराग उन्हीं को खा लेते हैं। जब कई दिन इस प्रकार बीत जाते हैं, और स्वामी जी न कुछ कहते हैं और न वहाँ से हटने का नाम ही लेते हैं, तो वैरागी ने शस्त्र रख दिये। महर्षि के धैर्य और सहनशीलता ने उसे बिल्कुल परास्त कर दिया। उसके हृदय में उनके प्रति श्रद्धा और भक्ति उत्पन्न हो जाती है।

●

जहाँगीराबाद निवासी ओंकारदास बहुरा गंगा-स्नान के लिए चासी आया तो स्वामी जी की मोहनी और तेजस्वी मूर्ति देख कर ऐसा मोहित हुआ कि वह उनके दर्शनों और उपदेशों से लाभान्वित होने के लिए उनकी कुटिया के पास ही अपना डेरा डाल देता है। वह नित्य उनकी सेवा में उपस्थित हो कर फल-फूल भेंट करता है। वह सुगठित शरीर का बलवान् व्यक्ति है। एक दिन उसके मन में यह भाव आया कि चरण दबा कर स्वामी जी की सेवा की जाय। इसी बहाने उनके बल की परीक्षा भी हो जायेगी, उसने प्रार्थना की—"भगवन्! सेवक को श्री-चरणों के दबाने की अनुमति प्रदान की जाय।" स्वामी जी बोले —"भाई! मेरे पाँव दबे-दबाए हैं। उन्हें दाब कर क्या होगा।" परन्तु ओंकारदास ने एक न मानी। उसने पाँव पकड़ ही लिये। पिंडलियों में हाथ लगाते ही उसे लगा कि वे लोहे की हैं। उनमें न तो अँगुलियाँ ही धसती हैं और न मांस ही हाथों में आता है। वह थोड़ी ही देर में थक कर हाँफने लगा और उसका सारा बदन पसीने-पसीने हो जाता है। वह पाँव दबाना छोड़ कर सोचने लगता है—"मैंने आज तक ऐसा बलिष्ठ व्यक्ति नहीं देखा।"

स्वामी जी को यह स्थान ऐसा भाया कि वे चासी में पाँच मास पर्यन्त रहे। तदुपरान्त वे अनूपशहर पधार कर अपने पुराने स्थान सती की मढ़ी में आसन जमाते हैं। यहाँ से वे कभी-कभी कर्णवास जाकर रह आते हैं।

उमेदा नाई को बड़ी अभिलाषा है कि वह स्वामी जी को भोजन करवाए; परन्तु मन में डरता है कि कहीं वे अस्वीकार न कर दें। इसी दुविधा के कारण वह पिछली बार अपनी इच्छा पूरी न कर सका था। इस बार जब उसने स्वामी जी का पुनरागमन सुना तो वह बड़े भक्ति-भाव से, परन्तु डरते-डरते स्वामी जी की सेवा में सब से पहले भोजन का थाल लाता है। वे उसे ले कर बड़े प्रेम से भोग लगाने लगते हैं। स्वामी जी का यह अनाचार और नाई की धृष्टता वहाँ उपस्थित ब्राह्मणों से न देखी गई। उन्होंने उमेदा को एक ब्राह्मण संन्यासी को भ्रष्ट कर

देने के लिए बहुत डाँटा-डपटा। फिर स्वामी जी से कहा—"छि, छि! आप ब्राह्मण हो कर यह क्या अनर्थ कर रहे हैं? नाई की रोटी खा कर आप भ्रष्ट हो गये हैं।" उन भूदेवों को यह देख कर बड़ा आश्चर्य हुआ कि स्वामी जी लज्जित होने के स्थान पर निर्लज्जता की हँसी हँस कर नाई का पक्ष लेते हुए बोले—"भोले ब्राह्मणो! ये रोटियाँ तो गेहूँ की हैं। इनके खाने में कोई दोष नहीं है। अन्न दो प्रकार से दूषित होता है, एक तो जब अन्य को दुःख दे कर प्राप्त किया जाय और दूसरे जब उसमें कोई मलिन वस्तु मिल जाय। और मनुष्य तो चरित्र-भ्रष्ट होने से ही पतित एवं भ्रष्ट होता है। बन्धुओं! रोष किस बात पर? यहाँ तो उमेदा और मैं दोनों ही निर्दोष हैं।" ब्राह्मण रुष्ट हो कर यह कहते हुए कि यह सब कलयुग की महिमा है, वहाँ से उठ कर चले जाते हैं।

●●

४ | निर्भीक सत्य-मार्ग का पथिक

संन्यासी का धर्म क्षमा है

एक दिन स्वामी जी अपने आसन पर विराजमान हैं। बहुत से भक्त-जन सामने बैठे अपने-अपने संशय मिटा रहे हैं। चंदौख-निवासी गिरबरसिंह ने पूछा—"महाराज ! मैंने नर्मदा से बहुत ही सुन्दर और गोल-गोल शालग्राम की बटियाँ मँगवाई हैं। क्या उनका पूजन उचित नहीं है?" स्वामी जी—"सभ्य ! इन जड़ पत्थर के टुकड़ों से तो चेतन चींटियों की पूजा अच्छी है। वे चढ़ाए हुए नैवेद्य को खा लेंगी।" तब उसने ईश्वर-सिद्धि पर प्रश्न किया। स्वामी जी ने बताया—"कारण के बिना कार्य नहीं होता। इस जगत् में जो गति है, उसका कोई कारण अवश्य होना चाहिए। वही कारण ईश्वर है। तीनों गुणों की साम्यावस्था में विषमता उत्पन्न करने वाली वस्तु प्रकृति से भिन्न ही होनी चाहिए। सो वह परमात्मा है। सृष्टि में जो नियम काम करते दिखाई देते हैं उनका नियन्ता सर्वज्ञ और सर्वशक्तिमान परमेश्वर है।"

यह प्रसंग चल ही रहा है कि स्वामी जी के भक्त गंगाप्रसाद के गुरु कपड़े उतार कर स्नान करने जाने लगे। स्वामी जी की दृष्टि उनकी भुजा पर पड़ी। उसमें कुछ लिपटा हुआ देख कर पूछा—"आप की बाँह में क्या बँधा है?" वे बोले यह अनन्त है। स्वामी जी झट उसे नाप कर बोले—"यह अनन्त कहाँ? यह तो कुछ ही अँगुल का है।" उन्होंने लज्जित हो कर अनन्त को गंगा में बहा दिया।

लोग अभी सत्संग से उठ कर गये ही हैं कि बरौली के राव कर्णसिंह का पुरोहित आ कर स्वामी जी के चरणों में गिर पड़ा। उसने रो-रो कर राव महाशय के अत्याचार का वर्णन किया। स्वामी जी उसे आश्वासन दे कर अपने पास रख लेते हैं।

जब राव साहब को यह समाचार उनके दीवान से मिला तो वे रोष में आ कर कहते हैं—"अच्छा ! दूसरे के टुकड़ों पर जीने वाले उस संन्यासी का साहस यहाँ तक बढ़ गया है कि वह हमारे कामों में भी अपनी टाँग अड़ाने लगा है, धर्म-कृत्यों में हस्तक्षेप करने लगा है। दीवान जी ! तो क्या यह भगोड़ा पुरोहित

आजकल उसी नास्तिक साधु के पास है ?" दीवान—"जी हाँ, उस दिन जब महाराज पं० कृपाराम को पकड़वा कर उनकी भुजा पर विष्णु भगवान् के चक्र को बलात् अंकित करवा कर रनिवास की ओर चले गये तो दैवयोग से मैं उसी समय कहीं बाहर से आ गया था। पुरोहित जी पड़े कराह रहे थे। कारण पूछने पर उन्होंने अपनी बाँह खोल कर दिखाई। बाँह पर एक गोलाकार घाव था, जो खाल उघड़ जाने के कारण लाल-लाल पहिया-सा जान पड़ता था। मुझे देख कर वे रोने लगे और बोले, 'दीवान जी ! आपने राव साहब की करतूत देखी ? वैष्णव मत की दीक्षा क्या ली मानो उन्हें सारे संसार को बलपूर्वक वैष्णव बनाने का ठेका मिल गया है। नौकर-चाकर, गाय-भैंस और घोड़े-हाथी सभी के माथे पर तिलक है और गले में कण्ठी झूल रही है। यहाँ तक ठीक था, परन्तु पकड़-पकड़ कर दहकते हुए चक्र से लोगों के शरीरों को दग्ध करना तो महा क्रूरता और सरासर अन्याय है।' मैं कार्यवश कहीं चला गया था। जब लौटा तो वे यहाँ न थे। फिर एक दिन मैंने जब हरखुआ से सुना कि पुरोहित बाबा यहाँ से भाग कर अनूपशहर किसी महात्मा के पास चले गये हैं, तो कुतूहलवश मैं उन्हें देखने अनूपशहर गया। वे मुझे नर्मदेश्वर के समीप सती की मढ़ी में मिले। आजकल वहाँ प्रसिद्ध संन्यासी स्वामी दयानन्द सरस्वती का आसन है। पं० कृपाराम मुझे देख कर बहुत प्रसन्न हुए और कहने लगे—"दीवान भैया ! स्वामी जी मनुष्य नहीं हैं देवता हैं, देवता। ऋषिवर मेरे घाव को स्वयं अपने हाथों गरम पानी से धो कर उस पर औषध लगाते हैं। वे कहते हैं कि जब तक तुम्हारा घाव भर न जायेगा हम तुम्हें यहाँ से जाने न देंगे। भैया ऐसी दयालु प्रकृति के साधु महात्मा कहाँ हैं ? हमारे देश में लाखों साधु-संन्यासी हैं, पर सेवा कार्य से कोसों दूर। वे केवल अपनी सेवा के भूखे हैं। ये ढोंगी हमसे कहते हैं, गुरु ही ब्रह्मा विष्णु महेश हैं; वही परब्रह्म है; उसको ही नमस्कार है।[1] गुरु ही सब-कुछ है, उसके पग धोकर पीना चाहिए। वह जैसा कहे वैसा करना, वह लोभी हो तो वामन के समान, क्रोधी हो तो नरसिंह के सदृश, मोही हो तो राम के तुल्य, और कामी हो तो कृष्ण के समान गुरु की सेवा करना तुम्हें योग्य है। आज की पतित आर्य जाति का विश्वास परमपिता परमात्मा में नहीं रह गया है। वह तो दूध-पूत धन-धान्य सभी कुछ इन्हीं धूर्तों से पा लेना चाहती है। फिर वह इन की सेवा क्यों न करे और इन्हें धन दे कर योगी

---

१. गुरुर्ब्रह्मा गुरुर्विष्णु गुरुर्देवो महेश्वरः ।
गुरुरेव परंब्रह्म तस्मै श्रीगुरवे नमः ॥

से भोगी क्यों न बनाये। महर्षि दयानन्द के कथनानुसार लोभी गुरु और लालची शिष्य दोनों ही पाप रूप दलदल में फँस कर अपने जीवन को व्यर्थ गँवाते हैं।

गुरु लोभी चेला लालची, दोनों खेलें दाँव।
भवसागर में डूबते, बैठ पथर की नाव ॥"

राव महाशय को स्वामी जी की प्रशंसा और गुरु चेलों की निन्दा अच्छी नहीं लगती है। वे बड़े हठीले और क्रोधी स्वभाव के मनुष्य हैं। यह सुन कर कि स्वामी जी उनके गुरु रंगाचार्य और वैष्णव संप्रदाय की कड़ी आलोचना करते हैं, वे रुष्ट तो पहले से हैं, परन्तु आज अपने पुरोहित को शरण देने की बात सुनते ही वे स्वामी जी के कट्टर शत्रु बन गये। वे उस परोपकारी महापुरुष को सताने और यदि सम्भव हुआ तो उस काँटे को निकाल फेंकने के लिए ताना-बाना बुनने लगते हैं।

●

रात अँधेरी है। चारों ओर सन्नाटा है। कर्णवास को जाने वाली सड़क पर कुछ लोग एकत्र हैं। उन सभों के हाथों में कोई न कोई हथियार है। पूर्व की ओर आकाश में बादलों के कुछ टुकड़े एकत्र हो गये हैं। रह-रह कर बिजली कौंध जाती और क्षण भर के लिए पृथ्वी पर चाँदनी-सी छिटक जाती है। इस प्रकाश में उन लोगों के सशंक नेत्र और घबराए हुए चेहरे दिखाई पड़ जाते हैं। जिससे अनुमान होता है कि उन्हें कोई बहुत कठिन कार्य सौंपा गया है। उनमें एक बोला, "भाई! मेरा दिल तो ऐसे महापुरुष पर हाथ उठाने को नहीं होता है।" साथियों ने डाँट बताई, "संतराम! तुम तो हम वैरागियों की नाक कटाओगे। बदनामी होगी सो होगी, खाया हुआ धन उगलना पड़ जायेगा। बरौली के राव साहब कोई ऐसे वैसे व्यक्ति नहीं हैं।" फिर थोड़ी देर तक वे न जाने क्या गुपचुप बातें करते रहते हैं। उसके उपरान्त यह टोली कर्णवास की ओर बढ़ी। अब वे मौजी बाबा को कुटी के समीप पहुँच रहे हैं। संतराम बोला, "आज तनिक कुसमय भोजन किया है। अपच के कारण पेट गुड़गुड़ा रहा है। यह कह कर वह पेट पकड़े नदी की ओर भागा। परन्तु जैसे ही उसके साथी कुछ आगे बढ़े वह लौट पड़ता है। वह दौड़ा-दौड़ा मौजी बाबा के सम्मुख जा खड़ा हुआ। वे रात में बहुधा धूनी के पास बैठे भगवद्भजन किया करते हैं। उसे देख कर वे बोले—"अरे! आधी-रात को तू यहाँ कैसे आया ?" संतराम ने कहा—"बाबा जी! वैरागियों की एक टोली अभी-अभी कर्णवास की ओर जा रही है। ये लोग उन महात्मा जी

पर, जो आजकल नागा बाबा की मढ़ी के समीप ही निवास करते हैं, अत्याचार करना चाहते हैं।" "अच्छा! उनका इतना बड़ा दुःसाहस। परमयोगी दयानन्द पर आक्रमण।" मौजी बाबा बड़बड़ाते हुए उठ खड़े हुए और चिमटा हाथ में लेकर नागा बाबा की मढ़ी की ओर लपके। संतराम अपने साथियों में जा मिलने के लिए दौड़ पड़ा। उसे डर था कि कहीं बाबा जी उस से पहले न पहुँच जायँ। वह सोच रहा है—"हीरे की परख तो जौहरी ही को होती है। औरों के लिए तो हीरा कंकड़ एक समान है। हमारे मौजी बाबा भी पूरे योगी हैं, तभी तो दोनों में गहरी छनती है। गंगा-तट पर दोनों बैठे घण्टों वार्तालाप किया करते हैं।"

●

स्वामी दयानन्द सरस्वती एक पर्णकुटी में सो रहे हैं। वैरागियों ने उस कुटी को चारों ओर से घेर लिया है। एक ने सुझाव दिया—"लगा दो आग इस झोंपड़ी में। वह नास्तिक अन्दर ही अन्दर जल-भुन कर राख हो जायेगा। न रहेगा बाँस न बजेगी बाँसुरी। यह बात सब के मन को भा गई। अभी वे सब आग लगाने की तैयारी ही में हैं कि मौजी बाबा खट-पट करते वहाँ आ धमके। वैरागी बाबा जी के भक्त हैं। उन्हें एकाएक आया देख वे घबरा जाते हैं। जैसे ही मौजी बाबा चिमटा उठा कर उनकी ओर बढ़े वे वहाँ से नौ दो ग्यारह हो गये। यह सारा काण्ड इतने चुपचाप हो गया कि किसी को कानों-कान ख़बर नहीं हुई। स्वामी जी शान्ति पूर्वक सोते रहे। दूसरे दिन मौजी बाबा ने ठाकुर कैथलसिंह से यह अवश्य कहा—"बच्चा! स्वामी जी को रात में अकेला न छोड़ा करो। उनकी स्पष्टवादिता के कारण कुछ अज्ञानी जन उनके शत्रु हो गये हैं।"

वैरागियों की असफलता से राव कर्णसिंह को दुःख तो हुआ, परन्तु वे हताश नहीं हुए। बरौली से काम बनता न देख वे कर्णवास आ गये हैं, जहाँ स्वामी आजकल विराजमान हैं। राव साहब ने स्वामी जी के निवास-स्थान के समीप ही एक बारहदरी में डेरा डाला। वह विवेकहीन पुरुष, नहीं नहीं, पशु एक त्यागी और परोपकारी महापुरुष की हत्या करने पर तुल गया है।

●

आधी रात बीत चुकी है। सर्वत्र सन्नाटा छाया हुआ है। उसे गंगा का कल-कल नाद, और वायु के झोंकों से हिलते हुए वृक्षों के पत्तों की मरमर ध्वनि भयंकर बना रहे हैं। निकटवर्ती गाँव के कुत्ते कभी-कभी ज़ोर-ज़ोर से भौंक कर रात्रि की स्तब्धता भंग कर देते हैं। कहीं दूर किसी वृक्ष पर से घू-घू

का शब्द सुनाई पड़ जाता है। ऐसे विकट समय कुछ लोग हाथों में तलवारें लिये स्वामी जी की कुटी की ओर बढ़ रहे हैं। वे उसके निकट पहुँच कर रुक जाते हैं और कान लगा कर चुपचाप आहट लेते हैं। उन्होंने सुना—कोई गाढ़ी निद्रा में खर्राटे ले रहा है। सोचा—संन्यासी निश्चिन्त सो रहा है, चलो हमारा काम सरल हो गया। परन्तु एक परोपकारी वीतराग महात्मा के ऊपर हाथ छोड़ने का साहस किसी को नहीं होता। वे एक दूसरे का मुँह ताकने लगे, मानो पूछ रहे हों—"बिल्ली के गले में घण्टी कौन बाँधेगा?" परन्तु घण्टी बाँधना ही तो म्याँव का ठौर है। उनके हाथ थर-थर काँपने लगे, दिल धड़कने लगा। परास्त सैनिकों की भाँति वे मैदान छोड़ कर भाग खड़े हुए और अपने नायक के पास जा पहुँचे। राव करणसिंह उन्हें डाँट-डपट कर दुबारा भेजता है। पर इस बार भी वे असफल लौटते हैं। राव महाशय ने धैर्य नहीं खोया। उसने तीसरी बार फिर उनकी पीठ ठोक कर और पुरस्कार का प्रलोभन दे कर स्वामी जी को समाप्त करने के लिए रवाना किया। चलते समय धमकी दी कि यदि इस बार भी कापुरुषों के समान पीठ दिखा कर भाग निकले तो तुम्हारी कुशल नहीं। मरता क्या न करता। वे जी कड़ा करके गिरते-पड़ते फिर स्वामी जी की कुटी के निकट पहुँचते हैं। कैथलसिंह अब भी सो रहा है, परन्तु स्वामी जी, जो कुछ क्षण पहले से ध्यानस्थ थे और समाधि में प्रभु-मिलन का आनन्द लूट रहे थे, इस समय जाग्रत अवस्था को प्राप्त हो चुके हैं। वे उन आततायियों को अपनी ही ओर आते देखते हैं। उनकी सशंक चाल-ढाल से समझ गये कि कुछ दाल में काला है। उन्होंने उठ कर उच्च स्वर से हुंकारा। स्वामी जी के उस भयानक सिंहनाद को सुन कर उनके रोंगटे खड़े हो गये, और हाथ-पाँव फूल जाते हैं, हाथों से तलवारें छूट-छूट कर गिर पड़ती हैं। वहाँ से कुछ लोग भाग खड़े होते हैं और कुछ वहीं अचेत हो कर भूमि पर गिर पड़ते हैं।

स्वामी जी के पास ही सोया हुआ कैथलसिंह भी भयानक शब्द सुन कर चौंक पड़ता है। दुष्ट जनों के आक्रमण की बात सुन कर वह डर जाता है। वह हाथ जोड़ कर बोला—"महाराज! वे पाजी फिर कहीं न आ जायँ। क्यों न हम लोग किसी दूसरे स्थान पर छिप कर शेष रात काट लें। सवेरा होने पर देखा जायेगा।" स्वामी जी ने "नैनं छिन्दन्ति शस्त्राणि नैनं दहति पावकः" कहते हुए कैथलसिंह को समझाया—"वत्स! संन्यासी लोग अपनी रक्षा के लिए गढ़ और गुहा का आश्रय नहीं ढूँढ़ा करते। हमारे रक्षक तो केवल एक भक्तवत्सल भगवान् ही हैं। तुम्हें घबराना नहीं चाहिए। हम चाहें तो उनके

शस्त्रों को छीन कर उन्हें सीधा कर सकते हैं। परन्तु संन्यासी का धर्म तो क्षमा करना ही है।"

●

राव कर्णसिंह के पड़ाव पर रास-लीला हो रही है। परन्तु उसका मन लीला में लग नहीं रहा है। वह सोच रहा है—मेरे दो वार खाली गये। दयानन्द अब भी निर्भीक हो कर मेरी छाती पर कोदों दल रहा है। उपदेश और धर्म-प्रचार के नाम पर सब को नास्तिक और अधर्मी बना रहा है। सहसा चौंक कर उसने पुकारा, "बेकारू, ओ बेकारू! तनिक देख तो, वह नागा बाबा की मढ़ी वाला साधु भगवान् की लीला देखने हमारे यहाँ क्यों नहीं आया? आसपास के और सभी महात्मा और पंडित तो इस समारोह में सम्मिलित हैं। राव महाशय को प्रसन्न करने के लिए कई चापलूस पंडित बेकारू के साथ हो लिये। वे थोड़ी देर में लौट कर सूचना देते हैं कि महात्मा जी ने कहा है कि मैं ऐसे निन्दनीय कार्य में कदापि सम्मिलित नहीं हो सकता। चाटुकारों ने नमक-मिर्च लगाई—"सरकार, वह बड़ा घमंडी साधु है। एक भिक्षुक को इतनी हेकड़ी कि वह श्रीमान् के बुलाने पर भी भगवान् के दरबार में न आये और उलटे खरी-खोटी सुनाए।" यह सुन कर राव कर्णसिंह के तन-बदन में आग लग गई। उसकी आज्ञा की अवहेलना एक भिखारी के द्वारा? वह तुरन्त उठ खड़ा हुआ। अपने सिपाहियों को साथ लेकर वह स्वामी जी के स्थान पर चढ़ दौड़ा। दर्शकों की भीड़ भी उसके साथ हो ली। स्वामी जी ने राव साहब का सम्मानपूर्वक स्वागत करके बैठने को कहा—वह ऐंठ कर बोला कि कहाँ बैठें। महाराज उसके अहंकार को भाँप गये, बोले—"जहाँ आप की इच्छा हो बैठ जाइए।" वह स्वामी जी के साथ ही आसन पर बैठ गया और उत्तेजित हो कर बोला, "आप हमारे यहाँ रास लीला में क्यों नहीं आए? संन्यासी हो कर भगवान् का निरादर करते हैं।" स्वामी जी—"अच्छा आप बतायें कि जब आपके सम्मुख आपके पूज्य पुरुषों का क्षुद्र लोग स्वाँग भर कर नाचते-गाते हैं तो क्या आपको लज्जा नहीं आती? एक साधारण व्यक्ति को भी अपने माता-पिता आदि आदरणीय जनों का इस प्रकार नाच और गाना एक आँख न भायेगा। परन्तु आप कुलीन हो कर भी अपने महापुरुषों का स्वाँग बना कर जन समूह के समक्ष मनोरंजनार्थ नचाते हैं।" "मैंने सुना है कि तुम अवतारों और गंगा माता की निन्दा करते हो। यदि मेरे सामने ऐसा करने का दुःसाहस किया तो मुझ से बुरा कोई न होगा।" राव कर्णसिंह होठ कँपाते हुए बोला। स्वामी जी "मैं निन्दा नहीं करता हूँ, किन्तु जो वस्तु जैसी

है उसे वैसी ही कहता हूँ।" राव साहब—"तो फिर गंगा कैसी है?" स्वामी जी ने कमण्डल के जल की ओर संकेत करते हुए कहा—"मेरे लिए तो ऐसी है।" कर्णसिंह बोला, "गंगा गंगेति इत्यादि श्लोकों में नाम, कीर्तन, दर्शन, स्पर्शन इत्यादि से पाप नाश जो कहा गया है, वह सब क्या है?" स्वामी जी "यह सारा माहात्म्य कोरी गप्प है और कपोल कल्पित है। पाप नाश और मोक्ष-प्राप्ति वेदानुकूल सत्याचरण द्वारा ही सम्भव है, अन्यथा नहीं। राव महाशय! आप के भाल पर यह रेखा-सी क्या है?" कर्णसिंह—"यह श्री है। जो इसे धारण नहीं करता वह चाण्डाल है।" स्वामी जी—"आप कब से वैष्णव हुए हैं?" कर्णसिंह—"कुछ वर्षों से।" स्वामी जी—"क्या आपके पिता भी वैष्णव थे?" कर्णसिंह—"नहीं वे तो नहीं थे।" स्वामी जी—"तब तो आप ही के कथनानुसार आप के पिता और अब वैष्णव होने के पूर्व आप स्वयं भी चाण्डाल सिद्ध हुए।" यह सुनते ही उसके क्रोध का पारा एकदम चढ़ गया। वह तलवार पकड़ कर बोला—"जीभ सँभाल कर बोलो।" कर्णसिंह के तेवर देख और उनके सशस्त्र सैनिकों का विचार करके स्वामी जी का एक भक्त भयभीत हो जाता है। उसे डर से थर-थर काँपते देख स्वामी जी ने कहा—"टीकाराम डरते क्यों हो। कोई चिन्ता और भय की बात नहीं है। हमने जो कहा है सत्य कहा है।" स्वामी जी की इस निडरता से कर्णसिंह छेड़े हुए नाग की भाँति कोपावेश में बल खाने लगा। उसने गालियों की झड़ी लगा दी।" स्वामी जी हँसते हुए कहने लगे, "राव महाशय! यदि शास्त्रार्थ करना अभीष्ट है तो वृन्दावन से अपने गुरु रंगाचार्य जी को बुलवाइए। हम में जो हार जाय वह दूसरे के सिद्धान्त को स्वीकार कर लेगा, ऐसी प्रतिज्ञा हो जानी चाहिए।" गुरु का नाम सुन कर उसकी आँखों में लहू उतर आया। वह कड़क कर बोला, "तुम्हारे जैसे तो गुरु जी की जूतियाँ झाड़ते हैं।" वह अपशब्द बकता जाता है और उसका हाथ बार-बार कमर में बँधी खड्ग पर जाता है। यह देख कर स्वामी जी ने मुस्करा कर कहा—"तलवार का डर किसे दिखा रहे हैं? शास्त्रार्थ की इच्छा है तो अपने गुरु अथवा किसी अन्य विद्वान् को सामने लाइए, और यदि शस्त्रार्थ करने पर ही आप तुले हैं तो मुझ निःशस्त्र संन्यासी से क्यों भिड़ते हैं। जयपुर जोधपुर नरेशों से जा कर सिर टकराइए।" फिर क्या है। कर्णसिंह आपे से बाहर हो गया। आँखों से चिनगारियाँ छूटने लगीं। वह तलवार खींच कर खड़ा हो गया और स्वामी जी पर वार करने वाला है कि उन्होंने, "अरे धूर्त" कहते हुए झपट कर उसके हाथ से तलवार छीन ली और भूमि पर टेक कर उसके दो टुकड़े कर दिये।

फिर राव महाशय का हाथ पकड़ कर कहा—"क्या तुम यह चाहते हो मैं भी आततायी पर प्रहार करके बदला लूं?" उसका मुँह पीला पड़ गया। मूर्छा-सी आने लगी। स्वामी जी ने फिर कहा—"मैं संन्यासी हूँ। तुम्हारे किसी भी अत्याचार से चिढ़ कर तुम्हारा अनिष्ट करना तो दूर रहा उसे मन में भी न लाऊँगा। जाओ ईश्वर तुम्हें सुमति प्रदान करे।" यह कह कर वे अपने यहाँ से उसे विदा कर देते हैं। परन्तु टूटी तलवार वहीं पड़ी हुई है।

स्वामी जी आसन पर विराजमान हैं। आसपास बहुत से लोग श्री मुख से उपदेश सुनने के लिए एकत्र हैं। उनमें पिछली रात वाली घटना की चर्चा चल रही है। एक व्यक्ति टूटी तलवार उठा लाया है। सभी ने स्वामी जी को सुझाव दिया—"महाराज! पुलिस में रपट लिखवा कर उस दुष्ट पर अभियोग चलाना चाहिए। उसे न्यायालय से दण्ड दिलवा कर सीधा करना चाहिए। ऊँट जब तक पहाड़ के निकट नहीं जाता वह अपने को सब से ऊँचा ही समझता है।" स्वामी जी ने कहा, "हम उस पर अभियोग कदापि न चलायेंगे। संन्यासी का धर्म तो संतोष करना है, क्षमा करना है न कि बदला लेना। यदि वह अपने क्षत्रियत्व का पालन न कर सका, तो हम अपने ब्राह्मणत्व से क्यों गिरें? जो धर्म का हनन करता है, उसका विनाश हो जाता है।" अन्त में स्वामी जी ने मनु महाराज का इसी आशय का एक श्लोक[1] सुना कर अपने भक्तों को शान्त किया।

●

उपर्युक्त घटना का समाचार आँधी की तरह चारों ओर फैल गया है। राव कर्णसिंह के दुर्व्यवहार की चर्चा और महर्षि के साहस, सहनशीलता एवं क्षमाशीलता का बखान स्थान-स्थान पर हो रहा है। कर्णवास का ठाकुर कृष्णसिंह कुछ लोगों को साथ लेकर राव कर्णसिंह के निवास स्थान बारहदरी की ओर लपका जा रहा है। उसकी आँखें मारे क्रोध के बीर बहूटी हो रही हैं। बारहदरी पहुँच कर उसने कर्णसिंह को ललकारा, "यदि मर्द बच्चा है तो बाहर निकल।" कर्णसिंह की नानी मर गई। वह वहीं घुसा बैठा रहा। बहुत ताव दिलाने पर भी सामने न हुआ। कृष्णसिंह लाचार होकर अपने दलबल के साथ स्वामी जी की सेवा में उपस्थिति हुआ। उसने वहाँ देखा कि राजघाट

---

१. धर्म एव हतो हन्ति धर्मो रक्षति रक्षितः।
तस्माद्धर्मो न हन्तव्यो मा नो धर्मो हतोऽवधीत्॥
(मनु० ८।१५)

की ओर से कुछ पंजाबी सैनिक डबल मार्च करते उसी ओर चले आ रहे हैं। स्वामी जी के आसन के निकट पहुंच कर सैनिकों ने उनको सैनिक ढंग से नमस्कार किया। तत्पश्चात् उनका नायक आगे बढ़ा और हाथ जोड़ कर बोला—"महाराज ! सुना है कि मनुष्य के चोले में किसी हिंसक पशु ने निराकार ईश्वर को मानने वाले संत पर कल रात्रि में आक्रमण किया था। आप हमें आज्ञा दें। हम लोग उस साधु-संतों के द्वेषी पिशाच को दण्ड दिये बिना नहीं रहेंगे। इसके लिए चाहे हमें नौकरी से हाथ ही क्यों न धोना पड़ जाय।" स्वामी जी ने उन्हें आशीर्वाद और धन्यवाद देते हुए समझाया—"प्यारो ! दण्ड किसको ? वह भी तो ईश्वर-पुत्र अपना ही भाई है। संन्यासी का धर्म तो है पथ-भ्रष्ट को मार्ग दर्शाना, बिगड़े को बनाना, न कि उसे नष्ट करना। रही दण्ड की बात, वह तो उसे स्वयं परमपिता परमात्मा की न्याय व्यवस्था से आगे-पीछे मिल कर ही रहेगा। आप लोगों को जीविका गँवा कर अपने बाल-बच्चों को महा कष्ट में डालने की कोई आवश्यकता नहीं है।" सैनिक स्वामी जी के अत्यन्त मधुर और उदार वचनों को सुन कर गद्‌गद हो गये। वे एक साथ ही चिल्ला पड़े—"संत महाराज की जय !"

●

उस रात राव कर्णसिंह ने स्वामीजी से बुरी तरह मात खाई थी। वह अपने निवास स्थान पर जाकर छिप गया। उसे अपने नौकरों द्वारा अपने ऊपर सिख सैनिकों के कोप का तथा कर्णवास के ठाकुरों के रोष का समाचार मिल गया है। वह वहाँ से भाग कर अपने गाँव बरौली चला गया। उसका दिल टूट चुका है। घर पहुँच कर वह ऐसा रुग्ण हुआ कि उसने चारपाई पकड़ ली। विपत्ति कभी अकेले नहीं आती। तभी उसे प्रयाग में अपने एक पचास सहस्र के मुकदमे के हारने का समाचार मिला। इस भारी आर्थिक हानि के धक्के को वह सह न सका। उसकी दशा उन्मत्तों की सी हो गई। इस प्रकार वह जीते-जी मर जाता है।

'मुझे भिक्षा नहीं सत्य चाहिए'

बरसात के दिन हैं। मार्ग जल और कीचड़ से भरा है। इसलिए स्वामी दयानन्द मार्ग छोड़ कर खेतों की मेड़ों-मेड़ों चले जा रहे हैं। सहसा उनकी दृष्टि सड़क की ओर गई। उन्होंने देखा—एक बैलगाड़ी कीचड़ में फँसी है। गाड़ीवान बैलों को मार रहा है, परन्तु गाड़ी टस-से-मस नहीं हो रही है। स्वामी जी गाड़ी के पास आए। देखा गाड़ी का एक पहिया कीचड़ में फँसा है। मार खाकर बैल

बेचारे जैसे-जैसे बल लगाते और गाड़ी खींचने का प्रयास करते वैसे-वैसे पहिया बोझ के दबाव से नीचे-नीचे धँसता जाता है। महर्षि को उन मूक पशुओं पर दया आ गई। उन्होंने बैलों को खुलवा दिया और स्वयं पहिये को पकड़ कर उसे धीरे-धीरे उभारा, फिर एक प्रबल धक्का देकर गाड़ी को कीचड़ के बाहर कर दिया। गाड़ीवान स्वामी जी के इस पराक्रम को देख कर अवाक् रह गया। वह उन्हें धन्यवाद देना भी भूल गया। वे कीचड़ से लथ-पथ आगे बढ़ जाते हैं। वे इसी दशा में एक गाँव के पास से आँखें नीची किये हुए चले जा रहे हैं। उन्हें इस विचित्र भेष में देख कर गाँव के बच्चे तालियाँ बजा-बजा कर हँसने और उछलने-कूदने लगे। स्वामी जी का ध्यान उनकी ओर आकृष्ट हुआ तो देखा—एक स्त्री चली जा रही है। उसकी गोद में एक बच्चा है, दो बच्चे पीछे-पीछे चल रहे हैं और उदर के उभार से जान पड़ता है कि स्त्री गर्भवती है। उसका कृश शरीर, पीला मुख और मन्द गति देख कर अनुमान होता है कि उसका स्वास्थ्य बिगड़ा हुआ है, और भार का वहन करना उसे कष्टप्रद है।

दयालु महर्षि का हृदय करुणा से भर जाता है। वे व्यथित मन से सोचने लगे। इस देश का, इस समाज का भविष्य अंधकारमय है, जिसमें नारियों को केवल बच्चा जनने का यंत्र समझा जाता है। इस बेचारी को जीवन का क्या सुख ! कितनी ही ऐसी देवियाँ इसी जंजाल में फँस कर ३०–३५ की अवस्था में, जब कि वास्तव में जीवन को सुखी होना चाहिए, रुग्ण होकर संसार यात्रा समाप्त कर देती हैं। हा ! आर्य जाति ! यह विपत्ति तेरे सिर से कब टलेगी। यह ऋषियों की संतान वेदों की ब्रह्मचर्य शिक्षा भूल कर ऐसी इन्द्रियों की दास हो गई है कि इसे इन दुःखियों पर तनिक भी दया नहीं आती। ऐसे अंधे, ऐसे पाषाण, ऐसे पाखण्डी समाज का, जो स्त्री को अपनी वासनाओं की वेदी पर बलिदान करता है, सर्वनाश होने में अब विलंब नहीं है। नर हत्या का जो दण्ड है, वही दण्ड इसे ईश्वर की ओर से मिल रहा है। यह अभागी जाति युवा अवस्था में विवाह करने की वेदों की आज्ञा[1] का उल्लंघन कर के छोटी अवस्था में ही अपनी संतान का विवाह करने लगी और ऋतुगामी होकर कम संतान उत्पन्न करने की वैदिक शिक्षा [2] की अवहेलना करके बच्चे-पर-बच्चे पैदा करती चली जा

---

१. ब्रह्मचर्येण कन्या युवानं विन्दते पतिम। [अथर्व कां० ११। प्र० २४।अ०३ म. १८] कन्या ब्रह्मचर्य का पालन करते हुए अध्ययन करे और युवा होकर अपने योग्य पति प्राप्त करे।

२. से पितरा वृत्विये सृजेथाम् (अ० १४.२.३७) ऋतुगामी होकर स्त्री-पुरुष संतान उत्पन्न करें। बहु प्रजा निऋतिया विवेश (ऋ० १।१६४।३२) बहु संतान दुःखदाई होता है।

रही है। इसने स्त्रियों का वेद शास्त्र पढ़ने का अधिकार छीना, उन्हें अशिक्षित रखा, नरक का द्वार कहा, ढोल और पशु के समान ताड़ना का अधिकारी बताया। और अन्त में उनकी यह गत बनाई है। जिस जाति में माताओं की यह दुर्दशा हो, क्या उसमें अब राम-कृष्ण जैसे महापुरुष, और कपिल-कणाद जैसे ऋषि मुनि जन्म ले सकते हैं।

स्वामी जी इन्हीं विचारों में तल्लीन चले जा रहे हैं कि सामने एक कुआँ दिखाई दिया। उसमें रहट लगा हुआ है, और उसकी जगत से मिला हुआ ही एक छोटा-सा कुंड है। कुएँ को देख कर स्वामी जी का ध्यान अपने धूलि-धूसरित शरीर की ओर गया, सोचा इसकी यहाँ सफाई कर ली जाय। कुंड में जल बहुत थोड़ा है। इसलिए उन्होंने उसके अन्दर बैठ कर शरीर में लगी हुई मिट्टी को धोया, फिर कुएँ से जल निकाल कर स्नान किया, और चलने को तैयार हुए। परन्तु उसी समय कुंड के मटमैले पानी को देख कर उनके मन में विचार आया कि मेरे लिए जल को अशुद्ध और मैला करके छोड़ देना तो उचित नहीं है। इस विचार के मन में आते ही स्वामी जी कार्य-सिद्धि में जुट जाते हैं। उन्होंने नाली खोल कर कुंड के गँदले पानी को बाहर निकाल दिया, और रहट चला कर उसमें स्वच्छ जल भर दिया। कार्य समाप्त करके स्वामी जी चलने ही वाले हैं कि एक हृष्ट-पुष्ट व्यक्ति वहाँ आता है, वह कुंड को ऊपर तक भरा देख दंग रह गया। वह आगंतुक उस क्षेत्र का एक प्रसिद्ध मल्ल है। उसे अपने बल का बड़ा गर्व है। जिस कुंड को कई आदमी मिल कर भी कठिनाई से भर पाते हैं, उसे वह अकेला भर कर स्नान किया करता है। उसने चकित होकर स्वामी जी से पूछा, "बाबा जी! इस कुंड को किसने भरा है?" स्वामी जी मुस्करा भर देते हैं, मुँह से कुछ नहीं बोलते। पहलवान समझ जाता है। वह आँखें फाड़ कर बोला, "आप ने भरा और थके भी नहीं।" स्वामी जी ने हँस कर कहा, "भद्र पुरुष! मेरा तो दैनिक व्यायाम भी इससे पूरा नहीं हुआ है।" मल्ल ने दाँतों-तले अँगुली दबाई और बोला, "महाराज! घमण्डी का सिर नीचा, आज मेरा घमण्ड चूर-चूर हो गया।"

स्वामी जी वहाँ से चल पड़ते हैं। स्त्री जाति की दुर्दशा और दयनीय अवस्था का चित्र उनकी आँखों के सामने फिर नाचने लगा। उन्होंने एक ठंडी साँस ली और मन ही-मन कहा, "हा भगवान्! क्या कभी इस अभागे देश में गार्गी, अलोपी, सुलभा, मैत्रेयी, सरस्वती आदि वेदज्ञ और विदुषी, तथा सीता, सावित्री और पार्वती के समान सती साध्वी देवियाँ फिर न दिखाई देंगी। मेरी आत्मा कहती है कि यह संभव है। परन्तु कब? जब आर्य जाति वेद भगवान्

की अमृत रूपी शिक्षा का फिर पान करेगी ! मेरी हार्दिक कामना है कि किसी प्रकार मातृ शक्ति का सुधार हो। उनमें सुशिक्षा फैले और धर्म का प्रचार हो। क्योंकि अच्छी माताएँ ही संतान को उत्तम और गुणवान बना कर देश का सिर ऊँचा कर सकती हैं।"

स्वामी जी स्त्रियों की दीन-हीन दशा से दुःखित और उनके सुधार की चिन्ता से चिन्तित कर्णवास पहुँचते हैं। स्वामी जी सदा प्रफुल्ल वदन रहते हैं, मुस्कराहट उनके होंठों पर नाचा करती है, परन्तु आज उनके उदास और उतरे हुए चेहरे को देख कर ठाकुर गोपाल सिंह ने पूछा, "भगवन् ! आपको क्या कोई कष्ट है ?" स्वामी जी बोले—"वत्स ! शरीर तो स्वस्थ है, परन्तु मन व्यथित है।" यह कह कर वे मार्ग का सारा वृत्तान्त सुना देते हैं।

कर्णवास में एक नब्बे वर्ष की वृद्धा बाल विधवा हंसा ठकुरानी रहती है। वह देवी ठाकुर गोपाल सिंह की ताई है। यद्यपि वह पाँच-छहः ग्रामों की स्वामिनी है, परन्तु उसका भोजन है जौ की रोटी और मूँग की दाल, और वह उसे बनाती भी है अपने हाथ ही से। गाँव के सारे परिवारों में उसका बड़ा आदर है। छोटी-बड़ी सभी बहू-बेटियाँ उसको मानती हैं, और माँ कह कर पुकारा करतीं। जब गाँव के सब ठाकुरों ने एक-एक करके स्वामी जी से यज्ञोपवीत धारण कर लिया (ब्राह्मणों के अतिरिक्त अन्य द्विजों ने जनेऊ पहनना त्याग दिया था) और मूर्ति-पूजा छोड़ कर उनकी शिक्षा पर चलने लगे, तो उस देवी ने भी स्वामी जी के दर्शनों की लालसा प्रकट की थी। परन्तु ठाकुर गोपाल सिंह को स्वामी जी से इस विषय में कहने का साहस न हुआ, क्योंकि वे जानते थे उनको स्त्रियों को दर्शन या उपदेश देना रुचिकर नहीं है। उनका कहना है कि स्त्रियाँ अपने पतियों के द्वारा ही उपदेश ग्रहण किया करें। उनका इधर-उधर साधु-महात्माओं की खोज में मारा-मारा फिरना उचित नहीं है। बहुधा भोली-भाली देवियाँ साधु वेशधारी दुष्टों के हाथों में पड़कर महा कष्ट भोगती हैं, और अपने परिवार से भी अलग हो जाती हैं।

परन्तु आज गोपाल सिंह ने देखा कि स्वामी जी भारतीय नारियों की अवस्था से अत्यन्त व्यथित हैं। उसे याद आया कि उनकी ताई हंसा ठकुरानी को स्वामी जी के दर्शन की बड़ी अभिलाषा रही है। ठाकुर ने अपनी ताई के बारे में निवेदन करने का विचार किया और अवसर पाकर स्वामी जी से कहा, "महाराज ! मेरी ताई को आपके दर्शनों की बड़ी अभिलाषा है। यदि आपकी उन पर कृपा हो जाय तो उस बेचारी वृद्धा का जीवन सफल हो जाय।" स्वामी जी सहर्ष अपनी अनुमति दे देते हैं। वह वृद्धा स्वामी जी के समीप आई। उसने

अत्यन्त श्रद्धा से धरती पर माथा टेक कर स्वामी जी को नमस्कार किया, और हाथ जोड़ कर अपने कल्याण एवं जन्म सुधार का उपाय पूछा। स्वामी जी ने उपदेश दिया, "माता ! तू जड़ ठाकुर की पूजा छोड़ दे, और चेतन घट-घट वासी प्रभु का चिन्तन कर। परमपिता परमात्मा के सर्वोत्तम और पवित्र नाम ओम् और महामंत्र गायत्री का जाप किया कर। माँ ! तेरा जीवन बहुत पवित्र और परोपकारी है। तुझे इससे अधिक उपदेश की आवश्यकता नहीं है।"

चिरकाल के पश्चात् यह प्रथम अवसर है जब दयालु महर्षि दयानन्द ने एक स्त्री को उससे छीना हुआ गायत्री-जप और वेद-पाठ का अधिकार फिर से दिया।

●

स्वामी जी इस बार कर्णवास में थोड़े ही दिनों ठहर कर गढ़ी चले आते हैं। यहाँ गुसाईं बलदेव गिरि स्वामी जी के दर्शनों के लिए आते हैं। उनकी भव्य-मूर्ति के दर्शन और मधुर वार्त्तालाप से वे ऐसे मुग्ध हुए कि सत्संग में नित्य आने लगते हैं।

एक दिन गोसाईं जी स्वामी महाराज की सेवा में उपस्थित हैं। आडेसर का ज़मींदार गंगासिंह अपने चार-पाँच साथियों सहित कमर में तलवारें बाँधे आकर स्वामी जी के बराबर धृष्टता पूर्वक बैठता है। गोसाईं जी ने समझाया, "भाई ! गृहस्थों को संन्यासियों के साथ समान आसन पर बैठना उचित नहीं है।" परन्तु उस हठी दुराग्राही व्यक्ति ने गुसाईं जी की एक न सुनी। वह तो स्वामी जी का अपमान करने के लिए ही आया है। स्वामी जी भी उसे कुछ उपदेश देना चाहते हैं, परन्तु उसकी अरुचि देख वे उठ कर कुटिया के भीतर चले जाते हैं। धोबी से न जीते तो गदहे के कान उमेठे की कहावत के अनुसार वह अब गोसाईं जी की ओर बढ़ कर अपने साथियों से कहता है, 'इस मोटे गोसाईं को पकड़ कर सीधा करो। यह इस विधर्मी साधु का बहुत पक्ष करता है।" गोसाईं जी शरीर से हृष्ट-पुष्ट और बलवान् हैं। जैसे ही दो व्यक्ति उनको पकड़ने के लिए बढ़े उन्होंने एक का हाथ और दूसरे का पैर पकड़ कर दूर फेंक दिया। फिर सब लोग मिल कर उन पर झपटने वाले हैं कि स्वामी जी ने बाहर निकल कर ऐसा हुंकार नाद किया कि सारे उद्दण्ड मनुष्य भयभीत होकर भाग खड़े होते हैं।

●

गढ़ी में एक दिन स्वामी जी को उनके पूर्व परिचित संन्यासी कैलासपर्वत मिल जाते हैं। दोनों में बहुत देर तक बातचीत होती रही। स्वामी जी ने कहा, —"कैलास जी ! मैं आपकी सहायता चाहता हूँ।" उन्होंने पूछा, "किस

प्रकार की सहायता ?" स्वामी जी—"यही साम्प्रदायिक मतों के फैलाए अंध-विश्वास और कुप्रथाओं के खण्डन और सत्य के प्रतिपादन में।" कैलास पर्वत जी— "यदि आप मूर्ति-पूजा और पुराणों की आलोचना करना छोड़ दें तो मैं आपकी हर प्रकार की सहायता करने को उद्यत हूँ।" स्वामी जी बोले, "महात्मन्! संप्रदायों का आधार तो यही मूर्ति-पूजा और पुराण हैं, फिर मैं छोड़ क्या दूँ?" वयोवृद्ध संन्यासी कैलासपर्वत जी विद्वान् हैं। वे स्वामी जी के सुधारवादी विचारों से सहमत हैं, परन्तु स्वार्थवश वे सहायता के लिए स्वामी जी के बढ़े हाथ को थाम न सके। स्वामी जी निराश होकर वहाँ से चलने को प्रस्तुत हुए तो कैलासपर्वत जी ने उनसे भिक्षा पा लेने के लिए कहा। परन्तु स्वामी जी, "मैं आपकी भिक्षा का भूखा नहीं हूँ। मैं तो भूखा था सत्य के प्रतिपादन में आपके सहयोग का, सो आपने मेरी क्षुधा-पूर्ति नहीं की।" यह कह कर वे चल पड़ते हैं।

दूसरे दिन कैलासपर्वत जी स्वामी जी से मिलने उनके स्थान पर पहुँच कर कुटी के अन्दर प्रवेश करते हैं। उन्हे देख कर स्वामी जी ने हँसते हुए कहा—"अहो! इतना बड़ा कैलास पर्वत इस छोटी-सी कोठरी में कैसे समा गया?"

●

स्वामी जी के आगमन के पहले गढ़ी के ठाकुर वैरागियों के चेले थे। वहाँ के कई समृद्ध ठाकुरों ने स्वामी जी का उपदेश सुन कर अपनी कण्ठियाँ उतार फेंकीं और मूर्ति पूजा छोड़ दी। इसलिए वैरागी स्वामी जी के शत्रु बन गये हैं। एक रात उन्हें गंगा के किनारे घूमता हुआ विरजानन्द नाम का संन्यासी मिल जाता है। अँधेरे में वैरागियों ने उसे दयानन्द समझ कर गंगा में ढकेल दिया। भाग्यवश वह तैरना जानता है। इसलिए हाथ-पैर मार कर वह किसी प्रकार किनारे आ लगा।

वैरागियों का विरोध सुन कर उदासी साधु मायाराम स्वामी जी को समझाता है—"आप इस खण्डन-मण्डन के बखेड़े में क्यों पड़े हैं? हमारी भाँति खा-पी कर आनन्द से क्यों नहीं रहते? दूसरों से वैर मोल लेकर अपनी जान जोखिम में क्यों डालते हैं?" स्वामी जी बोले, "भाई मायाराम! डूबते को तभी बचा सकते हो जब तुम अपने प्राणों का मोह त्याग कर नदी में कूद पड़ो। मुझसे अपनी जाति की यह दुर्दशा नहीं देखी जाती है। मैं उसे उबारना चाहता हूँ। बन्धुवर! इस परोपकार में कष्ट क्लेश सहकर जो सुख व आनन्द मैं पाता हूँ, उसको वही व्यक्ति समझ सकता है जिसने अग्नि-ज्वाला में प्रवेश करके

अधजला होकर भी अपने किसी प्रिय बन्धु को मृत्यु के पंजे से छुड़ा लिया हो। यह कार्य मेरे लिए कष्टदायक न होकर मुक्ति के आनन्द से कम नहीं है।"

●

गोसाईं बलदेव गिरि का मठ सोरों में है। उन्होंने स्वामी जी से सोरों पधारने की प्रार्थना की। सोरों निवासी अन्य भक्तजन भी इस प्रार्थना में सम्मिलित हैं। उन्होंने सोरों जाने का विचार किया। पहले वे गोसाईं जी के आतिथ्य में कुछ दिन रहते हैं, फिर अपने कार्य की दृष्टि से अम्बागढ़ के उद्यान में आसन जमाते हैं।

सोरों में निर्भय और क्षमावान् संन्यासी

सोरों में गंगा स्नान का मेला है। गंगा मैया में डुबकी लगा कर पाप-पंक धो डालने की लालसा से बाल-वृद्ध, राजा-रंक सभी ढुले चले आ रहे हैं। विभिन्न संप्रदायों और अखाड़ों के साथ वैरागी लोग जहाँ-तहाँ डेरा डाले पड़े हैं। जैसे रंग-विरंगे पुष्पों से बाटिका की शोभा होती है, वैसे ही विविध वेश-भूषा वाले इन महात्माओं से मेला शोभान्वित हो रहा है। नदी तट का सारा रेतीला मैदान यात्रियों से खचाखच भरा है। कहीं तिल धरने को स्थान नहीं। ऐसी भीड़-भाड़ के अवसर पर यहाँ के पक्के घाट स्नान के लिए अपर्याप्त हैं। इसलिए गंगा के किनारे-किनारे बहुत दूर तक पंडों ने तख्त और चटाइयाँ बिछा रखी हैं। इससे मेले वालों को नहाने में बड़ी सुविधा हो गई। हर पंडे ने अपना-अपना चिह्न एक ऊँचे बाँस पर टाँग रखा है। ये चिह्न भी बड़े विचित्र हैं। किसी का चिह्न है हल, किसी का तराजू, किसी का चलनी, क़िसी का कुछ और। गंगा-राम का निशान है मूसल। इसलिए वह मूसल वाला पंडा प्रसिद्ध है। वह बड़ा कार्य-कुशल है। यात्रियों की जेब से पैसे निकालना उसके बाएँ हाथ का खेल है। उनके अंधविश्वास से लाभ उठाना वह खूब जानता है। पर दोनों हाथों से पैसा लूटने पर भी वह मोची का मोची ही बना है। उसके पास कौड़ी नहीं टिकती। संसार का कोई नशा अथवा व्यसन ऐसा नहीं है जो उससे छूटा हो। शिव बूटी तो उसका प्राण ही है। नशा अकेले करने की वस्तु नहीं होती, फिर दूधिया की तो बात ही निराली है। संध्या होते ही यार लोग जुट जाते। कोई भींगे बादाम छील रहा है, कोई मुनक्कों के बीज निकाल रहा है, कोई ठंडाई पीस रहा है, कोई भाँग घोट रहा है, तो कोई दूध लाने ग्वाले के यहाँ भागा जा रहा है। श्रम का जो सुन्दर बँटवारा और उचित व्यवस्था गंगाराम के यहाँ इस समय दिखाई देती है, कदाचित् ही कहीं और देखने को मिले। हाँ, गंगाराम

को अवश्य इससे छूट है। दूधिया पार्टी के व्यय का सारा भार वही उठाता है, पर श्रम का दायित्व उसके मित्रों के कंधों पर रहता है।

नदी तट पर घूमते हुए गंगाराम ने एक दिन सवेरे देखा कि एक स्वच्छ और एकांत स्थान में कोई तेजस्वी महात्मा आँखें मूँदे पद्मासन लगाए भगवान् के ध्यान में लीन हैं। उनके चेहरे पर तेज और शरीर में बल है। गंगाराम के मन में यह जानने की उत्सुकता हुई कि यह भव्य और ज्योतिर्मयी मूर्ति है कौन! उसने पंडित नेकराम से सुना है कि स्वामी दयानन्द सरस्वती नाम का कोई संन्यासी गंगा के किनारे-किनारे हमारी गंगा मैया, हमारे अवतारों, देवताओं और पुराणों का घोर खंडन करता हुआ घूम रहा है। कहीं यह वही नास्तिक साधु तो नहीं है? यदि ऐसा है तो बच्चू ने अच्छे घर बायन दिया है। यहाँ आटे-दाल का भाव मालूम हो जायगा। यह सोचता हुआ वह घाट पर लौट आता है।

गंगाराम ने अपने लड़के से आज की आय के विषय में जानकारी चाही,जो घाट पर यात्रियों को स्नान करवा रहा है, "कितने गोदान करवाए हैं?" वह बोला—"केवल दो।" गंगाराम चौंक पड़ा—"अच्छा! अब तक केवल दो ही। ऐसा तो पहले कभी नहीं हुआ।" वह अपनी पुत्र की अव्यवहारिकता पर खीजता है। इतने में दो यात्री उधर से निकले, एक स्त्री और दूसरा पुरुष। पंडे ने कहा, "आओ यजमान, इधर तख्त पर कपड़े रख दो और निश्चिंत होकर गंगा मैया में डुबकी लगाओ। सामने जल बहुत निर्मल और स्वच्छ है, न बहुत गहरा और न एकदम छिछला ही। नहाने योग्य है। हमारी श्यामा गौ भी अभी कलोर और दर्शनीय है।" पुरुष बोला—"तुम्हारी गाय से हमें क्या लेना-देना है।" गंगाराम—"क्यों भैया! गोदान नहीं कराओगे? गंगा-स्नान, संकल्प, गोदानादि कर्म ही तो हिन्दू का धर्म है।" यात्री बोला, "कदाचित् आपने स्वामी दयानन्द का उपदेश अभी नहीं सुना है। स्त्री बोल उठी, "इन्हें कहने दो। आपको कुछ-न-कुछ दक्षिणा तो अवश्य मिलेगी।" पंडा मन-ही-मन बड़बड़ाता है—"तुम्हारे कुछ से तो दूधिया का खर्च भी नहीं निकलने का, फिर घर गृहस्थी का काम कैसे चलेगा? इस नास्तिक संन्यासी को यहाँ से खदेड़ना ही पड़ेगा, नहीं तो हमारी बधिया ही बैठ जायगी। एक बार अपने कानों से गंगा माता का अपमान सुन भर लूँ फिर देखूँ कि वह यहाँ कैसे टिकता है। बच्चा को छठी का दूध न याद आ जाय तो मेरा गंगाराम नाम नहीं।" फिर यात्री से पूछता है, "क्या दयानन्द यहाँ भी आ धमका। आज प्रातः गंगा तट पर एक महात्मा को देख कर मेरे मन में इस बात की शंका हुई थी।" यात्री—"हाँ, यहाँ से लगभग एक मील दूर पूर्व की ओर गंगा के किनारे ही अंबागढ़ के उद्यान में स्वामी जी ठहरे हैं। उनके

उपदेशों से लोगों की आँखें खुल जाती हैं।" गंगाराम सोचता है कि आँखें खुल नहीं जाती हैं, अपितु बन्द हो जाती हैं। इसी से उन्हें धर्म-कर्म नहीं सूझता। अंबागढ़ तो मेरे रास्ते में ही पड़ता है। मैं आज ही वहाँ जाकर सुनूंगा कि वह अधर्मी क्या कहता है।

●

गंगाराम घाट से लौट रहा है। अंबागढ़ के निकट पहुँचते ही उसे यात्री की बात स्मरण हो आई। वह उधर ही मुड़ पड़ता है। उसने देखा सामने एक बड़ा शामियाना खड़ा है। उसके नीचे दरियाँ और बिछौने बिछे हैं। एक चौकी पर आसन बिछा है। उस पर स्वामी दयानन्द सरस्वती विराजमान हैं। सामने मेले में आए सहस्रों नर-नारी बैठे हैं। गंगाराम वहाँ जाकर एक ओर बैठ जाता है। एक भद्र पुरुष हाथ जोड़ कर स्वामी जी से निवेदन करता है, "भगवन्। कासगंज को भी पुनीत पद-रज से पवित्र करने की कृपा हो।" वे बोले—"सभ्य! यदि आप लोग अपने यहाँ एक पाठशाला खोलने की योजना करें तो मैं मेले की समाप्ति पर वहाँ आ सकता हूँ।" तत्पश्चात् स्वामी जी ईश्वर प्रार्थना करके उपदेश प्रारंभ करते हैं। "ऐ भोलेभाले ऋषियो की संतानों। कभी यह आर्यावर्त्त संसार का गुरु कहलाता था। इसमें मनु भगवान् की साक्षी है। वे कहते हैं कि संसार के लोग यहाँ के विद्वानों से सदाचार और अपने कर्त्तव्य संबंधी शिक्षा ग्रहण करें।[1] तनिक सोचो। आज तुम्हारी दशा क्या है? कहाँ-से-कहाँ पहुँच गये हो। फिर भी चेतने का नाम नहीं लेते। आँखें हैं पर देखते नहीं; कान हैं पर सुनते नहीं, और बुद्धि तो मानो बेच ही खाई है। दूसरों की आँखों से देखते हो और उनकी बताई बातों को वेद-शास्त्र वाक्य मान लेते हो। मस्तिष्क से तनिक काम नहीं लेते। तुम लोगों के समान ही एक राजा था। उसे एक ठग मिला। कहने लगा—'राजन्! मैं एक ऐसा वस्त्र निर्माण कर सकता हूँ, जो केवल निर्दोष माता-पिता की संतान को ही दृष्टिगोचर होगा। वह दिव्य वस्त्र देखने में अत्यन्त सुन्दर होगा। वह न कभी फटेगा और न पुराना होगा।' राजा ने मन में विचारा कि यदि ऐसे वस्त्र मिल जायँ तो बड़ा आनन्द रहेगा। राजा को अपने माँ-बाप की ओर से कोई शंका न थी। वे तो राजा-रानी थे, सब प्रकार से निष्पाप और पवित्र। उसने विचित्र कपड़ों के प्राप्त करने की उत्कण्ठा प्रकट की। वह वंचक कुछ दिनों के अनन्तर आकर राजा से बोला—'महाराज। वह अद्भुत् दिव्य वस्त्र बन गया है। भीतर पधारिये, श्रीमन्त को उससे विभूषित

---

१. मनु (२।२०)

कर दिया जाय ।' राजा बड़े उल्लासपूर्वक उस के साथ अन्दर गया। ठग ने राजा के बहुमूल्य वस्त्र उतरवा लिये। फिर यों ही इधर-उधर हाथ फिरा कर वह कहने लगा, 'राजन्! मैंने आप को दिव्य वस्त्र पहना दिये हैं। मुझे पारितोषिक प्रदान करें और स्वच्छन्दता पूर्वक राज-पाट करें ।' वह ठग ले दे कर चलता बना। राजा यद्यपि अपने को वस्त्रहीन देख रहा था, परन्तु इसका कारण वंचक के कथनानुसार वह अपनी माँ का ही चरित्र-दोष समझने लगा। सब से पहले वह रनिवास पहुँचा। रानी ने उसे नंगा-धड़ंगा आते देखा तो बेचारी के हाथ के तोते उड़ गये। वह भागी, समझी कि स्वामी पागल हो गये हैं। राजा ने जान लिया कि यह मेरे दिव्य वस्त्रों को नहीं देख पा रही है। मुझे नंगा समझती है। प्रसन्न हुआ, चलो अच्छा हुआ। जैसे को तैसा मिला। जैसी मेरी माँ वैसी ही रानी की माँ भी निकली। उसने लपक कर रानी का हाथ पकड़ लिया। इस धमाचौकड़ी की आहट पाकर सेविकाएँ वहाँ दौड़ी आईं, तो यह अनोखा दृश्य देखा। वे लगीं आँखों ही आँखों हँसने, परन्तु एक दासी हँसी को न रोक सकी। वह खिलखिला कर हँस पड़ी। राजा ने बुरा नहीं माना वरन् प्रसन्न हुआ। क्योंकि वह अपने को नकटों का राजा समझने लगा। उसने सोचा कि ये सभी मेरे ही समान व्यभिचारी माता-पिता की संतान हैं। यह सोचते-विचारते वह अपने मंत्रालय में जा पहुँचा। महाराज को इस प्रकार वस्त्रहीन बिना झिझक सभा-भवन में आते देख सब राज-कर्मचारी और सदस्यगण चकित हो गये। महामंत्री बुद्धिमान् था। उसका माथा ठनका। हो न हो राजा को किसी ठग ने चकमा दिया है। उसने कहा, 'राजन्! आपके वस्त्र विदेशी हैं। एक स्वदेशी कौपीन धारण कर लें तो बड़ा अच्छा हो।' अन्त में राजा की आँखें खुलीं, उसे वास्तविकता का बोध हुआ। सभ्य लोगों, स्वार्थियों के बहकाने में आकर नंगे राजा की भाँति संसार में अपने देश और जाति की हँसी मत कराओ। तुम लोगों को धर्म के ठेकेदार तुम्हारे पुरोहितों और पंडों ने अपनी स्वार्थ-सिद्धि के लिए अंधविश्वास की गहरी खाई में ढकेल दिया है, और तुम्हारे साथ वे स्वयं उसमें पड़े धूल चाट रहे हैं। गंगा स्नान से पाप धुल जायेंगे। गाय की पूँछ पकड़ कर मुक्ति मिल जायेगी। ये सब कितनी निरर्थक और नासमझी की बातें हैं। इसमें शंका नहीं कि गंगा जल सब जलों से उत्तम और पवित्र है। गंगा में स्नान करने से, उसका जल पीने से मन प्रसन्न और शरीर निरोग होता है, परन्तु साथ ही-साथ यह भी निश्चित है कि ऐसा करने से न तो पाप ही धुलते हैं और न मोक्ष ही प्राप्त होता है। तनिक सोचो और बुद्धि से काम लो। परमपिता परमात्मा ने जिस वस्तु को जिस प्रयोजन के लिए बनाया है, उससे वही काम लिया जा सकता

है।" सहसा स्वामी जी एक निकटस्थ सज्जन से गंगा की ओर संकेत करते हुए पूछते हैं—"अच्छा वत्स! सच-सच बताओ तुम सामने क्या देख रहे हो?" वह व्यक्ति है चतुर, बोला—"गंगा जी को देख रहा हूँ।" स्वामी जी ने फिर प्रश्न किया, "ठीक है, तुम गंगा को देख रहे हो; परन्तु किस रूप में, जल के रूप में अथवा स्त्री आदि किसी अन्य रूप में?" उसे कहना पड़ा, "जल के रूप में।" स्वामी जी—"तो भाई जो देखते हो वहीं क्यों नहीं मानते। जो काम जल से लिये जा सकते हैं, उन्हें यथाशक्ति लो। नदी में स्नान कर सकते हो; जल पी सकते हो; कपड़े धो सकते हो; उससे नहरें निकाल कर अपने खेतों को सींच सकते हो; बिजली उत्पन्न कर सकते हो; नाव द्वारा समुद्र तट तक पहुँच सकते हो बस, इसके आगे न गंगा स्वयं स्वर्ग जाती है और न तुम्हें ले जा सकती है। यह न पाप धो सकती है और न मुक्ति दिला सकती है। केवल गंगा की ही नहीं, अपितु सब नदियों की पूजा अवश्य करनी चाहिए। नदी की पूजा, आदर और सम्मान है उसको स्वच्छ और पवित्र रखना। उसमें कोई ऐसी वस्तु न डालो जिससे जल गंदा और अपवित्र हो जाय। अपनी उदर-पूर्ति के लिए मछलियाँ और अन्य जलचर न पकड़ो, क्योंकि ये जन्तु पानी को निर्मल रखने में बहुत बड़े सहायक होते हैं। तुम पूजा के नाम पर गंगा में मनों फूल इत्यादि डाल देते हो, जो सड़ कर जल की स्वच्छता नष्ट कर देते हैं। अपने शवों को इसमें बहा देते हो, जिससे भयंकर महामारी फैल जाया करती है और तुममें से सैकड़ों को यमलोक पहुँचा देती है।"

"मेरी हार्दिक अभिलाषा है और ईश्वर से प्रार्थना है कि मेरे देशवासी अब से चेत जायँ, सारे अंधविश्वासों और कुरीतियों को त्याग कर वैदिक शिक्षा को ग्रहण करें और उसी के अनुसार आचरण करें।" इतना कह कर स्वामी जी अपना उपदेश समाप्त कर देते हैं। सब लोग उठ खड़े होते हैं। गंगाराम मन ही मन ऐंठ रहा है। यद्यपि वह स्वामी जी की बातों में सत्य की झलक पा रहा है, तथापि उसके पुराने संस्कार और निजी स्वार्थ उसे उनके सम्मुख ताल ठोक कर अखाड़े में उतरने के लिए बाध्य कर रहे हैं। परन्तु खुल कर सामने आने का साहस उस गँजेड़ी-भँगेड़ी में कहाँ? ऐसे आड़े समय उसे अपने लँगोटिया यार बूटासिंह पहलवान का स्मरण हो आया। रात में जब उसके यहाँ इष्ट-मित्रों का जमघट हुआ और दूधिया छनने लगी, तो गंगाराम बूटासिंह को अलग ले जाता है। थोड़ी देर उनमें कुछ खुसफुस-खुसफुस बातें होती रहीं फिर बूटासिंह गंगाराम के हाथ पर ज़ोर से हाथ मार कर कहता है, "तो यार तै रही, परन्तु पाँच सौ से कम में काम नहीं चलेगा।" इस वाक्य को सब सुन लेते हैं। वे

चिल्ला पड़े, "अरे! यहाँ क्या गोलमाल है?" पहलवान ने बात बनाई, "तुम लोग बछिया के ताऊ हो। तुम लोगों का मुँह मीठा करने की जुगत कर रहा हूँ।" थोड़ी देर में यार लोग अपने-अपने घर की राह लेते हैं और गंगाराम चारपाई पर पड़ा-पड़ा सोच रहा है, "गँजेड़ी यार किसके दम लगाया खिसके।"

●

मेले का अन्तिम दिवस है। आज सवेरे से ही लोग गंगा स्नान करके अंबागढ़ के उद्यान में इकट्ठे हो रहे हैं। घर लौटने से पहले इस विचित्र महापुरुष का सदुपदेश सुन लें, यही उन सब की अभिलाषा है। उन्होंने देखा, एक संन्यासी गंगा तट से लौट रहा है। उस तेजपुंज मानव को देख कर कुछ लोगों ने पहचान लिया और वे महर्षि दयानन्द की जय का गगनभेदी जय-घोष करते हैं। शेष लोग भी उनका साथ देते हैं। इस जय-जयकार से आकाश गूँज गया। स्वामी जी के आसन ग्रहण करते ही वातावरण एकदम नीरव और निस्तब्ध हो जाता है। वे वेद मंत्रों द्वारा ईश्वर प्रार्थना के उपरान्त जनता को संबोधित करके कहते हैं, "प्यारे बन्धुओ! तुम श्रद्धा और आदर से ही मुझे ऋषि-महर्षि की पदवी देते हो, परन्तु मैं अपने को इन उपाधियों के नितान्त अयोग्य पाकर लज्जा अनुभव करता हूँ। यदि मैं ऋषियों के युग में होता तो कठिनाई से ही मेरी गणना साधारण विद्वानों में हो पाती। अंधों में काना राजा के समान ऋषि-मुनियों की अनुपस्थिति में मुझे जो चाहो सो कह लो।" इतना कह कर वे अपना उपदेश प्रारंभ करते हैं:

"आर्यो! आज तुम हिन्दू कहलाते हो। यह नाम तुम्हें विदेशी विजेताओं का दिया हुआ है। तुम्हारे धर्म-ग्रन्थों अथवा अन्य पुस्तकों में हिन्दू शब्द नहीं पाया जाता है। फ़ारसी भाषा में तो हिन्दू काफ़िर का पर्यायवाची शब्द है। उसके कोश में इसका अर्थ है—काले वर्ण वाला, डाकू, चोर, पाषाणादि मूर्तियों का पूजक, सेवक, दास, और ईश्वर की उपासना से रहित। तुम्हारा आचरण भी सिद्ध करता है कि हिन्दू वह है जो वेदोक्त धर्म पर न चले, ईश्वर की आज्ञा का पालन न करे, और आपस में पशुवत् व्यवहार करे। आज पृथ्वी पर ऐसी कोई जाति नहीं है जो हिन्दुओं के समान निर्धनों और छोटी जातियों का गला ऐसी क्रूरता से घोंटती हो। वेद तुम्हें कब मनुष्यों में ऊँच-नीच और भेद-भाव करना सिखाता है? उसकी तो शिक्षा है कि सारे मानव परस्पर भाई-भाई हैं, उनमें कोई छोटे-बड़े का भेद नहीं है। उन्हें एक-दूसरे का सहायक बन

कर सुख और ऐश्वर्य प्राप्त करना चाहिए।[1] प्यारे भाइयों । वेद के आदेशानुसार मनुष्य बनो,[2] चरित्रवान् बनो। अपना घृणित नाम हिन्दू छोड़ दो। यह तुम्हारी दासता का स्मरण कराने वाला है । याद रखो तुम आर्य हो, श्रेष्ठ मनुष्य हो, ज्ञानियों की संतान हो। तुम आज भी संकल्प पढ़ते और देव-कार्य करते समय अपने लिए आर्य शब्द का ही प्रयोग करते हो, मूर्ख और नासमझ व्यक्ति को अनाड़ी अर्थात् अनार्य कहते हो। फिर भी तुम हिन्दू नाम से वैसे ही निर्लज्ज होकर चिमटे हो जैसे घुरहू और चिरकुटे नाम पड़ जाने पर लोग उन से लज्जा का अनुभव नहीं करते। 'यथा नाम तथा गुण:' के अनुसार नाम भ्रष्ट होने के साथ गुण भ्रष्ट भी हो गये हो, इसलिए इस नाम को त्यागने में ही तुम्हारी भलाई है। तुम अपने को आर्य कहलाओ और आर्यों का ही श्रेष्ठ आचरण अपनाओ। धर्म के ठेकेदार पाखण्डी पंडे पुजारी और पुरोहितों को त्याग दो। उनके हृदय स्वार्थपूर्ण हैं, वे कभी विशाल न होंगे। उनका सुधार कभी न होगा। वे सदैव तुम्हारी उन्नति के मार्ग में बाधक बने रहेंगे।"

स्वामी जी का उपदेश चल रहा है। सहस्रों मनुष्य दत्तचित्त होकर सुन रहे हैं। सहसा वहाँ एक हट्टा-कट्टा डण्डपेल पहलवान आ जाता है। एक मोटा डंडा कंधे पर रखे सभा सरोवर को चीरता वह सीधा स्वामी जी की ओर बढ़ता है। उसका चेहरा मारे क्रोध के तमतमा रहा है। आँखें लाल हो रही हैं। भौंहें तन रही हैं और त्योरियों पर बल पड़े हुए हैं। होंठों को चबाता और दाँतों को पीसता हुआ वह बोला, "अरे साधु ! तू पंडितों की बुराई करता है; ठाकुर पूजा का खंडन करता है, गंगा मैया की निन्दा करता है; देवताओं और अवतारों के विरुद्ध बोलता है; और हिन्दुओं को बुरा-भला कहता है। झटपट बता, तेरे किस अंग पर सोंटा मार कर तुझे समाप्त कर दूँ।" यह सुन कर एक बार तो सारी सभा विचलित हो जाती है, परन्तु महर्षि अडिग हैं, वे शांत और गम्भीर हैं। उन्होंने अत्यन्त निर्भीक भाव से मुस्कराते हुए कहा—"भद्र ! यदि तेरे विचार में धर्म प्रचार करना और आर्यों का सुधार चाहना कोई अपराध है तो इसका प्रेरक मेरा मस्तिष्क ही है। यही मुझे सत्य प्रकाश के लिए खंडन की बातें सुझाता है, और सत्यासत्य का विवेक देता है। सो यदि तू अपराधी को दंड ही देना चाहता है तो मेरे सिर पर लाठी मार, इसी को दंडित कर।" इन वाक्यों के साथ ही स्वामी जी ने अपने नेत्रों की ज्योति उसकी आँखों में डाल

---

१. ऋ० ५-६०-५
२. ऋ० १०-५३-६

कर उसे देखा। जैसे बिजली कौंध कर रह जाती है; धधकता हुआ अंगारा जल-धारा से शांत हो जाता है, वैसे ही तत्काल वह बलिष्ठ व्यक्ति ठंडा पड़ जाता है, और श्री-चरणों में गिर पड़ता है। वह अविरल अश्रुमोचन करता हुआ अपना अपराध क्षमा कराने की याचना करने लगता है। महर्षि उसे आश्वासन देते हुए कहते हैं, "भाई! तुमने कोई अपराध नहीं किया। मुझे मारते तो भी कोई बात थी, अब यों ही क्यों रो रहे हो। जाओ, परमपिता परमात्मा तुम्हें सन्मार्ग पर चलने की बुद्धि प्रदान करे।"

इस दृश्य को देख कर सब लोग दंग रह जाते हैं, और कहने लगते हैं कि ऐसा सहनशील, शांत, निर्भय और क्षमावान् योगी महापुरुष सोरों में पहले कभी नहीं देखा गया।

थोड़ी देर के पश्चात् सड़क पर दो व्यक्ति बातें करते चले जा रहे हैं। एक बोला—"यार बूटासिंह! तुम्हें उस साधु के सामने जाकर क्या हो गया था! जिस समय तुम लाठी ताने उस बाबा के सिर पर जा पहुँचे तो सभा में तुम्हारा रंग पूरी तरह जम गया था, परन्तु जैसे ही उसने तुम्हारी ओर ताका तुम भीगी बिल्ली बन गये। तुम्हारा रंग ऐसा उखड़ा, मानो तुम पर किसी ने जादू कर दिया हो।" बूटासिंह—"भाई गंगाराम! वह साधारण संन्यासी नहीं है। यह मैंने अपनी आँखों देख लिया है। वे एक सिद्ध योगी महात्मा हैं, जादूगर नहीं। मैंने उनकी आँखों में वह तेज देखा है, वाणी में वह स्नेह और माधुर्य पाया कि मेरा सारा क्रोध क्षण भर में हवा हो गया। मृत्यु के सामने शांत और निश्चल भाव से अपने स्थान पर स्थिर रह कर हँसते-हँसते वार्त्तालाप करना, समर्थ होकर भी अपने बचाव के लिए कोई प्रयास न करना, न घबरानां, और न रोष प्रकट करना—ये सारी बातें बता रही हैं कि वे सच्चे ईश्वर भक्त और पूर्ण योगी हैं। आज से वे मेरे श्रद्धा के पात्र धर्म-गुरु हुए और मैं उनका तुच्छ सेवक।" गंगाराम—"यार बूटासिंह! मेरे मन की तो मेरे मन में ही रह गई। संन्यासी का मुँह न बंद करवा सका। जान पड़ता है वह हमें भूखों ही मारेगा।" बूटासिंह —"मित्र! महात्मा जी ने मेरे ज्ञान-चक्षु खोल दिये हैं। यदि मनुष्य का हृदय ईश्वर में और उसके हाथ कर्म करने में लगे रहें, तो वह कभी भूखा नहीं रह सकता।" फिर मुस्कराते हुए बोला—"यार, मेरे तो पाँच सौ गये, और तुम्हारे दोनों हाथों लड्डू। पाँच सौ रुपये बचे और आय कम हो जाने से कुव्यसनों से भी मुक्ति मिली।" दोनों हँस पड़ते हैं।

सोरों में कैलासपर्वत संन्यासी का प्रसिद्ध वराह भगवान् का मन्दिर है जिससे उनको बहुत बड़ी आय है। इसी मेले के अवसर पर वृन्दावन के रंगा-

चार्य भी आये हैं। वे लोगों को वैष्णव मत की दीक्षा दे कर चक्रांकित करते हैं। स्वामी जी की उपस्थिति से इन दोनों के स्वार्थों में बाधा पड़ने लगी। परन्तु स्वामी जी के सामने आने का इन्हें साहस नहीं हुआ। इसलिए इन्होंने बदरिया निवासी अंगद शास्त्री की पीठ ठोंक कर उन्हें स्वामी जी के सम्मुख ला खड़ा किया। अंगद शास्त्री इस समय पंडित मण्डल में संस्कृत के सूर्य माने जाते थे। उनकी सर्वत्र धाक है। उन्होंने कभी स्वामी विरजानन्द से भी पढ़ा है। वे एक अच्छे कवि भी हैं। उन्होंने वराह स्तुति के सौ श्लोक बना कर कैलासपर्वत को दिये हैं।

लोगों के ताव दिलाने पर अंगद शास्त्री ताल ठोंक कर अखाड़े में उतर तो पड़े, परन्तु प्रतिस्पर्धी के दो-चार घिस्सों ने ही उनकी मति ठिकाने कर दी। स्वामी जी की शुद्ध सरल धाराप्रवाह संस्कृत वक्तृता से, ओजस्विनी कथन शैली से, प्रभूत पुष्ट प्रमाणों से, समयोचित तात्कालिक उत्तर-प्रत्युत्तर से, अप्रतिम प्रतिभा से वे ऐसे चकित हुए, ऐसे प्रभावित हुए कि मुक्तकण्ठ से कह उठते हैं—"स्वामी जी महाराज ! आप जो कुछ कहते हैं वह सब सत्य है।" वे स्वामी जी के पक्के अनुगामी बन गये। फिर यदि किसी पंडित या विद्वान् ने स्वामी जी से शास्त्रार्थ करने का साहस किया तो उसे अंगद शास्त्री ने ही मैदान से खदेड़ दिया। स्वामी जी के आगे अंगद शास्त्री के आत्म-समर्पण का सोरों में ऐसा प्रभाव पड़ा कि सैकड़ों लोगों ने गले से कण्ठियाँ उतार फेंकी, मूर्तिपूजा छोड़ दी, और भागवत के स्थान पर वाल्मीकि रामायण, महाभारत, मनुस्मृति आदि ग्रन्थों का पाठ सुनने लगे।

●●

५ | धर्म का सत्यार्थ प्रकाश

सत्य का चक्र-प्रवर्तन

स्वामी जी के पास से लौट कर पं० सुखानन्द आदि कासगंज में पाठशाला स्थापित करने का पूरा प्रबंध करके स्वामी जी को लाने के लिए उनकी सेवा में पुनः उपस्थित हुए। स्वामी जी सोरों से बलदेव गिरि की बग्घी में बैठ कर कासगंज को चल पड़ते हैं। नगर के समीप पहुँचने पर सैकड़ों नगरवासियों ने उनका स्वागत किया। बड़े समारोह के साथ उन्हें नगर में घुमाते हैं। फिर नगर के दूसरे सिरे पर पं० मुकुन्द राम के उद्यान में लाकर स्वामीजी को टिकाते हैं। स्वामी जी के करकमलों द्वारा ज्येष्ठ १९२५ वि० में कासगंज में पहली पाठशाला स्थापित हुई।

●

स्वामी जी घूमते हुए ककोड़ी पहुँचते हैं। जहाँ इन दिनों मेला है। बलदेव गिरि ने स्वामी जी के उपदेशों के लिए एक उचित स्थान पर कनात घेर कर एक ऊँचा पीठ स्थापित करवा दिया। सारे मेले में स्वामी जी के प्रचार की धूम है। यहाँ बड़े-बड़े पंडित, मौलवी और पादरी उनके पास आकर अपनी-अपनी मान्यताओं को ठीक सिद्ध करने का प्रयास करते हैं। परन्तु स्वामी जी अंधविश्वास और अज्ञान पर आधारित उनके सिद्धान्तों का खंडन करके उन्हें बुद्धि-सम्मत धर्म की शिक्षा देते हैं। इस मेले में कलेक्टर महोदय भी आये हुए हैं। वे स्वामी जी के सत्संग में आते हैं और टोप उतार कर नमस्कार करके बैठते हैं।

●

इस प्रकार स्वामी जी लगभग ढाई वर्ष पर्यन्त आगरा प्रान्त के इस भाग में गंगा के किनारे बसे हुए गाँवों में घूम-घूम कर जनता में जागृति उत्पन्न करके उनके अज्ञान को दूर करते रहे। इस समय उनका जीवन घोर तप और त्याग का है। वे केवल कौपीन पहनते और अपने पास कुछ न रखते। इसी अवस्था में उन्होंने पूस-माघ की कड़ाके की सर्दी, जेठ-बैसाख की झुलसा देने वाली लू, और सावन-भादों की अनवरत मूसलाधार वर्षा को बहुधा वनों में, सुनसान

स्थान में और गंगा तट की रेतीली भूमि पर ही रह कर झेला। रात्रि में बहुधा वे समाधिस्थ ही पाए जाते। उन्हें सूखा-रूखा जो मिल जाता वही खा कर रह जाते, भिक्षा न माँगते। उनके सत्संगों में धर्मचर्चा और सदाचार वार्ता ही होती, इधर-उधर की व्यर्थ बकवास नहीं। यद्यपि स्वामी जी के भक्त और अनुयायी बड़े-बड़े जमींदार और धनी लोग हैं, जिन्हें उनकी सुविधा का हर प्रकार से ध्यान रहता है, परन्तु महर्षि को किसी बात का माया-मोह नहीं है। और न किसी व्यक्ति से कोई विशेष प्रेम ही। वे इतने निर्मोही हैं कि उनका जब जी चाहा सब सामान वहीं छोड़ कर चुपचाप बिना किसी से कुछ कहे ही चल देते हैं।

●

स्वामी दयानन्द सरस्वती संवत् १९२५ के अंतिम भाग में फ़र्रुख़ाबाद पधारते हैं और लाला जगन्नाथ के विश्रांत घाट पर ठहरते हैं। नगर के छोटे-बड़े सभी लोग सत्संग में आने लगे। लाला वंशीलाल एक प्रतिष्ठित व्यक्ति हैं। उन्होंने एक शिवालय बनवाया है। और वे उसमें शिव की मूर्ति स्थापित करने की तैयारी में हैं। उन्हीं दिनों स्वामी जी का उपदेश उन्हें सुनने को मिला। उपदेश सुन कर इनका पूर्व निश्चय बदल जाता है। स्वामी जी की प्रेरणा से वे उसी शिवालय में पाठशाला खोल देते हैं। इस पाठशाला में पं० बृजकिशोर अध्यापक नियुक्त किये गये और लगभग पचास विद्यार्थी प्रविष्ट हुए। उन्हें अष्टाध्यायी की शिक्षा दी जाने लगी। लाला पन्नालाल अध्यापक के वेतन के व्यय का भार उठाते और दुर्गाप्रसाद जी विद्यार्थियों के भोजन-वस्त्र की व्यवस्था करते हैं।

●

एक दिन स्वामी जी गंगा में पैर फैलाए पड़े हैं। बच्चों ने जो एक मोटे मनुष्य को नदी में पड़ा देखा, उन्हें खेल की सूझी। वे बालू के गोले बना-बना कर स्वामी जी पर बरसाने लगे। महाराज अबोध बालकों के खेल का आनन्द लेते हुए कुछ काल तक उनके क्रीड़ास्थल बने रहे, फिर उठ कर अपने स्थान को चले जाते हैं।

●

फ़र्रुख़ाबाद में कुछ ऐसे लोग रहते हैं जिन्हें साधु कहते हैं। वे सभी प्रकार का काम-धंधा करके अपना निर्वाह करते हैं और घरबारी हैं। ऊँची जाति वाले उनके हाथ का बना हुआ भोजन नहीं खाते। स्वामी जी के उदार विचारों से प्रोत्साहित होकर एक दिन एक साधु कढ़ी-भात थाल में रख कर लाया

और बड़ी श्रद्धा-भक्ति से उनसे भोग लगाने की प्रार्थना की। कृपालु महात्मा उसके भोजन को बड़ी प्रसन्नता से ग्रहण करते हैं। इससे ब्राह्मणों ने बुरा माना और कहने लगे, "स्वामी जी! आप तो इन अछूतों का अन्न खाकर भ्रष्ट हो गये।" स्वामीजी ने हँसते हुए कहा, "इन लोगों का अन्न परिश्रम के पैसे का है। इसलिए पवित्र है।"

●

स्वामी जी के उदार और प्रगतिशील विचारों के कारण रूढ़िवादी व्यक्ति और उनके अगुआ ब्राह्मणों का पुरोहित वर्ग उनके विरोध में खड़े होकर पं० गंगाराम शास्त्री और मेरठ के पं० हरिगोपाल आदि को शास्त्रार्थ के लिए तैयार करते हैं। जब पं० हरिगोपाल स्वामी जी से शास्त्रार्थ में जीत नहीं पाये तो वे काशी जाकर वहाँ के पंडितों से मूर्ति-पूजन की पुष्टि में व्यवस्था लाते हैं, और स्वामी जी के डेरे के निकट एक खुले विस्तृत स्थान में झंडा गाड़ कर लोगों को उस व्यवस्था पत्र को पढ़ कर सुनाते हैं और स्वामी जी को खुले मैदान में आने के लिए ललकारते हैं। वहाँ सहस्रों मनुष्य एकत्र हो जाते हैं और बड़ा कोलाहल होने लगाता है। स्वामी जी ने उस झगड़े के स्थान में जाना उचित नहीं समझा। इस हल्ले-गुल्ले का समाचार कलेक्टर को मिला। कोतवाल को वहाँ तुरन्त पहुँचने का आदेश होता है। वह स्वामी जी के स्थान से थोड़ी दूर पर ठहर कर उन्हें सिपाही द्वारा बुलवाता है। स्वामी जी वहाँ जाना स्वीकार नहीं करते हैं। तब लाला जगन्नाथ कोतवाल को जाकर समझाते हैं—"एक त्यागी महात्मा को आप चपरासी द्वारा बुलवा कर उनका अपमान करते हैं। उन्हें क्या पड़ी जो दौड़ते हुए आपके पास चले आयें।" तब वह स्वामी जी के पास जाकर पूछता है—"बाबा जी! यह क्या गोलमाल है?" स्वामी जी ने उत्तर दिया, "भाई! हम तो अपने स्थान पर बैठे हैं। किसी को कुछ कहते-सुनते नहीं। लोगों के अपशब्द कहने और गाली देने पर भी मौन और शांत हैं। आप राजकर्मचारी हैं। आप का कर्त्तव्य है कि वास्तविक बात का पता लगायें।" कोतवाल की समझ में वास्तविकता आ गयी। वह स्वामी जी के स्थान पर दो सिपाहियों का पहरा लगा देता है, और कोतवाली में पं० हरिगोपाल को बुला कर ऐसी डाँट बताता है कि उन्हें नगर छोड़ कर भागते ही बन पड़ा।

कुछ दिनों के उपरांत हरिगोपाल का मित्र ज्वाला प्रसाद मदिरा में चूर कुरसी लिये स्वामी जी के स्थान पर आया और उनके बराबर ही कुरसी पर बैठ जाता है। फिर अंड-बंड बकने लगता है। लोगों ने उसे बहुतेरा वहाँ से

टालना चाहा। परन्तु वह टाले न टला, बल्कि और छेड़-छाड़ करने पर उतर आता है। इस पर स्वामी जी के सेवकों ने क्रोध में आकर उसे मारा-पीटा और उसकी कुरसी छीन कर वहीं जला दी। स्वामी जी उन्हें रोकते ही रहे कि यह इस समय मदमत्त है, इसे न मारो। अगले दिन लाला जगन्नाथ ने स्वामी जी से कहा, "महाराज ! यदि वह दुष्ट आपके सेवकों पर अभियोग चलाए और आपको साक्षी देना पड़े तो आप क्या कहेंगे ?" स्वामी जी बोले, "जो कुछ हुआ है हम वही कहेंगे। सेवकों को बचाने के लिए मिथ्या कदापि न बोलेंगे।"

ज्वाला प्रसाद का बदला लेने के लिए उसका सम्बन्धी ठाकुरदास रात को बीस-पचीस आदमी लेकर आता है, परन्तु स्वामी जी पर आक्रमण करने का उसे साहस नहीं हुआ। बाहर से ही गालियाँ बक-झक कर चला जाता है। यह समाचार सुन कर लाला जगन्नाथ बहुत घबराये और स्वामी जी की सेवा में उपस्थित हो कर निवेदन करते हैं, "भगवन् ! दुष्ट अब आपके पीछे हाथ धो कर पड़े हैं। आपका अमूल्य जीवन यहाँ अरक्षित है। हमारे यहाँ चल कर रहने की कृपा करें।" स्वामी जी ने कहा—"लाला जी ! यहाँ तो आप मेरी रक्षा कर लेंगे, परन्तु अन्यत्र कौन करेगा। मेरी रक्षा करने वाला तो सर्वव्यापक परमात्मा है। इसलिए मैं सर्वथा निर्भय हूँ।"

●

प्रभात का समय है। प्रकृति फागुन के शीतल उल्लासमय समीर-सागर में निमग्न हो रही है। वाटिका के नवविकसित पुष्प किरणों के सुनहरे हार पहने मुस्करा रहे हैं। आम के सुगन्धित नव पल्लवों में कोयलें अपनी मधुर तान अलाप रही हैं। और लाला दीनानाथ बैठे अपने भाग्य को कोस रहे हैं। भगवान् ने उन्हें दूध-पूत, धन-सम्पत्ति सब कुछ दिया है, फिर भी वे दुखी हैं। संसार में जहाँ दिन है वहाँ रात भी; जहाँ प्रकाश है वहाँ अंधकार भी; जहाँ जीवन है वहाँ मृत्यु भी है; और जहाँ सुख है वहाँ दुख भी है। यदि लाला दुखी हैं, तो इस में आश्चर्य की क्या बात है।

लाला जी कभी ठंडी साँसे भरते हैं, कभी रूमाल से आँख पोंछते हैं, कभी आप ही आप कहते हैं; "हाँ ! भगवान् ! सारा उत्साह भंग हो गया। सारी अभिलाषाओं पर पानी फिर गया। ईश्वर सब दुःख दे; पर दुराचारी और कुल में कलंक लगाने वाला पुत्र न दे। पुत्र ही आकांक्षाओं का स्रोत, प्रेम का बंधन, और जीवन का सर्वस्व है। पर वही कुपथगामी हो कर चिंताओं का आगार और शत्रु के समान हो जाता है। और जिसकी एकलौती संतान

बिगड़ जाय उसका सर्वनाश ही समझो । दु:खती हुई आँख की अपेक्षा फूटी आँखें ही अच्छी । हे भगवान् ! मैं क्या करूँ ?" लाला जी और कुछ कहने को हैं कि कमरे का द्वार खुला और एक नौकर अन्दर आया, तश्तरी मेज़ पर रख कर बोला, "सरकार जलपान कर लें।" लालाजी ने उस से बड़ी उत्सुकता से पूछा--"क्या काशीनाथ भैया अभी तक घर नहीं आये ?" नौकर बोला-"वे घर पर रहते ही कब हैं। गढ़ी के नवाब के लड़के बाँके मियाँ की संगत में पड़ कर भैया बहुत बिगड़ गये हैं। रात-दिन मुन्नी जान के यहाँ दोनों मित्र पड़े रहते हैं। आप तो ज़मींदारी के कामों में फँसे रहते हैं और बहुधा गाँव पर ही रहते हैं। और बहू जी की वे सुनते ही कब हैं।" लाला जी--"रामदीन ! मैं लल्ला का सारा हाल सुन चुका हूँ, परन्तु जब लड़का बराबर का हो जाय तो उसको वश में रखना टेढ़ी खीर है। न मार-पीट सकते हैं, और न अधिक कह-सुन ही सकते हैं। इस तश्तरी को उठा ले जाओ, अभी कुछ खाने की इच्छा नहीं है।" यह कह कर उन्होंने एक ठंडी साँस ली और छड़ी उठा कर घूमने के लिए चल पड़ते हैं। मानो वे अपने हृदय-दाह को बाहर की शीतल वायु से शांत करना चाहते हैं।

लाला दीनानाथ चिंता-सागर में निमग्न मंद गति से छावनी की ओर चले जा रहे हैं। सहसा किसी ने उनके कंधे पर हाथ रख दिया। वे चौंक कर जो पीछे मुड़ कर देखते हैं तो सेठ पन्नालाल खड़े मुसकरा रहे हैं। लाला जी के मलिन मुख को देख कर बोले, "भाई दीनानाथ ! क्या बात है जो तुम इस उल्लासपूर्ण वातावरण में भी खिन्न और दुखी प्रतीत होते हो? घर पर सब कुशल तो है ? आपका स्वास्थ्य तो ठीक है ?" सेठ जी के संवेदना के इन शब्दों को सुन कर लालाजी के नेत्र सजल हो जाते हैं, लंबी साँस लेकर बोले, "भाई ! मैं तो लुट गया। एक ही पुत्र, वह भी सर्वनाश के पथ पर चल पड़ा है। रंडियों के चक्कर में पड़ गया है।" सेठ जी--"अरे भाई, तो इतना हताश क्यों हो रहे हो ? यह केवल बुरी संगत का प्रभाव है, वैसे तो काशीनाथ भैया बड़े ही सुशील और होनहार युवक हैं। मानवीय चरित्र इतना जटिल है कि क्षण भर में बुरे से बुरा मनुष्य देवता हो जाता है, और अच्छे-से-अच्छा मनुष्य पशु। संतान वह सब से कठिन परीक्षा है, जो ईश्वर ने मनुष्य के परखने के लिए गढ़ी है। जिसने धैर्य खोया वह इस परीक्षा में विफल हुआ।" लाला जी--"मित्र तुम्हारा कहना ठीक है। परन्तु केवल धैर्य धारण करने से क्या होगा, उपाय कुछ सूझता नहीं।" सेठ जी--"तो उपाय मैं बताता हूँ। स्वामी दयानन्द सरस्वती का नाम तो तुमने सुना ही होगा ?" लाला

जी—"हाँ सुना तो है, परन्तु वे मूर्ति पूजा के विरोधी हैं, और मैं ठहरा पक्का मूर्ति पूजक। इसलिए मैं कभी उनके दर्शनों के लिए नहीं गया हूँ।" सेठ जी, "स्वामी जी मूर्ति पूजा का खंडन तो अवश्य करते हैं, परन्तु हम सब की हित-कामना से प्रेरित हो कर ही ऐसा करते हैं। वे बड़े उदार विचार के महापुरुष हैं। यहाँ के सहायक कलेक्टर स्काट साहब स्वामी जी को बहुत मानते हैं। लगभग प्रति दिन उनके दर्शनों को जाते हैं। जिन दिनों सड़क चौड़ी करने के लिए बाज़ार की नाप हो रही थी, मदनमोहन लाल ने स्वामी जी से निवेदन किया—"महाराज! स्काट साहब की आप के चरणों में बड़ी भक्ति है। यदि आप उनसे संकेत भर कर दें तो मार्ग वाली छोटी मढ़िया (मन्दिर) हट सकती है। भ्रम विस्तार का एक स्थान कम हो जायगा।" आप जानते हैं कि स्वामी जी ने इसका क्या उत्तर दिया था? उन्होंने बिगड़ कर कहा था—"ऐसी उलटी पट्टी मुझे न पढ़ाओ। ऐसे नीच और ओछे ढंगों से किसी मत को हानि पहुँचाना मेरी प्रकृति के विपरीत है। मुसलमान शासकों ने सैकड़ों मन्दिरों को धराशायी कर दिया और सहस्रों मूर्तियों को तोड़-फोड़ कर विनष्ट किया, परन्तु मूर्ति पूजा बंद कराने में सफल न हो सके। हमारा काम तो मनुष्यों के विचारों को बदल कर उनके हृदय-मन्दिर से मूर्तियों को हटा कर वहाँ उन्हें घट-घट वासी प्रभु के दर्शन कराना है। न कि ईंट-पत्थर के बने देवालयों को तोड़ना फोड़ना।" स्वामी जी की वाणी में कोई अद्भुत आकर्षण, कोई अनिर्वचनीय प्रभाव और कोई अलौकिक रस है, जिससे उनके वचन सुन कर दुर्जन सज्जन बन जाते हैं। उनकी समझाने की शैली अत्युत्तम है। मुझे पूर्ण आशा है कि काशीनाथ भैया स्वामी जी के उपदेश से सुधर जायेंगे।" लालाजी, "तो भाई स्वामी जी से कहकर हमारे लल्ला को सुधरवा दो, और हमारे वंश को डूबने से बचा लो। मैं तुम्हारा जीवन पर्यन्त उपकार मानूंगा।"

●

सूर्य भगवान् अपना सनहला थाल लिये पूर्व से पश्चिम जा पहुँचे थे। गंगा-तीर पर एक महात्मा भगवान् के ध्यान में मग्न हैं। उनकी मुख-छवि पूर्ण चन्द्र की भाँति तेजोमय हो रही है। उसी समय एक अँग्रेज़ आकर चुपचाप खड़ा हो जाता है, और देर तक महात्मा जी की उस ध्यान-मग्न अनुपम मूर्ति को निहारता रहता है।

स्काट महाशय फ़र्रुख़ाबाद में मैजिस्ट्रेट हैं। वे बड़े सज्जन और उदार हैं। स्वामी दयानन्द के व्याख्यानों में निरंतर आया करते हैं। जिस दिन व्याख्यान न होता वे दर्शनार्थ अवश्य आते। उनके एक पैर में कोई दोष है, जिससे वे

लँगड़ा कर चलते हैं। आज उन्हें कार्यवश कहीं बाहर जाना है, इसलिए स्वामी जी से मिलने आये हैं। उन्हें स्थान पर न पा कर उनकी खोज में गंगा-तट पर आ पहुँचते हैं।

स्वामी जी ने नेत्र खोले तो सामने अपने प्रिय भक्त स्काट साहब को खड़े पाया। पूछा—"यहाँ कैसे ?" स्काट महाशय श्रद्धापूर्वक प्रणाम करके बोले——"मुझे सरकारी कार्य से बाहर जाना है। कई दिनों तक आपके दर्शन न हो सकेंगे। इसलिए आपको ढूंढ़ता हुआ यहाँ तक चला आया हूँ। मेरे यहाँ आने से आपको कोई असुविधा तो नहीं हुई ?" स्वामी जी—"नहीं वत्स ! ध्यानावस्था में तो तुम्हारे आने का मुझे ज्ञान ही न था, और अब तो तुम्हें देख कर प्रसन्नता ही हुई है।" यह कहते हुए वे उठ खड़े हुए और स्काट साहब से वातचीत करते हुए अपने निवासस्थान की ओर चल पड़ते हैं। उनके एक हाथ में छँटी हुई कौपीन है। स्काट साहब ने स्वामी जी से पूछा कि कर्म-फल का पता हमें कैसे लगे ? स्वामी जी—"तुम्हारे पाँव में लँगड़ापन क्यों है ?" स्काट महोदय ने उत्तर दिया कि ईश्वर की इच्छा। स्वामी जी—"इसे ईश्वर की इच्छा न कहो। वह अन्यायी नहीं है जो तुम्हें बिना कारण के ही लँगड़ा बना दे। यह तुम्हारे कर्मों का ही फल है। सुख-दुःख के भोग का नाम कर्मफल है। जिस भोग का यहाँ कोई कारण दिखाई न दे, उसे पूर्व जन्म के कर्मों का परिणाम समझना चाहिए।" स्काट साहब इस उत्तर से संतुष्ट हो गये। फिर प्रणाम करके चल पड़ते हैं।

स्वामी जी अपने स्थान पर पहुँच कर बहुत से मल्लों को अपनी प्रतीक्षा में खड़ा पाते हैं। वे ताड़ जाते हैं, हो न हो ये लोग मेरे बल की परीक्षा करना चाहते हैं। मुसकराकर बोले—"कहो ! आज यहाँ कलयुग के भीम और हनुमान सब कैसे इकट्ठे हैं ?" एक सज्जन बोले, "महाराज ! ये पहलवान आपके ब्रह्मचर्य-बल की प्रशंसा सुन कर श्री दर्शनों के लिए आये हैं। "तो इनकी मनोकामना अवश्य पूर्ण होगी।" यह कह कर उन्होंने निचोड़ी हुई कौपीन उन्हें थमा कर कहा—"आप में से कोई भी इस में से पानी की एक बूंद निकाल कर दिखाये तो मुझे अत्यन्त प्रसन्नता होगी और समझूँगा कि भारत में इस गये-बीते काल में भी बलवानों की कमी नहीं है।" इन सब ने एक-एक करके बल लगाया, परन्तु पानी की एक बूंद भी न निकली। तब स्वामी जी ने कौपीन लेकर उसे बलपूर्वक दबाया। टपटप करके पानी की कई बूंदें भूमि पर गिर पड़ती हैं। सभी लोगों के मुँह आश्चर्य से खुले रह गये।

स्वामी जी आसन पर बैठ जाते हैं। सेठ पन्नालाल ने स्वामीजी के चरण स्पर्श करके कहा, "महाराज ! यह लाला दीननाथ आपके दर्शनों के लिए आज पहली बार ही आये हैं। बेचारे बड़े दुःखी हैं। इनके एक ही पुत्र है। वह कुसंगत में पड़ कर वेश्यागामी हो गया है। यदि किसी उपाय से उसका यह दुर्गुण छूट जाता तो इनका प्रतिष्ठित कुल नाश होने से बच जाता।" स्वामी जी ने कहा कि यदि वह एक बार मेरे पास आ जाय तो मैं उसका पाप-कर्म छुड़ा दूंगा।" लाला जी ने स्वामी जी की सांत्वनापूर्ण वाणी जो सुनी तो उन्हें ऐसा जान पड़ा मानो देव-लोक से कोई देवता पृथ्वी पर उतर आया है और उन्हें आश्वासन दे रहा है। वे स्वामी जी के पैरों पर गिर पड़ते हैं।

दोनों सज्जन जब स्वामी जी के पास से चले तो यह चिंता हुई कि काशीनाथ को यहाँ लाया कैसे जाय। अंत में यह निश्चय हुआ कि पड़ोस के लड़कों से इस कार्य में सहायता ली जाय। घर पहुँच कर लाला जी ने रामगोपाल और कृष्णकुमार, मुहल्ले के दो सुशील युवकों को बुलवाया और उनसे कहा, "भैया ! तुम लोग काशीनाथ की दशा देख ही रहे हो। तुम्हारी चाची रो-रो कर घर भर रही हैं। यदि वह न सुधरा तो कुल नष्ट हो जायगा। एकलौती संतान है। यदि एक बार वह स्वामी दयानन्द के पास किसी प्रकार पहुँच जाता तो उसके सुधार की कुछ संभावना है। भैया तुम लोग इस कार्य में हमारी सहायता करो।" युवकों ने प्रसन्न होकर कहा—"चाचा जी ! आपका अनुमान बिलकुल ठीक है। स्वामी जी की कृपा-कटाक्ष मन को मोह लेती है, और उनकी स्नेहपूर्ण वाणी सब को तत्काल अपना बना लेती है। उनके मुख-मण्डल पर तेज, प्रभाव, उदारता, गंभीरता, धैर्य, अनुग्रह और आशीर्वाद निवास करते हैं। उनके नेत्र प्रेम, कृपा, आकर्षण, रस और माधुर्य से पूर्ण हैं। हम लोगों को पूर्ण विश्वास है कि काशीनाथ भाई का कुव्यसन स्वामी जी की कृपा से अवश्य छूट जायगा। हम लोग उन्हें स्वामी जी की सेवा में ले जाने का भरसक प्रयत्न करेंगे।"

रामगोपाल और कृष्णकुमार अपने कौशल से काशीनाथ को स्वामी जी की सेवा में जाने के लिए तैयार कर लेते हैं। एक दिन तीनों युवक स्वामी जी के आसन के समीप पहुँच कर विनीत भाव से प्रणाम करके बैठ जाते हैं। महाराज अपने प्रेम भरे नेत्रों की पवित्र ज्योति से युवकों के मुखमण्डल को उज्ज्वल करते हुए उपदेश देने लगते हैं। "सौम्य युवको ! आजकल हमारे युवकों को सदाचार की उचित शिक्षा नहीं मिलती है। वे पथ-भ्रष्ट हो कर

नाना प्रकार के कुव्यवसनों में फँस जाते हैं। वैसे तो व्यसन सभी बुरे हैं, परन्तु वेश्या-गमन सब से अधिक नाशकारी है। इस व्यसन से सुरापान को बान सहज में पड़ जाती है। सभ्य वेष, सभ्य भाषा, सभ्याचार आदि सभी गुण नष्ट हो जाते हैं। कुलाचार पर कठोर कुठाराघात होता है। रात-दिन राग-रंग में मग्न रहने से व्यवहार बुद्धि का अभाव होने लगता है। ऐसा व्यसनी धर्म कर्म से सदा दूर भागता है। वारांगना अपने वशीभूत जन के मन को कृत्रिम प्रेम से, बनावटी बातों और हाव-भाव से सदा उत्तेजित रखती है। जिससे व्यसनी लोग अल्प काल ही में निस्तेज और जीर्ण-शीर्ण शरीर हो कर मृत्यु का ग्रास बन जाते हैं। वेश्या का प्रेम स्वार्थपूर्ण होता है। जब स्वार्थ-सिद्धि नहीं होती तो वह बात तक नहीं पूछती। वेश्यासक्त के परिवार में आचार की शुद्धि नहीं रहती। उसका वंश नष्ट हो जाता है। यदि वंश नष्ट न भी हुआ, तो भी उसकी संतान का सदाचारी होना महा कठिन है।" उन्होंने थोड़ा ठहर कर युवकों से पूछा--"भला यह तो बताओ कि वेश्यासक्ति से यदि लड़की उत्पन्न हो तो वह किसकी पुत्री हुई?" युवकों ने कहा--"उस वेश्यारत पुरुष की।" स्वामी जी ने फिर प्रश्न किया--"वह युवती होकर क्या काम करेगी?" एक युवक बोला--"और क्या करेगी? वेश्या बनकर बाज़ार में बैठेगी।" तब स्वामी जी ने मर्मस्पर्शी शब्दों में कहा, "देखो, संसार में कोई भी भला मनुष्य नहीं चाहता कि उसकी पुत्री वेश्या बनकर बाज़ार में बैठे, परन्तु वेश्या के अनुरक्त जन ही ऐसे हैं जो अपनी बेटियों को वेश्या बनाते हैं, चकले में बैठाते हैं, और द्वार-द्वार नचाते हैं। तुम्हीं सोचो कि क्या यह बहुत बुरी बात नहीं है।"

यह उपदेश सुन कर काशीनाथ के रोंगटे खड़े हो जाते हैं। उसका अन्तः-करण पाप कर्म से काँप उठता है। उसके सारे शरीर में सनसनी छा गई। युवकों ने कहा कि स्वामी जी आपका कथन सत्य है। वास्तव में वेश्या-प्रेम एक घृणित नीच कर्म है। काशीनाथ इतना प्रभावित हुआ कि उसने स्वामी जी के चरण छू कर वहीं यह प्रण किया कि आज से मैं वेश्याओं के समीप नहीं जाऊँगा। स्वामी दयानन्द ने उसे आशीर्वाद दिया और कहा, "सौम्य! ईश्वर कृपा से तेरा जीवन पवित्र हो, तेरी इस समय की बुद्धि सदा बनी रहे।" स्वामी जी के उपदेश से काशीनाथ का एकदम काया-पलट हो जाता है। वह उनका उत्साही और चरित्रवान् अनुयायी बन कर उनके प्रत्येक कार्य में सहायक बन जाता है।

●

प्रकृति माधुर्य में डूबी हुई है। आधी रात का समय है ? चारों ओर चाँदनी छिटकी हुई है। वृक्षों के नीचे कैसा सुन्दर जाल बिछा हुआ है, मानों यह पक्षी-हृदय को फँसाने के लिए ही बिछाया गया है। मुन्नी जान खिड़की के पास खड़ी है। इस जाल को देख-देख कर उसे अपनी सोने की चिड़िया याद आ रही है। उसे आश्चर्य है कि काशीनाथ आज सवेरे से ही कहाँ छिप गया है। ऐसा तो कभी नहीं हुआ था। वह दुखी है। इसलिए नहीं कि वह काशीनाथ को प्यार करती है, अपितु इसलिए कि अब उसे नये शिकार की खोज करनी पड़ेगी। इसी चिंता में वह चारपाई पर जाकर पड़ जाती है।

दूसरे दिन नगर की वेश्याओं में खलबली मच गई। उन्होंने एक सभा की, जिसमें यह निश्चय हुआ कि चल कर देखना चाहिए कि वह कौन ऐसा जादूगर इस नगर में आया है जो अपने स्थान पर बैठे-बैठे ही हमारी चिड़ियों को पिंजड़ों से निकाल कर हवा में उड़ा देता है। यदि यही दशा रही तो हमारी आजीविका का सत्यानाश हो जायगा। हम रंडियाँ तो भूखों मरने लगेंगी। झुण्ड-की-झुण्ड वेश्याएँ स्वामी जी के स्थान की ओर चल पड़ीं।

स्वामी जी व्याख्यान आरंभ करने जा रहे हैं कि उन्होंने बहुत-सी देवियों को आते देखा। उनकी चाल-ढाल और वेश-भूषा से समझ गये कि ये नगर की वारांगनाएँ हैं। जब वे आकर एक ओर बैठ जाती हैं तब स्वामी जी उन्हीं को संबोधित करके उपदेश देने लगते हैं, "माताओ! तुम्हें देखकर हिन्दू समाज का वह पैशाचिक स्वरूप और उसमें प्रचलित कुरीतियाँ और कुप्रथाएँ मेरी आँखों के सामने नाचने लगती हैं, जिन्होंने तुम्हें यह घृणित वृत्ति अपनाने के लिए बाध्य किया है। मेरा सिर लज्जा से झुक जाता है। तुम निर्दोष हो। तुम्हारी वर्तमान दशा का सारा उत्तरदायित्व उसी समाज के कंधों पर है, जिसकी छाती पर तुम अभिशाप बन कर जीवनयापन कर रही हो। लोग धन के बल पर तुम्हें अपना खिलौना बना कर अपनी काम-पिपासा को शांत करते हैं। वे तुम्हारे तलवे चाटते हैं, और तुम्हारी जूठन खाते हैं, परन्तु सम्मानपूर्वक तुम्हारा पाणिग्रहण करके अपनी पत्नी के रूप में स्वीकार करने में धर्म की दुहाई देते हैं। उनका तथाकथित धर्म रसातल को जाने लगता है। स्त्री को धन से अधिक सम्मान प्यारा होता है। वह धन से अधिक प्रेम की भूखी होती है। अभागिनो! क्या तुम्हें समाज में सम्मान प्राप्त है? क्या कभी तुम्हें इन कामी पुरुषों से सच्चा प्रेम मिला है? यदि मेरा वश चलता तो तुममें से प्रत्येक को गृहलक्ष्मी के आसन पर आरूढ़ करके ही दम लेता, परन्तु समाज अभी इसके लिए तैयार नहीं है। इस जर्जर हिन्दू समाज के

सैकड़ों रोगों में से तुम्हारा रोग तो केवल एक है । चतुर वैद्य हर रोग की अलग-अलग चिकित्सा नहीं करता है । वह तो उस मूल कारण को पकड़ता है जो सारी व्याधियों की जड़ है । मैंने भी इस आर्य जाति के इस घोर नैतिक पतन का कारण जान लिया है। इस जाति ने परमपिता परमात्मा के ज्ञान के भण्डार वेदों की शिक्षा को भुला कर मनगढ़ंत बातों में अपना धर्म-कर्म मान लिया है । जिस दिन यह जाति वेदों की ओर लौट जायगी उसी दिन इसके सारे रोग-दोष दूर हो जायेंगे, और तभी यह अपने खोए हुए गौरव को फिर प्राप्त कर लेगी । माताओ ! फिर तुम्हें यह अपमानित जीवन व्यतीत न करना पड़ेगा। तुम्हारा उचित स्थान तुम्हें प्राप्त हो जायगा। और तब हम संसार के सामने अपना सिर ऊँचा कर सकेंगे, और उच्च स्वर में घोषणा कर सकेंगे कि हमारे राष्ट्र में कोई चोर और मद्यप (शराबी) नहीं है। यहाँ सभी धार्मिक और विद्वान् हैं । यहाँ कोई व्यभिचारी पुरुष नहीं है, तो फिर व्यभिचारिणी स्त्री कहाँ से होगी ।[1] परन्तु ऐसी अवस्था लाने में देर लगेगी । इसके लिए हमारे जैसे सैकड़ों मनुष्यों को अपना जीवन सर्मपित कर देना होगा ,और जान न्योछावर कर देनी पड़ेगी । माताओ, तुम अन्य स्त्रियों की अपेक्षा अधिक बुद्धिमती और कलावती हो । इस घृणित व्यापार को त्याग कर अपने पैरों पर खड़े होने में पूर्णतया समर्थ हो ।" स्वामी जी ने 'ओम् शांतिः शांतिः शांतिः' कहकर उपदेश समाप्त कर दिया ।

वारांगनाओं ने जो स्वामी जी का ब्रह्मतेज से चमकता हुआ मुखमण्डल देखा और उनका हृदय अपने लिए सहानुभूति से परिपूर्ण और दुखी पाया तो बेचारी रोने लगीं । उन्हें अपनी अवस्था पर ग्लानि होने लगती है। परन्तु उनमें भी एक ऐसी है जो स्वामी जी को मन ही मन गालियाँ दे रही है, और कोस रही है। वह उसी स्थल पर उन से बदला लेने की ठान लेती है ।

●

रात्रि का समय है। मुन्नी जान अपने कोठे पर एक बड़े दर्पण के सामने खड़ी अपनी केश-राशि का जाल सजा रही है । वह रत्नजटित आभूषण और हरे रंग की बनारसी साड़ी पहने है, मानों हरी दूब दिखा कर किसी हिरन को अपने जाल में फँसाना चाहती है या किसी नटखट घोड़ी पर चढ़ने की चेष्टा कर रही है। वह बार-बार नीचे सड़क पर झाँक लेती है,

---

१. न मे स्तेनो जनपदे न कदर्यो न मद्यपः ।
नानाहिताऽग्निर्नाऽविद्वान् न स्वैरी स्वैरिणी कुतः ॥ (छान्दो० ५।११५)

जैसे उसे किसी के आने की प्रतीक्षा है। सहसा उसे दूर सड़क पर एक लम्बा-सा गोरा युवक आते दिखाई देता है। वह सँभल कर फ़र्श पर बैठ जाती है, और सितार के तारों से एक करुण रागिनी छेड़ती है। "आह! कैसा मस्त कर देने वाला राग है"—कहते हुए बाँके मियाँ कोठे पर पैर रखता है और जैसे ही उसकी दृष्टि मुन्नी जान पर पड़ी वह छाती पर हाथ धरे आहतों की भाँति खड़ा रह जाता है। मुन्नी जान ने बड़े प्रेम से उसका हाथ पकड़ कर बिठा लिया। बाँके मियाँ सँभल कर बोला, "अच्छा काशीनाथ के वियोग में यह सितार बज रहा था।" मुन्नी जान बोली—"नहीं, तुम्हारे विरह में!" बाँके मियाँ—"बहुत बातें न बनाओ। काशीनाथ के सामने तो मुझ से सीधे मुँह बात भी न करती थीं।" मुन्नी जान, "तो यों कहिए कि आपकी ईर्ष्या ही यह रंग लाई है। काशीनाथ के यहाँ न आने में आपका भी हाथ है।" बाँके मियाँ ने कहा, "यह अच्छी रही, उलटे चोर कोतवाल को डाँटने लगा। मेरी जान! ऐसा न कहो। अपनी जवानी की कसम खा कर कहता हूँ कि मैं इस बारे में कुछ नहीं जानता। मुझे तो वह कई दिनों से मिला ही नहीं।" मुन्नी जान—"मुझे तो तुम्हारी बातों का तभी विश्वास होगा जब तुम उस काफ़िर बाबा को यहाँ से खदेड़ दो। उसकी ऐसी कुंदी कराओ कि वह फिर यहाँ आने का नाम न ले।" बाँके मियाँ मुन्नी जान की ठुड्डी छूकर कहता है—"बस इतनी-सी बात! फ़रहाद ने तो शीरीं के लिए पहाड़ खोद डाला था और मैं तुम्हारे लिए एक छोटा-सा काम भी न कर सकूँगा? पर एक बात है। अब्बाजान तो उस बाबा की तारीफ़ करते थकते ही नहीं। कहते हैं कि दयानन्द एक पहुँचा हुआ सच्चा फ़कीर है। मुझे भी उसके पास जाने के लिए कई बार कह चुके हैं।" मुन्नी जान ने मुँह फेर लिया और तुनक कर बोली—"मैं तो पहले ही जानती थी कि जो गरजते हैं बरसते नहीं। मेरे सिर में दर्द है, मैं सोने जा रही हूँ।" इतना कह कर वह दूसरे कमरे में चली जाती है। बाँके मियाँ अवाक् रह गया। वह समझ लेता है कि भवानी बिना भेंट लिये प्रसन्न न होंगी।

बाँके मियाँ मुँह लटकाए मुन्नी जान के कोठे से उतर कर सड़क पर आता है कि सामने एक साँवले रंग का गठीला लंबा जवान जाता हुआ दिखाई दिया। उसकी बाँछें खिल गई। उसके मुँह से निकल पड़ता है, "सुभान अल्लाह!" दौड़ कर उस युवक का हाथ पकड़ कर कहता है—"भाई धन्नासिंह! खूब मिले। मेरी आँखें तो तुम्हें ढूँढ़ ही रही थीं।" धन्नासिंह मुस्कराया और कोठे की ओर संकेत कर के बोला—"मुझे ढूँढ़ रही थी या किसी और को? अच्छा

यह तो बताओ कि क्या काम है ?" बाँके मियाँ––"तुम उस संन्यासी को जानते हो जिसकी आजकल फ़र्रुख़ाबाद भर में धूम मची हुई है ? धन्नासिंह––"हाँ-हाँ ! ख़ूब जानता हूँ। एक दिन तो नगर की सब रंडियाँ मिल कर उसके दर्शनों के लिए गई थीं। ईश्वर जाने उसने क्या कह दिया कि बेचारी रो रही थीं। यहाँ के ब्राह्मण तो उससे बहुत रुष्ट हैं। उनका बस चले तो उसे इस संसार से ही विदा कर दें।" बाँके मियाँ––"क्यों ऐसी बात क्या है?" धन्ना सिंह––"ब्राह्मणों को उसके आचार-विचार एक आँख नहीं भाते हैं। स्वयं ब्राह्मण हो कर वह शूद्रों के हाथ का बना भोजन ग्रहण कर लेता है। जब ब्राह्मण इस का विरोध करते हैं और कहते हैं कि महाराज आप नीचों का अन्न खाकर धर्म-भ्रष्ट हो गये तो लज्जित होने के स्थान पर उन्हें उपदेश देने लगता है, धर्म किसी का पवित्र अन्न खाने से नहीं जाता वह तो कुकर्म से जाता है। जन्म से ही कोई शूद्र और ब्राह्मण नहीं होता। गुण, कर्म और स्वभाव के अनुसार ही मनुष्य ब्राह्मण, क्षत्रिय, वैश्य या शूद्र बनता है।" बाँके मियाँ––"और ये गुण-कर्म आदि हैं क्या बला ?" धन्नासिंह––"यही, पढ़ना-पढ़ाना और सदा अच्छे काम ही करना।" बाँके मियाँ––"वाह-वाह ख़ूब रही ! यदि इस कसौटी पर परखा जाय तो बेचारे ब्राह्मणों का सफ़ाया हो जायगा। अच्छा यार, यह तो बताओ कि उसने उस ठाकुर के बारे में क्या बताया है जिसने चमारिन रख छोड़ी है ?" धन्नासिंह आँखें नीची करके बोला––"यार ! यह छींटा मुझी पर है।" बाँके मियाँ––"अच्छा ! जाने दो, लेकिन यह तो बताओ कि उस बेचारी को कभी कुछ देते-लेते भी हो या यों ही सेंतमेत के भतार बने हो ?" धन्नासिंह––"तुमने फिर चुटकी ली। लो, अब मैं चला।" बाँके मियाँ हाथ पकड़ कर उसे रोक कर कहता है, "भाई ! मैं तेरे फ़ायदे की बात कहता हूँ और तू बिगड़ता है। मैं आज घर से तुम्हें देने के लिए रुपए लाया था और इसीलिए तुम्हें ढूँढ़ रहा था। मुझे तुम पर कम परन्तु झुनिया पर बहुत तरस आता है। बेचारी अपने व्याहता को तुम्हारे लिए छोड़े हुए है और तुम उससे खुल कर दो बातें भी नहीं कर सकते। ठकुराई जो चली जायगी। बड़े ठाकुर के जीते-जी तुम्हारे हाथ इतना पैसा भी नहीं आ सकता जो उसको कुछ गहना-पाती बनवा सको। अभी उस बेचारी के खाने-पहनने के दिन हैं। लो, इन रुपयों से अपना काम चलाओ।" धन्नासिंह को शंका हुई कि कहीं झुनिया ने बाँके मियाँ को कल रात वाली बात बता तो नहीं दी या फिर उन्होंने ही हम लोगों की बातें छिप कर सुन तो नहीं ली। वह झुमकों के लिए मचल रही थी, और मैं उससे दादा के मरने तक धैर्य रखने के लिए कह रहा था।

रुपये लेकर वह बोला—"भैया ! ये रुपये मैं बप्पा के मरने पर ही दे सकूँगा। और हाँ ! काम तो बताते ही बताते रह गये" बाँके मियाँ—"अरे पगले! मैं क्या ये रुपये तुझे उधार दे रहा हूँ। तुम्हें केवल थोड़ा-सा कष्ट देना चाहता हूँ। तुम तनिक दयानन्द की अँधेरे-उजाले पिटाई कर दो ताकि वह यहाँ से अपनी घोड़ी बढ़ाये।" फिर धन्नासिंह के कंधे पर हाथ रख कर बड़े प्रेम से कहता है, "तुम्हें ब्राह्मणों से भी एक अच्छी रक़म दिलवाऊँगा।" इस बातचीत के बाद दोनों एक दूसरे से विदा लेते हैं। बाँके मियाँ अल्लाह का शुक्र अदा कर रहा है कि उसने धन्नासिंह को बिना बुलाये ही उसके पास भेज दिया। और धन्नासिंह अपने राम की जय मना रहा है कि बिना माँगे ही उसको मुँह-माँगा वरदान मिल गया, अब वह झुनिया की गहनों की साध पूरी कर सकेगा।

दिन निकलने में देर नहीं है। तारों की ज्योति मंद पड़ चली है और पक्षीगण वृक्षों पर चहकने लगे हैं। गंगा के किनारे एक महात्मा समाधि लगाए बैठे हैं। उसी समय एक उद्दण्ड व्यक्ति हाथ में एक मोटा लट्ठ लिये उधर आ निकलता है। महात्मा को देख कर मन-ही-मन कहता है, "हाँ यही दयानन्द हैं। बस यह अवसर अच्छा है। उसकी खोपड़ी पर लाठी का एक भरपूर हाथ देकर उसकी जीवन-लीला समाप्त करता हूँ। यह सोचते-सोचते वह स्वामी जी के मुख पर दृष्टि डालता है। उसने देखा वे नेत्र खोले मुस्करा रहे हैं, मानों कह रहे हैं कि मैं तुम्हारे मन की बात जानता हूँ, परन्तु मुझे तुमसे भय नहीं है। मेरा रक्षक ईश्वर मेरे साथ है। धन्नासिंह स्वामी जी को जाग्रत अवस्था में मुस्कराते देख कर सकपका गया। वह बोला, "बाबा जी ! क्या तुम मूर्ति को भगवान् नहीं मानते हो ?" स्वामी जी गंभीर होकर उत्तर देते हैं—"भद्र ! तुम जानते हो कि ईश्वर का स्वरूप क्या है ?" धन्नासिंह —"हाँ, मैं जानता हूँ।" स्वामी जी—"तो फिर बताओ।" धन्नासिंह—"ईश्वर घट-घट वासी, भक्तवत्सल दयालु देव हैं और सर्वत्र परिपूर्ण है।" तब स्वामी जी ने किंचित् हँस कर कहा कि, "ईश्वर के जो गुण तुमने कथन किये हैं वे सब सत्य हैं। तुम्हारी इस समझ की मैं प्रशंसा करता हूँ। परन्तु अब तुम ही इन वर्णित ईश्वरीय गुणों को मन्दिर की मूर्तियों के गुणों के साथ मिलाओ यदि वे मिल गये तो मैं तुम्हारा साथी बन जाऊँगा, और यदि न मिले तो तुम्हें भी वही मानना चाहिए जिसकी साक्षी तुम्हारी आत्मा देती है।" स्वामी जी की शांत, निर्भीक और तेजोमयी मूर्ति देख कर और उनके प्रेम-पूर्वक समझाने के ढंग से धन्नासिंह का चित्त पिघल जाता है और वह लाठी फेंक

कर उनके चरणों में गिर पड़ता है। उस दिन से उसमें भारी परिवर्त्तन दिखाई देने लगता है। वह सारे बुरे कार्यों को त्याग कर धीरे-धीरे साधु स्वभाव और सदाचारी बन जाता है।

धर्म का उदात्त उद्देश्य

बाबू मुकुंदीलाल पहले पक्के मूर्ति पूजक और रूढ़िवादी थे, परन्तु स्वामी दयानन्द सरस्वती के उपदेशों को सुन कर उनके विचार पूर्णतया सुधारवादी हो गये हैं। पहले यदि कोई शूद्र उन्हें देख कर चारपाई से उठ कर सलाम न करता तो वे उसे मारने दौड़ते, परन्तु अब उन्हें पहले ही नमस्ते कह कर गले लगाते हैं। अनाथों और विधवाओं की दुर्दशा पर बेचारे आँसू बहाया करते, हिन्दुओं के आपसी वैमनस्य और स्वार्थ-पूर्ण व्यवहार पर छटपटाया करते, और उनकी मूर्खतापूर्ण प्रथाओं और मान्यताओं पर कुढ़ा करते हैं। वे उन्हें ठीक मार्ग पर लाने के लिए बहुधा उपदेश देते हैं। वे दूसरों को जैसी शिक्षा देते हैं स्वयं उस पर आचरण भी करते, उनकी कथनी और करनी एक है। किसी भाई को कष्ट में देख कर उसकी सहायता के लिए दौड़ पड़ते हैं। सेठ जमुनादास की लड़की सुशीला को पठान गुंडे उड़ा ले गये। किसी के कानों पर जूँ तक न रेंगी, परन्तु बाबू मुकुंदीलाल ने बड़े परिश्रम से बालिका का पता लगाया और असीम साहस दिखा कर गुंडों के घर में घुस कर सुशीला को निकाल लाए। उसे शुद्ध करके उसके हाथ का भोजन किया, परन्तु सेठ जी बिरादरी के डर से उसे अपने घर ले जाने का साहस न कर सके। बाबू जी को बाध्य होकर सुशीला का पालन-पोषण करना पड़ता है। इसी प्रकार जब पंडित रामभजन के लड़के ने मौलवी मुहम्मद इसहाक़ के बहकावे में आकर कलमा पढ़ लिया, और सैकड़ों हिन्दू खड़े-खड़े मुँह ताकते रहे, तो बाबू मुकुंदीलाल से न रहा गया। वे जान पर खेल कर मसजिद में घुस गये और लड़के का हाथ पकड़ कर बोले, "बेटा! तू बेधर्म क्यों होता है?" उनके इस साहस को देख कर अन्य हिन्दुओं ने भी मसजिद घेर ली और लड़के को छीन लाए। बाबू जी ने लड़के को शुद्ध करके पंडितजी को सौंप दिया, परन्तु उनके भाई बन्धुओं ने उन्हें त्याग दिया। तब फिर बाबू जी ने उनका साथ दिया और धैर्य बँधाया। सारांश यह कि बाबू मुकुंदीलाल अपनी जाति और समाज की सेवा के लिए सदैव तत्पर रहते है। फ़र्रुखाबाद के हिन्दुओं ने भी उन्हें महाशय की उपाधि से भूषित करके उनके प्रति अपनी कृतज्ञता प्रकट की है। यद्यपि इसमें आदर की भावना कम, व्यंग्य की मात्रा अधिक है।

आप बिच्छू पर दया करके उसे पानी से बाहर निकालने के लिए हाथ बढ़ायें, वह आपके हाथ में डंक मार देगा। वह आपका उपकार न मानेगा। आप बंदर को रोटी दें, वह आपको काटने दौड़ेगा। रोटी के लिए आपको धन्यवाद नहीं देगा। बस यही दशा हिन्दू जाति की है। महर्षि दयानन्द हिन्दुओं के सच्चे हितैषी हैं। वे उसके उत्थान के लिए रात-दिन प्रयत्नशील हैं, परन्तु हिन्दू उनके उपकारों के बदले उन पर ईंट-पत्थर बरसाते हैं और उनके प्रेम के बदले उन्हें बार-बार विष देते हैं। वे इस जाति को सन्मार्ग पर लाने के लिए, उसके स्वार्थों एवं अधिकारों की रक्षा तथा उसकी सेवा के लिए सदा हथेली पर जान लिये घूमते हैं, परन्तु हिन्दुओं ने उनके भक्तों और अनुयायियों के जीवन को कष्टमय बना दिया है।

बाबू मुकुंदीलाल के भाई-बंदों ने उनसे सम्बन्ध तोड़ लिया है। नाई ने बाल बनाना, धोबी ने कपड़े धोना, और भंगी ने टट्टी कमाना तक छोड़ दिया है। बेचारे का जीवन नरक तुल्य हो गया है। बाहर निकलते तो लोग उन पर अँगुली उठाते, और चुटकी लेते। यह उनके सुधारवादी दृष्टिकोण का दंड था। वे अपने हिन्दू भाइयों का यह अन्यायपूर्ण व्यवहार सहर्ष सहते हैं, पर उनकी त्योरियों पर कभी बल नहीं आने पाता है।

बाबू मुकुंदीलाल एक कर्मठ आर्य हैं। वे इन सब कष्टों को झेलते हुए भी समाज सेवा से मुँह नहीं मोड़ते। वे त्योहारों और उत्सवों में आगे-आगे रहते, परन्तु शिक्षा देते रहते। वे कहते, "भाइयो! दीवाली में दिये जलाओ, मिठाई खाओ, पर पटाके दाग कर लोगों के अंग भंग न करो, बारूद का विषैला धुआँ फैला कर बच्चों के फेफड़ों को दूषित न करो। जुआ मत खेलो, यह तुम्हें कौरवों-पांडवों की भाँति नष्ट कर देगा। होली में एक दूसरे के गले मिलो, पकवान खिलाओ, पान इलायची से सत्कार करो, रंग डालो। परन्तु एक दूसरे का मुँह काला न करो, गालियाँ न बको, नहीं तो संसार वाले तुम्हें असभ्य और जंगली कहेंगे।"

इस प्रकार वे प्रचलित कुप्रथाओं के दूर करने का प्रयत्न करते और मूर्ति-पूजा छोड़ कर एक निराकार व्यापक ईश्वर की उपासना करने की शिक्षा देते। वे लोगों को सदाचारी और परोपकारी बनने का परामर्श देते और कहते कि इन्हीं दो गुणों को धारण करने से मनुष्य सच्चे अर्थों में मनुष्य बनता है। परन्तु जैसे घर बनाने की शिक्षा देने पर बंदरों ने रुष्ट होकर पक्षियों के घोंसले को उजाड़ कर उनके अंडे-बच्चों को पेड़ के नीचे फेंक दिया था, वैसे ही हिन्दू भी बाबू जी को हानि पहुँचाने के फेर में रहते हैं।

एक दिन बाजार में एक चबूतरे पर खड़े हो कर बाबूजी लोगों को समझा रहे हैं—"प्यारे भाइयो ! आप लोग अपने लड़के लड़कियों के विवाह छोटी अवस्था में कर देते हैं। उस समय उनके शरीर की धातुएँ पुष्ट नहीं होती हैं। इसका फल यह होता है कि प्रथम तो उनके संतान ही नहीं होती, और यदि हुई तो वह निर्बल, रोगी और कम आयु वाली होती है। महाभारत में महात्मा विदुर कहते हैं—जो व्यक्ति वृक्ष के कच्चे फलों को तोड़ लेता है, वह उन से रस तो पाता ही नहीं, उनके बीजों से भी हाथ धो बैठता है।[१] भाइयो ! स्मरण रखो जिस जाति में बाल-विवाह, वृद्ध-विवाह होते हों, और जहाँ इन बेजोड़ विवाहों के फलस्वरूप स्त्री के युवा अवस्था में विधवा हो जाने पर उसे दूसरा विवाह करने से रोका जाता हो और वृद्ध पुरुषों को कुँआरी युवतियों से विवाह करने की खुली छूट दी जाती हो, वह जाति बहुत दिनों जीवित नहीं रह सकती। अनाथों के आँसू और विधवाओं की आहें इस जाति के अस्तित्व को संसार से मिटा कर ही छोड़ेंगी।" एक पंडित जी ने टोंका, "हम शास्त्रों की आज्ञा मानें या तुम्हारे ऐसे मूर्खों की। शास्त्रों में विधवा विवाह का निषेध है। 'पाराशरी' और 'शीघ्रबोध' में लिखा है—बालिका की आठवें वर्ष में गौरी, नवें वर्ष में रोहिणी, दसवें वर्ष में कन्या, और उसके आगे रजस्वला संज्ञा होती है। जो दसवें वर्ष तक विवाह न करके रजस्वला कन्या को माता-पिता, और बड़ा भाई देखे तो ये तीनों नरक गामी होते हैं।"[२] बाबू जी ने कहा, "पंडित जी ! ये श्लोक वेद और स्मृति के विरुद्ध किसी स्वार्थी और धूर्त ने बनाये हैं। देखो मनु जी तो कहते हैं—कन्या रजस्वला होने के तीन वर्ष पश्चात् अपने तुल्य पति को ग्रहण करे।[३] पंडित जी को इसका उत्तर तो कुछ न

---

१. वनस्पतेरपक्वानि फलानि प्रचिनोति यः।
स नाप्नोति रसं तेभ्यो बीजं चास्य विनश्यति।
—महाभारत उद्योग पर्व, अध्याय ३४। श्लोक १५।

२. अष्ट वर्षा भवेद् गौरी नव वर्षा च रोहिणी,
दश वर्षा भवेत्कन्या तत ऊर्ध्वं रजस्वला॥
माता चैव पिता तस्या ज्येष्ठा भ्राता यथैवच।
त्रयस्ते नरकं यान्ति दृष्ट्वा कन्यां रजस्वलाम्॥

३. त्रीणि वर्षाण्युदीक्षेत कुमार्यृतुमती सती,
ऊर्ध्वं तु कालादेतस्माद्विन्दते सदृशं पतिम्।
(मनु० ९।९०)

सूझा, धाँधली करने लगे, कड़क कर बोले—"यह पाखंडी ब्राह्मणों को स्वार्थी धूर्त बताता है। कोई इसकी जीभ क्यों नहीं खींच लेता।" परन्तु कोई आगे नहीं बढ़ता है। बाबू मुकुन्दीलाल मृतक श्राद्ध पर व्याख्यान देना आरम्भ करते हैं, "प्रत्येक मनुष्य को प्रातः-सायं पाँच यज्ञ करने चाहिये। ये पंच महायज्ञ कहलाते हैं। पहला यज्ञ ब्रह्म-यज्ञ है। इसमें दोनों समय सन्ध्योपासन, योगाभ्यास, और वेद शास्त्रों का पठन-पाठन करना चाहिए। दूसरा देव-यज्ञ है। इसमें हवन, विद्वानों का संग और दिव्य गुणों को धारण करना आदि कर्म सम्मिलित हैं। कला-कौशल की उन्नति करना भी देव-यज्ञ के अंतर्गत है। तीसरा पितृ-यज्ञ है। माता-पिता और आचार्य आदि गुरुजनों की सेवा और उन्हें भोजनादि से संतुष्ट रखने का विधान इस यज्ञ में है। चौथा भूत-यज्ञ है। इसे बलिवैश्वदेव-यज्ञ भी कहते हैं। लँगड़े-लूले, अंधे अपाहिज, अनाथ और पालतू पशुओं को भोजन देना इसका उद्देश्य है। पाँचवाँ नृयज्ञ या अतिथि-यज्ञ है। इसमें साधुसंत और अभ्यागतों की सेवा सत्कार्य करना कर्तव्य है। ब्रह्म-यज्ञ का फल मन का एकाग्र होकर इन्द्रियों का वश में होना और परमात्मा की अनुभूति है। देव-यज्ञ से विद्या और दिव्य गुणों की प्राप्ति होती है, कला-कौशल की उन्नति होती है। हवन अर्थात् अग्निहोत्र से जल और वायु की शुद्धि होती है, वृष्टि में वृद्धि होती है। विद्वानों, संन्यासियों, और दूर-देश के रहने वालों के आतिथ्य से उनके उपदेश, सत्संग और विचार-विनिमय से ज्ञान-वृद्धि और जानकारी में बढ़ती होती हैं। दीन-दुःखियों और आश्रितों की आवश्यकताओं को पूरा करके मनुष्य अपने कर्तव्य की पूर्ति से प्रसन्नता प्राप्त करता है। भूत-यज्ञों का यही प्रयोजन है। पितृ-यज्ञ के सम्पन्न करने से गुरु-जनों के बहुत से उपकारों के लिए कृतज्ञता प्रकट की जाती है। उनकी शिक्षा और आशीर्वाद से सुख प्राप्त होता है और बुद्धि निर्मल होती है। पितृ-यज्ञ के दो भेद हैं। एक श्राद्ध और दूसरा तर्पण। जो कर्म श्रद्धा से किया जाय उसे श्राद्ध कहते हैं; और जिस कर्म से माता-पिता आदि गुरुजन तृप्त अर्थात् प्रसन्न और संतुष्ट किये जायँ उसे तर्पण कहते हैं। परन्तु ये क्रियाएँ जीवितों के लिए हैं, मृतकों के लिए नहीं। पर हिन्दुओं में उलटी गंगा बह रही है। वे जीवित माता-पिता की तो बात नहीं पूछते, और मरों का श्राद्ध और तर्पण करते हैं। यह अवैदिक और मूर्खतापूर्ण प्रथा है।" बीच में एक मनुष्य बोला, "इसने फिर गाली दी।" परन्तु व्याख्यान चलता रहा, "सेवा सत्कार आदि कर्म, जिन्हें श्राद्ध और तर्पण कहते हैं, विद्यमान अर्थात् जीते हुए जो प्रत्यक्ष हैं उन्हीं में घटते हैं, मरे हुओं में नहीं। क्योंकि मृतकों का प्रत्यक्ष होना

... है । इसलिए उनका तर्पण नहीं हो सकता । और न उनके लिए दिया हुआ पदार्थ ही उन्हें मिल सकता है । उनके नाम से खिलाए-पिलाए और दिये हुए सारे पदार्थ तो खाने वालों के पेटों में या उनके घरों में ही रह जाते हैं । पितरों को नहीं पहुँचते । जीवित माता-पिता और अन्य गुरुजनों का आदर सम्मान तथा उनकी सेवा-शुश्रूषा करना ही वास्तविक श्राद्ध एवं तर्पण है । यदि इन कृत्यों द्वारा दान-पुण्य करने का प्रयोजन है तो अनधिकारी मोटे लोगों को खिलाने-पिलाने के स्थान पर अनाथों दरिद्रों के रोटी कपड़े के अभाव को दूर करना चाहिए । इससे व्यक्ति और समाज दोनों का भला होगा । अपात्र को दान देना धन को नदी में फेंक देना है, पुण्य के स्थान पर पाप करना है ।"

काने को काना कह देने पर जो अवस्था काने की होती है, वह दशा मोटे महराज की हुई । बाबू मुकुंदीलाल का यह वाक्य उसके हृदय में तीर के समान चुभ जाता है। वह गरज कर बोला—"यह साला अभी तक तो गालियाँ ही देता था, परन्तु अब हमारे पेटों पर भी प्रहार करने लगा है। मारो साले को ।" यह कहता हुआ मोटे महराज हाथ पकड़ कर बाबू जी को चबूतरे के नीचे घसीट कर मारने लगता है । दूसरे लोगों ने भी इस शुभ कार्य में मोटे महाराज का हाथ बँटाया! बाबू जी को मार-मार कर अधमरा कर दिया गया । जब वे अचेत होकर भूमि पर गिर पड़े तो आततायियों ने समझा कि महाशय जी के प्राण पखेरू उड़ गये हैं । वे डर कर वहाँ से नौ-दो ग्यारह हो जाते हैं । महाशय जी मरे नहीं हैं। वे पट्टी पलस्तर बाँध-बूँध कर और हल्दी फिटकरी पी कर अच्छे हो जाते हैं ।

मोटे महराज और दो चार अन्य व्यक्तियों पर अभियोग चला । यद्यपि बाबू मुकुंदीलाल और उनके सहायक आर्य भाइयों को साक्षी और वकील मिलने में बहुत कठिनाइयाँ हुईं, परन्तु भाग्यवश यह अभियोग निर्णय के लिए स्काट साहब मैजिस्ट्रेट के न्यायालय में प्रस्तुत हुआ । वे एक न्यायप्रिय अँग्रेज हैं और स्वामी जी के भक्त भी। वे अपराधियों को कड़ा दण्ड देते हैं, और उन्होंने अपने निर्णय में उल्लेख किया कि बाबू मुकुंदीलाल सुधारवादी विचार के एक प्रगतिशील व्यक्ति हैं, वे भारत के महान् सुधारक और विद्वान् संन्यासी स्वामी दयानन्द सरस्वती के अनुयायी हैं । वे हिन्दुओं की हितकामना से प्रेरित होकर ही समाज की बुराइयों को उनके सामने प्रकट करके उन्हें दूर करने का परामर्श देते हैं । महारानी विक्टोरिया के शासन काल में प्रत्येक व्यक्ति को अपने धार्मिक विचार व्यक्त करने की स्वतंत्रता है। यदि मोटे मह-

राज और उसके साथियों को महाशय जी के व्याख्यान पर कोई आपत्ति थी तो न्यायालय में उन पर अभियोग चला सकते थें, परन्तु उन्होंने ऐसा न करके बाबू मुकुंदीलाल को बुरी तरह पीट कर राज-व्यवस्था को अपने हाथों में लेने का प्रयास किया है। इसलिए मैं उन्हें दो-दो वर्ष का कठोर कारावास का दंड देता हूँ।" यह निर्णय देकर स्काट महोदय बहुत प्रसन्न हैं कि स्वामी जी के एक अनुयायी को मारने-पीटने वाले को दंड दे कर मैंने उनकी सेवा की है। वे यह सुन कर मुझ से अवश्य प्रसन्न होंगे।

●

स्वामी जी कई महीनों के पश्चात् फ़र्रुख़ाबाद पधारे हैं। भक्त लोग और आर्य पुरुष उन्हें घेरे बैठे हैं। वे बड़े गर्व और हर्ष से मोटे महराज वाले अभियोग में अपनी विजय के समाचार को कह रहे हैं। उसी समय स्काट साहब भी स्वामी जी से भेंट करने के लिए आते हैं। उन्होंने आत्म-प्रशंसा वश कहा, "आपके एक सेवक को कुछ दुष्ट जनों ने मारा पीटा था। उन लोगों को उचित दंड मिल गया है।" स्वामी जी ने कहा, "आप न्यायाधीश हैं। न्याय करना आपका कर्त्तव्य है। आपका कर्त्तव्यपालन का कार्य प्रशंसनीय है। परन्तु महाशय, हम संन्यासी लोग तो प्राणघातक को भी पीड़ा पहुँचते देख कर प्रसन्न नहीं होते। इस आश्रम में अपने-पराये सब समान समझे जाते हैं।" फिर अपने अनुयाइयों को संबोधित करके कहते हैं, "तुम लोगों ने इस मामले में अभियोग चला कर अच्छा नहीं किया। हमें लोगों के कठोर हृदय को कोमल करना है; हमें अपने से दूर भागने वालों को आकर्षित करना है। यदि वे अत्याचार भी करें तो अपने उद्दात्त उद्देश्य को दृष्टि में रख कर, हमें तो उनसे प्रेम ही करना चाहिए। धर्म के नाम से बदला लेने की भावना सर्वथा अभद्र है। मुझे विश्वास है कि ईश्वर उन्हीं प्राणियों को परीक्षा में डालता है, जिनके द्वारा उसे संसार में कोई महान् उद्देश्य पूरा करना होता है। परन्तु तुम पहली ही परीक्षा में विफल रहे। आर्य जाति को पतन के गहरे गर्त से निकाल कर उसे उन्नति के उच्च शिखर पर पहुँचाने का महान् कार्य तुम्हें सौंपा गया है। इसे पूरा करने में बलवान् आत्माएँ ही समर्थ हो सकती हैं, और ऐसी आत्माएँ संघर्ष में ही उत्पन्न होती हैं। आत्मोन्नति के लिए कठिनाइयों से बढ़ कर कोई शिक्षालय नहीं है। तप और योग की कठिनाइयों और आपत्तियों को झेल कर ही योगी ईश्वर के दर्शन पाता है और उच्चतम शक्तियों का विकास करता है। जिस ने आपत्तियाँ नहीं झेलीं और कठिनाइयों का अनुभव नहीं किया उसका चरित्र बालू की भीत है, जो वर्षा के पहले झोंके में गिर पड़ती है। आर्य-पुरुषों

को कठिनाइयों[1] का स्वागत करना चाहिए, उनसे घबराना नहीं, क्योंकि उन्हें अपने उद्दिष्ट कार्य के उपयुक्त बनने के लिए, आत्मोत्कर्ष के जैसे यहाँ अवसर मिलेंगे वैसे और किसी दशा में नहीं।"

स्वामी जी की इस मीठी फटकार को सुनकर आर्यजन बहुत लज्जित हुए। परन्तु स्काट साहब उनके उच्च और उदार विचारों से बहुत प्रभावित होते हैं।

प्रकाश की अन्धकार पर विजय

सन् १८५७ की क्रान्ति को हुए बारह वर्ष व्यतीत हो गये हैं। तब का उजड़ा हुआ कानपुर धीरे-धीरे पनप रहा है। पं० प्रयाग नारायण और बाबू गुरुप्रसाद यहाँ के धनी-मानी और बड़े प्रतिष्ठित व्यक्ति हैं। दोनों एक दूसरे के घनिष्ठ मित्र, बल्कि यों कहना चाहिए कि लँगोटिया यार हैं। जो एक करता वह दूसरा भी करता। पंडित प्रयाग नारायण ने लाखों रुपये लगाकर कैलास मन्दिर बनवाया तो बाबू गुरुप्रसाद ने भी बहुत-सा धन व्यय करके वैसा ही सुन्दर और विशाल बैकुंठ मन्दिर का निर्माण कराया। कोठियाँ भी दोनों ने साथ-साथ बनवाई हैं, जो एक दूसरे से मिली हुई हैं। गाने-बजाने में दोनों को समान रुचि है। एक दिन बाबू गुरुप्रसाद के यहाँ बैठे दोनों मित्र गपशप कर रहे हैं। इतने में बाबू जी का लड़का हाथ में एक परचा लिये हुए आता है और पंडित जी के हाथ में देकर कहता है, "चाचा जी ! इसमें आठ गप्पें क्या लिखी हैं।" वे विज्ञापन लेकर पढ़ते हैं। उसमें लिखा है—"स्वामी दयानन्द सरस्वती महाराज निम्नलिखित आठ गप्पों का खंडन और आठ सत्यों का मंडन करते हैं। लोग अपनी-अपनी शंकाओं का समाधान पूज्य श्री स्वामी जी महाराज की सेवा में उपस्थित होकर कर सकते हैं।" गप्पों पर जो पंडित जी की दृष्टि पड़ी तो सर्वप्रथम पुराण और मूर्ति-पूजा का उल्लेख पाया। उन्होंने उस परचे को बाबूजी की ओर बढ़ाते हुए कहा, "देखो यार, यह कौन धूर्त संन्यासी आया है। यह तो हम लोगों के अथक परिश्रम

---

१. नमोऽस्तु ते निऋते तिग्मतेजो अयस्मयान् विचृता बन्धपाशान।
यमो मह्यं पुनरित् त्वां ददाति तस्मै यमाय अस्तु मृत्यवे॥

(अथर्व ६-६३-२)

हे विपदे ! तुझे नमस्कार है। हे प्रखर तेज वाली ! तू हमारी सुदृढ़ बाँधने वाली बेड़ियों को काट डाल। वह नियमन करने वाला प्रभु बार-बार हमें कठिनाइयों में डालता है। उस प्रभु को भी नमस्कार है।

और लाखों रुपयों पर पानी फेर देना चाहता है।" बाबू जी बोले—"तो चलो कल उसके पास चल कर देखें कि वह बिना सींग-पूँछ का कौन पशु है जो ऐसी बे सिर-पैर की बात करता है।"

●

सवेरे का समय है। भैरव घाट पर मन्दिर के पास ही एक पीपल का वृक्ष है। उसके चारों ओर एक पक्का चबूतरा है। उसी पर एक महात्मा कुशासन पर विराजमान हैं। तेजस्वी मुद्रा, कुंदन का-सा रंग, गंभीर व्यक्तित्व, परन्तु मुख पर मुस्कान नाच रही है। ऐसा प्रतीत होता है, मानो स्वर्ग से कोई बड़ा देवदूत पृथ्वी पर उतर आया हो। सामने दरियों पर बहुत-से लोग उस महापुरुष के उपदेश सुनने के लिए उत्सुक बैठे हैं। जब महात्मा जी ईश्वर-प्रार्थना के उपरांत अपनी मधुर वाणी से सुधा वृष्टि करने लगे तो श्रोताओं की आत्माएँ तृप्त होने लगीं, लोगों पर अनुराग का रंग चढ़ने लगता है। उसी समय दो भद्र पुरुष आकर एक ओर चुपचाप बैठ जाते हैं। महात्मा जी कह रहे हैं—"ऋषि संतानो! कभी तुम संसार के गुरु कहलाते थे, और आज तुम विदेशियों के शिष्य होने में अपना गौरव समझते हो। कभी तुम्हारा चक्रवर्ती राज्य था और अब तुम पराये दास हो। पहले दूसरे देशों के लोग आ-आ कर तुमसे सदाचार की शिक्षा लेते थे, अब विदेशी तुम्हें सभ्यता सिखाते हैं। यह तुम्हारा घोर पतन क्यों? इसके कारणों पर तनिक विचार करो। जब से तुमने आर्ष ग्रन्थों को छोड़ कर अनार्ष पुस्तकों का सहारा लिया है; वैदिक शिक्षाओं की अवहेलना करके अवैदिक प्रथाओं को अपनाया है, तभी से तुम्हारी अवनति आरंभ हुई है। आज तुम्हारी गिनती पिछड़ी हुई और असभ्य जातियों में है। यदि तुम अब भी नहीं सँभलते तो याद रखो वह दिन दूर नहीं जब कि आर्य जाति का अस्तित्व उसी भाँति मिट जायेगा जैसे मिस्री, यूनानी और ईरानी आदि प्राचीन जातियाँ मिट गईं और अब उनका नाम केवल इतिहास के पन्नों में शेष है। तुम्हारे वेद शास्त्र अद्‌भुतालय की वस्तु हो जायेंगे। मेरी हार्दिक इच्छा है कि आर्य जाति अपनी कुंभकर्णी नींद त्याग कर अपना प्राचीन गौरव फिर प्राप्त करे। परन्तु यह सम्भव तभी होगा जब आर्य (हिन्दू) अपनी भ्रामक मान्यताओं को छोड़ कर ठीक मार्ग का अनुसरण करेंगे। सर्व प्रथम उन्हें अखंड ब्रह्म के खंड-खंड करने वाले और जाति को सैकड़ों टुकड़ों में बाँट कर उसमें फूट डालने वाले संप्रदायों के जनक अठारह पुराणों को, जो वास्तव में व्यास कृत नहीं हैं, और अन्य अनार्ष ग्रन्थों को धर्म ग्रन्थ न मान कर धर्म के स्रोत वेदों को ही अपने धर्म की आधार-शिला बनाना होगा। और उन्हें धर्म के

विषय में वेदों को स्वतः प्रमाण मान कर केवल ऋषि प्रणीत ग्रन्थों को वेदानुकूल होने से परतः प्रमाण स्वीकार करना होगा। फिर उन्हें मूर्ति पूजा, अवतारवाद और भिन्न-भिन्न संप्रदायों को छोड़ कर केवल एक सर्वशक्तिमान् सर्वव्यापक पर-ब्रह्म परमेश्वर की उपासना करने वाला वैदिकधर्मी बनना होगा। उन्हें चोरी, जुआ, छल, कपट, व्यभिचार, मादक द्रव्यों का सेवन, अभिमान, झूठ आदि-आदि दुष्कर्मों को त्याग कर सन्ध्योपासना, अग्निहोत्र, जन-सेवा, परोपकार आदि-वेद-विहित सुकर्मों को अपनाना होगा। उन्हें वर्ण व्यवस्था जन्म से न मान कर गुण-कर्म-स्वभाव के अनुसार ही मानना होगा; और क्रमशः चारों आश्रमों में रह कर तप एवं त्याग का जीवन व्यतीत करना होगा।"

"प्यारे बन्धुओं! क्या तुम यह सब करने को तैयार हो? यदि तुम ऐसा करने का साहस कर सको तो शीघ्र ही तुम्हारा आपस का छोटे-बड़े और छूत-छात का भेदभाव मिट जायगा, एक सूत्र में गुथ जाओगे और संगठित होकर अपने खोये हुए गौरव को पुनः प्राप्त कर लोगे। ईश्वर में पूर्ण विश्वास रखने वाली संगठित और कर्मनिष्ठ जाति कभी पतित अवस्था में पड़ी नहीं रह सकती, मुझे इसका पूर्ण विश्वास है।"

"राम कृष्ण का नाम लेने वालो! इन महापुरुषों का स्वाँग बना कर लीला करने से और मूर्तियाँ बना कर पूजने से तुम्हें क्या लाभ है? तुम उनके ही समान सदाचारी और कर्मयोगी बनो। तुम्हारा हृदय ईश्वर में लगा रहना चाहिए और हाथ कर्म करने में। इस प्रकार तप और त्याग की मूर्ति बन कर आगे बढ़ो। परम पिता परमात्मा का नाम लेकर और उन पर अनन्त विश्वास रख कर भारत की युगों से संचित पर्वतकाय दुःखराशि में आग लगा दो।" महात्मा जी ने 'ओइम् शांतिः शांतिः शांतिः' कह कर उपदेश समाप्त कर दिया। बहुत से लोग उठ कर चले गये। शेष सज्जन स्वामी जी के निकट सरक आते हैं।

दोनों भद्र पुरुष जो उपदेश आरंभ हो जाने पर आये थे, अब स्वामी जी के समीप खिसक आये हैं। स्वामी जी ने एक व्यक्ति से उनका परिचय पूछा। उसने बताया, "आप दोनों महानुभाव हमारे नगर के बड़े प्रतिष्ठित और प्रभावशाली व्यक्ति हैं।" फिर पंडित जी की ओर संकेत करके कहता है— "पंडित प्रयाग नारायण जी ने एक बड़ा ही सुन्दर और विशाल कैलास नाम का मन्दिर बनवाया है, और बाबू गुरुप्रसाद जी ने वैसा ही दर्शनीय और भव्य बैकुंठ नाम का देवालय निर्माण कराया है। इन मन्दिरों के बनवाने में दोनों मित्रों ने मुक्त-हस्त होकर धन व्यय किया है।" स्वामी जी एक दीर्घ निश्वास

छोड़ कर कहते हैं, "यह आर्यावर्त देश अब निर्धनों का देश हो रहा है। यहाँ बहुत थोड़े ही लोग ऐसे हैं जो धनी कहाने योग्य हैं, और उन धनियों की यह अवस्था है कि वे धन को किसी उपयोगी और जनहित के कार्य में न लगा कर ईंट-पत्थरों के नीचे दबा रहे हैं। दूसरे देश के धनी लोग धन को पानी की भाँति बहा कर आर्य जाति के लालों को पानी के मोल लेकर विधर्मी बना रहे हैं। और आप लोग हैं कि धरती पर ही कैलास और बैकुंठ में बैठे स्वर्ग का आनन्द लूट रहे हैं। भोले-भाले पुरुषो! कभी यह भी सोचा है कि जब आर्य जाति और आर्य धर्म ही न रह जायगा तो तुम्हारे इन कैलास और बैकुंठ का क्या परिणाम होगा? ये काशी के विश्वनाथ और अयोध्या के जन्म-स्थान के मन्दिरों के स्थान मसजिदों में परिणत हो जायेंगे या फिर धराशायी कर दिये जायेंगे।"

स्वामी जी की आर्य जाति की हित-कामना से प्रेरित होकर कही गई ये बातें पंडित जी व बाबू जी को एक आँख न भाई। उन्हें ऐसा स्पष्ट और खरी-खरी बातें सुनने का संयोग नहीं मिला था। वे स्वामी जी से रुष्ट होकर वहाँ से उठ कर चल पड़ते हैं। मार्ग में बाबू गुरुप्रसाद ने कहा—"यह संन्यासी नहीं, कोई बना हुआ ढोंगी मनुष्य है।" पंडित प्रयाग नारायण बोले, "अजी यह अँग्रेजों का नौकर है। संन्यासी का भेष बना कर हिन्दुओं को ईसाई बनाने के लिए फिर रहा है। ऊपर से हिन्दुओं का हितैषी बनता है और भीतर ही भीतर उनकी जड़ खोद रहा है। इस समय स्वामी जी उनकी आँखों में काँटे के समान खटक रहे हैं। और यह ठीक भी है। क्योंकि द्वेष की आँखों में गुण और भी भयंकर हो जाते हैं।

पंडित प्रयाग नारायण अपनी कोठी के सामने फुलवारी में टहल रहे हैं। वे बार-बार फाटक की ओर देखने लगते हैं, जैसे उन्हें किसी के आने की प्रतीक्षा है। इतने में एक बग्घी फाटक पर आकर रुकी और बाबू गुरुप्रसाद के साथ एक वयोवृद्ध संन्यासी उतरते हैं। नमस्कार आदि के पश्चात् तीनों व्यक्ति वहीं पुष्पवाटिका में बिछी हुई बेंचों पर बैठ जाते हैं। बाबू जी ने कहा, "भाई! स्वामी जी तो दयानन्द से शास्त्रार्थ करने के लिए तैयार ही नहीं हो रहे हैं।" संन्यासी ने कहा, "तो क्या आप लोग चाहते हैं कि ब्रह्मानन्द सरस्वती उस नास्तिक और वेद शास्त्र निंदक का मुख देख कर पातकी बने।" पंडित जी बोले, "ठीक है, आप उसका मुँह देख कर पातकी न बनें, और वह पातकी हमें और हमारे धर्म के विषय में जो चाहे निःशंक कहता फिरे।" संन्यासी ने पंडित जी को रुष्ट देख कर कहा, "तो आप हताश क्यों होते हैं। मैं

आज ही हलधर ओझा और लक्ष्मण शास्त्री को इस कार्य के लिए ठीक किये देता हूँ। वे विद्वान् हैं और मेरी अपेक्षा उनकी अवस्था भी कम है। वे दोनों मिल कर उस धर्म के शत्रु को परास्त करके ही छोड़ेंगे।"

ब्रह्मानन्द सरस्वती को विदा करके दोनों मित्र बैठक में आकर अभी बैठे ही हैं कि पंडित जी की पत्नी आकर उलाहना देने लगीं, "आजकल आप किस उधेड़बुन में रहते हैं, समय पर भोजन करने का भी ध्यान नहीं रहता?" फिर बाबू जी से बोलीं, "लाला, अभी आप ने खाया न होगा, चलो दोनों भाई चट-पट भोजन कर लो, उसके पश्चात् जो जी चाहे सो करना।" दोनों मित्रों ने झट-पट कपड़े उतार डाले और हाथ-पैर धो चौके में पीढ़ों पर जा डटते हैं। सामने चौकियों पर भोजन की थालियाँ आ गईं और दोनों ने खाना आरंभ कर दिया। पंडिताइन उन्हें बड़े प्रेम और आग्रह से खिला रही हैं। पंडिताइन बाबू गुरुप्रसाद से कहती हैं, "लाला! उस दिन तुम लोग कहाँ गये थे? हरखुआ (कोचवान) कहता था कि वह तुम लोगों को भैरव घाट ले गया था। वहाँ कोई बहुत अच्छे महात्मा आए हैं। वे दर्शन करने योग्य हैं। हमें भी एक दिन उनके दर्शन करवा दो।" यद्यपि पत्नी ने अपनी ओर से कुछ नहीं कहा, केवल हरखुआ कि बात को दुहरा भर दिया, तो भी पंडित जी स्वामी जी की प्रशंसा सुन कर उस पर बरस पड़ते हैं, "तुम स्त्रियों को कोई काम-धंधा तो है नहीं। जहाँ कहीं किसी हट्टे-कट्टे बाबा की बात सुनी, चल पड़ीं उसके दर्शन करने।" बाबू गुरुप्रसाद हँस कर बोले, "उलटे चोर कोतवाल को डाँटे? पहले तो आप ही महात्मा के पास दौड़े गये थे।" मित्र की यह चुभती हुई बात सुन कर पंडित जी झेंप जाते हैं।

●

आज बाबू गुरुप्रसाद के घर पर उन सभी शास्त्रार्थ महारथियों का भोज है जो स्वामी दयानन्द सरस्वती से लोहा लेने वाले हैं। ब्राह्मण पाचक भोजन परस रहे हैं। बाबू गुरुप्रसाद और पं० प्रयाग नारायण खड़े उन्हें आग्रह पूर्वक खिला रहे हैं। पंडित जी ने कहा, "तोताराम! शास्त्री जी के लिए थोड़ी खीर और लाओ। गंगाराम! तुम ओझा जी को मोहन भोग दो।" लक्ष्मण शास्त्री मुँह में रसगुल्ला रखते हुए बोले, "पंडित जी! खा तो रहा हूँ, परन्तु जान सूख रही है। उस नास्तिक ने विषय रखा है 'मूर्ति पूजा वेद विरुद्ध है'। अब हमें यह सिद्ध करने के लिए कि मूर्ति पूजा वेद-सम्मत है, वेद से ही प्रमाण देना चाहिए। परन्तु वेद के विषय में हम लोग नितांत कोरे हैं। काशी के विद्वानों में जो एक-आध को वेदों का थोड़ा-बहुत ज्ञान भी है उनका यही कहना है कि

वेद में हमें मूर्ति पूजा की पुष्टि में कोई स्पष्ट प्रमाण नहीं मिलता है।" हलधर ओझा कलाकंद का एक टुकड़ा निगलते हुए कहते हैं, "भाई! मेरा तो उस मुँहफट के सामने जाते हृदय धड़कता है। उसके तर्कों का उत्तर देना टेढ़ी खीर है।" दोनों मित्रों ने देखा कि ये लोग केवल भोजन-भट्ट ही हैं, शास्त्रार्थ से दुम दबा रहे हैं। वे मन ही मन घबरा रहे हैं। पंडित जी सँभल कर कहते हैं, इस समय चिंता और व्यस्तता के कारण आप लोग खा नहीं पा रहे हैं। रात का भोजन मेरे यहाँ होगा। विजयोल्लास में खूब बढ़-बढ़ कर हाथ मारियेगा। वह-वह स्वादिष्ट व्यंजन और पकवान बनवाऊँगा कि आप अँगुलियाँ चाटते रह जाइयेगा!" ब्रह्मानन्द जी, जो अब तक खाने मे जुटे थे, विजय और रात के भोज की बात सुन कर चौंक पड़े, और प्रसन्न होकर बोले, "पंडित जी! आपके मुँह में घी शक्कर। परन्तु यह तो बताईये कि विजय की यह भविष्यवाणी किस आधार पर है?" पंडित जी ने कहा, "आप कैसे विद्वान् हैं जो इतना भी नहीं जान सकते। जब विद्वान् लोग कालिदास ऐसे निरक्षर मूर्ख द्वारा एक विदुषी स्त्री को पराजित कर सकते थे तो आप जैसे पंडितों से दयानन्द को परास्त करवाना कौन-सी बड़ी बात है।" "पहेली न बुझाइये, अपनी योजना तनिक खोल कर रखिये।" सब लोग एकबारगी कह पड़े। पंडित जी ने बताया—"सहायक कलेक्टर श्री थेन इस शास्त्रार्थ के मध्यस्थ हैं। वे चार बजे के उपरांत नहीं रुकेंगे, उन्हें कहीं अन्यत्र जाना है। आप लोग ऐसा यत्न करें कि शास्त्रार्थ थेन साहब के सामने न समाप्त हो। श्री थेन के उठ जाने पर हम लोग ताली बजा देंगे। उस पर अपने सिखाये-पढ़ाए लोग गंगा मैया की जय, हलधर की जय, शास्त्री की जय, इत्यादि विजय-घोष करने लग जायेंगे। भेड़िया-धसान जनता हमारा साथ देगी। मैं एक रुपये के पैसे अपने महारथियों के ऊपर न्योछावर करके लुटा दूँगा। बस हमारी जय की पुष्टि हो जायगी।" हलधर बोले, "परन्तु चार बजे तक शास्त्रार्थ चलेगा कैसे? हम लोग जब निरुत्तर हो जायेंगे तो चुप्पी न साध लेंगे?" पंडित जी हँस कर बोले, "आप तो हलधर ठहरे, विद्याधर होते तो ऐसी बात न कहते। यह कौन कठिन काम है। आपके मुँह में जो आये कहे जाइये। आपको चुप देख कर कोई दूसरा बोलने लगे। आप जहाँ अवाक् हुए जनता समझेगी कि आप हार गये।" बाबू गुरुप्रसाद ने घड़ी देखी तो खून सूख गया, चिल्ला पड़े, "दो बजने में केवल बीस मिनट शेष हैं। थेन साहब पौने दो बजे आ जायेंगे। हम लोग अभी यहीं हैं। सब लोग हड़बड़ा कर उठ बैठे और गाड़ियों पर लद-फँद कर भैरव घाट की ओर चल पड़ते हैं।

भैरव घाट पर पीपल-वृक्ष के पास ही एक बड़ा-सा शामियाना ताना गया है, दरियाँ बिछाई गई हैं। नगर भर में प्रसिद्ध हो गया कि आज दो बजे से स्वामी दयानन्द सरस्वती और पौराणिक पंडितों के बीच बहुत बड़ा शास्त्रार्थ होगा। स्वामी जी अपने पांडित्य के लिए इतने प्रसिद्ध हैं कि उनकी बातों को सुनने के लिए अनेक अँग्रेज उच्च पदाधिकारी भी आए हैं। नगर के सेठ-साहूकार और साधारण जनता शास्त्रार्थ के नियत समय से बहुत पहले ही आ आकर भैरव घाट पर एकत्र होने लगे हैं। लगभग पचीस-तीस सहस्र की भीड़ हो गई है। स्वामी जी अपने आसन पर विराजमान हैं। उनके निकट ही बहुत सी पुस्तकें रखी हैं। परन्तु प्रतिपक्षियों का कहीं पता नहीं है। लोगों को आश्चर्य है कि कानपुर नगर के सभी बड़े और प्रतिष्ठित लोग यहाँ उपस्थित हैं, परन्तु पंडित प्रयाग नारायण और बाबू गुरुप्रसाद की युगल जोड़ी कहाँ छिपी है। और वे शास्त्रार्थ महारथी कहाँ हैं जो इस कौपीनधारी अभिमन्यु को चारों ओर से घेर कर मारना चाहते हैं। स्वामी जी ने अनुभव किया कि लोग बेकार बैठे-बैठे उकता रहे हैं। उन्होंने कहा, "आप लोग धैर्य धारण करें। शास्त्रार्थ आरंभ होने का समय दो बजे का है। अभी दो बजने में पन्द्रह मिनट शेष हैं। वे लोग आते ही होंगे। तब तक मैं आप लोगों को बताना चाहता हूँ कि बड़ा और ईश्वर-विश्वासी कौन है। साधारणतः बड़ा व्यक्ति वह है जिसके पास धन सम्पत्ति हो या किसी प्रकार की शक्ति हो। परन्तु वास्तव में बड़ा वह है जो सब का सेवक हो। बड़ा वह है जिसका जीवन अपने लिए न होकर दूसरों के लिए हो। माँ इसीलिए बड़ी और पूज्य है कि उसका प्रत्येक क्षण अपनी संतान के लिए अर्पण है। और राजा को बड़ा इसीलिए माना जाता है कि उसे अपनी प्रजा की भलाई की चिन्ता हर समय रहती है। माता और राजा को अपनी संतान और प्रजा पालन में उनका अपना भी कुछ न कुछ स्वार्थ अवश्य रहता है, परन्तु वह परमपिता परमात्मा तो बिना किसी लोभ और स्वार्थ के ही हम सब को पालता है और हमारी रक्षा करता है। वह हमें सब कुछ देता ही देता है, हमसे लेता कुछ नहीं। इसीलिए वह श्रेष्ठतम और महत्तम है। वह सब का सेवक होने से ही सब का स्वामी है। प्यारे बन्धुओ! यदि तुम्हें भी बड़ा बनना है और तुम सब के हृदयों पर अधिकार जमाना चाहते हो तो सब के सेवक बनो। तुम सेवक से शासक बन जाओगे। पर याद रखो बिना ईश्वर में विश्वास के कोई सच्चा सेवक नहीं बन सकता। सेवा एक बड़ी तपस्या है जिसमें भगवान् भी वश में हो जाते हैं। सेवा ही सब से बड़ी ईश्वरोपासना है।"

जनता मंत्रमुग्ध होकर उपदेश सुन रही है। चारों ओर सन्नाटा छाया हुआ है। स्वामी जी के स्वर को यह चमत्कार प्राप्त है कि उनका वक्तृत्व आदि से अंत तक प्रत्येक मनुष्य को एक रस सुनाई पड़ता है। उनके शब्दों में इतनी सरलता और इतनी मधुरता है कि सर्व साधारण उनको सुगमता से समझ जाते हैं।

स्वामी जी ने आगे कहा, "अब आप लोग समझ लें कि सच्चा ईश्वर-विश्वासी कौन है। वैसे तो संसार भर में कुछ नास्तिकों को छोड़कर सभी अपने को ईश्वर विश्वासी कहते हैं। परन्तु क्या वास्तव में उनका ईश्वर में विश्वास है? ईश्वर विश्वास की सब से उत्तम और सहज पहचान है कि वह पर-पीड़क नहीं होता, और संसार के हर प्राणी को अपनी आत्मा के समान ही प्यार करता है।" स्वामी जी यहीं तक कह पाए हैं कि पंडित प्रयाग नारायण और बाबू गुरुप्रसाद पंडित-मंडली लिये हुए सभा-स्थल पर उपस्थित होते हैं।

अब शास्त्रार्थ प्रारंभ हुआ। हलधर ने कहा, "स्वामीजी! आपने विज्ञापन में जो 'गप्पम्' लिखा है वह व्याकरण की रीति से अशुद्ध है।" इस पर स्वामी जी ने कहा,"आप इस समय नियत विषय 'मूर्ति-पूजा' पर ही वादविवाद कीजिये। शुद्धाशुद्ध पर विवाद करना विद्यार्थियों का काम है। इन सहस्रों मनुष्यों का समय इस व्यर्थ के वादविवाद में क्यों गँवाया जाय। आप कल मेरे पास आ जाइयेगा। मैं प्रमाण सहित आपके इस प्रश्न का उत्तर दे दूंगा।" तब हलधर ओझा ने पूछा—"अच्छा! बताइए वेद में प्रतिमा शब्द है अथवा नहीं? यदि है तो आप उसका खंडन क्यों करते हैं?" स्वामी जी ने उत्तर दिया—"प्रतिमा शब्द यजुर्वेद के बत्तीसवें अध्याय में तीसरे मंत्र में है। यह सामवेद के ब्राह्मण में भी आया है। परन्तु पाषाण आदि की प्रतिमा पूजने का विधान कहीं भी नहीं है. अपितु निषेध तो है कि ईश्वर की प्रतिमा नहीं होती है। जैसे—नतस्य प्रतिमा अस्ति यस्य नाम महद्यशः।" ओझा जी यह उत्तर सुन सोच में पड़ जाते हैं। फिर थोड़ा रुक कर कहते हैं, "ईश्वर की प्रतिमा नहीं है यह तो ठीक है, परन्तु निराकार परमात्मा ध्यान में नहीं आ सकता, इसलिए उसकी मूर्ति बना लेते हैं। इससे ईश्वर की पूजा करने में सुविधा हो जाती है और हानि कुछ भी नहीं होती। यदि वेद में इसका निषेध हो तो दिखाइये।" स्वामी जी ने कहा, "जब हम अपने सेवक से कहते हैं कि तुम पश्चिम जाओ तो अन्य तीन दिशाओं का निषेध अपने-आप हो जाता है। वह सेवक उन तीन दिशाओं में न जाकर पश्चिम की ओर ही जायेगा।" इसके पश्चात् स्वामी जी ने शास्त्रों के प्रमाणों से यह सिद्ध कर दिया कि वेद आदि धर्म ग्रन्थ ईश्वर के स्वरूप को

निराकार, सर्वत्र परिपूर्ण और अमूर्त मानने की आज्ञा देते हैं। और इस प्रकार ईश्वर के प्रतिमा रूप में सीमित हो जाने को वेद विरुद्ध प्रतिपादित करते हुए उन्होंने प्रतिपक्षियों से कहा—"अब आप अपने पक्ष अर्थात् ईश्वर की मूर्ति बना कर पूजने के पक्ष में वेद का एक ही प्रमाण दीजिये।" परन्तु ओझा जी कोई प्रमाण नहीं दे पाते हैं।

विषय को टालने की इच्छा से लक्ष्मण शास्त्री ने कहा—"ईश्वर सर्वव्यापक होने से मूर्ति में भी विद्यमान है, तो फिर मूर्ति पूजने में आप क्यों दोष मानते हैं?" स्वामी जी —"जब परमेश्वर निराकार सर्वव्यापक है तब उसकी मूर्ति ही नहीं बन सकती। जब ईश्वर सभी में है तो जड़ मूर्ति में क्या विशेषता है जो चेतन छोड़ कर उसकी पूजा की जाय। यदि आप यह कहें कि मूर्ति के दर्शन मात्र से परमेश्वर का स्मरण होता है तो उसके बनाए पृथ्वी, आकाश, सूर्य, चन्द्रमा, अग्नि, वायु आदि अनेक अद्भुत रचनाओं को देख कर क्या प्रभु का स्मरण नहीं हो सकता? मनुष्य कृत मूर्तियाँ भी तो परमात्मा रचित महामूर्ति पहाड़ से ही बनती हैं।" यह सुनकर शास्त्री जी चुप हो जाते हैं। इस बीच ओझा जी दम ले चुके हैं। वे फिर अखाड़े में उतरते हैं। "यदि जड़ वस्तुओं में देवत्व नहीं है तो हवन के समय अग्नि में आहुति क्यों देते हैं और समिधा उसमें ही क्यों डालते हैं।" दूसरे तत्त्वों जलादि में क्यों नहीं डालते।" स्वामी जी, "पाँचों तत्त्वों में केवल अग्नि ही ऐसा तत्त्व है जिसमें डाला हुआ पदार्थ भस्म होकर सूक्ष्म हो जाता है और चारों ओर फैल कर दुर्गन्ध की निवृत्ति करता है। इसलिए इसमें हवन करते हैं और वेद की भी यही आज्ञा है। परन्तु आप यह तो बताइये कि अग्निहोत्र रूप देव पूजन के साथ पत्थर-पूजा का क्या सम्बन्ध है? मूर्ति को किसी भी शास्त्र में देव नहीं कहा गया है।" इस पर स्वामी जी के सारे विपक्षी अवाक् हो जाते हैं और एक दूसरे का मुँह ताकने लगते हैं। इस समय चार बज गये हैं। श्री थेन स्वामी जी को नमस्कार कर चल पड़ते हैं। पं० प्रयाग नारायण पूर्व निश्चित योजना के अनुसार ताली बजा देते हैं। फिर क्या था, करतलध्वनि से सारी सभा गूँज उठी। जय-जयकार से एक भूकंप-सा आ जाता है, कोलाहल मच जाता है। इस हलचल में विरोधियों ने स्वामी जी पर ईंटें बरसाईं, पत्थर फेंके, परन्तु वे समुद्र की भाँति गंभीर और शांत हैं, और मन ही मन इन लोगों की अज्ञान लीला पर हँस रहे हैं। दोनों मित्र मनुष्यों की एक भारी भीड़ के साथ अपने पंडितों पर पैसे लुटाते और विजय घोष करते नगर की ओर चल पड़े। वे इतने पर ही संतोष नहीं करते। अपनी तथाकथित विजय की घोषणा शोलापुर

समाचार-पत्र में भी प्रकाशित करवा देते हैं। बहुत से सज्जनों को यह अशुद्ध सभाचार पढ़ कर बड़ा खेद हुआ। स्वामी जी को भी पढ़ कर सुनाया गया। वे बोले—"शास्त्रार्थ तो सत्यासत्य के निर्णय के लिए किया जाता है। इसमें यदि वे लोग अपनी जीत समझते हैं तो उन्हें प्रसन्न हो लेने दो। मुझे इसका कुछ भी हर्ष व शोक नहीं है। जादू वह जो सिर पर चढ़ कर बोले।" इस बात की सूचना थेन साहब को भी लगी। उन्होंने तत्काल स्वामी जी के भक्तों को बुलाकर निम्नलिखित व्यवस्था दे दी, जिससे पूर्व प्रकाशित असत्य समाचार का खंडन ही जाय।

"सज्जनो ! मेरी सम्मति में शास्त्रार्थ के समय स्वामी दयानन्द सरस्वती संन्यासी की विजय हुई। उनकी युक्तियाँ वेदानुकूल थीं। यदि आवश्यकता हुई तो मैं अपनी व्यवस्था की पुष्टि में प्रमाण भी दे दूँगा।"

इस व्यवस्था के प्रकाशित होने पर सर्वसाधारण को विदित हो जाता है कि वास्तविक विजय किसकी हुई।

पंडित प्रयाग नारायण और बाबू गुरुप्रसाद की पोल खुल जाने से उन पर घड़ों पानी पड़ गया। वे साहब लोगों से मुँह चुराने लगते हैं। अपने मिलने-जुलने वालों से कहते—"हम तो कहते ही थे कि वह बहुरूपिया संन्यासी ईसाइयों का नौकर है।" इस प्रकार वे अपनी झेंप मिटाने लगे, परन्तु लोगों को उनके कहने का कितना विश्वास होता है, यह भगवान् ही जाने।

एक दिन गंगा तट पर पंडित प्रयाग नारायण की भेंट मानिक लाल गंगा पुत्र से हो गई। उसने जब पंडित जी को प्रणाम किया तो उन्होंने कहा—"कहो मानिक लाल ! तुम्हारे पड़ोसी उस नास्तिक संन्यासी दयानन्द का क्या हाल है ?" वह बोला—"पंडित जी हैं तो वे पूर्ण योगी महात्मा। हिंसक पशु भी उनसे नहीं बोलते। एक दिन की बात है कि मैं घाट पर बैठा था। मेरे पास ही प्यारे लाल बैठे बातें कर रहे थे। स्वामी जी गंगा जी में बैठे कोई जाप कर रहे थे। सहसा प्यारे लाल की दृष्टि एक बड़े भारी मगर पर पड़ी जो स्वामी जी के अत्यन्त निकट आ गया था। वे भागते हुए उनके समीप गये और पुकारने लगे, "स्वामी जी ? झटपट पानी के बाहर निकल आइए। आपके बिल्कुल पास ही एक बहुत बड़ा मगर आ गया है।" महात्माजी यह सुनकर भी शांत रहे। केवल हाथ से संकेत दिया कि मैंने तुम्हारी बात सुन ली है। बहुत देर के पश्चात् जब वे जल से निकले तो हम लोगों ने उलाहना दिया, "स्वामी जी ! हम लोगों के चिल्लाने पर भी आप नदी में ही बैठे रहे। यदि मगर आपको निगल जाता तो क्या होता ?" वे मुस्कराते हुए बोले—"भाई ! हम ने हिंसा-

भाव का सर्वथा परित्याग कर दिया है । जब हम भगर को नहीं छेड़ते तो वह भी हम से कुछ न बोलेगा ।" इसी बात पर उन्होंने अपनी एक पुरानी घटना सुनाई कि "एक बार मैं गंगा के किनारे विचरता हुआ एक घने जंगल में जा निकला वहाँ मुझे सामने आता हुआ एक सिंह दिखाई दिया। मैं चुपचाप बिना झिझके आगे बढ़ता गया । जब हम एक दूसरे के बिल्कुल समीप पहुँच गये और हमारी आँखें चार हुईं तो सिंह एक ओर वन में चला गया।" पंडित जी बोले, "परन्तु है बड़ा दुष्ट। हमारे देवी-देवताओं की बुराई ही किया करता है ।" मानिक लाल ने स्वीकार किया, "हाँ पंडित जी ! यह बात तो आपकी सत्य है । उस दिन पंडित कालू राम शिवजी पर चढ़ाने के लिए बेल-पत्र आदि ले जा रहे थे तो स्वामी जी कहने लगे, पंडित जी ! शिवलिंग तो तुम्हारे पत्ते खायेगा नहीं, यदि ऊँट के आगे डाल दो तो उसकी भूख इनसे कुछ न कुछ अवश्य मिट जायेगी ।" भैरव मन्दिर के पुजारी नोखेराम चौबे ने उधर से जाते हुए यह बातचीत सुनी तो ठहर गया और बोला—"दयानन्द की चर्चा हो रही है क्या ? जान पड़ता है उस संन्यासी को अपने प्राणों का मोह ही नहीं । मानो वह काल को खोजता फिरता है। वह हमारे बड़े से बड़े देवता को कुछ गिनता ही नहीं । कदाचित् उससे देवता भी डरते हैं । मानिक लाल ! तुम तो बाँके पहलवान की घटना जानते ही हो। एक दिन दयानन्द के सामने मेरे मुँह से निकल गया कि ये भैरव बड़े शक्तिशाली हैं, जो चाहे सो कर सकते हैं । दो वर्ष हुए बाँके खाँ पहलवान मदिरा पीकर डींगें हाँक रहा था कि —मैं तुम्हारे भैरव को क्या समझता हूँ । कहो तो अभी एक मुगदर मारकर उसे चकनाचूर कर दूँ । उसके मुँह से इतना निकलना था कि भैरव कूदकर उसकी छाती पर सवार हो गये। वह वहीं भूमि पर गिर कर छटपटाने लगा । हम लोगों ने बहुत झाड़-फूँक की पर भैरव ने पहलवान को नहीं छोड़ा। वह पागल हो गया और अंत में भैरव-भैरव रटता हुआ मर गया । दयानन्द ने हमारी बात हँसी में उड़ा दी और कहा, मैं रात-दिन भैरव के सिर पर बैठा उसका और उसके साथी देवताओं का खंडन करता रहता हूँ । यदि उसमें कोई सत्ता है तो मुझे उठा कर क्यों नहीं पटक देता ।" पुजारी के चले जाने के पश्चात् पंडित प्रयाग नारायण बोले, "मानिक लाल ! तो क्या हम लोग दयानन्द की गालियाँ यों ही खाते रहें और हाथ पर हाथ धरे बैठे रहें ?" मानिक लाल—"तो पंडित जी ! मुझ जैसा साधारण व्यक्ति उस संन्यासी का क्या कर सकता है ? पंडित जी—"मेरे भाई ! तुम बहुत कुछ कर सकते हो । कम से कम गालियाँ तो दे ही सकते हो ।" मानिक

लाल—"गालियों से क्या होगा ?" पंडित जी—"वह तुम्हारी गालियाँ सुनकर या तो यहाँ से भाग खड़ा होगा या फिर तुमको मारे पीटेगा। ऊँट चाहे जिस करवट बैठे, हमारा काम बन जायेगा। भाग गया तो ठीक नहीं तो मारपीट का उस पर अभियोग चला कर ऐसा रगड़ूँगा कि बच्चा को छठी का दूध याद आ जायेगा। अभियोग के व्यय का भार मैं उठाऊँगा और तुम्हारे परिश्रम के लिए तुम्हें मुँह-माँगा पुरस्कार दूँगा। मेरे ऐसे व्यक्ति के लिए एक संन्यासी से सीधे भिड़ना उचित न होगा।" मानिक लाल ने कहा, "फिर जैसी सरकार की इच्छा।"

●

स्वामी जी को प्रातः-सायं गालियाँ सुनाना अब मानिक लाल का नित्य कर्म हो गया है। जहाँ वह स्वामी जी को अकेला देखता उन्हें गालियाँ देने लगता। उसके अपशब्दों और दुर्वचनों का पाठ कई दिनों तक चलता रहा, परन्तु स्वामी जी ने उससे कभी कुछ न कहा, मानो वे सुनते ही नहीं हैं।

अनेक भक्त स्वामी जी की भेंट के लिए फल मेवा और मिठाई लाया करते। स्वामी जी उन वस्तुओं को प्रसाद रूप में उपस्थित सज्जनों में ही बाँट दिया करते हैं। दैवयोग से एक दिन कुछ मिठाई पड़ी रह जाती है। स्वामी जी इस विषय में सोच ही रहे हैं कि उन्हें मानिक लाल सामने से आता दिखाई दिया। स्वामी जी ने उसे अपने पास बुलाकर प्यार से कहा, "वत्स मानिक लाल, यह थोड़ा-सा प्रसाद तुम्हारे लिए रखा है। यह बच्चों के लिए लेते जाओ, और प्रसाद का अपना भाग प्रति दिन ले लिया करो।" यह कह कर उन्होंने बहुत-सी मिठाई उसे थमा दी। मानिक लाल सोच रहा है कि महात्मा जी आज मुझे डाँटे-डपटेंगे, परन्तु जब फटकार के बदले उसे मिठाई मिली तो उसका मुँह आश्चर्य से खुला रह जाता है। जब छह-सात दिनों तक वह स्वामी जी से प्रसाद में मिठाई-फल पाता रहा और उन्होंने उसकी गंदी गालियों के विषय में कभी कोई बात न चलाई तो पश्चात्ताप से उसका मन भीतर ही भीतर कचोटने लगता है। अंत में वह स्वामी जी के चरणों पर गिर पड़ा। आँसू बहाता हुआ बोला, "भगवन्! मैंने दूसरों के कहने में आकर यह पापाचरण किया है। यदि मेरी उद्दंडता की सीमा नहीं तो आपकी सहनशीलता का भी कोई ओर-छोर नहीं है। देव ने दानव पर विजय पाई है। आपके सौजन्य ने मेरी दुष्टता को सर्वथा जीत लिया है। महाराज! मेरा अपराध क्षमा किया जाय।" स्वामी जी ने उसके सिर पर हाथ रख कर आश्वासन दिया और अशीर्वाद देकर कहा—"प्रिय बंधु! मैंने तुम्हारे वचनों को स्वीकार ही कब किया था, उनको अपने

स्मृतिपटल पर स्थान ही कब दिया था, जिसके लिए तुम्हें क्षमा करूँ। तुम भी गई-बीती बातों का स्मरण न करो।"

●

मानिक लाल उस आदर्श संन्यासी की अपूर्व क्षमा और सहनशीलता के विषय में सोचता हुआ अपने घर लौट जाता है।

कानपुर में स्वामी जी लगभग दो मास रहते हैं। वहाँ उनके सैकड़ों छोटे-वड़े व्यक्ति प्रेमी और भक्त बन गये हैं। वे प्रेमी सदा उनको सुख पहुँचाने का यत्न करते रहते हैं और आवश्यक वस्तुएँ ला-ला कर देते, परन्तु वे त्यागमूर्ति अपने पास कुछ न रखते, भक्तों या दरिद्रों में बाँट देते। एक प्रेमी अत्याग्रह से एक लोटा और एक कौपीन उनके स्थान पर छोड़ गया। द्वन्द्वातीत और पूर्ण योगी महर्षि दयानन्द भैरव घाट पर बिछौने के बिना ही ऊँची-नीची भूमि पर मोटी-मोटी ईंटों को सिरहाने रख कर सो जाते हैं।

वार्त्तालाप में, व्यवहार में, कहने-सुनने में और उपदेश में वे इतने समदर्शी हैं कि प्रत्येक छोटा-बड़ा यही समझता कि महाराज मुझे ही अभिमुख कर रहे हैं, उनका अधिक अनुग्रह, अधिक कृपा और प्रीति मुझ पर ही है।

एक दिन प्रातः काल भक्तजन स्वामी जी के दर्शनों को आये तो वे उन्हें आसन पर नहीं मिलते हैं। लोटा और नई कौपीन वहीं पड़े हैं। उन्होंने समझा-स्वामी जी भ्रमण करने कहीं दूर निकल गये हैं। रसोइये से पूछा, उसने बताया कि आज स्वामी महाराज जी ने भोजन के लिए रोक दिया है। स्वामी जी के लौटने में जैसे-जैसे देर हो रही है वैसे-वैसे प्रेमियों की व्याकुलता बढ़ती जा रही है। अंत में निराश होकर वे अपने-अपने घरों को लौट जाते हैं।

और वह मायामोह विगत वीतराग, और सच्चा संन्यासी गंगा के किनारे-किनारे कानपुर से कोसों दूर इस प्रकार मुँह फेरे चला जा रहा है, मानो किसी से जान-पहचान ही नहीं है।

●●

६ | जन-समाज में मुक्ति की खोज

काशी में वीतराग संन्यासी का सत्याग्रह

स्वामी जी गंगा के किनारे-किनारे चले जा रहे हैं । अपने देश और जाति के शीघ्र सुधार एवं पुनरुत्थान की बात उनके मस्तिष्क में बराबर घूम रही है । वे सोच रहे हैं—सहस्रों वर्ष से सोयी हुई जाति को जगाना कोई सरल कार्य नहीं है । बड़ा-से-बड़ा मनुष्य भी कोई सार्वजनिक कार्य अकेला नहीं कर सकता है । इसीलिए मैं सदा ऐसे सहायकों की खोज में रहता हूँ, जो अपना तन-मन-धन लगा कर इस शुभ कार्य में मेरा हाथ बँटा सके । इसी उद्देश्य से मैंने ब्राह्मण, पुरोहित, पुजारियों को टटोला, साधु महात्माओं को खटखटाया; पर उनमें कोई भी अपने स्वार्थ को छोड़ कर अपनी सेवाओं को समाजकल्याण के कार्य में लगाने को प्रस्तुत नहीं मिला । उनसे हताश होकर मैं जनता में कार्य करने लगा । उनमें जागृति उत्पन्न की, उनके अंधविश्वासों को हटा कर उन्हें विवेकशील और प्रगतिशील बनाने का प्रयास किया । परन्तु एक महान् देश के विशाल जनसमूह में मेरा सुधार का कार्य नहीं के बराबर ही है, और अकेले इससे अधिक हो भी क्या सकता है । फिर मैं क्या करूँ ? सहसा उनके मस्तिष्क में काशी नगरी का चित्र खिंच जाता है । यह प्राचीन नगर चिरकाल से विद्या का केन्द्र रहा है । संस्कृत भाषा और साहित्य को इसी ने अभी तक जीवित रखा है । देश की धार्मिक और सांस्कृतिक एकता को बनाये रखने का सब से अधिक इसी को श्रेय है । भारत के कोने-कोने से विभिन्न भाषा बोलने वाले विद्यार्थी इस नगर में आकर देव भाषा रूपी माला में गुथ जाते हैं; और यहाँ से अपने-अपने प्रांतों में लौट कर पूरे देश में एक भाषा, एक धर्म और एक आचार-विचार का प्रसार करने में सहायक होते हैं । यदि काशी के आचार्य आधुनिक पौराणिक साहित्य और धर्म ग्रन्थों को छोड़ आर्ष ग्रन्थों का पठन-पाठन आरंभ कर दें और अवैदिक प्रथाओं एवं संस्कारों का त्याग कर अपने छात्रों को वैदिक शिक्षा प्रदान करें तो ये विद्यार्थी सहस्रों दयानन्द बन कर देश और जाति के पुनरुद्धार में तथा धर्म के प्रसार में बहुत शीघ्र ही सफल हो सकते हैं । इसलिए मुझे काशी के विद्वानों और पंडितों को समझाने का प्रयास करना

चाहिए। यदि उन्होंने स्वार्थ और दुराग्रह त्याग कर मेरी बात सुनी तो मुझे पूर्ण आशा है कि वे मेरे सहायक बन जायेंगे।

ऐसा विचार मन में आते ही वे फ़तेहपुर, प्रयाग, मिर्ज़ापुर आदि नगरों को लाँघते हुए, आश्विन बदी १ संवत् १९२६ वि० को रामनगर पहुँचे। पहली रात वे गंगा के किनारे बालू पर सो कर ही काटते हैं, फिर राजा की हस्ती-शाला की एक कोठरी में टिक कर सत्य के प्रकाश का कार्य प्रारंभ कर देते हैं।

काशी नरेश महाराजा ईश्वरी नारायण सिंह को भी पता लग गया कि एक प्रतिभाशाली संन्यासी यहाँ ठहरा हुआ है। वह प्रतिमा-पूजन आदि को वेद-विरुद्ध बताता है। वे स्वामी जी के भोजन आदि की उचित व्यवस्था कर देते हैं। एक दिन स्वामी जी को अपने यहाँ बुलवा भेजते हैं। स्वामी जी ने राजा के आदमी से कहा, "संन्यासी को किसी के पास जाने की आवश्यकता नहीं है। यदि महाराजा को कुछ पूछना हो तो उनका जब जी चाहे मेरे पास आ सकते हैं।" महाराज ने फिर एक दिन स्वामी जी को रामलीला देखने के लिए आमंत्रित किया, परन्तु वे यह कहते हुए कि ऐसी लीलाएँ देखना संन्यासी का काम नहीं है, उस निमंत्रण को अस्वीकार कर देते हैं।

एक दिन स्वामी जी गऊघाट के बाबा निरंजनदास के पास बैठे वार्त्तालाप कर रहे हैं। उसी समय काशी नरेश वहाँ आ गये। शिष्टाचार के पश्चात् महाराजा ने बाबा जी से पूछा—"स्वामी जी तो मूर्ति पूजा और रामलीला आदि को वेद-विरुद्ध बताते हैं, इस में आपकी क्या सम्मति है।" उन्होंने कहा, "हाँ, ये बातें वेद में नहीं हैं, परन्तु लोकाचार चला आता है।" निरंजनदास के इस उत्तर से काशी नरेश संतुष्ट नहीं हुए।

स्वामी जी अपने कार्य को दृष्टि में रख कर काशी जाने के लिए तैयार हुए तो काशी नरेश ने कहला भेजा कि महाराज हमारी नौका में बैठ कर जायँ और वहाँ हमारी ही कोठी में ठहरें। परन्तु स्वामी जी किसी कारण से उनकी ये दोनों बातें स्वीकार न कर सके।

स्वामी जी रामनगर में पंडित ज्योतिस्वरूप और महात्मा जवाहरदास आदि धुरंधर विद्वानों को अपने पक्ष में कर के कार्तिक मास में काशी नगरी में आये। उन्होंने माधोसिंह के आनन्दोद्यान में निवास किया।

स्वामी जी के शुभागमन का समाचार आँधी की भाँति सारे नगर में फैल जाता है; पंडित और साधारण जन आ-आ कर अपने-अपने भ्रम निवारण करने लगे। स्वामी जी के पास दिन भर विद्यार्थियों, पंडितों, वादविवाद प्रिय विद्वानों और जिज्ञासु जनों की भारी भीड़ लगी रहती है। कलह-प्रिय लोग

उन्हें चिढ़ाने और खिझाने की चेष्टा भी करते हैं। परन्तु आचार्य दयानन्द सब को बड़ी शांति और गंभीरता से उत्तर देते हैं। चिढ़ना या झल्लाना तो उनकी प्रकृति में नहीं है। उकताना या थकना मानो वे जानते ही नहीं हैं। वे अकेले अपने अलौकिक साहस और धैर्य से आठ-आठ घंटे तक लगातार वादियों से वादविवाद और श्रोताओं को उपदेश देते रहते। उनके उपदेशों का प्रभाव धीरे-धीरे जनता पर होने लगता है।

स्वामी जी के स्थान के समीप ही दुर्गा मन्दिर है। भक्त जन जब वहाँ आते तो स्वामी जी के उपदेश सुनने भी चले आते। उनके कथनों का प्रभाव उन पर ऐसा पड़ा कि मन्दिर में जाने वालों की संख्या कम होने लगी और साथ-ही-साथ वहाँ की आय भी। पुजारियों ने आ कर स्वामी जी से प्रार्थना की कि महाराज आपके यहाँ रहने से हम लोग भूखों मर जायेंगे। इस लिए हमारे बाल-बच्चों पर तरस खा कर कहीं अन्यत्र आसन जमाने की कृपा करें। स्वामी जी उनके इस कथन पर हँस पड़ते हैं।

●

स्वामी दयानन्द सरस्वती काशी में आकर अपने पूर्व निश्चय के अनुसार यहाँ के बड़े-बड़े आचार्यों और विद्वानों से संपर्क स्थापित करते हैं। उनके समक्ष अपना दृष्टिकोण प्रस्तुत करते हैं और अपने पक्ष की सत्यता में प्रमाण देते हैं। उन्हें पौराणिक काल की निराधार और कपोलकल्पित धार्मिक मान्यताओं को छोड़ कर वैदिक शिक्षाओं पर चलने का परामर्श देते हैं। उन्हें अनार्ष ग्रन्थों का पठन-पाठन त्याग कर वेद और ऋषि-प्रणीत ग्रन्थों के पढ़ने-पढ़ाने की सम्मति देते हैं। आर्य जाति के पुनरुत्थान और अपने खोए हुए गौरव को पुनः प्राप्त करने का केवल यही उपाय है, ऐसा उन्हें विश्वास दिलाते हैं। अंत में स्वामी विशुद्धानन्द और बाल शास्त्री आदि विद्वानों से अपने समाज-सुधार के कार्य में और सत्यसनातन वैदिक धर्म के प्रचार में सहायक बनने की प्रार्थना करते हैं। परन्तु महर्षि को हरिद्वार के समान ही काशी में भी निराश होना पड़ता है। परंपरागत कुरीतियाँ और कुप्रथाएँ काशी के विद्वानों को वैसी ही निर्दोष जान पड़ती हैं जैसे दुर्गंधयुक्त वायुमंडल में रहने वाले व्यक्ति को वहाँ दुर्गंध का आभास नहीं होता है। उनके स्वार्थ और पौराणिक संस्कार उन्हें संकुचित विचारधारा और गतिहीन अवस्था से ऊपर नहीं उठने देते हैं। वे देश और समाज के हित में कंधे-से-कंधा मिलाकर काम करने के स्वामी जी के आह्वान को अनसुना कर देते हैं, और उनकी सहायता के लिए हमारे पसारे हुए हाथ को अनदेखा कर देते हैं। वे स्वामी जी के वैदिक सत्य पर

आधारित क्रांतिकारी विचारों से सहमत होने के स्थान पर अपने परंपरागत मिथ्या विश्वासों को ठीक सिद्ध करने का असफल प्रयास करने लगते हैं।

उस समय स्वामी जी की दृष्टि काशी नरेश की ओर जाती है। उन्होंने विचार किया कि महाराजा ईश्वरी नारायण सिंह का यहाँ के विद्वानों पर बहुत प्रभाव है। यदि वे उनसे मेरा विवाद-ग्रस्त विषयों पर शास्त्रार्थ करवा कर निष्पक्ष भाव से सत्यासत्य का निर्णय करायें तो कार्य बनने की संभावना है। ऐसा सोच कर वे अपनी इस इच्छा को एक मित्र द्वारा काशी नरेश पर प्रकट करते हैं।

महाराजा एक सज्जन पुरुष हैं, परन्तु एक श्रद्धालु मूर्ति-पूजक और पौराणिक मत के दृढ़ पोषक होने के कारण वे स्वामी जी की मूर्ति पूजा और पुराण विषयक आलोचना सुनकर रुष्ट हैं। उनकी स्वयं इच्छा है कि काशी के पंडित स्वामी जी के कथन को वेद-विरुद्ध प्रमाणित करके उनका मुंह बन्द करें। इसलिए स्वामी जी का प्रस्ताव सुनते ही महाराजा पंडितों को बुलाकर शास्त्रार्थ के लिए प्रोत्साहित करते हैं। इस पर पंडितों ने निवेदन किया, "महाराज ! यह दयानन्द वेद और व्याकरण का प्रकाण्ड पण्डित है। वह हर विषय में वेद को ही प्रमाण मानता है, परन्तु हम लोगों की वेदों में उतनी गति नहीं है। फिर हम उससे शास्त्रार्थ किस बलबूते पर करें? आप ही उसे कुछ ले-दे कर और मान-प्रतिष्ठा करके उसका मुंह बन्द करें।" महाराजा ने कहा, "विप्रगण ! मैंने यह सब करके पहले ही देख लिया है। मैंने उस संन्यासी से प्रार्थना की थी कि यदि आप मूर्ति-पूजा का खंडन करना छोड़ दें तो मैं आपको अपना गुरु बना लूंगा और शंकर का अवतार प्रसिद्ध कर दूंगा। उस निर्लोभी महापुरुष ने हँस कर कहा, 'राजन ! मैं दस अवतारों का खंडन करता हूँ, और आप मुझे ग्यारहवाँ अवतार बनाना चाहते हैं।' उन्होंने कई अवसरों पर बड़े-बड़े समृद्ध मठों की महंती पर लात मार दी है।" काशी नरेश की यह बात सुन कर पंडितों ने कहा, "यदि श्रीमान् की सम्मति हो तो दयानन्द को किसी युक्ति से परास्त किया जाय। शास्त्रार्थ में उसे पराजित करना टेढ़ी खीर है। यह हम लोगों के वश की बात नहीं है।" महाराज तनिक विरक्त हो कर बोले, "काशी के विद्वानों के लिए यह बड़े लज्जा की बात है कि एक अकेला संन्यासी काशी भर के पंडितों को शास्त्रार्थ के लिए ललकारे, और वे उसके डर से चूहे का बिल ढूंढ़ें। अच्छा ! यदि शास्त्रार्थ करने का साहस नहीं है तो युक्ति से ही उनका मुंह बंद कीजिए। जैसे भी हो मूर्ति-पूजा को वेद-सम्मत सिद्ध करके जय लाभ करना चाहिए।" बाल शास्त्री ने कहा,

"शास्त्रार्थ रविवार या किसी छुट्टी के दिन न रखा जाय, नहीं तो कलेक्टर महोदय और अन्य राज्य-कर्मचारी अवश्य आयेंगे और उनकी उपस्थिति में गोल-माल करना कठिन हो जायेगा।" स्वामी विशुद्धानन्द बोले—"महाराज ! जिस समय माधवाचार्य वेद के नाम से किसी पुरानी पोथी के कुछ पन्ने मूर्ति-पूजा के समर्थन में दयानन्द के हाथ में पकड़ा देंगे और वे उन्हें पढ़ने का प्रयास करने लगेंगे, तो मैं खड़ा हो जाऊँगा और उनकी पीठ पर हाथ फेर कर कहूँगा, यह तो सिद्ध हो गया कि प्रतिमा-पूजन वेदानुकूल है। आप अब अधिक परिश्रम करने का कष्ट न उठाएँ। उस समय आप भी खड़े हो कर ताली बजा दीजियेगा। बस हमारी जय और दयानन्द की पराजय की घोषणा हो जायेगी।"

●

आज आनन्द उद्यान में मूर्ति-पूजा पर काशी के पंडितों के साथ स्वामी दयानन्द सरस्वती का शास्त्रार्थ होगा। इस बात की नगर भर में चर्चा है। काशी नरेश के यहाँ से पालकियाँ, चँवर, छत्रादि पंडितों के निवास स्थानों पर पहुँच रहे हैं। काशी के देवालयों में विजय के लिए प्रार्थनाएँ की जा रही हैं। पाठशालाओं के छात्र अपने अध्यापकों के साथ पंक्तियाँ बनाकर शास्त्रार्थ-स्थल पर पहुँचने की तैयारी में हैं। झुंड-के-झुंड नगरवासी आनंद उद्यान की ओर चले आ रहे हैं। उनमें गुंडों और उपद्रवियों की भी कमी नहीं है। काशी नरेश सैकड़ों विद्वानों से घिरे हुए बड़ी सज-धज के साथ शास्त्रार्थ में सम्मिलित होने के लिए आ रहे हैं।

नगर के कोतवाल रघुनाथ सहाय एक कार्य-कुशल राज्य-कर्मचारी हैं। वे स्वामी जी के निवास स्थान पर पहले ही पहुँच कर शास्त्रार्थ की एक उत्तम व्यवस्था कर देते हैं। स्वामी जी को एक ऊँचे आसन पर विराजमान कराते हैं। उनके पास ही उनके मित्र पंडित ज्योतिस्वरूप और महात्मा जवाहरदास बैठे हैं। स्वामी जी का भक्त बलदेव पंडितों और मूर्ति-पूजक जनता की भारी भीड़ देखकर घबरा गया है। वह काँपता हुआ स्वामी जी से निवेदन करता है, "महाराज ! आज आप के स्थान पर सहस्रों मनुष्यों का जमघटा होगा। वे लगभग सभी पौराणिक हैं और इसलिए उनकी सहानुभूति भी पंडितों से है, आप के साथ नहीं। मुझे तो यहाँ उपद्रव होने की भारी आशंका है। फर्रुखाबाद होता तो आप की रक्षा का कुछ न कुछ प्रबंध हो जाता।" स्वामी जी मुस्करा कर कहते हैं, "वत्स बलदेव ! कुछ भी चिंता न करो। सत्य की ही सर्वदा जीत होती है। जो मनुष्य पक्षपात का परित्याग करके केवल लोक-

हित के लिए ईश्वर की आज्ञानुसार सत्य का प्रतिपादन करता है उसे भय कहाँ ? सत्पुरुष शरीर नाश के भय से अंतरात्मा के आदेश सत्य को नहीं त्यागता। एक मैं अविनाशी आत्मा हूँ। एक ही अनादि अनंत परमात्मा है, और एक ही सत्य अर्थात् धर्म है। इसके अतिरिक्त है कौन जिससे डरूँ और काँपूं ?"

इतने में काशी नरेश पंडितों का दल लिये आ जाते हैं। पंडितों ने स्वामी जी के निकट ही काशी के धुरंधर विद्वानों को बैठे देखा तो उनका माथा ठनका। उन्हें आशंका हुई कि कहीं ये हमारी पोल न खोल दें। वे महाराजा से कहकर कोतवाल की बनाई सारी व्यवस्था उलटवा देते हैं, और पंडित ज्योतिस्वरूप और महातमा जवाहरदास को किसी चाल से स्वामी जी के पास से उठवाकर उद्यान के बाहर करवा देते हैं। स्वामी जी अपने सहायकों के इस अपमान को देखकर कड़ा विरोध करते हैं, परन्तु धृतराष्ट्र की सभा में पाँडवों की पुकार कौन सुनता है। बेचारा कोतवाल कहता ही रह गया कि एक समय में एक ही विद्वान् का स्वामी जी के सामने बैठ कर शास्त्रार्थ करने की मेरी व्यवस्था भंग कर दी गई है। इतने पंडित एक साथ ही स्वामी जी को घेर कर बैठ गये हैं और उनके सहायक पंडितों को हटा दिया गया है। यह सब अन्याय है, अनुचित है। पर उस समय उचितानुचित पर विचार ही कौन करता।

इसके पश्चात् पूर्वनिश्चित योजना के अनुसार ही शास्त्रार्थ की सारी कार्यवाही की गई। काशी नरेश के उठ कर ताली बजाते ही सारे पंडित तालियाँ पीटते और जय-जयकार करते उठ खड़े हुए। पचास-साठ सहस्त्र मनुष्यों के सभा-सागर में बड़ा भारी क्षोभ उत्पन्न हो गया। सर्वत्र गड़बड़ी मच गई। कुछ अविवेकी मनुष्यों ने स्वामी जी पर ईंट-पत्थर बरसाए, जूते उछाले और कीचड़ फेंका, अनेक विधि उनका अपमान किया, परन्तु महर्षि के प्रशांत चित्त-दर्पण पर उदासीनता की तनिक भी छाप न दिखाई दी।

पक्षपाती लोगों और अबोध जन समुदाय ने अपनी बड़ी भारी जीत समझी। परन्तु वहाँ ऐसे समझदार और विचारवान सज्जन भी उपस्थित हैं जिन्होंने पंडितों की चाल को ताड़ लिया, और स्वामी जी के साथ जो अनीति और अन्याय हुआ, उस पर घृणा प्रकट की। पंडित सत्यव्रत सामश्रमी भी शास्त्रार्थ में उपस्थित हैं। उन्होंने अपनी मासिक पत्रिका 'नंदिनी' में स्वामी जी का विजय समाचार छापा। इसी प्रकार रुहेलखंड समाचार पत्र, लाहौर की ज्ञान-प्रदायिनी पत्रिका, हिन्दू पेट्रियट आदि पत्रों ने स्वामी जी की ही विजय की घोषणा की और लिखा कि इसमें सन्देह नहीं कि काशी के पंडित मूर्ति-पूजा की आज्ञा वेदों में नहीं दिखा सके हैं।

पंडित ईश्वर सिंह नाम के एक निर्मल संत काशी में वास करते हैं। वे वेदांत के निष्ठावान् विद्वान् हैं। उन्होंने उस दिन शास्त्रार्थ-स्थल से लौटता हुआ जन समुदाय देखा, उसका जय-घोष सुना। उन्होंने स्वामी जी के साथ किये गये अन्याय, अत्याचार और अपमान को भी जाना। उनकी इच्छा हुई कि चलकर दयानन्द की दशा देखें। यदि इस घोर अपमान और निरादर से उनका चित्त विचलित न हुआ हो तो समझेंगे कि वह सच्चा ब्रह्मज्ञानी और एक पहुँचा हुआ महात्मा है।

जिस समय ईश्वर सिंह आनन्दोद्यान में पहुँचते हैं, स्वामी जी चाँदनी में टहल रहे हैं। ईश्वर सिंह को आते देखकर वे मुसकराते हुए बड़े आदर से उनका स्वागत करते हैं। दोनों मिल कर बड़ी रात तक आत्मा-परमात्मा संबंधी आत्मज्ञान की चर्चा करते रहते हैं। इतनी लंबी बातचीत में ईश्वर सिंह को स्वामी जी के चंद्र समान चमकते हुए मुख-मंडल पर उदासीनता अथवा मलिनता लेश-मात्र भी नहीं दिखाई दी। उनके मुख पर सदा के समान ही एक मनोहारिणी मुस्कान नाच रही है। वे एक बार भी काशीवासियों के अन्याय और अत्याचार की चर्चा नहीं चलाते, जैसे कुछ हुआ ही नहीं।

पंडित ईश्वर सिंह ने महर्षि के चरणकमलों को छूकर कहा, "भगवन्! आज तक मैं आपको वेद-शास्त्रों का ज्ञाता एक पंडित मात्र ही समझता रहा हूँ, परन्तु आज पंडितों के घृणित व्यापार और उत्पात से, अपमान से, और विरोध की घोर आँधी से आपके हृदय सागर में राग-द्वेष की एक भी लहर उठते न देख, मुझे पूर्ण विश्वास हो गया है कि आप वीतराग महात्मा और सिद्ध पुरुष हैं।"

●

यद्यपि शास्त्रार्थ के पश्चात् पंडित घोषणा करवा देते हैं कि दयानन्द के पास कोई न जाय, जो जायेगा वह पातकी समझा जायेगा, फिर भी बहुत से लोग उनके स्थान पर आकर उनके दर्शनों और उपदेशों से लाभ उठाते हैं।

राम स्वामी मिश्र महामहोपाध्याय पातक से बचने के लिए स्वामी जी का मुँह बिना देखे ही उन्हें शास्त्रार्थ करके परास्त करने का उपाय खोज निकालते हैं। एक दिन अँधेरे में स्वामी जी के पास पहुँच कर कहते हैं, "मैं तुम्हारे ऐसे पतित पुरुष के साथ देव वाणी में बोलना पाप समझता हूँ, इसलिए हिंदी में शास्त्रार्थ करूँगा। और मेरी एक शर्त भी आप को माननी होगी।" स्वामी जी ने हँस कर कहा, "अच्छी बात है, मैं संस्कृत में न बोलूँगा, परन्तु कृपा करके संस्कृत के शब्द तो बोलने दीजिये, और आप की वह शर्त क्या है?" वह सामने

एक छुरी रखकर बोला, "मैं छुरी लाया हूँ। जो हममें पराजित होगा उसकी नाक काट ली जायेगी।" स्वामी जी हँसी को रोकते हुए बोले, "महामहोपाध्याय जी! मुझे आपकी यह शर्त सहर्ष स्वीकार है, परन्तु इसमें इतना और जोड़ लीजिये कि हारने वाले की जीभ भी काट ली जाय। क्योंकि वादविवाद करने वाली जीभ है। नाक तो बेचारी निर्दोष है।" पंडित जी अँधेरे ही में शास्त्रार्थ करने की बात कहना भूल गये हैं। स्वामी जी सेवक को दिया लाने का आदेश देते हैं। यह सुनते ही महामहोपाध्याय महाशय वहाँ से ऐसे भागे जैसे उषा से सूर्योदय का समाचार पाकर अंधकार जाता रहता है। घबराहट में अपनी छुरी वहीं छोड़ गये।

●

एक दिन स्वामी जी महात्मा जवाहरदास के यहाँ पहुँचते हैं। इस समय वहाँ भाँग घोटी जा रही है। खरल आदि छिपाने का बहुत प्रयत्न हुआ पर स्वामी जी से कुछ छिपा न रहा। वे हँस कर बोले—"अच्छा! यह शिव की बूटी है। क्या आप भी शिव बनना चाहते हैं? बनने में लगता भी क्या है। भाँग के मद में 'शिवोऽहम' का जाप और 'अहं ब्रह्मास्मि' का पाठ करने लग गये। बस शिव बने-बनाये हैं।" फिर स्वामी जी ने बाबा जवाहरदास से प्रस्ताव किया, "आप हमारे कार्य में सहायता कीजिये। भ्रांति निवारण का कार्य करने लग जाइये।" बाबा जी ने उपहास में कहा, "आप का कोई ठौर-ठिकाना तो है नहीं, इस लिए देश-देशांतर में चक्कर लगाते फिरते हैं। मैं डेरे वाला हूँ। मुझसे इस बखेड़े में नहीं पड़ा जायेगा।" यह सुनकर स्वामी जी गम्भीर होकर बोले, "महात्मन्! यह स्थान और डेरा आपके पास न था और आगे भी न रहेगा। बीच में यों ही ममता जोड़ रखी है। इसे छोड़ो और लोकहित के कार्य में लग जाओ।"

●

दिन ढल चुका है। सूर्यास्त में अभी विलंब है। काशी नगरी में आनंद बाग जाने वाली सड़क पर कुछ युवक तेजी से चले जा रहे हैं। वेश-भूषा और रंग-ढंग से वे मुसलमान प्रतीत होते हैं। उनमें से एक व्यक्ति ने कहा, "भाई जब्बार! वह हिंदू साधु हिंदू धर्म ही की ख़ूब ख़बर लेता है। वह हिंदुओं की मूर्तिपूजा का खंडन ऐसे ज़ोरदार शब्दों में करता है कि उनमें से बहुतों ने बुतपरस्ती को तिलांजलि दे दी है। जो काम महमूद और औरंगजेब की तलवारें न कर सकीं, उसे इस काफिर फकीर ने बिना मूर्तियों और मन्दिरों को तोड़े ही सहज ही में कर दिखाया है। वार्तालाप के इस अंतिम भाग को सुनकर

एक मौलवी साहब, जो इस युवक मंडली से कुछ हटकर चल रहे थे, अब पास आकर कहने लगे, "उसका यह काम ठीक इसलाम के अनुकूल है। मैं ऐसे साधु का उपदेश सुनना चाहता हूँ ।" "तो फिर चलिये न । हम सब वहीं जा रहे हैं ।" वे एक साथ बोल उठते हैं। यह टोली अब आनन्द बाग के निकट पहुँच रही है ।

●

आनन्द बाग में महर्षि दयानन्द कई मास से ठहरे हुए हैं । लोगों का कहना है कि वे बाल ब्रह्मचारी पूर्ण योगी, बड़े विद्वान् महापुरुष हैं। वे वेदों के महान् पंडित और उनके गूढ़ आशय के ज्ञाता हैं। उनका कथन है कि, "मैंने वेदों के एक-एक मंत्र को भलीभाँति विचार-दृष्टि से जाँच लिया है। उनमें ऐसा एक भी मंत्र नहीं है जो अयुक्त सिद्ध हो सके । जैसे सर्राफ रुपयों को परख कर थैली में रख लेता है, और उनके खरे होने में निर्भ्रांत हो जाता है, ऐसे ही एक-एक वेद मंत्र को युक्ति और प्रमाणों की कसौटी पर कस कर उनकी निर्दोषता और सत्यता के विषय में मैं संदेह रहित हो गया हूँ।" उनकी घोषणा है कि वेदों में अनेकेश्वरवाद, इतिहास, पशुबलि, और मूर्तिपूजा इत्यादि का कोई वर्णन या उपदेश नहीं है । वेद का अर्थ है ज्ञान । जिसे ईश्वर मनुष्य को सृष्टि आदि में देता है । जिस परमात्मा ने मनुष्य की आँख आदि इंद्रियों के लिए सूर्यादि सहायक पदार्थ पैदा किये हैं, यह हो नहीं सकता कि उसने उसकी बुद्धि और मस्तिष्क को उन्नत और उज्ज्वल करने के हेतु ज्ञान न दिया हो। यह ज्ञान सृष्टि के आदि ही में होना चाहिए । परमात्मा निराकार, सर्वशक्तिमान, न्यायकारी, अजन्मा, अनंत इत्यादि गुणों वाला है, न उसकी प्रतिमा बन सकती है, और न उसे शरीर धारण करने का कोई प्रयोजन है । वह तो बिना शरीर के इतनी महान् सृष्टि को रचता, पालन करता, और फिर उसका विलय किया करता है । इससे बड़ा और कठिन कार्य कौन है जिसके लिए वह अपने गुणों को छोड़ कर और नियमों को तोड़ कर भिन्न-भिन्न योनियों में जन्म लेता फिरे ? इनका इन विषयों पर काशी के पंडितों से एक बहुत बड़ा शास्त्रार्थ भी हो चुका है। इन्हीं महात्मा जी का उपदेश आज होने वाला है, जिसे सुनने के लिए उपर्युक्त मंडली आनन्द बाग की ओर जा रही है।

●

महात्मा जी के दर्शनार्थ और उनके उपदेशों को सुनने के लिए सहस्रों स्त्री-पुरुष आनन्द बाग में एकत्र हैं। बड़ा कोलाहल मच रहा है। परन्तु उनके उपदेश स्थल पर आते ही वहाँ का सारा वातावरण एकदम शांत हो जाता है।

सब की दृष्टि उनके सुन्दर एवं तेजस्वी मुखमण्डल पर जा टिकती है। उनका शरीर अतीव सुगठित और सुडौल है। उनके विकसित व विशाल नेत्र कृपारस से पूर्ण हैं जिनमें विचित्र आकर्षण है। वे आकर सिंहासन पर बैठ जाते हैं और आँखें बन्द कर लेते हैं। कदाचित् वे ईश्वर के ध्यान में लीन हैं। उनकी निश्चल मूर्ति इस मुद्रा में बड़ी मनमोहनी लग रही है। थोड़ी देर के पश्चात् वे 'ओउम्' का उच्चारण करते हुए आँखें खोल देते हैं ? उसके बाद 'ओ३म् विश्वानि देव सवितर्दुरितानि परासुव। यद् भद्रं तन्न आ सुव॥"[1] इस वेद मंत्र का पाठ करते हैं और चारों ओर दृष्टिपात करके अपना व्याख्यान आरंभ करते हैं, "प्यारे बंधुओ ! ईश्वर सृष्टिकर्ता, एक और अनादि है। वह एक रस है। उसमें कभी कोई विकार नहीं होता। इसलिए उसके आदेश और नियम भी कभी नहीं बदलते। अतः धर्म वह है, जो आदि सृष्टि से वर्तमान है और सदा रहेगा। वह धर्म संसार के सभी मतों में समान रूप से पाया जाता है। फिर प्रश्न किया जा सकता है कि यदि धर्म सब संप्रदायों और मतों में एक-सा विद्यमान है तो धर्म और ईश्वर के नाम पर इतना रक्तपात, कलह और वैमनस्य क्यों ? इसका सीधा उत्तर है कि मतावलंबियों ने खाने-पीने, उठने-बैठने और अपने-अपने देशों के रीतिरिवाजों को धर्म मान रखा है। उनको दूसरों पर हठपूर्वक लादने का प्रयास करते हैं। न मानने पर एक दूसरे के शत्रु हो जाते हैं और मार-काट करते हैं। मेरी हार्दिक इच्छा है कि सब मतों के विद्वान् पक्षपात छोड़कर सर्व-तंत्र सिद्धांत अर्थात् जो-जो बातें सब के अनुकूल सब में सत्य हैं, उनका ग्रहण और जो एक दूसरे के विरुद्ध बातें हैं, उनका त्याग कर प्रीति से बर्तें-बर्तावें तो जगत् का पूर्ण हित होगा। क्योंकि विद्वानों के विरोध से अविद्वानों में विरोध बढ़कर अनेक विधि दुःख की वृद्धि और सुख की हानि होती है। इस हानि ने, जो कि स्वार्थी मनुष्यों को प्रिय है, सब मनुष्यों को दुःख-सागर में डुबो दिया है। इनमें जो कोई सार्वजनिक हित का लक्ष लेकर प्रवृत्त होता है उससे स्वार्थी लोग विरोध करने में तत्पर होकर अनेक प्रकार विघ्न डालते हैं। धर्म सत्य है, इसलिए इसमें किसी को शंका नहीं हो सकती। हमारे ऋषियों ने धर्म को पहचानने का एक बहुत ही सरल उपाय बताया है। वे कहते हैं कि जो व्यवहार तुम्हारे प्रतिकूल है वह दूसरे

---

१. यजु० अ० ३०, हे सकल जगत् के उत्पादक व रक्षक प्रभु, तू हमारे सारे दुर्गुणों को दूर करके हमें अच्छे गुण प्राप्त करा।

के प्रति न करो ।[1] तुम्हारी संपत्ति का यदि कोई अपहरण करता है तो तुम चिल्लाते करते हो, फिर दूसरे के धन को लूटने का विचार क्यों करते हो। दूसरे के अपशब्द सुन कर तुम आगबबूला हो जाते हो तो दूसरों को गालियाँ कदापि न दो। यदि तुम्हारी गरदन कोई काटने लगे तो तुम्हारा जी क्या कहेगा, परन्तु तुम ही अपने क्षणिक स्वाद के लिए पशुओं के गलों पर छुरी चलाते हो और वह भी दयालु परमात्मा के नाम पर। केवल पशु ही नहीं अपितु धर्म के नाम पर मनुष्यों को भी तलवार के घाट उतारा जाता है। उदाहरण के लिए इसलाम मत को लीजिए। इसमें धर्म, जो सब मतों से समान रूप से पाया जाता है, के अतिरिक्त कितना अंधविश्वास और सृष्टि नियम के विरुद्ध कितनी बातें पाई जाती हैं, जिनको मुसलमान अन्यों से तलवार द्वारा मनवाते हैं।"

इतना सुनते ही एक मुसलमान युवक भड़क उठता है। क्रोध से थर-थर काँपता हुआ चिल्ला कर बोला—"मुँह सँभाल कर बोलो। हमारे दीन के विषय में कुछ भी न कहो। नहीं तो मैं तुमको देख लूँगा।" संन्यासी अति कोमलता से उस युवक से कहता है, "सौम्य ! तुम्हारे अभी दूध के दाँत गिरे नहीं हैं। संसार के उतार-चढ़ाव का तुमको कुछ भी अनुभव नहीं है। मेरा तात्पर्य किसी का मन दुखाना या किसी की हानि करना कदापि नहीं है, किन्तु जिससे मनुष्य जाति की उन्नति और उपकार हो, सत्यासत्य को लोग जान कर सत्य का ग्रहण और असत्य का परित्याग करें, वही सत्योपदेश मैं करता हूँ।" युवक के साथियों ने उसे शांत करने का प्रयास किया। कहा, "जब्बार भाई! यह अपना राज्य नहीं जो ऐसे काफ़िर को सूली पर चढ़ा दिया जाय। लाचारी है। शांत रहो।" जब्बार मित्रों पर बरस पड़ा, "लाचारी और बेबसी तुम्हारे ऐसे कायरों के लिए है। अल्लाह ताला ने चाहा तो इस बेबाक मुँहफट फकीर को उसकी बेहूदा बकवास का मजा चखा दूँगा।"

●

संध्या का सूरज दूर पश्चिम में डूब रहा है। हल्की-हल्की ठंडी हवा चलने लगी है। कुछ मनचले युवक चौक बाजार से गंगा को जाने वाली सड़क पर

---

१. न तत्परस्य संदध्यात्प्रतिकूलं यदात्मनः। संग्रहेणैव धर्मः स्यात्कामादन्यः प्रवर्तते
एवं . . . . श्रूयतां धर्मं सर्वस्वं श्रुत्वा चाप्यवधार्यताम्।
आत्मनः प्रतिकूलानि परेषां न समाचरेत ॥
—महाभारत—उद्योग पर्व, अ० ३९। श्ल० ८१।

एक दूसरे से बातें और चुहल करते चले जा रहे हैं । एक बोला, "यार जब्बार, उस दिन तो तुम आनन्द बाग में बाबा जी की बातें सुन कर आपे से बाहर हो गये थे ।" जब्बार—"महमूद मियाँ ! खुदा की क़सम, मुझे कुफ्र सुन कर क्रोध चढ़ आता है । कहिए मौलाना आप की क्या राय है ?" मौलाना—"जब्बार भाई ! उस साधु की बातें सुन कर मेरे भी तन-बदन में आग लग गई थी, परन्तु विष का घूँट पी कर रह गया । कर ही क्या सकता था, अंग्रेजों का राज्य जो ठहरा। उनके विधान में कुफ्र का दंड मृत्यु नहीं है। सब स्वतंत्र हैं। जिस का जो जी चाहे बके । एक दिन वह कह रहा था कि हिन्दुओं की मूर्तियाँ तो चार-पाँच अंगुल से लेकर दो-चार हाथ की होती हैं। उनको तो किसी प्रकार हटाया जा सकता है, परन्तु मसलमानों के बुत तो कब्र, मकबरों और ताजियों के रूप में दो-दो तीन-तीन खंड के भवनों से भी बड़े होते हैं, जिनका हटाना अति दुष्कर है। उसने यह भी कहा कि 'कुरान ईश्वर की ओर से नहीं आई है, क्योंकि उसके आरंभ में लिखा है—आरंभ साथ नाम अल्लाह के। यदि अल्लाह ने कुरान भेजी होती तो वह अपने नाम के साथ क्यों आरंभ करता। किसी मनुष्य ने ईश्वर का नाम लेकर इस पुस्तक को लिखना आरंभ किया होगा । कुरान में लिखा है कि जो लोग फ़रिश्तों, पैगम्बर, जिब्राइल और मेकाइल को नहीं मानते ऐसे काफिरों का अल्लाह शत्रु है।[१] और उसमें यह भी लिखा है कि अल्लाह पर उसके रसूल के साथ ईमान लाओ।[२] जब मुसलमान कहते हैं कि खुदा अद्वितीय (लाशरीक) है तो यह फौज-की-फौज शरीक कहाँ से कर दी।" "अच्छा ! वह काफिर ऐसा कह रहा था। बच्चू कहीं मिल जायँ तो बताऊँ।" जब्बार ने यह वाक्य अभी पूरा ही किया है कि उन लोगों की दृष्टि सहसा एक व्यक्ति पर पड़ी जो गंगा तट पर आसन लगाए बैठा है। उस टोली में से कई लोग चिल्ला उठते हैं, "लो, भाई जब्बार ! तुम्हारा वह काफिर दोस्त, जिसकी याद तुम्हें सता रही थी, मिल गया। कैसा बगुला भगत बना आँखें बंद किये हुए बैठा है।" जब्बार ने तो उसे देखते ही पहचान लिया है। बोला, "मोहसिन मियाँ ! तुम्हीं इन सब से तगड़े हो। आओ मेरा साथ दो। और लोग भी पास ही रहें। यह बाबा पूरा पहलवान है।" वे दोनों आगे बढ़कर महर्षि को उठाकर गंगा में फेंकने का प्रयास करने लगते हैं । इन दोनों ने स्वामी जी की दोनों भुजाएँ कंधों के पास से दृढ़तापूर्वक पकड़ ली हैं। महात्मा जी शांत

---

१. कुरान—मं० १। सि०१। सू०२। आ० ९० ।
२. कुरान —मं० १। सि० ४। सू० ३। आ० १५९ ।

हैं। वे उन्हें झुला कर नदी में फेंकना ही चाहते हैं कि वह महापुरुष अपनी दोनों बाँहों को सिकोड़ कर अपने शरीर के साथ लगा लेता है और बलपूर्वक आगे को उछल कर दोनों मनुष्यों सहित पानी में कूद पड़ता है, और नदी की पेंदी में भूमि पर साँस रोक आसन लगा कर बैठ जाता है। उन दोनों व्यक्तियों के हाथ कुछ काल तो शिकंजे में कसे रहे, परन्तु उन्हें जल के भीतर छटपटाते देख कर स्वामी जी को उन पर दया आ जाती है और वे उन्हें मुक्त कर देते हैं। वे बड़ी कठिनाई से पानी से बाहर निकल पाते हैं। महर्षि पानी के अंदर-ही-अंदर अधिक गहराई में चले गये और पद्मासन लगा कर बैठ गये। जब्बार और मोहसिन पानी से निकल कर अपने साथियों के साथ हाथों में कंकड़-पत्थर लिये बड़ी देर तक नदी तट पर खड़े देखते रहते हैं कि वह बाबा सिर निकाले तो उसे मारें। अँधेरा हो जाने पर उस मंडली ने मन में समझ लिया कि उस काफिर ने डूब कर अपनी करनी का फल पा लिया है। इसलिए वे डींगे हाँकते हुए वहाँ से लौट पड़ते हैं। मन में डर भी रहे हैं कि कहीं किसी ने उन्हें संन्यासी को नदी में फेंकते देख न लिया हो। मार्ग में जब्बार ने कहा—"यारो! ये हिंदू काफिर भी कितने मूर्ख और अदूरदर्शी होते हैं, जो हाथ में आये शत्रुओं को भी छोड़ देते हैं, क्षमा कर देते हैं। वह बाबा यदि चाहता तो हम दोनों को भी अपने साथ ही ले डूबता।" सभी ने उसकी हाँ-में-हाँ मिलाई, परन्तु मोहसिन सोच रहा है—"या अल्लाह! तूने बागी शैतान को कयामत तक छूट देकर अच्छा नहीं किया।[1] वह स्वयं काफिर है।[2] इसलिए वह काफिरों का दोस्त है। वह अपने भाई-बंदों को क्यों बहकाने लगा। इसलिए हिंदू आज भी सच्चे अर्थों में मनुष्य हैं। उनमें अपने शत्रुओं के लिए भी दया है। उनके लिए सारा संसार अपना है, कोई पराया नहीं, तभी तो अरब, यहूदी, पारसी, मुसलमान और ईसाई आदि विदेशी जातियों को इस देश में शरण मिली है। कहाँ तेरी उम्मत हम मुसलमान जिन्हें शैतान कयामत तक वहकाता रहेगा। इसीलिए हम मुसलमान कहलाते हुए भी ऐसे महात्मा को जिसने अपने डुबाने वालों को अपनी मुट्ठी में पाते हुए भी जान बख्श दी, मूर्ख और काफिर कहते हैं। वास्तव में, ऐ अल्लाह। यह हिन्दू मनुष्य हैं, और तेरे बंदे हमारे जैसे मुसलमान तेरी आज्ञा को भुला देने वाले पशु।"

थोड़ी देर के बाद महर्षि गंगा से निकल अपने आसन पर आ विराजते हैं और परम पिता परमात्मा के ध्यान में लीन हो जाते हैं।

---

१. कुरान—मं० २। सि० ८। सू० ७। आ० १० से १७ तक।

२. कुरान—मं० २। सि० १। सू० २। आ० ३२।

अपनी महन्ती मुझे नहीं चाहिए

स्वामी जी काशी से प्रयाग पहुँचते हैं। वहाँ वे कुंभ मेले में अपने विचारों का प्रचार करके मिर्जापुर आते हैं और रामरत्न के उद्यान में आसन जमाते हैं। यहाँ भी भ्रम-निवारण का कार्य आरंभ हो जाता है। और लोग स्वामी जी के विरोध में कानाफूसी कर रहे हैं।

बुढ़वा महादेव के मन्दिर में संध्या की आरती अभी-अभी समाप्त हुई है और दर्शक प्रसाद लेकर चले जा रहे हैं। मन्दिर में अब केवल थोड़े-से व्यक्ति रह गये हैं। वे मूर्ति के सामने ही बैठ कर आपस में बातचीत करने लगते हैं। मन्दिर का पुजारी छोटूगिरि गोसाईं ने एक मोटे व्यक्ति को संबोधित करके कहा--"सेठ जी! वह नास्तिक दयानन्द यहाँ भी आ गया है। काशी में इतना अपमानित होने पर भी वह निर्लज्ज पहले के समान ही हमारा और हमारे देवताओं का उपहास करता है। एक दिन कह रहा था कि इन पौराणिकों के देवताओं की लीला ही निराली है। काशी के विश्वनाथ तो कायर निकले कि उन्होंने यवनों के डर से अपने भक्तों को काल के मुँह में छोड़ कुएँ में कूद कर अपनी जान बचाई। और मिर्जापुर के महादेव बेचारे बूढ़े हैं। इन मतिभ्रष्टों के इतनी भी समझ नहीं है कि देवों का देव महादेव परमेश्वर अमूर्त है। वह कभी बच्चा, जवान या बूढ़ा नहीं होता।" बीच में ही जगन्नाथ मालवीय बोल पड़ता है--"अरे भाई! दयानन्द बड़ा मुँह-फट है। एक दिन गंगा-स्नान करके मैं सूर्य भगवान् को अर्घ्य दे रहा था कि दयानन्द वहाँ आ गया। मुझे अर्घ्य देते देख हँस कर बोला, --"अरे भोले भाई! जल में जल क्यों मिलाते हो। किसी वृक्ष को सींचो या प्यासे को जल पिलाओ तो प्यासों की प्यास बुझे और तुम्हें पुण्य भी हो।" सेठ ने ठंडी साँस भर कर कहा--"मालवीय जी! आपको तो उसने कुछ नहीं कहा, मेरे कलेजे में तो उसने छुरी भोंकी है। एक दिन मैं छोटे मुन्ना को लेकर अभाग्यवश उससे मिलने चला गया। मुन्ना को देख कर उसने कहा, 'सेठ जी! यह आपका पौत्र बड़ा होनहार जान पड़ता है।' मेरे मुँह से निकला ही था--'महाराज यह मेरा सब से छोटा पुत्र है', कि वह तीखे स्वर में बोला, 'सेठ जी! आपने वृद्धावस्था में विवाह करके घोर पाप कर्म किया है; अपनी काम-पिपासा को शांत करने के लिए आपने एक तरुण स्त्री के जीवन से खेलवाड़ किया है।' यह वार्त्ता भोला भाला बच्चा घर आकर अपनी माँ से कहता है। मैंने देखा मुन्ना की माँ का चेहरा एकदम उतर गया है, मानो उसने कोई अशुभ बात सुनी हो। उसी समय से दयानन्द मेरी आँखों का काँटा बन गया है। जितना भी धन लगे मैं इस काँटे को दूर करना चाहता हूँ।" सेठ का अंतिम वाक्य सुन कर वहाँ बैठे एक दाढ़ी

वाले व्यक्ति के मुँह में पानी भर आता है। वह ललचाई आँखों से पुजारी की ओर देखता है। पुजारी ने कहा—"सेठ जी ! आप चिंता न करें। हम सब लोग आपके साथ हैं। ये ओझा जी अभी हाल ही में इस नगर में पधारे हैं और इसी मन्दिर में ठहरे हैं। आप एक प्रसिद्ध मंत्र-शास्त्री हैं। इनके पास ऐसे-ऐसे सिद्ध मंत्र हैं कि जिनका पुरश्चरण कराने से बड़े-से-बड़ा संकट टल सकता है। और ये बेचारे थोड़े धन में ही काम चला देते हैं।" सेठ बोला—"अच्छी बात है, मैं आज ही इनको एक परचा भेज दूँगा जिसे दिखाकर ये हमारे मुनीम से आवश्यक धन और सामग्री प्राप्त कर लेंगे। पुरश्चरण तुरंत आरंभ हो जाना चाहिए।" ओझा शिकार फँसता देख मन-ही-मन प्रसन्न होकर बोला—"सेठ जी ! आप निश्चिंत रहें। प्रयोग के आरंभ करने के इक्कीसवें दिन दयानन्द इस संसार से विदा हो जायेगा।" पुजारी ने सोचा कि बहती गंगा में हाथ धो लेना चाहिए —बोला, "सेठ जी ! ओझा जी का अनुष्ठान तो तीन सप्ताह में काम करेगा, मैं दयानन्द को कल-परसों में ठीक कर दूँगा। यार लोगों को खिलाने-पिलाने के लिए थोड़े रुपयों का प्रबंध कर लूँ।" सेठ तुरंत टेंट से रुपये निकाल कर पुजारी को थमा देता है।

●

तीसरे पहर का समय है। स्वामी जी अपने आसन पर विराजमान हैं। सामने भक्त-जन बैठे हैं। धर्म चर्चा चल रही है। उसी समय बूढ़े महादेव का पुजारी बहुत-से मनुष्यों के साथ वहाँ आ जाता है। वह स्वामी जी से बिल्कुल सट कर बैठ कर लगा ऊटपटाँग बकने। स्वामी जी भाँप गये कि यह झगड़ा करने पर उतारू है। उन्होंने उसे शांत भाव से समझाना चाहा पर वह क्यों सुनने लगा, स्वामी जी के समीप ही एक दोने में बतासे रखे हैं। पुजारी उसमें से एक-एक बताशा निकाल कर खाने लगता है। स्वामी जी ने टोंका, "बार-बार हाथ लगा कर बतासों को जूठा क्यों करते हो। जितनी इच्छा हो एक बार में ही ले लो।" पुजारी धृष्टता पूर्वक बोला—"बच्चा ! हमारी जूठन से घृणा करते हो? हम तुम्हारे गुरु हैं। तनिक ठहरो, हमारे देवताओं के खंडन करने का फल तुम्हें मिला जाता है।" यह सुन कर पुजारी के साथी और समीप आ जाते हैं।

स्वामी जी उसकी इन गीदड़भबकियों से कब डरने वाले हैं। वे किसी अत्याचारी से भयभीत होकर दब जाना जानते ही नहीं हैं। उन्होंने जब देखा कि लातों का भूत बातों से नहीं मानता तो कड़क कर बोले, "राम गोपाल ! तनिक मेरा सोंटा तो देना। मैं अकेले ही इन दुष्टों को ठोंक-ठाँक कर सीधा किये देता

हूँ।" स्वामी जी के तेजोमय मुख, दीपक की भाँति उद्दीप्त नेत्र और दिव्य आकृति देख पुजारी सिटपिटा गया। वह पीछे हट कर चुपचाप बैठ गया, और उसके साथी दूर हट जाते हैं।

●

छोटू गिरि गोसाईं स्वामी जी के पास से उठ कर चला तो उसके मुँह पर फटकार बरस रही है। वह सिर झुकाये चला जा रहा है और मन-ही-मन कह रहा है—"मैं उसकी धमकी में व्यर्थ ही आ गया। इतने आदमियों के रहते हुए वह हमारा क्या बिगाड़ सकता था। उलटे हम लोग उसे पीट कर रख देते। एक अच्छा अवसर हाथ से निकल गया। सेठ के पैसे खाये हैं। उसे क्या मुँह दिखाऊँगा।" फिर कोई विचार मन में आते ही वह वहीं खड़े होकर अपने आदमियों से कोई मंत्रणा करने लगता है।

●

रात का समय है। स्वामी जी बैठे पंडित राम प्रसाद को कोई शास्त्रीय विषय समझा रहे हैं। इतने में दो संडे-मुसंडे व्यक्ति वहाँ आकर छेड़-छाड़ करने लगते हैं। वे उद्दंड आपस में जोर-जोर से बातें करते और ठहाका मार कर हँसते हैं। वे इस प्रतीक्षा में हैं कि कोई बहाना मिले और वे स्वामी जी को मार पीट अपनी राह लें। पंडित राम प्रसाद ने उन्हें दो-एक बार रोका। स्वामी जी ने भी उन्हें कोमल शब्दों में शांत रहने के लिए कहा, परन्तु वे उन्हें मारने को दौड़ते हैं। स्वामी जी ने खड़े होकर ऐसा प्रबल हुंकार-नाद किया कि वे आततायी काँपने लगे और मूर्छा खाकर भूमि पर गिर पड़ते हैं। पंडित रामप्रसाद ने जल के छींटे देकर उन्हें सचेत किया। वे पसीने-पसीने हो रहे हैं। स्वामी जी ने उनसे कहा, "संन्यासी किसी को मारते-पीटते नहीं। तुम निर्भय होकर अपने घर चले जाओ। परन्तु याद रखना कि संन्यासियों को सताना और उनसे छेड़-छाड़ करना कोई अच्छा काम नहीं है।"

●

सेठ पलँग पर पड़े कराह रहे हैं। मारे दर्द के तड़प रहे हैं। उनके गले में एक भयंकर फोड़ा निकल आया है। उसका खाना, पीना, बोलना सब बंद है, थूक निगलना भी कठिन हो रहा है। उनकी अवस्था दिन-पर-दिन बिगड़ती ही चली जा रही है। ओझा सेठ के पास ही बैठा है। वह उन्हें बताता है, "प्रयोग समाप्ति का दिन समीप आ गया है, बलिदान की सामग्री का प्रबन्ध करवा दीजिए। जैसे ही अनुष्ठान की अंतिम क्रिया बलि दी जायगी वैसे ही दयानन्द का सिर धड़ से अलग होकर धरती पर गिर पड़ेगा।" सेठ दर्द से तड़पता हुआ बड़ी कठिनाई

से बोला, "बंद करो अपना पुरश्चरण, छोड़ो अपना प्रयोग अनुष्ठान। यह सब व्यर्थ की बकवास है। दयानन्द के सिर गिरने में तो शंका है, परन्तु मेरा सिर तो गिरा ही चाहता है।"

पता नहीं कि सेठ की जान बची या नहीं, परन्तु वह मंत्र प्रयोग अधूरा ही रह जाता है।

स्वामी जी मिर्जापुर में एक पाठशाला स्थापित करके फिर काशी आ जाते हैं। यहाँ वे 'अद्वैतमत खंडन' नाम की एक छोटी-सी पुस्तक लिख कर प्रकाशित करवाते हैं, जिसने मायावादियों में एक हलचल उत्पन्न कर दी। अनेक विद्वान् और महात्मा इस विषय पर वादविवाद करने स्वामी जी के पास आने लगते हैं।

एक दिन स्वामी जी अपने आसन पर बैठे हैं। सामने उनका एक पुराना परिचित खँदोई निवासी छत्रसिंह जाट बैठा है। वह स्वामी जी का प्रेमी होने पर भी पक्का नवीन वेदांती है। इतने में कई सज्जन 'अद्वैतमत खंडन' लिये वहाँ आते हैं। उनमें से एक व्यक्ति बोला, "स्वामी जी! यह जगत् तो रज्जु के सर्प की भाँति मिथ्या है।" स्वामी जी ने कहा, "सच्चे सर्प का ज्ञान मनुष्य के अंतःकरण में विद्यमान होता है। केवल भय अथवा भ्रम के कारण रज्जु का तदाकार देख कर सर्प मान लेता है। परन्तु जैसे ही सच्चे सर्प के लक्षणों को रज्जु के साथ मिलाता है उसी समय भय निवृत्त हो जाता है। अब आप बताएँ कि सच्चे सर्प की भाँति वह सत्य जगत् कौन-सा है, जिसकी सदृशता की भ्रांति इस जगत् में हो रही है?" वह व्यक्ति तो कुछ नहीं बोला, परन्तु छत्रसिंह जाट ने कहा—"आप चाहे जो कहें, परन्तु यह दृश्यमान जगत् आकाश-कुसुम समान मिथ्या है। स्वप्न-सृष्टि के तुल्य भ्रम मात्र है, बंध्या-पुत्र की भाँति कल्पित है, शशश्रृंगवत् असत्य है। वास्तव में यह है ही नहीं।" स्वामी जी ने समझ लिया कि इस अर्धशिक्षित मनुष्य से वादविवाद करना व्यर्थ है। उन्होंने हाथ थोड़ा आगे बढ़ा कर छत्रसिंह के मुख पर एक हल्का-सा थप्पड़ लगाया। चपत खाते ही वह चौंक पड़ा और कपोल सहलाते हुए कहने लगा, "महाराज! सिद्धांत भेद होने पर और विचार न मिलने पर ही आप ऐसे ज्ञानी जनों को आवेश में आकर थप्पड़ मार देना शोभा नहीं देता।" स्वामी जी ने मंद मुस्कान सहित कहा, "चौधरी जी! जब आपके निश्चयानुसार ब्रह्म ही एक वस्तु है, दूसरी कोई भी नहीं, और जो कुछ दिखाई पड़ता है वह सब मिथ्या है, तो वह आप से भिन्न दूसरा कौन है जिस ने आपके थप्पड़ लगाया है। आपको मिथ्या प्रतीति कैसे हो गई?" छत्रसिंह ने यह सुन कर स्वामी जी के चरण पकड़ लिये और कहा, "महाराज!

आपने मेरी आँखें खोल दीं। वास्तव में हम लोग अनुभव शून्य हैं।" स्वामी जी ने कहा—"आलसी साधु और पंडितों ने धर्म-कर्म और लोक-हित करने से बचने के लिए मायावाद का ढकोसला बना रखा है । ये लोग ब्रह्म सत्ता का अनुभव तो करते नहीं, उलटे 'अहं ब्रह्म जगन्मिथ्या' कह कर रात-दिन मिथ्या वचन बोलने के भागी बनते हैं, यदि ब्रह्म हैं तो एक मरी मक्खी को ही जीवित कर दें।"

तब एक उदासी साधु माया राम ने पूछा कि शंकर तो 'वेदांत भाष्य' में ब्रह्मसूत्र अद्वैत पर लगाते हैं और रामानुज आदि अपने ग्रन्थों में जीव ब्रह्म का भेद वर्णन करते हैं। इस विषय में किस का पक्ष ठीक समझा जाय? स्वामी जी ने उत्तर में कहा—"दोनों का ही पक्ष आंशिक रूप में सत्य है । ईश्वर सर्वव्यापक है, इसलिए अभेद ठीक है । जीव एक देशीय है, इसलिए भेद ठीक है। जो एक-एक पक्ष को पकड़ कर खींचातानी करते हैं, उनका निश्चय भ्रममूलक और मिथ्या है।"

एक सज्जन बोले, "महाराज ! आप मुक्ति से पुनरावृत्ति मानते हैं, परन्तु दूसरे आचार्यों का तो ऐसा मत नहीं है।" स्वामी जी ने बताया—"भद्र ! मैंने इस प्रश्न पर कई मास तक विचार किया है। अंत में मैं इसी परिणाम पर पहुँचा हूँ कि सांत कर्म का अनंत फल नहीं हो सकता। इसलिए मुक्ति से पुनरागमन मानना ही ठीक है । जीव अनादि और नित्य है। यदि मुक्ति से कोई भी लौट कर न आये तो संसार का उच्छेद हो जायेगा। अर्थात् जीव रहित हो जायेगा। तब तो ईश्वर की सारी सृष्टि का प्रयोजन ही समाप्त हो जायगा, जो संभव नहीं है।"

मुक्ति की चर्चा चलने पर एक वयोवृद्ध महात्मा बोले, "बच्चा। यदि तुम पहले के ही समान निवृत्ति मार्ग पर स्थिर रहते, परोपकार के झगड़े में न पड़ते तो तुम्हारी इसी जन्म में मुक्ति हो जाती। अब तो तुम्हें एक जन्म और धारण करना पड़ेगा।" स्वामी जी ने कहा, "महात्मन् ! अब मुझे अपनी मुक्ति की कोई भी इच्छा नहीं है। मझे तो उस आर्य जाति की चिंता है जिसने महा संकट और घोर आपत्तियाँ झेल कर भी ईश्वर की मुक्तिदायिनी वाणी वेद भगवान् को सृष्टि के आदि से अब तक अपनी छाती से लगाये रखा है। परन्तु वही जाति, यदि उसने प्रमाद और आलस्य नहीं छोड़ा, संसार-पटल से मिट जाने वाली है। कोई देश जन शून्य नहीं हो जाता है। केवल संस्कृति, सभ्यता, भावना, भाव और भाषा आदि बदल कर वहाँ के वासियों का एकदम काया-पलट हो जाता है, वह एक नई जाति ही बन जाती है। ठीक वैसे

ही जैसे पुराने खंडहर पर पहले के ही ईंट-पत्थरों से नये भवन का निर्माण किया गया हो। धर्म-गुरुओं और नेताओं की असावधानी और प्रमाद के कारण करोड़ों भाई चोला बदल चुके हैं। और प्रति दिन बदल रहे हैं। यदि यही अवस्था रही तो आप मुक्ति के स्वप्न देखते रह जायेंगे और आर्य-जाति की सदा के लिए समाधि लग जायगी। आप निवृत्ति मार्ग की बात करते हैं ' मेरे लिए तो वेद विहित कर्मों का करना और निषिद्ध कर्मों का त्यागना ही निवृत्ति मार्ग है। क्रियात्मक जीवन ही शुभ जीवन है। सारा दृश्यमान जगत् अपनी नित्य क्रिया में निरन्तर प्रवृत्त है। हमारे शरीर भी इस विशाल सृष्टि के अंश मात्र हैं। जब विराट् देह में निरंतर गति है, क्रिया है और प्रवृत्ति है, तो उसके अंशरूप हमारे शरीर में निवृत्ति और निष्क्रियता का होना असंभव है और अस्वाभाविक है। जो लोग सत्योपदेश, प्रजा प्रेम और लोक हित के कार्यों को छोड़ कर अपने को परम निष्क्रिय और निवृत्ति मार्ग का अनुगामी मानते हैं उनकी मुक्ति को मैं दो कौड़ी की समझता हूँ। मुझे ऐसी मुक्ति नहीं चाहिए। मेरी अभिलाषा है कि आर्य-जाति की मुक्ति हो जाय, मुझे भले ही कई जन्म क्यों न लेने पड़ें। दुखों के त्रास से, दीन दशा से, और दुर्बल अवस्था से परम पिता के पुत्रों को मुक्ति दिलाने से, मैं आप-ही-आप मुक्त हो जाऊँगा।" महर्षि का यह लम्बा उत्तर सुन कर महात्मा जी मौन हो जाते हैं।

उसी समय वहाँ एक व्यक्ति प्रश्न पूछने के लिए आया। स्वामी जी को ऊँचे आसन पर बैठा देख कर कहने लगा, "आप तो सिंहासन पर विराजमान हैं और मैं नीचे बैठूँ? मैं भी विद्वान् हूँ। मुझे भी अपने बराबर का आसन दीजिये।" स्वामी जी ने उस पंडित के लिए कुरसी तुरंत मँगवा दी और कहा, "आप विद्वान् होकर भी आसन पर बैठने में बड़ाई-छोटाई की कल्पना करते हैं। इसका मुझे बड़ा आश्चर्य है। क्या सामने वृक्ष पर बैठा हुआ कौआ हमसे-आप से बड़ा है अथवा किसी राजा के मुकुट पर बैठ जाने से मक्खी मच्छर अधिक प्रतिष्ठा पा जाते हैं?" कुरसी पर बैठ कर उसने पूछा, "ईश्वर एक देशीय है या सर्वव्यापक है?" स्वामी जी—"परमात्मा सर्वव्यापक है।" पंडित ने अपनी जेब से तत्काल घड़ी निकाल कर स्वामी जी से कहा, "यदि ईश्वर सर्वत्र है तो बताइए वह इस घड़ी में कहाँ बैठा है?" स्वामी जी ने उत्तर दिया—"ईश्वर आकाश की भाँति परम सूक्ष्म और सब में रमा हुआ है। इसलिए चर्म-चक्षुओं से अगोचर है।" फिर अपना सोंटा उठा कर कहा, "आकाश सर्वव्यापक है। इस सोंटे के भीतर-बाहर भी रमा हुआ है। जैसे इस सोंटे में आकाश तो है पर दीखता नहीं वैसे ही आपकी घड़ी में ईश्वर है, परन्तु परम सूक्ष्म होने से

इन्द्रियों द्वारा ग्रहण नहीं हो सकता।" यह सुन कर वह विद्वान् चुप हो जाता है।

सत्संग का समय समाप्त होने वाला है कि कई पौराणिक पंडित, मौलवी, और पादरी एक साथ आकर बैठ जाते हैं। स्वामी जी ने उन्हें देख कर कहा, "सज्जनो! समय तो समाप्त हो गया है, परन्तु आज रात को व्याख्यान नहीं होगा, इसलिए आप लोग अपने प्रश्न पूछ सकते हैं।" वे आपस में यह निश्चय करके आये हैं कि सब लोग अपने-अपने प्रश्न एक साथ ही करें, जिससे स्वामी जी घबरा कर ठीक उत्तर न दे सकें। परन्तु उनके आश्चर्य का ठिकाना न रहा जब स्वामी जी उनके प्रत्येक प्रश्न का उत्तर एक-एक करके बड़ी उत्तमता से देते हैं। एक पंडित बड़ा काइयाँ है, उसने पूछा, "महाराज! आप ज्ञानी हैं अथवा अज्ञानी?" उसने सोचा है कि यह प्रश्न महर्षि का मुँह अवश्य बंद कर देगा। यदि वे अपने को ज्ञानी कहते हैं तो कहा जायेगा कि महापुरुष अहंकार नहीं किया करते, और यदि वे अपने को अज्ञानी मान लें तो उनसे कहा जायेगा कि आप जब स्वयं अज्ञानी हैं तो संसार को क्या ज्ञान सिखाने आये हैं। परन्तु उसकी मनोकामना पूरी न हुई। स्वामी जी ने तत्काल उत्तर दिया, "मैं कई विषयों में ज्ञानी हूँ और कइयों में अज्ञानी। वेद शास्त्र और व्याकरण आदि विषयों में ज्ञानी हूँ और वैद्यक विज्ञान आदि विषयों में अज्ञानी हूँ।" यह उत्तर सुन कर वे लोग अवाक् रह जाते हैं, और निराश होकर उठ कर चले गये।

तब निर्मल महात्मा रामसिंह ने विनय की, "महाराज! मेरी भी एक शंका का समाधान कर दीजिये। आप इतने बड़े पंडित और ज्ञानी होकर भी भिखारियों की भाँति ईश्वर से भीख माँगते हैं। ऐसे कर्म तो अज्ञानियों के हैं। जिस ज्ञानी ने 'अहं ब्रह्मास्मि' का मनन करके अपने ऊपर उसे घटा लिया हो, उसे इस प्रकार रोने झीखने की क्या आवश्यता है?" स्वामी जी ने उत्तर दिया, "मनुष्य में प्रार्थना की वृत्ति स्वाभाविक है। जैसे आप में खाने पीने और सोने की वृत्तियाँ तो विद्यमान हैं, परन्तु परितृप्ति प्राप्त करने के लिए आप इन वृत्तियों को जगाते हैं, वैसे ही प्रार्थना रूप भक्ति वृत्ति को जगाने की आवश्यकता है। यह सत्य नहीं है कि ज्ञानी-जन प्रार्थना नहीं करते। आप अपने को पूरा वेदांती मानते हैं, परन्तु फिर भी वेदांत वाक्य दुहराते रहते हैं। जिस व्यक्ति को जिस वस्तु का जितना अधिक ज्ञान होता है, वह उसे उतना ही अधिक स्मरण करता है। जितनी अधिक प्रीति परमेश्वर में बढ़ेगी उसका उतना ही अधिक प्रकाश होगा। भाई रामसिंह! ऊपर से आप चाहे जो कहें, परन्तु जब तक भूख-प्यास

और सुख-दुख आदि द्वंद्वों का अनुभव करते हैं तब तक आप पूर्ण नहीं हैं। आप में न्यूनता अवश्य है। अपनी न्यूनता पूर्ण करने के लिए, तीन गुणमयी माया से ऊपर होने के लिए प्रार्थना आवश्यक है। लोगों का यह कहना भ्रम है कि ज्ञान कर्म और भक्ति ये प्रभु प्राप्ति के तीन भिन्न-भिन्न मार्ग हैं। वास्तव में ये तीनों उपाय एक निर्दिष्ट उद्देश्य की प्राप्ति में एक दूसरे के सहायक और पूरक हैं। ज्ञान द्वारा हम अपने उद्देश्य को निर्धारित करते हैं, उसे समझते हैं, और फिर भक्ति से लक्ष्य-प्राप्ति की उत्कट इच्छा उत्पन्न करके कर्म द्वारा उस तक पहुँचने का प्रयास करते हैं। बिना ज्ञान के लक्ष्य स्थिर नहीं हो सकता। श्रद्धा भक्ति अर्थात् अपने लक्ष्य की प्राप्ति के लिये उसमें अटल विश्वास और लगन के बिना कर्म नहीं हो सकता। और कर्म किये बिना उद्देश्य-प्राप्ति असंभव है।"

●

एक दिन स्वामी जी बाबा जवाहर दास से शास्त्र चर्चा कर रहे हैं कि महाराजा ईश्वरी नारायण सिंह का दीवान आकर स्वामी जी से निवेदन करता है—"भगवन्, काशी नरेश ने अपने पिछले अपराधों के लिए क्षमा माँगी है और आपके दर्शनों की इच्छा प्रकट की है।" स्वामी जी—"दीवान जी! इसका उत्तर मैं आपको कल दूँगा।" दीवान के चले जाने पर बाबा जवाहर दास ने कहा—"ऐसे अन्यायी राजा के यहाँ कभी नहीं जाना चाहिए। आपको दीवान से स्पष्ट कह देना था।" स्वामी जी गंभीर हो कर बोले—"आप ठीक कहते हैं। मैं अन्यत्र जाता भी बहुत कम हूँ। परन्तु इस अवसर पर मेरे न जाने से यह सिद्ध होगा कि मैं ढोंगी संन्यासी हूँ। साधारण जन की भाँति ही मुझे भी अपने मान-अपमान का आदर-अनादर का ध्यान है।"

एक दिन महाराजा स्वामी जी को लाने के लिए गाड़ी भेजते हैं। जब स्वामी जी राज-प्रासाद के निकट पहुँचे तो काशी नरेश ने आगे बढ़ कर उनका नमस्कारपूर्वक स्वागत किया, उनके गले में पुष्प-माला पहनाई और सम्मानपूर्वक ला कर स्वर्ण सिंहासन पर बैठाया और स्वयं एक रजत आसन पर बैठे। महाराजा हाथ जोड़ कर कहते हैं—"भगवन्! हमारे कुल में मूर्ति-पूजन परंपरा से चला आता है। मैं भी बाल्यकाल से श्रद्धापूर्वक कुल-धर्म का पालन करता हूँ। इसलिए चिरकाल के धर्मानुराग से ही शास्त्रार्थ में आपकी अवज्ञा हो गई थी। आप संन्यासी हैं। मुझे इस पूर्व अपराध के लिए क्षमा करें।" स्वामी जी ने कहा—"राजन्! हमारे मन में इन बातों का लेशमात्र भी संस्कार नहीं है।" तत्पश्चात् महाराजा स्वामी जी से अपने बहुत से संशय निवारण करते हैं। चलते समय काशी नरेश ने कुछ स्वर्ण-मुद्राएँ स्वामी जी के

चरणों में रख कर प्रणाम किया। वे बड़े आदर से गाड़ी में बैठा कर स्वामी जी को विदा करते हैं और बहुत-सा फल, मिठाई और मुरब्बा आदि खाद्य पदार्थ साथ कर देते हैं।

अनुशासन और आत्मानुशासन

काशी से पर्यटन करते हुए स्वामी जी कासगंज पहुँचते हैं। वहाँ उन्होंने अपनी स्थापित की हुई वैदिक पाठशाला का निरीक्षण करके निम्न लिखित नियम निर्धारित किये—

१. संध्या सिखा कर और बुद्धि की परीक्षा ले कर विद्यार्थी प्रविष्ट किये जायँ।
२. अष्टाध्यायी, महाभाष्य, मनुस्मृति और वेद पढ़ाए जायँ।
३. पढ़ाई निःशुल्क हो। पाठशाला में रहने वाले छात्रों को भोजन भी निःशुल्क दिया जाय।
४. परिश्रमी विद्यार्थियों के भोजन का विशेष प्रबंध रहे।
५. जो विद्यार्थी सूर्योदय के पूर्व उठ कर संध्या न कर ले, उसे सायंकाल की संध्या कर लेने के पश्चात् ही भोजन दिया जाय।
६. छात्रों को नगर जाने की आज्ञा न दी जाय। परन्तु सम्मानपूर्वक भोजन का निमंत्रण मिलने पर वे किसी अध्यापक के साथ जा सकते हैं।

●

स्वामी जी को विद्यार्थियों की सुविधा और चरित्र-सुधार की बड़ी चिंता रहती है।

एक दिन स्वामी जी एक विद्यार्थी के साथ कहीं जा रहे हैं। मार्ग में एक वृक्ष के नीचे एक पक्का आम पड़ा था। विद्यार्थी उसे उठा लेता है। स्वामी जी ने कहा—"रामप्रसाद! तुमने दूसरे के फल को बिना उसकी अनुमति के उठा कर चोरी की है। तुम्हें इस अपराध के लिए एक रुपया अर्थ-दंड दिया जाता है।"

स्वामी जी शपथ लेने के विरुद्ध हैं। उनकी अनुपस्थिति में अध्यापकों ने विद्यार्थियों से आर्ष ग्रन्थों के पढ़ने-पढ़ाने और सत्य-प्रचार करने के लिए शपथ लेने को कहा। रामप्रसाद को छोड़ कर सब इस आज्ञा का पालन करते हैं। रामप्रसाद इस अपराध में पाठशाला से निकाल दिया जाता है। कासगंज आने पर जब स्वामी जी को इस बात का पता लगता है तो वे तत्काल रामप्रसाद को बुला कर पाठशाला में रख लेते हैं और प्रधान अध्यापक की भर्त्सना करते हैं—

"शपथ लेना, सौगंध खाना अनाचार है। कितना भी यत्न क्यों न किया जाय तुम्हारे कुसंस्कार नहीं छूटते। मेरी आज्ञा के बिना कोई नया नियम प्रवर्तन नहीं करना चाहिए।"

स्वामी जी को विद्यार्थियों की रक्षा और सुविधा का भी बहुत ध्यान रहता है। रात को विद्यार्थी जिस स्थान पर सोते हैं वहाँ हवा और बौछार को रोकने के लिए कोई आड़ नहीं है। स्वामी जी पहले ही सुखचैन से वहाँ दीवार बनवाने के लिए कह गये थे। परन्तु किसी कारण से दीवार न बन सकी। इस बार स्वामी जी ने छात्रों के कष्ट को देख कर वहाँ छप्पर बनवा कर खड़ा करने का सुझाव दिया, परन्तु मजदूर न मिलने के कारण यह भी न हो सका। तब स्वामी जी स्वयं छप्पर बनाने लगे। यह देख कर पाठशाला के सभी लोग उनकी सहायता करने में लग गये। लोगों को आश्चर्य है कि एक बड़ा विद्वान् और प्रसिद्ध व्यक्ति इतना छोटा कार्य भी कर सकता है। सुखचैन ने कहा—"महाराज! आप छप्पर बनाना भी जानते हैं।" स्वामी जी ने उपदेश दिया, "हमारे देश का दुर्भाग्य है कि यहाँ सब से बड़ा वही है जो आलसियों का राजा हो। अँग्रेजों में यह दुर्गुण नहीं है। इसीलिए वे शासक हैं। प्रत्येक को परिश्रमी होना चाहिए, और छोटे-मोटे कामों के लिए दूसरों का मुँह नहीं देखना चाहिए।"

●

स्वामी जी बड़ी-से-बड़ी आपत्ति में तनिक भी न घबराते । वे निश्चल और शांत रहते। उन्हें अपने प्रण पालन का बड़ा ध्यान रहता। वे अपने सारे कार्य नियत समय पर ही करते। इनके लिए प्रत्येक क्षण मूल्यवान् है। वे व्याख्यान-स्थल पर केवल पाँच मिनट पहले पहुँचते और श्रोताओं की प्रतीक्षा किये बिना ही नियत समय पर उपदेश आरंभ कर देते। व्याख्यान की घोषणा हो जाने पर प्रबल ज्वर भी उन्हें ठीक समय पर व्याख्यान देने से न रोक सकता।

एक दिन स्वामी जी नियत समय से कुछ ही पहले व्याख्यान स्थल की ओर कासगंज की बाजार से होकर जा रहे हैं। मनुष्यों की भीड़ लगी हुई है। सामने एक बलिष्ट साँड़ पूँछ उठाए चौराहे के बीचोबीच खड़ा डकर रहा है। और खुरों से मिट्टी कुरेद रहा है। यह साँड़ बड़ा मरखन्ना है, लोगों को दौड़ा कर मारा करता है। उसके डर से आने जाने वाले इधर-उधर रुके खड़े हैं। कुछ लोग चबूतरों पर या दूसरे ऊँचे स्थानों पर चढ़ गये हैं।

स्वामी जी मार्ग में एक साँड़ को देख कर एक क्षण के लिए ठिठके, परन्तु दूसरे ही क्षण वे उसके अत्यंत निकट पहुँच जाते हैं। लोगों ने भयभीत होकर चिल्लाना आरंभ किया, "स्वामी जी! साँड़ के समीप न जाइए वह सींग मार

देगा। यहाँ चबूतरे पर आ जाइये।" इत्यादि इत्यादि। परन्तु स्वामी जी को यह सब करने का अवकाश नहीं है। उन्हें ठीक समय पर उपदेश आरंभ करना है। वे तिल भर भी अपने स्थान से न हटे, अपितु चलने के लिए पग आगे बढ़ाते हैं। साँड़ ने जब देखा कि यह तो मेरा भी चचा है, तो वह स्वयं मार्ग छोड़ कर, स्वामी जी की ओंर दृष्टिपात करता हुआ मंद गति से एक ओर चल देता है, मानो कह रहा हो—"योद्धा संन्यासी पर शस्त्र-प्रहार नहीं करते।"

स्वामी जी के इस धैर्य और निर्भयता पर बाज़ार के सब लोग आश्चर्य-चकित हो गये। वे उनके अलौकिक साहस की भूरि-भूरि प्रशंसा करने लगते हैं।

●

कासगंज की पाठशाला की उचित व्यवस्था करके स्वामी जी रामघाट आ जाते हैं।

छलेसर के सब से बड़े जमींदार ठाकुर मुकुंदीसिंह और उनके भाई ठाकुर मुन्नासिंह को स्वामी जी को अपने यहाँ ले जाने की बड़ी अभिलाषा है। वे कई वर्ष पहले स्वामी जी के दर्शन कर्णवास में कर चुके हैं। तभी से दोनों भाई उनके परम भक्त बन गये हैं। और उनके विचारों का प्रचार भी करने लग गये हैं। उन्होंने जैसे ही सुना कि महाराज रामघाट में विराजमान हैं, वे पालकी और सैकड़ों मनुष्यों को साथ ले कर स्वामी जी की सेवा में उपस्थित हुए। स्वामी जी ने जब उनकी प्रार्थना स्वीकार कर ली तो सभी छलेसर वासियों के मुख प्रसन्नता से खिल उठते हैं। उनके जय जयकार से वायुमंडल गूँज उठता है। उन्होंने स्वामी जी पर पुष्प वर्षा की और उन्हें हार पहना कर पालकी पर बैठने की प्रार्थना की। परन्तु महर्षि को अपने भक्तों के साथ वार्त्तालाप करते हुए पदयात्रा करना ही रुचिकर लगता है।

दोनों भाई स्वामी जी को एक रमणीक एकांत स्थान में निवास देते हैं। वे प्रातः उठ कर स्वामी जी के शुभ दर्शन किये बिना पानी न पीते। स्वामी जी के शुभागमन के उपलक्ष में वहाँ एक वैदिक पाठशाला स्थापित की गयी।

स्वामी जी अपने भक्तों के पारिवारिक जीवन को उत्तम और सुखमय बनाने का यत्न भी करते रहते हैं। जब इन्हें मुकुंदीसिंह और उनके बड़े पुत्र चंदनसिंह में मनमुटाव रहने का पता चला तो उन्होंने मुकुंदीसिंह से कहा—"पिता को विशेष कोमल होना चाहिए। छोटे यदि छोटापन करें तो करें, बड़ों को अपना बड़प्पन तो बनाए ही रखना चाहिए। संतान से वैमनस्य रखना, मानो सांसारिक सुख से हाथ धोना है। आप के लिए उचित है कि अपने पुत्र के प्रति वात्सल्य भाव रखें और वैसा ही उसके साथ बर्ताव करें।" इस प्रकार मुकुंदीसिंह को

उपदेश देकर चंदनसिंह को लाकर उनकी गोद में बैठा देते हैं। पिता-पुत्र दोनों के दिलों का मैल आँसू बन कर निकल जाता है।

●

स्वामी जी बड़े समदर्शी हैं । उनके लिए छोटे-बड़े एक समान हैं । छलेसर में उनके भोजन की व्यवस्था ठाकुर मुकुंदीसिंह की ओर से ही है। उनके लिए उत्तम और स्वादिष्ट भोजन का थाल प्रति दिन नियत समय पर किसी ठाकुर के यहाँ से आ जाया करता है। एक दिन स्वामी जी चबूतरे पर बैठे हैं। भोजन के आने में अभी कुछ विलंब है। तभी एक साधारण किसान मक्का की मोटी-मोटी रोटियाँ अँगोछे में बाँधे अपने खेत को जाते हुए उधर से निकलता है। चबूतरे पर मुनिराज को बैठे देख कर उसके हृदय में भक्ति भाव उमड़ पड़ता है। वह संकोच करते हुए स्वामी जी के पास आ कर बड़ी श्रद्धा से प्रणाम करता है। फिर दबते-दबते विनती करता है, "महाराज! आज मुझ दरिद्र का भी अन्न ग्रहण करके इस तुच्छ किसान को भव सागर से पार उतारिये।" "भाई! तुम अपने को तुच्छ क्यों कहते हो? श्रमजीवी कृषक और श्रमिक जन तो राजाओं के भी राजा हैं।" यह कहते हुए महर्षि बड़ी प्रसन्नता से एक रोटी ले कर अत्यंत रुचि और प्रेम से खाने लगते हैं। उनके इस अनुग्रह से उस निरीह कृषक का हृदय गद्गद् हो गया। उसके नेत्र श्रद्धा-भक्ति के आँसुओं से परिपूर्ण हो जाते हैं।

●

स्वामी जी ने यहाँ लोगों को ब्रह्मचर्य की शिक्षा दी। कुमारों से कहा कि पचीस वर्ष की अवस्था तक ब्रह्मचारी रह कर विद्याध्ययन करो, और विवाहितों को उपदेश दिया कि गृहस्थ-धर्म पालन करो और अपनी पत्नी के अतिरिक्त अन्य स्त्री को स्वप्न में भी ध्यान में न लाओ।

स्वामी जी का छलेसर में आज अंतिम दिवस है। आकाश पर बादल छाए हैं और कभी-कभी बूंदा-बाँदी भी हो जाती है। स्वामी जी चलने को तैयार हैं। भक्त-जन विनती करते हैं, "भगवन्! आज का दिन और ठहर जाइये। कहीं पानी अधिक न बरसने लगे।" परन्तु स्वामी जी दृढ़ संकल्प हैं। उन्हें किसी की मोह-ममता या स्नेह नहीं रोक सकते । मुकुंदी-मुन्नासिंह आदि बहुत से भक्त उन्हें पहुँचाने बहुत दूर तक जाते हैं। स्वामी जी से विदा होते समय दोनों भाइयों ने स्वामी जी के चरणों की रज लेकर माथे से लगाई। उस समय उनके नेत्रों से अश्रुधारा बह चलती है। अपने प्रेमियों को व्याकुल देख कर वे बड़े स्नेह से समझाते हैं—"इतने अधीर क्यों होते हो? अभी तो कई बार छलेसर आना होगा। संन्यासी तो आकाश-विहारी पक्षी की भाँति ही उन्मुक्त और

स्वतंत्र होते हैं। उनसे इतनी ममता जोड़ना दुःख का ही हेतु है। जब तुम मेरे कथनों पर अपने चरित्र को उच्च और उज्ज्वल बनाओगे और परोपकार में रत रहोगे तो मैं तुम लोगों के समीप ही हूँ।"

●

छलेसर के अपने भक्तों को ढाढ़स बँधा कर वे चल पड़ते हैं। सोरों आदि स्थानों में होते हुए स्वामी जी फर्रुखाबाद पहुँचते हैं। वहाँ के पाठशाला में कुछ गड़बड़ी होने के कारण स्वामी जी सेठ पन्नालाल के स्थान पर श्री निर्भयराम को पाठशाला का प्रबंधक और पंडित युगलकिशोर को मिर्ज़ापुर से बुला कर प्रधानाध्यापक के पद पर नियुक्त करते हैं। यहाँ के पाठशाले के प्रबन्ध से निश्चिंत होकर स्वामी जी कुछ दिनों कर्नवास, अनूपशहर आदि स्थानों में भ्रमण करते रहे। फिर फर्रुखाबाद लौट कर लगभग तीन मास रह कर पूर्व की यात्रा आरंभ कर देते हैं।

●

स्वामी जी फर्रुखाबाद से पर्यटन करते हुए, स्थान-स्थान पर अपना कार्य करते हुए डुमराँव पधारे। वहाँ नाग बाबू ने उनका श्रद्धापूर्वक आतिथ्य किया। फिर नाग बाबू के साथ ही आरा आते हैं। वहाँ हरवंश राय ने उनकी बड़े भक्ति-भाव से सेवा की और चलते समय निवेदन किया कि महाराज अब आप यहाँ से रेल द्वारा ही यात्रा करें। उन्होंने स्वामी जी को मार्ग-व्यय के लिए कुछ धन भी आग्रह पूर्वक भेंट किया। आरा से चल कर स्वामी जी पटना पहुँचते हैं। यहाँ डिप्टी सोहनलाल आदि सज्जनों ने स्टेशन पर उनका स्वागत किया और महाराजा भूपसिंह के रोशबाग में ठहराया। स्वामी जी विज्ञापनों द्वारा नगर में घोषणा कर देते हैं कि जिसका जी चाहे मूर्ति-पूजा अवतारवाद आदि विषयों पर आ कर मुझसे शंका समाधान या शास्त्रार्थ कर सकता है।

पंडित रामजीवन भट्ट पचास पंडितों को साथ लेकर शास्त्रार्थ करने आते हैं। परन्तु दो-एक बातों में ही निरुत्तर हो कर चले गये। फिर किसी को स्वामी जी से शास्त्रार्थ करने का साहस नहीं हुआ। छोटे लाल, गुरुप्रसाद आदि सज्जन आकर स्वामी जी से अपनी शंकाओं का निवारण करते हैं।

एक दिन एक मैथिली पंडित आ कर स्वामी जी से बड़ी देर तक संस्कृत में बातचीत करता रहा। चलते समय उसने कहा, "स्वामी जी! पुराणों में कितनी भी भ्रामक और असत्य बातें भरी हों फिर भी उनकी रचना ऐसी अपूर्व और सुन्दर है कि आज तक वैसे श्लोकों के बनाने का साहस किसी दूसरे विद्वान् को नहीं हुआ।" स्वामी जी ने हँस कर कहा—"पंडित जी! तनिक लिखने

का कष्ट करें। मैं अभी आपको कल्पित कथाओं के बीसियों श्लोक लिखवाये देता हूँ।" स्वामी जी ने उसे अभी दस श्लोक ही लिखवाए हैं कि वह उन श्लोकों के वचन-माधुर्य और पद-विन्यास के लालित्य पर ऐसा लट्टू हुआ कि स्वामी जी के चरण पकड़ लेता है। वह उनकी रचना-शक्ति की भूरि-भूरि प्रशंसा करता हुआ वहाँ से चला जाता हूँ।

स्वामी जी में बिना किसी के बताए ही बातों को अनुमान से ही जान लेने की विलक्षण शक्ति है। एक दिन उनके रसोइये का चाचा आया। उसने स्वामी जी की अनुपस्थिति में भतीजे से कहा, "महाराज के भोजन कर चुकने पर तुम भोजन करते होगे। इस प्रकार तो रसोई जूठी हो जाती है। तुम लकीर खींच लिया करो। और उसके बाहर ही उन्हें भोजन दिया करो।" स्वामी जी जब स्नान करके आये तो उन्होंने चौके के बाहर ही बैठ कर भोजन माँगा। रसोइये ने विनय की—"महाराज! आप तो चौके में ही भोजन करते हैं, फिर आज बाहर ही क्यों बैठ गये हैं।" स्वामी जी ने कहा—"भाई! तुझे और तेरे चाचा को भाई-विरादरी का डर है। मैं कहीं भी बैठ कर खा लूँ। मुझे किस का भय है!" चचा भतीजे चकित हैं कि स्वामी जी हमारी बातें कैसे जान गये।

एक दिन राजनाथ डिप्टी सोहनलाल के घर से स्वामी जी के लिए दूध ला रहा है। मार्ग में साँप देख कर डर जाता है। जब वह स्वामी जी के पास पहुँचा तो एड़ी से चोटी तक पसीने से नहाया हुआ है। स्वामी जी ने पूछा—"क्या तुम मार्ग में साँप देख कर डर गये हो?" राजनाथ को इस बात पर बड़ा आश्चर्य हुआ।

अंतिम दिन पटना कालेज के अध्यापक पं० राम अवतार तिवारी ने स्वामी जी से व्याकरण के विषय में थोड़ी देर तक बातचीत की, परन्तु उनके अथाह ज्ञान-समुद्र की थोड़ी-सी झलक पाते ही वे मौन हो जाते हैं।

विदाई के दिन डिप्टी सोहनलाल आदि सज्जन स्वामी जी के साथ स्टेशन जाते हैं। वहाँ उन्हें मुँगेर जाने वाली सायंकाल की गाड़ी में बैठा कर सम्मान-पूर्वक विदा करते हैं।

●

आधी रात का समय है। चारों ओर अँधेरा छाया हुआ है, परन्तु जमालपुर रेलवे जंकशन स्टेशन प्रकाश से जगमगा रहा है। सिगनल गिरा हुआ है। यात्री गाड़ी आने की प्रतीक्षा में तैयार खड़े हैं। दूर से ही सर्चलाइट के प्रखर प्रकाश से तिमिर विदारण करती हुई गाड़ी थोड़ी देर में दिखाई दी और भक-भक करती हुई स्टेशन पर आ खड़ी हुई। गाड़ी से एक तेजस्वी और

दर्शनीय संन्यासी ने उतर कर एक रेल-कर्मचारी से पूछा—"वत्स! मुँगेर की गाड़ी कब मिलेगी?" उसने कहा—"महात्मा जी! मुँगेर जाने वाली गाड़ी प्लेटफार्म नम्बर तीन पर एक घंटे के पश्चात् आयेगी। तब तक आप प्रतीक्षालय में विश्राम करें।" खुली वायु में स्वच्छंद विचरने वाले संन्यासी को बंद कमरे में जाकर बैठना अच्छा न लगा। वे वहीं प्लेटफार्म पर घूमने लगते हैं।

महात्मा जी केवल एक कौपीन पहने हुए हैं। उसी प्लेटफार्म पर एक कमरे के सामने एक अँग्रेज दम्पति कुरसियाँ बिछाये बैठा है। वह अँग्रेज रेल-विभाग का कोई बड़ा अधिकारी है। उसकी पत्नी की दृष्टि उस कौपीन-मात्र धारी महात्मा पर पड़ती है। उसने अपने पति से कहा—"यह कौन असभ्य मनुष्य नंगा-धड़ंगा यहाँ घूम रहा है?" उस अँग्रेज अधिकारी ने तुरंत स्टेशन-मास्टर को बुला कर कहा, "देखो यह कौन नंगा प्लेटफार्म पर टहल रहा है। इससे कह दो कि वह इस प्रकार सार्वजनिक स्थान पर न घूमे।" स्टेशन-मास्टर संन्यासी के पास गया तो, परन्तु महात्मा जी के ब्रह्मचर्य के तेज से चमकते हुए चेहरे को देख कर उसे अपने अफसर का आदेश उनसे कहने का साहस न हुआ। उसने प्रणाम करके नम्रतापूर्वक निवेदन किया, "भगवन्! गाड़ी आने में अभी विलंब है। दूसरी ओर चल कर विश्राम कीजिये। मैं कुरसी रखवाये देता हूँ।" संन्यासी वास्तविक बात तुरंत ताड़ जाते हैं। उन्होंने हँस कर कोमल वाणी में कहा, "महाशय! अपने साहब से जा कर कह दो कि मैं उस युग का मनुष्य हूँ जिस युग में बाबा आदम और माता हव्वा अदन के उद्यान में नंगे घूमने में तनिक भी लज्जा अनुभव न करते थे।" संन्यासी के ये वचन सुन कर स्टेशन-मास्टर को यह जानने की उत्कंठा हुई कि यह निर्भय भव्य मूर्ति है कौन? उसने सम्मान-पूर्वक पूछा, "महाराज! आगमन कहाँ से हो रहा है, कहाँ जा रहे हैं? क्या आप अपना परिचय देने की कृपा करेंगे?" महात्मा जी ने मुस्करा कर कहा—"महाशय! संन्यासी का परिचय क्या? इस जन सेवक को दयानन्द सरस्वती कहते हैं। मैं पटने से मुँगेर धर्म-प्रचार के लिए जा रहा हूँ।" दयानन्द का नाम सुनते ही उसने बड़ी श्रद्धा-भक्ति से स्वामी जी के चरण स्पर्श किये और तुरंत एक कुरसी मँगवा कर वहाँ रख दी। फिर अफसर के पास जा कर बोला, "साहब! यह संन्यासी कोई साधारण भिखमंगा साधु नहीं है जिसे यहाँ से निकाल बाहर किया जाय। ये तो प्रसिद्ध सुधारक स्वामी दयानन्द सरस्वती हैं। इनका आदर सम्मान तो लाट साहब तक करते हैं।" इतना सुनते ही वह अँग्रेज अफसर यह कहता हुआ कि क्या ये वही महान् पंडित दयानन्द हैं जिन्होंने सारे मतमतांतरों की विज्ञान विरुद्ध और असंभव बातों का खंडन करके भारत भर में खलबली

मचा दी है, उठ खड़ा हुआ और स्वामी जी के समीप जाकर विनीत भाव से प्रणाम करके बोला, "स्वामी जी! चिरकाल से मेरे चित्त में आपके दर्शनों की अभिलाषा थी। यह मेरा सौभाग्य है कि आज आप के अकस्मात् दर्शन हो गये।" स्वामी जी ने बड़े प्रेम से उसके अपनी ओर बढ़े हुए हाथों को पकड़ कर आशीर्वाद दिया। फिर दोनों में विभिन्न विषयों पर वार्त्तालाप होने लगा। एक साहब को एक कौपीनधारी महात्मा से बातचीत करते देख वहाँ और कई सज्जन आ जाते हैं; एक बंगाली युवक भी आकर उन दोनों की बातें सुनने लगता है।

अँग्रेज पुनर्जन्म के विषय में शंका करता है। स्वामी जी ने पूछा, "खाना, पीना, सुनना देखना आदि क्रियाएँ देहधारी जीव करता है या देहरहित?" साहब ने कहा, "ये सारे कार्य शरीरधारी प्राणी ही करता है।" स्वामी जी ने फिर पूछा—"एक देह को छोड़ कर दूसरी देह धारण करना ही पुनर्जन्म है या कुछ और?" अँग्रेज अफसर ने कहा, "जी हाँ, एक शरीर छोड़ कर दूसरा शरीर धारण करना ही पुनर्जन्म कहाता है।" तब स्वामी जी ने कहा, "आपने मान लिया कि खान-पान आदि कर्म देहधारी जीव करता है, और यह भी मान लिया कि एक देह को छोड़ कर दूसरी देह धारण करना ही पुनर्जन्म है। तब आपको यह भी मान लेना चाहिए कि ईसाई धर्म के जो अनुयायी देह छोड़ कर स्वर्ग में नाना भोगों को भोगते हैं, उनका वहाँ पुनर्जन्म होता है।" स्वामी जी का यह युक्तियुक्त उत्तर सुन कर वह अँग्रेज फड़क उठता है। उसने पुनर्जन्म के आर्य सिद्धांत के तर्क को स्वीकार कर लिया। अब उसने प्रश्न करना छोड़ कर स्वामी जी से प्रार्थना की कि महाराज कोई उपदेश दीजिये। स्वामी जी उपदेश देते हैं —"परमात्मा के रचे हुए पदार्थ सब प्राणियों के लिए एक से हैं। सूर्य-चन्द्रमा सब को समान प्रकाश आदि प्रदान करते हैं। वायु और जलादि वस्तुएँ सब को एक-सी दी गई हैं। जैसे ये पदार्थ ईश्वर की ओर से सब प्राणियों के लिए एक-से हैं और समान रूप से लाभ पहुँचाते हैं, वैसे ही परमेश्वर प्रदत्त धर्म भी सब मनुष्यों के लिए एक ही होना चाहिए।"

"उस धर्म की खोज में यदि कोई जिज्ञासु मतावलंबियों और संप्रदायों में भटकता रहे और उनके कथनों पर विश्वास करके धर्म को जानना चाहे तो उसे सच्चे धर्म का ज्ञान कदापि नहीं हो सकेगा। परन्तु यदि वह सब में से सार को निकाले तो उसे प्रतीत होगा कि थोड़ा-बहुत सत्य सब मतों में पाया जाता है। जैसे सत्य, परोपकार, भूत-दया का भाव, विपत्ति-ग्रस्त प्राणी को सहायता देना, और दान-पुण्य आदि कर्म सभी मतों में समान रूप से शुभ कर्म माने जाते हैं? सारांश यह कि सदाचार और धर्म के जिन अंगों में सब संप्रदाय एक मत हैं वही

धर्म ईश्वरीय धर्म है। वही सच्चा और सनातन है। शेष सब अपनी-अपना खींचातानी है। ईसा, मुहम्मद और कृष्ण के बिना मुक्ति नहीं मिलती ऐसा मानना धर्म नहीं अंध-विश्वास है। उठने-बैठने, खाने-पीने और वेश-भूषा में धर्म नहीं है।"

स्वामी जी का उपदेश सुन कर साहब ने कहा, "स्वामी जी, आपके विचार तो बड़े उदार और स्वतंत्र हैं। क्या आप हमारे साथ भोजन कर सकते हैं?" स्वामी जी ने कहा, "किसी व्यक्ति के साथ खाने-पीने में धर्माधर्म नहीं है। ऐसी सब रीतियों का देश और जाति के आचार-व्यवहार के साथ संबंध है। वास्तविक धर्म के साथ उनका कोई संबंध नहीं है। परन्तु साधारणतया सभी मनुष्य आवश्यकता के बिना अपने देश और जाति के नियमों को नहीं तोड़ते, उनके प्रतिकूल आचरण नहीं करते। आप ही बताइये कि क्या आप अपनी पुत्री का विवाह किसी देशी ईसाई के साथ करने को समुद्यत होंगे? क्या ऐसा करने से आपको प्रसन्नता होगी?" उस अँग्रेज ने कहा, "हम ऐसा करने के लिए कभी तैयार न होंगे।" स्वामी जी—"क्यों? क्या धर्म-विचार से? अँग्रेज—"नहीं, अपनी जाति की रीतिनीति के कारण।" इस पर स्वामी जी ने कहा—"इसी प्रकार हम भी अपने देश-बंधुओं के नियम और व्यवहार के कारण आप लोगों के साथ नहीं खाते। परन्तु यदि आप लोग मांस-मदिरा का सेवन छोड़ दें तो फिर मैं आप के साथ बैठ कर भोजन करने में कोई हानि नहीं समझता हूँ।"

स्वामी जी की बातचीत और उपदेश से सभी श्रोतागण बहुत प्रभावित हुए, परन्तु बंगाली युवक तो फूट-फूट कर रोने लगता है। स्वामी जी के कारण पूछने पर वह रो-रो कर बताता है कि यदि ऐसे उपदेश मुझे पहले ही प्राप्त हुए होते तो ब्राह्मण से ईसाई क्यों बनता।

जब तक गाड़ी खड़ी रही वह अँग्रेज अफसर स्वामी जी के पास खड़ा बातें करता रहा है। अन्य लोग भी स्वामी जी के सुंदर स्वरूप को निहारते और उनके मधुर वचनों को सुनते रहे। इतने में इंजन ने सीटी दी, गार्ड ने भी सीटी वजाई और हरी झंडी दिखाई। गाड़ी धीरे-धीरे आगे बढ़ने लगती है। साहब ने स्वामी जी से हाथ मिला कर प्रणाम किया और यह सोचता हुआ कि इस संन्यासी का व्यक्तित्व असाधारण है, इसकी प्रतिभा विलक्षण है, वह अपने स्थान को लौट आता है।

●

स्वामी जी प्रातः चार बजे मुँगेर पहुँच कर एक कबीर पंथियों की पुष्प-

वाटिका में आसन जमाते हैं। यह स्थान रमणीक और स्वच्छ है। पास में ही गंगा बह रही है। यहाँ भी प्रचार-कार्य चल पड़ता है।

एक दिन भोजन के समय एक मौनी बाबा स्वामी जी से मिलने आता है। जब उससे भोजन करने के लिए कहा गया तो वह बोल पड़ता है, "यदि आप का प्रेम है तो प्रसाद पा लूंगा।" परंतु भोजनांतर फिर चुप्पी साध लेता है। स्वामी जी ने उसे समझाया, "महात्मन्! इस प्रकार का मौन अज्ञ जन भले ही धारण करें पर आप-जैसे ज्ञानियों को शोभा नहीं देता है। सत्य-कथन और सत्य के प्रकाश में आपका कल्याण है।"

●

संन्यासी हो कर भी स्वामी जी कभी किसी से कुछ न माँगते, और दूसरों को माँगते देख उनकी भर्त्सना करते। एक दिन उनके सेवक एक कहार ने अपनी कार्यकुशलता दिखाने के लिए पड़ोस के टाल वाले से कहा, "पास में ही एक महात्मा ठहरे हैं। उनका भोजन बनाने के लिए थोड़ी लकड़ी दे दीजिये।" टाल वाला उसे झिड़क देता है—"जाओ, यहाँ लकड़ी बिकती है, बाँटी नहीं जाती।" जब वह लौटा तो स्वामी जी उसे आड़े हाथों लेते हैं, "धृष्ट! तू लकड़ी माँगने क्यों गया था?" सेवक अवाक् है। वह चकित है कि महाराज यह बात जान कैसे गये।

●

मुंगेर से प्रस्थान करके स्वामी जी भागलपुर पधारे। प्रेमी-जन उन्हें युधिष्ठिरनाथ के मन्दिर में ठहराते हैं। यहाँ उनके प्रचार का ऐसा प्रभाव पड़ता है कि व्याख्यानों के समय एक मेला-सा लगने लगा। छोटे-मोटे दुकानदार और खोंचे वाले आ जाते और अच्छा पैसा कमाते। बग्घियों का ताँता लग जाता है। स्वामी जी का व्याख्यान इतनी सरल संस्कृत में होता है कि बंगीय सज्जनों के समझने में अधिक कठिनाई नहीं होती।

यहाँ एक वैश्य आग्रहपूर्वक स्वामी जी को भोजन भेजने लगता है। उसे विश्वास है कि स्वामी जी का आतिथ्य करने से उसे संतान की प्राप्ति होगी। स्वामी जी को जैसे ही इसका पता चला वे यह कह कर कि स्वार्थ की भावना से दिया हुआ अन्न नहीं खाता—भोजन लेना बंद कर देते हैं।

●

गंगा के उस पार पूर्णिमा के स्नान का भारी मेला है। स्वामी जी भी मेले में पधारे हैं। उन्होंने देखा—लोग अपनी बालिकाएँ पंडों को दान कर रहे हैं। उनके हृदय पर चोट लगती है। वे शोकातुर हो कर दूर किसी एकांत स्थान पर

बैठ जाते हैं। वे कभी अपने देश-वासियों की मूर्खता पर सिर धुनते हैं और कभी सर्वशक्तिमान प्रभु से उन्हें बुद्धि प्रदान करने की प्रार्थना करते हैं। दयालु महर्षि को अपने तन-बदन की सुधि नहीं है। बहुत रात बीते मन्दिर को लौटते हैं। दूसरे दिन सवेरे जब नंदन ओझा स्वामी जी के दर्शनों के लिए मन्दिर पहुँचा तो देखता है कि उसका भेजा हुआ भोजन वैसे ही पड़ा है। उसने पूछा—"भगवन्! कल रात को आपने भोजन क्यों नहीं किया?" स्वामी जी ने उसे मेले का वृत्तांत सुना दिया और दीर्घ निःश्वास छोड़ कर बोले, "भाई ओझा! समाज की ऐसी अधोगति देख कर किसी भी सदय मनुष्य का कलेजा बिना टुकड़े हुए नहीं रह सकता। फिर ऐसी मानस वेदना में भोजन करने की सुधि ही किसे रह सकती है।" स्वामी का यह कथन सुन कर नंदन ओझा को भी अपने समाज के पतन का कुछ-कुछ बोध होता है। वह अत्यंत दुःखित होकर रो पड़ता है। अपने समाज के लिए स्वामी जी के अगाध प्रेम को देख कर और उनके दयालु और कोमल हृदय का परिचय पा कर वह उनका अनन्य भक्त बन जाता है। वह सोचता है—यदि महर्षि दयानन्द के समान ही अपने देश और जाति के सुधार की चिंता करने वाले एक-आध ही और त्यागी और तपस्वी निकल आते तो हमारा सहस्रों वर्षों का एकत्र दुःख-दारिद्र मिट जाता।

●

महाराजा बर्दवान स्वामी जी की परीक्षा के लिए चार नैयायिक भेजते हैं। उन्होंने जब लौट कर स्वामी जी की विलक्षण प्रतिभा और महान् पांडित्य की प्रशंसा की तो महाराजा भी स्वामी जी की सेवा में उपस्थित होने लगे। उन्होंने महाराज को अपने यहाँ बुला कर सेवा सत्कार किया, और अपनी कोठी में रहने के लिए प्रार्थना की। परंतु वह स्थान एकांत न था, इसलिए स्वामी जी महाराजा की प्रार्थना को स्वीकार न कर सके। यहाँ से स्वामी जी कलकत्ते के लिए चल पड़ते हैं।

●

७ | मानव-धर्म का उद्घोष

स्वीकार और विरोध के बीच

कलकत्ते में चन्द्रशेखर सेन बैरिस्टर ने स्टेशन पर जाकर स्वामी जी का स्वागत किया। वह उन्हें राजा सुरेन्द्र मोहन के प्रमोद-कानन में ला कर ठहराता है। स्वामी जी के पधारने का समाचार नगर भर में फैल गया। वहाँ के बड़े-बड़े विद्वान् और प्रतिष्ठित व्यक्ति उनकी सेवा में आने लगते हैं।

पंडित हेमचन्द्र चक्रवर्ती बड़ा पक्का ब्रह्मसमाजी है। वह स्वामी जी की प्रतिभा और गुणों पर ऐसा मोहित हुआ कि उनका अनुगामी बन जाता है। वह स्वामी जी से योग की क्रियाएँ सीखने लगा, और कई मासपर्यन्त उनके साथ रह कर उपनिषदों का अध्ययन करता है।

स्वामी जी के आगमन के समय केशवचन्द्र सेन कलकत्ते में न थे। बाहर से लौटने पर वे स्वामी जी से भेंट करने आये । दोनों महानुभावों में देर तक ज्ञान-विज्ञान संबंधी चर्चा होती रहती है । स्वामी जी ने उनका परिचय नहीं पूछा। केशवचन्द्र ने स्वामी जी से पूछा—"क्या केशवचन्द्र कभी आपको मिले हैं?" स्वामी जी ने कहा—"हाँ मिला हूँ।" केशवचन्द्र, "उनसे आप कब मिले? वे तो यहाँ थे ही नहीं।" स्वामी जी हँस कर बोले, "इसी समय मिल रहा हूँ।" केशवचन्द्र ने आश्चर्य से पूछा—"यह आपने कैसे जाना कि मैं ही केशवचन्द्र हूँ?" स्वामी जी, "जैसी बातें आपने की हैं वे केशवचन्द्र सेन की ही हो सकती हैं।" उसी समय से उनके हृदय में स्वामी जी के लिए प्रेम और आदर का भाव उत्पन्न हो जाता है । वे उनके पास बहुधा आते हैं और अपने यहाँ उनके व्याख्यान भी करवाते हैं ।

एक दिन केशवचन्द्र ने स्वामी जी से कहा, "खेद है कि वेदों का अद्वितीय विद्वान् अँग्रेजी नहीं जानता ।" स्वामी जी हँस कर बोले, "बड़े दुःख की बात है कि ब्राह्म-समाज का नेता अपने पूर्वजों और धर्म की भाषा संस्कृत नहीं जानता है । वह अपने देश-वासियों को विदेशी भाषा में उपदेश देता है ।"

सेन महोदय ने अँग्रेजी में एक ग्रन्थ लिखा है। उसके आरंभ में ईश्वर प्रार्थना का एक श्लोक उद्धृत है जिसमें परमेश्वर शरीरधारी रूप में वर्णित है। स्वामी जी ने कहा—"व्यापक ईश्वर के ऐसे वर्णन अच्छे नहीं लगते।" स्वामी जी के इस सुझाव से केशवचन्द्र उस श्लोक को निकाल कर उनके बताए वेद-मंत्र को रख देते हैं।

स्वामी जी भी उनका बड़ा सम्मान करते हैं और उनकी सम्मति का आदर करते हैं। एक दिन सेन महोदय ने निवेदन किया, "स्वामी जी ! आप मेरी दो बातें मान लें। प्रथम तो आप वस्त्र धारण किया करें, क्योंकि आपको नित्य ही सभा-समाजों में जाना पड़ता है। और दूसरी प्रार्थना है कि आप व्याख्यान संस्कृत में न दे कर देश की भाषा में ही दिया करें। अभी उसी दिन गौरीचरण दत्त के यहाँ महेशचन्द्र न्यायरत्न ने आपके उपदेश का अर्थ आपके आशय के विपरीत ही लोगों को बता दिया था। कुशल यह हुई कि संस्कृत कालेज के विद्यार्थियों ने उनकी पोल खोल दी और आपके व्याख्यान का ठीक अर्थ लोगों को बताया। देशी भाषा के प्रयोग से इस प्रकार की गड़बड़ी होने की संभावना न रह जायेगी।" महर्षि उनके ये दोनों सुझाव सहर्ष मान लेते हैं।

ब्राह्म-समाज के वार्षिकोत्सव के अवसर पर महात्मा देवेन्द्र नाथ ने अपने पुत्र द्विजेन्द्र नाथ को भेज कर स्वामी जी को आमंत्रित किया। स्वामी जी का बहुत ही सुंदर व्याख्यान हुआ। उपदेश संस्कृत भाषा में होने पर भी महाराज की कथन शैली इतनी उत्तम है और प्रयुक्त शब्द इतने सरल हैं कि सर्वसाधारण भी उनके आशय को समझ लेते हैं। महात्मा देवेन्द्र नाथ स्वामी जी को बड़े प्रेम और सम्मानपूर्वक भोजन अपने यहाँ कराते हैं। चलते समय उन्होंने इच्छा प्रकट की कि अब आप मेरी कोठी में आकर निवास करें, परन्तु स्वामी जी को प्रमोद कानन का एकांतवास ही प्रिय है। इसलिए वे महात्मा जी की इस प्रार्थना को स्वीकार न कर सके।

स्वामी जी मनुष्यों के बीच भेद-भाव बहुत बुरा समझते हैं।

एक दिन स्वामी जी अपने आसन पर विराजमान हैं। उनके पास अनेक जिज्ञासु बैठे अपने संदेह मिटा रहे हैं। एक मुसलमान व्यक्ति बाहर खड़ा है। वह सत्संग में सम्मिलित होना तो चाहता है, परन्तु संकोचवश कमरे के अंदर आ नहीं रहा है। स्वामी जी ने उसे देख लिया। उन्होंने उससे बड़े प्यार से कहा —"प्रिय बंधु ! बिना किसी झिझक के भीतर चले आओ और मेरे निकट ही बैठो। मैं ऐसे तुच्छ भेद-भाव को अच्छा नहीं समझता।"

स्वामी जी अपने नियमों के इतने पक्के हैं कि वे उन्हें बड़े-से-बड़े व्यक्ति के

लिए भी शिथिल नहीं करते हैं। एक दिन वे प्रमोद-कानन में सत्संगियों को उपदेश दे रहे हैं। तभी एक व्यक्ति आकर सूचना देता है कि राजा सुरेन्द्र मोहन (प्रमोद कानन के स्वामी) बाहर खड़े हैं। वे आपको बुला रहे हैं। स्वामी जी ने कहा--"यदि राजा महोदय मिलना चाहते हैं तो यहीं आ जायँ। एक व्यक्ति के लिए बहुतों के लाभ की हानि नहीं की जा सकती।" राजा को साधारण लोगों में जाना अपमानजनक लगा। वे रुष्ट होकर चले जाते हैं।

मन्मथ महाशय तो स्वामी जी की सौम्य और भव्य मूर्ति और उनके तपस्वी जीवन से ऐसा प्रभावित है कि वह महाराज की सेवा में बहुत-सा समय बिताता और कभी-कभी रात को वहीं रह जाता है।

ईश्वरचन्द्र विद्यासागर भी कई बार स्वामी जी के दर्शनों के लिए आये हैं।

स्वामी जी प्रसन्नकुमार ठाकुर का मूलाजोड़ में स्थापित किया हुआ संस्कृत कालेज देखने गये हैं। वे वहाँ की पढ़ाई के विषय में कई उत्तम सुझाव देते हैं। उन्होंने यह भी कहा कि "कालेज में संस्कृत शब्द केवल जोड़ देने से कोई लाभ नहीं है। इसमें संस्कृत की पढ़ाई की उचित व्यवस्था भी होनी चाहिए।"

भारत में कलकत्ता नगर अँग्रेजी शिक्षा और पश्चिमी सभ्यता का केन्द्र है। वहाँ के निवासी गोरी सभ्यता के रंग में रँगते चले जा रहे हैं। वे स्वप्न में भी स्वीकार करने को तैयार नहीं हैं कि कोई भारतीय दर्शन का पंडित उन्हें संतुष्ट कर सकता है। परन्तु स्वामी जी के उपदेश उनकी आँख खोल देते हैं। भारत के प्राचीन ज्ञान और संस्कृति का गौरव उनके सामने उपस्थित हो जाता है। अब वे अपने पूर्वजों पर लज्जा के स्थान पर गर्व अनुभव करने लगे हैं। कलकत्ता में अपना यह उद्देश्य पूरा करके महर्षि वृन्दावन के साथ हुगली आते हैं।

●

वृन्दावन एक बड़ा ज़मींदार है। उसने स्वामी जी के व्याख्यानों के लिए अच्छी व्यवस्था कर दी है। सहस्रों जन उनके उपदेशों से लाभ उठाते हैं।

लोगों के बहुत कहने-सुनने पर पंडित ताराचरण स्वामी जी से शास्त्रार्थ करने के लिए आते हैं। परन्तु थोड़े ही वाद-विवाद के अनंतर वे पराजित हो गये। उन्होंने हाथ जोड़ कर कहा, "भगवन्! आप जो कुछ कहते हैं वह सब सत्य है। यह हम लोगों की धृष्टता और हठधर्मी है जो आपके उपदेशों को स्वीकार न करके उलटे स्वार्थवश आप का विरोध करने लगते हैं।" स्वामी जी ने उनकी सत्यवादिता की प्रशंसा की।

●

स्वामी जी हुगली से चल कर पुनः भागलपुर, पटना आदि स्थानों में ठहरते

हुए छपरा में पदार्पण करते हैं। यहाँ सेठ शिवगुलाम उनके ठहरने की व्यवस्था करते हैं।

यहाँ पौराणिकों ने पंडित जगन्नाथ को शास्त्रार्थ के लिए कोचना आरंभ किया। वह उनसे कहता—"मैं इस नास्तिक का मुँह नहीं देखूंगा।" परन्तु इस बहाने से उसकी जान नहीं बची। स्वामी जी ने सुना तो उन्हें कहला भेजा, "आप लोग पंडित जी को मेरे पास लाएँ अवश्य। बीच में परदा डाल कर शास्त्रार्थ हो जायेगा। पंडित जी को अपना प्रण तोड़ने की आवश्यकता नहीं है।" और हुआ भी यही। परदे की ओट में बैठ कर स्वामी जी से शास्त्रार्थ करने के लिए पंडित जगन्नाथ को बाध्य होना पड़ा। परन्तु स्वामी जी के ज्ञान प्रकाश के सामने वह ठहर नहीं सका।

छपरे से प्रस्थान करके स्वामी जी मिर्ज़ापुर पधारते हैं वहाँ पाठशाले की व्यवस्था ठीक कर बाबा जवाहरदास को बुला कर काशी में पाठशाला खोलने के लिए प्रेरणा देते हैं। फिर वहाँ से चल कर प्रयाग कानपुर आदि स्थानों में कार्य करते हुए फर्रुखाबाद आते हैं। कलकत्ते का हेमचन्द्र उनके साथ है। उसकी उपनिषद् की पढ़ाई समाप्त होने वाली है। स्वामी जी ने उसे धन्नासिंह और अन्य कई व्यतिक्यों को दिखा कर बताया कि यही लोग जो आज मेरे प्रेमी और भक्त हैं, पहले मेरे विरोधी थे, और मुझे मार कर समाप्त कर देना चाहते थे।

यहाँ स्वामी जी की भेंट आगरा प्रांत के छोटे लाट मेयोर साहब और शिक्षा विभाग के डायरेक्टर कमसन महाशय से हुई। उन्होंने लाट महोदय से कहा, "अब आप स्वदेश लौट रहे हैं। वहाँ आप भारत सचिव की सभा के सदस्य होंगे। उस समय भारत के हित का ध्यान अवश्य रखियेगा। गोबध बंद कराने का प्रयत्न कीजियेगा।" डायरेक्टर महोदय से कहा, "इस देश की लिपि देवनागरी है, परंतु राजकीय पाठशालाओं और कार्यालयों में फारसी लिपि का प्रयोग होता है। यह ठीक नहीं है। यद्यपि इसकी माँग जनता की ओर से होनी चाहिए फिर भी मैं आपसे आशा करता हूँ कि आप देवनागरी लिपि को प्रचलित करने में सहायता देंगे।"

स्वामी जी फर्रुखाबाद से कासगंज, छलेसर के पाठशालाओं का निरीक्षण करते हुए संवत् १९३० वि० के पौष मास में अलीगढ़ पधार कर राजा जयकृष्ण दास का आतिथ्य ग्रहण करते हैं। यहाँ स्वामी जी के व्याख्यान हो रहे हैं। सहस्रों की संख्या में हिन्दू, मुसलमान, ईसाई और अनेक अँग्रेज अधिकारी स्वामी जी का उपदेश सुनने आते हैं।

एक दिन स्वामी जी अपने कर्मचारी से पत्रों के उत्तर लिखवा रहे हैं।

उनकी दृष्टि द्वार की ओर गई तो देखा सर सय्यद अहमद खाँ कई अँग्रेज और मुसलमान मित्रों को लिये बाहर खड़े हैं। स्वामी जी ने तुरंत कर्मचारी भेज कर उन्हें आदरपूर्वक अन्दर बुलवा लिया, और शिष्टाचार के अनंतर कहा, "खेद है कि यहाँ आप के योग्य आसन नहीं है। फर्श पर बैठने में आपको कष्ट होगा।" सय्यद साहब ने कहा, "संतों और फकीरों की सेवा में आ कर फर्श पर बैठने में ही शोभा और आराम है।" जब सब लोग सुखपूर्वक बैठ गये तो स्वामी जी ने नम्रतापूर्वक कहा--"क्षमा कीजियेगा। मैं तनिक अपने इस थोड़े से शेष काम को निपटा लूँ, तब आप लोगों से निश्चिंत होकर बातचीत करूँ।"

चिट्ठी लिखवा कर स्वामी जी उन लोगों से वार्त्तालाप करने लगे। सय्यद महोदय ने स्वामी जी से कहा, "महाराज! आप की अन्य बातें तो युक्तिसंगत जान पड़ती हैं, परन्तु यह बात कि थोड़े से हवन से वायु शुद्ध हो जाती है, हमारी समझ में नहीं आती। यह मूर्ति पूजा का एक रूप जान पड़ता है।" स्वामी जी ने पूछा--"सय्यद महाशय! आपके यहाँ कितने मनुष्यों का भोजन बनता होगा?" सर सय्यद ने उत्तर दिया--"कोई पचास-साठ का।" स्वामी जी ने पुनः प्रश्न किया--"कै सेर दाल पकती होगी?" सर सय्यद--"कोई छह-सात सेर।" स्वामी जी--"इतनी दाल में कितनी हींग की छौंक दी जाती होगी?" सय्यद महाशय, "एक माशा से कम तो न लगती होगी।" स्वामी जी--"क्या इतनी थोड़ी-सी हींग सारी दाल को सुगंधित कर देती है?" सर सय्यद--"जी हाँ! उसकी सुगंध सारी दाल में आ जाती है।" तब स्वामी जी ने कहा, "थोड़ी-सी हींग के समान ही थोड़ा-सा किया हुआ अग्नि-होत्र भी वायु को शुद्ध कर देता है। हमारे रहने से जब स्थान गंदा हो जाता है तो हम उसे झाड़-बहार कर और लीप-पोत कर साफ सुथरा करते हैं। वायु को भी हम लोग हर समय साँस लेकर और मल-मूत्र द्वारा गंदा करते रहते हैं। इसलिए वायु को शुद्ध करना घर की सफाई से भी अधिक आवश्यक है, क्योंकि घर का संबंध केवल एक व्यक्ति से है; जब कि वायु-मंडल के दूषित होने का प्रभाव प्राणी मात्र पर पड़ता है। अब प्रश्न यह है कि हम आग में समिधा डाल कर ही वायु का शोधन क्यों करें। सारे प्राकृतिक तत्त्वों में केवल अग्नि ही ऐसा तत्त्व है जिसमें डाला हुआ पदार्थ सूक्ष्म हो कर फैलता है और वायु के साथ दूर देश में जाकर दुर्गंध की निवृत्ति करता है। अग्नि का यह सामर्थ्य है कि दुर्गंधयुक्त वायु को हलका करके बाहर निकाल कर शुद्ध वायु का प्रवेश करा देता है। हवन करना तो मनुष्य का नैतिक और सामाजिक कर्त्तव्य है, मूर्ति पूजा नहीं।" सर सय्यद अहमद खाँ

स्वामी जी के उत्तर से बहुत प्रसन्न होते हैं, और अँग्रेज सज्जनों ने भी वायु शुद्धि की इस क्रिया को विज्ञान-सम्मत बताया।

सर सय्यद का स्वामी जी के साथ अनुराग और प्रेम हो गया है। वे स्वामी जी के दर्शनों के लिए बहुधा आते और अपने साथ उच्च कर्मचारियों को भी लाते हैं। स्वामी जी भी उनका बहुत सम्मान करते हैं। सय्यद महोदय पर स्वामी जी के विचारों का इतना प्रभाव पड़ा कि उन्होंने अपने धर्म-ग्रन्थों में बिहिश्त आदि मान्यताओं को अस्वीकार कर इसलाम धर्म की सुधारवादी दृष्टि से व्याख्या करने का प्रयत्न किया।

महर्षि के हृदय में आर्यों की प्राचीन सभ्यता और संस्कृति के प्रति अगाध प्रेम है। उन्हें अपने देश में बनी वस्तुओं और यहाँ की वेश-भूषा पर गर्व है। वे सिर से पैर तक, भीतर और बाहर शुद्ध और पवित्र स्वदेशी हैं।

एक दिन ऊधोसिंह छावली निवासी अपने पिता भूपालसिंह के साथ स्वामी जी के दर्शन करने के लिए अलीगढ़ आया। ऊधोसिंह नये ढंग के विदेशी वस्त्र पहने हैं। ये दोनों पिता-पुत्र स्वामी जी के पूर्व परिचित हैं। ऊधोसिंह का विदेशी वेश देख कर स्वामी जी ने उससे बड़े प्यार से कहा—"ऊधो! तुम्हारे पिता कैसे सादे और स्वदेशी कपड़े पहनते हैं। उनका जाति-बिरादरी में कितना अधिक सम्मान है। क्या तुम अपने इस नये वेश-भूषा में अपने पिता से अधिक संस्कृत और सम्मानित हो गये हो। ऊधो! अपने ही देश का वेष अपनाने और स्वदेशी वस्त्रों का प्रयोग करने में शोभा है।" स्वामी जी के इस उपदेश से प्रभावित होकर ऊधोसिंह अपने जीवन में फिर कभी विदेशी वस्त्र धारण नहीं करता है।

●

अलीगढ़ की जनता को अपने सदुपदेशों से प्रभावित करके स्वामी जी हाथरस में पदार्पण करते हैं। छलेसर निवासी मुकुंदसिंह उनके साथ है। राजा जयकृष्ण दास ने वहाँ पहले से पहुँच कर उनके ठहरने और व्याख्यानों की समुचित व्यवस्था कर रखी है। राजा टीकमसिंह की प्रार्थना पर स्वामी जी राजा की फिटन पर बैठ कर मुरसान पहुँचे।

स्वामी जी ने अपने सहपाठी गंगादत्त को रुपये भेज कर लिखा कि आप हमारे फर्रुखाबाद के पाठशाले में जाकर अध्यापन कार्य कीजिये। उसने अपनी स्वीकृति इस शर्त पर दी है कि आप आकर रंगाचार्य को पहले पराजित कीजिये तब मैं आप के कार्यों में सहयोग दे सकूँगा। अन्यथा मेरे कुटुम्ब वाले और भाई-बंद मेरी निंदा करेंगे और विरोधी बन जायेंगे। इसलिए वे वैष्णव संप्रदाय के

गुरु रंगाचार्य को शास्त्रार्थ में परास्त करके उसका प्रभाव कम करने के लिए वृन्दावन जाने को तैयार होते हैं।

राजा जयकृष्ण दास देवीप्रसाद डिप्टी कलेक्टर को पत्र लिख कर स्वामी जी के मथुरा और वृन्दावन में ठहरने आदि का पूरा प्रबंध कर देते हैं। मथुरा में राजा उदितनारायण स्वामी जी को गाड़ी से उतार कर बड़े आदर से अपने यहाँ ठहराते हैं। स्वामी जी जब वृंदावन जाने लगते हैं तो राजा ने उनकी रक्षा के लिए चार आदमी साथ कर दिये। राजा को डर है कि कहीं रंगाचार्य के अनुयायी कोई उपद्रव न करें।

पंडित देवीप्रसाद के आदेश से बख्शी महबूब मसीह, चुंगी के अध्यक्ष ने स्वामी जी को वृन्दावन ले जाकर रंगाचार्य के मंदिर के पिछवाड़े मलूकदास के राधा-कुंज में निवास कराया। महबूब मसीह ने स्वामी जी की इच्छानुसार हिन्दी और उर्दू में विज्ञापन छपवा कर नगर भर में चिपकवा दिये हैं। इस विज्ञापन द्वारा स्वामी जी ने सारे पौराणिकों, संप्रदायवादियों और विशेष कर रंगाचार्य को शास्त्रार्थ के लिए आहूत किया है। मेले के दिन हैं। स्वामी जी का प्रचार-कार्य धूमधाम से चल रहा है।

स्वामी जी के सामने आने का साहस किसी में नहीं है। परन्तु पौराणिक उनका छिपे-छिपे विरोध करते हैं, और गुंडों को मार-पीट करने के लिए उकसाते हैं। बलदेव आदि भक्तों ने डर कर कहा, "महाराज, बाहर घूमने न जाया करें।" स्वामी जी हँस कर बोले, "आज तो आप लोग मुझे बाहर जाने से रोकते हैं और कल कहेंगे कि कोठरी के अंदर ही रहिये। भाई ! यह सब मेरे वश का नहीं है।"

अब स्वामी जी ने देखा कि रंगाचार्य बार-बार बुलाने पर भी शास्त्रार्थ करने को उद्यत नहीं हैं, कभी मेले और कभी बीमारी का बहाना करता है तो वहाँ से मथुरा चले आये। यहाँ के पुरुषोत्तम दास के उद्यान में ठहरते हैं।

यहाँ एक अस्सी वर्ष का वृद्ध पांडे मदनदत्त निवास करता है। वह चालीस वर्ष से केवल दुग्धाहारी है, वैष्णव मत का पक्का अनुयायी और नगर का एक प्रतिष्ठित व्यक्ति है। एक दिन वह शास्त्रार्थ करने के लिए स्वामी जी के पास आता है। उसका पौत्र भी साथ है। शिष्टाचार के उपरांत स्वामी जी ने पांडे के पौत्र से बड़े प्यार से व्याकरण संबंधी कुछ प्रश्न पूछे। फिर उसे चरित्र-निर्माण की कुछ बातें बताईं, और अष्टाध्यायी पढ़ने की शिक्षा दी। स्वामी जी की हित-कामना और स्नेहपूर्ण व्यवहार से मदनदत्त इतना अधिक प्रभावित हुआ कि उसके पौराणिक विचार ही बदल गये हैं। वह स्वामी जी के विचारों का पोषक

बन कर पुराणपंथियों का खंडन करने लगता ह । उसके इस परिवर्तन से सर्व साधारण पर गहरा प्रभाव पड़ा। लोग कहने लगे कि स्वामी जी के पास कोई मोहन मंत्र है जिसके प्रभाव से बड़े-बड़े विरोधी भी अनायास ही उनके अनुकूल हो जाते हैं।

●

मथुरा से आगरा जाने वाली सड़क से मिली हुई दाएँ हाथ पर एक हरी-भरी पुष्प-वाटिका है । उसके बीचोबीच एक छोटा-सा सुंदर भवन है। यह कुंजकुटीर के नाम से प्रसिद्ध हैं । इसके स्वामी पंडित राधाकृष्ण चतुर्वेदी यहाँ दिन में कभी-कभी सपरिवार आकर अपना मनोरंजन करते हैं । परंतु आज रात्रि के समय भी इसके अंदर प्रकाश है । कई सज्जन बड़े कमरे में बैठे बातें कर रहे हैं। एक महाशय बोले, "पंडित जी ! यह दयानन्द तो हमारे गुरु जी के पीछे हाथ धो कर पड़ा है। वह ठीक ब्रह्मोत्सव के मेले पर वृन्दावन जा धमका और लगा गुरु जी को शास्त्रार्थ के लिए ललकारने । सहस्रों विज्ञापन छपवा कर नगर में बँटवाये । उनमें लिखा था---रंगाचार्य आदि धर्मगुरु और मठाधीश स्वार्थ और अज्ञानवश जनता को मूर्ति-पूजा करने, और तिलक कंठी आदि धारण करने का उपदेश देते हैं। यह सब वेद विरुद्ध है। यदि किसी को इस विषय में शंका हो तो मुझसे आकर शंका-समाधान कर ले, और यदि सर्वसाधारण को बहकाने वाले इन गुरुओं को साहस हो तो मुझसे शास्त्रार्थ करके अपने कथन को ठीक सिद्ध करें। गुरु जी उसे मुँह लगाना नहीं चाहते हैं । इसलिए पहले तो मेले का बहाना किया और फिर अस्वस्थ होने का । इस पर धूर्तों ने प्रसिद्ध कर दिया कि रंगाचार्य दयानन्द के सामने आने से डरता है; उसे अपनी पोल खुल जाने का पूरा भय है। इससे गुरु महाराज का बहुत बड़ा अपमान और अपकीर्ति हुई है। यदि दयानन्द से इसका बदला न लिया गया तो हम लोगों के लिए डूब मरने की बात होगी।" पंडित राधाकृष्ण ने कहा, "भाई कृष्णस्वरूप ! इसीलिए तो मोटेराम चौबे और माँगीलाल मुनीम को बुलाया गया है। तनिक धैर्य से काम लीजिये। गोपाल जी ने चाहा तो वह नास्तिक मुँह दिखाने योग्य न रहेगा।"

इतने में सूचना मिली कि मोटेराम आ गया। सब लोगों ने 'खूब आये चौबे जी, अभी आप की याद ही हो रही थी' कहते हुए उसका स्वागत किया। उसकी विचित्र वेश-भूषा और नाँद से भी बड़ा पेट देख कर सेठ बालकृष्ण बोले, "कहिए पंडित जी ! आप कुशलपूर्वक तो हैं ? वाह ! आप तो प्रदर्शनी में रखने योग्य हैं। आप दस मन से कम तो न होंगे ?" बाबू कृष्णस्वरूप ने कहा —"एक मन विद्या के लिए दस मन बुद्धि चाहिए। उसी नियम से एक मन बुद्धि

के लिए दस मन का शरीर चाहिए; नहीं तो उसका बोझ कौन उठायेगा ?" पंडित रामकृष्ण—"आप लोग इसका रहस्य नहीं जानते । बुद्धि एक प्रकार का नजला है। जब मस्तिष्क में नहीं समाता तो शरीर में आ जाता है।" सेठ जी —"मैं ने तो गुरुजनों से सुना है कि मोटे आदमी बुद्धि के शत्रु होते हैं।" बाबू जी—"आप गणित में कोरे थे, नहीं तो आपकी समझ में इतनी बात अवश्य आती कि बुद्धि और शरीर में एक और दस का अनुपात है, तो जितना ही मोटा व्यक्ति होगा उतना ही उसकी बद्धि का भार भी अधिक होगा।" पंडित जी— —"इससे यह सिद्ध हुआ कि जितना ही मोटा मनुष्य उतनी ही मोटी उसकी बुद्धि ।" मोटेराम—"जब मोटी समझ के कारण आप ऐसे सज्जनों में पूछ होती है, तो मुझे पतली समझ ले कर क्या करना है ।" इस हास-परिहास के पश्चात् पंडित राधाकृष्ण ने वर्तमान समस्या मोटेराम के सामने उपस्थित की, और उसके निवारण का जो उपाय सोचा था वह भी प्रकट किया। उन्होंने कहा —"दयानन्द वृन्दावन में गुरु महाराज का अपमान करके मथुरा आ गया है। यहाँ भी उसकी वही चाल बेढंगी जो पहले थी वह अब भी है। नित्य डंके की चोट पर हमारे देवताओं और तीर्थों का खंडन करता है, श्राद्ध और तर्पण को अवैदिक बतलाता है। यदि कहीं उसकी मनोकामना फलीभूत हुई तो आपका यह उन्नत पेट पीठ से लग जायेगा, बाल-बच्चे भूखों मरने लगेंगे । इस समय आपका भविष्य पूर्णतया आप के हाथों में है। यह अवसर चूकने का नहीं है। कौन जाने दयानन्द यहाँ फिर कभी आयेगा या नहीं । यदि यहाँ से बच कर चला गया तो भगवान् जाने कि वह क्या-क्या आपत्तियाँ हम लोगों पर लाये। आप इस विषय में जो भी पग उठाएँ उसमें हम लोगों का पूरा सहयोग रहेगा।"

मोटेराम चौबे बातचीत करके अभी गया ही है कि माँगीलाल मुनीम आता दिखाई दिया। उसे देख कर सेठ जी बोले—"मुनीम जी ! आपने आने में बड़ी देर कर दी। हम लोग अब चलने को तैयार हैं ।" मुनीम बोला, "सेठ जी ! मैं भी किसी आवश्यक कार्य-सिद्धि में लगा था।" पंडित जी संभ्रम बोल पड़े, "कौन सी कार्य-सिद्धि, तनिक मैं भी तो सुनूँ ?" मुनीम—"मैं उस धर्म-द्रोही दयानन्द का मुँह काला करके मथुरा से निकालना चाहता हूँ। इस कार्य के लिए मैंने शकूर बकर-कसाब, मोतीलाल कलवार और छुट्टन वेश्या को ठीक किया है ? जिससे संसार जान ले कि यह ढोंगी दयानन्द कितने पानी में है।" बाबू जी, "वाह, मुनीम जी वाह ! आपने तो ऐसे सूरमाओं की सेना सजाई है कि उसके सामने बड़े-से-बड़ा योद्धा भी पीठ दिखा कर भाग खड़ा होगा, फिर एक निहत्थे संन्यासी की तो बात ही क्या है।" सब लोग प्रसन्न-चित्त हो कर नगर

की ओर चल दिये। मार्ग में कृष्णस्वरूप ने मुनीम को समझाया, "आप मोटेराम के प्रयत्नों का फल देख कर ही अपनी सेना को दयानन्द पर आक्रमण करने का आदेश दें।"

●

रात का सन्नाटा है। चारों ओर अँधेरा छाया हुआ है, इतना भयानक अँधेरा कि जिसमें सड़क पर की लालटेनों का धीमा प्रकाश भी पग धरते काँप रहा है। परंतु ऐसे समय भी चार-पाँच सौ पंडे मोटी-मोटी लाठियाँ लिये पुरुषोत्तम दास के उद्यान के द्वार पर आ पहुँचे। स्वामी दयानन्द ने वृन्दावन से लौट कर यहीं निवास किया है। मथुरा की पंडित मंडली का साहस उनसे शास्त्रार्थ करने का तो न पड़ा, पर इन मूर्ख और उद्दंड पंडों को बहका कर उन पर शस्त्र प्रहार करने के लिए भेजा गया है। द्वार के समीप ही स्वामी जी के भक्त कर्णवास के कृष्णसिंह आदि कई छत्रिय सो रहे हैं। पंडों के आने की आहट पा कर वे लोग सचेत हो गये। उन्होंने फाटक तुरंत बंद कर लिया और अपने हथियार सँभाल लिये। वे पंडों से कड़क कर बोले, "यदि फाटक में हाथ लगाया और अंदर घुसने का प्रयत्न किया तो एक-एक को भून कर रख दूंगा।" यह धौंस काम कर गई। पंडे बाहर ही खड़े-खड़े धींगामुश्ती करते रहे, लाठियाँ भूमि पर पटक-पटक कर, लातें फाटक पर मार-मार कर स्वामी जी को गालियाँ देते रहे, और कोलाहल करते रहे। कृष्णसिंह को क्रोध आ गया, स्वामी जी से प्रार्थना की, "भगवन्! आज्ञा दें कि हम लोग इन दुष्टों को ठीक कर दें, और इनका सारा गुंडापन निकाल दें। परंतु उस दयालु और सहनशील सच्चे संन्यासी ने कहा, "इन अबोध जनों की बाल-क्रीड़ा पर, इन अज्ञान पंडों की धर्मांधता पर आप लोगों को रोष कदापि नहीं करना चाहिए। ये लोग भी अपने भाई ही हैं। इनके प्रति जो मेरा प्रेम है, वही तो मुझे इन्हें सन्मार्ग पर लगाने के लिए बाध्य करता है। पिता को ही अपनी संतान के सुधार की चिंता होती है। क्या कोई वैद्य सन्निपात में बकने-झकने वाले रोगी से रुष्ट हो कर उसको औषध देना बंद कर देता है? इस मरी हुई आर्य-जाति में जान डालना ही तो मेरा उद्देश्य है। हमारे यहाँ आने का इनको इतना तो लाभ हो गया कि इन आलस्य के मारों में उत्तेजना आ गई है। ये इतनी संख्या में इकट्ठे हो कर आये हैं, यह संगठित होने का लाभ भी तो कम नहीं है।" महर्षि पंडों के अपशब्द और गालियाँ सुनते रहे, और उनकी मूर्खता पर हँसते रहे। उपद्रवी अंत में झख मार कर अपना-सा मुँह ले कर लौट जाते हैं। दूसरे दिन संध्या के समय सेठ लक्ष्मीदास की कोठी के सामने स्वामी जी व्याख्यान दे रहे हैं। वे कह रहे हैं, "ब्राह्मण वह है जो ब्रह्म

को जाने, वेदपाठी हो, और जिसके गुण और कार्य उत्तम हों। परंतु आजकल यह कुप्रथा चल पड़ी है कि ब्राह्मण का लड़का यदि चांडाल का कर्म करे तो भी वह ब्राह्मण ही बना रहता है। सब प्रकार के ऊँच-नीच कर्म करने वाले अबोध जन, 'ब्राह्मण' पद के अधिकारी नहीं हैं। विद्वान् और सदाचारी सज्जन ही ब्राह्मणत्व के योग्य होते हैं।" इसके उपरांत स्वामी जी ने आधुनिक ब्राह्मणों की अधोगति के विषय में एक रोचक दृष्टांत सुनाया। उन्होंने कहा, "एक सेठ जी अपने मिश्र जी (ब्राह्मण रसोइया) के साथ देशांतर को जा रहे थे। एक पठान भी उनका साथी बन गया। वह सेठ प्रातःकाल उठता तो ब्राह्मण देव को नमस्कार करता, नहाने के समय उससे जल मँगवाता, रसोई के समय भोजन बनवाता और चलते समय अपना कंबल और कोट उतार कर उस पर लाद देता। पठान को इन बातों पर बड़ा अचंभा होता है।"

"एक दिन चलते-चलते सेठ और मिश्र बहुत पीछे रह गये। पठान आगे ठहर कर उनकी प्रतीक्षा करने लगा। सेठ तो ज्यों-त्यों करके पठान को जा मिला, परंतु मिश्र न पहुँच सका। सेठ को अकेले आते देख कर पठान ने पूछा—कहाँ रह गया वह नर, पुरोहित पाचक कहार और खर ?" इस पर श्रोतागण हँसते-हँसते लोट-पोट हो गये। उसी समय शकूर कस्साब और मोतीलाल कलवार खड़े हो कर चिल्लाने लगते हैं, "आप बड़े ब्राह्मण और महात्मा बनते हैं। चोरी-चोरी मांस और मदिरा मँगवाते हैं और मूल्य चुकाने का नाम नहीं लेते। आप हम लोगों का हिसाब साफ़ कर दें।" उन के इस कथन को सुन कर लोगों की आँखों में लहू उतर आया, परंतु स्वामी जी ने उन्हें शांत कर दिया। उन दोनों को अपने पास बुला कर उनकी गरदनें कस कर पकड़ लीं और कहा—"सच कहो, ऐसा कहने के लिए तुम्हें किसने कहा ?" उन्होंने हाथ जोड़ कर कहा, "महाराज ! हम लोग निरपराध हैं। माँगीलाल मुनीम ने कहा था कि सभा में जाकर तुम स्वामी जी से इस प्रकार कहना, मैं तुम्हें पुरस्कार दूँगा। यदि हमें यह पता होता कि आप बुरा मानेंगे तो ऐसा कदापि न कहते।" महाराज ने उन्हें छोड़ दिया। वे प्राण ले कर भागे। इस घटना से स्वामी जी की प्रशंसा और माँगीलाल मुनीम की निंदा स्थान-स्थान पर होने लगती है। परंतु निर्लज्ज मनीम ने अपने तूणीर का अंतिम बाण स्वामी जी पर चलाया ही।

छुट्टन एक पूर्णवयस्का सुन्दर वेश्या है। वह अभी हाल ही में देहात से आई है। इसलिए उसे मथुरा के लोगों के विषय में विशेष ज्ञान नहीं है। एक दिन माँगीलाल मुनीम उसके पास पहुँचा और एक मोहर भेंट करके बोला, "एक सुंदर व्यक्ति संन्यासी वेश में पुरुषोत्तमदास के उद्यान में ठहरा है। उसने तुम्हारे

रूप की प्रशंसा सुन कर मुझे तुम्हारे पास भेजा है आज रात को तुम्हें उसके पास ले चलूँगा। तुम्हें मुँह माँगा पुरस्कार मिलेगा।" वह बेचारी दुष्ट मुनीम के बहकावे में आ जाती है।

रात को जिस समय स्वामी जी उद्यान के एक निर्जन और एकांत स्थान में बैठे ईश्वर के ध्यान में लीन हैं, वह दुष्ट माँगीलाल वेश्या को वहाँ पहुँचा कर इस बात की सूचना लोगों को देने के लिए बाज़ार की ओर भागता है। छुट्टन ने जो एक अनुपम सौंदर्य की मूर्ति को देखा तो वह तत्काल स्वामी जी पर आसक्त हो गई और तृषित नेत्रों से उनके तेजस्वी मुखमण्डल को निहारने लगी।

स्वामी जी ने जब नेत्र खोला तो सामने एक तरुणी को खड़े पाते हैं। उन्होंने चकित हो कर पूछा, "माँ यहाँ कैसे?" स्वामी जी के समीप जाने का साहस तो उसे न हुआ, वह दूर ही से प्रणाम करके बोली, "भगवन्! मुझे माँ कह कर न पुकारिये। मैं तो आपके पुत्र की माता बनने की इच्छुक हूँ। महाराज मुझ पर कृपा करें और मुझे दासी रूप में ग्रहण करने का अनुग्रह करें।" स्वामी जी का माथा ठनका, हो न हो इसे दुष्टों ने मुझे कलंकित करने के लिए भेजा है। वे बोले—"माता! स्त्री को बच्चा उत्पन्न करने और उसे पालने-पोसने में महा कष्ट भोगना पड़ता है। फिर यह बात भी अनिश्चित ही है कि वह लड़का ही होगा, और बड़ा होने पर सुशील और आज्ञाकारी ही होगा। परंतु माता तू बड़ी भाग्यवती है कि तुझे बिना किसी प्रयास के ही मेरा ऐसा पुत्र मिल गया। माँ! आज से तू मुझे अपना पुत्र समझ।" यह कह कर महर्षि पुनः ध्यान में लीन हो जाते हैं। वे उस दिन सारी रात वहीं समाधि अवस्था में बैठे रहते हैं। अपने स्थान पर विश्राम के लिए नहीं गये।

स्वामी जी के दर्शन और क्षणिक सत्संग का छुट्टन पर ऐसा प्रभाव पड़ता है कि उसका काया-पलट ही हो गया। उसे अब वेश्या-वृत्ति से घृणा हो गई। गान, वादन और नृत्य कला की सच्ची पुजारिन बन जाती है। लोगों को इन्हीं कलाओं की शिक्षा दे कर वह अपनी आजीविका चलाने लगी। नगर के लोग उसे भगतिन माँ कह कर पुकारते हैं।

स्वामी जी मथुरा से मुरसान होते हुए पुनः काशी के लिए प्रस्थान कर देते हैं।

प्रहार सहता हुआ अडिग कर्मयोगी

काशी में इस बार पधार कर स्वामी जी गोसाईं रामप्रसाद की वाटिका में ठहरे हैं। वाटिका के स्वामी के यहाँ प्रतिदिन फूलों की एक टोकरी जाया करती

है। एक दिन वह स्वामी जी से मिलने आया तो उन्होंने पूछा, "ये फूल कहाँ जाते हैं?" उसने कहा--"इन्हें ठाकुर-पूजा के लिए घर भेजता हूँ।" स्वामी जी समझाते हैं--"प्यारे भाई! ठाकुर जी तो इन सुन्दर सुगंधित पुष्पों से लाभ उठाने में असमर्थ हैं, और इन्हें उन पर चढ़ा कर इनकी उपयोगिता से तुम भी हाथ धो बैठते हो। यदि इनको यहीं लगा रहने दिया जाता तो ये अधिक काल तक वायु को सुगंधित करते रहते, और मुरझा कर झड़ जाने पर भी खाद का काम देते। पुष्पांजलि बना कर घर में रखने से भी कुछ तो लाभ होता ही, परन्तु मूर्ति पर चढ़ाने से ये तुरंत मसले जाते हैं, और पानी में पड़ कर सड़ जाते हैं। वायु-मंडल को शुद्ध रखने के स्थान पर ये सड़े फूल उसे दुर्गंध युक्त और दूषित बनाते हैं। ईश्वर की वायु-शुद्धि की इस उत्तम व्यवस्था को तोड़ कर तुम ठाकुर-पूजा से पुण्य लाभ न करके उलटे पाप के भागी होते हो, अपराध के दंड-स्वरूप रोग और व्याधि में फँसते हो।"

●

आजकल सर सय्यद अहमद खाँ काशी में ही हैं। वे स्वामी जी के दर्शनों के लिए आते हैं और अँग्रेज अधिकारियों को अपने साथ ला कर उनसे भेंट कराते हैं। उन्होंने स्वामी जी के कई व्याख्यान भी अपनी कोठी पर करवाये।

●

बाबा जवाहरदास ने स्वामी जी को अब आर्य-भाषा (हिन्दी) में उपदेश देते देख कर कहा, "महाराज! आपको अपने कार्य संस्कृत में ही करने चाहिए।" स्वामी जी ने समझाया--"भाई! लोक-भाषा के प्रयोग से अधिक जन-हित है। लोग हमारी बातों को भली भाँति समझ सकेंगे।" स्वामी जी की प्रेरणा से बाबा जवाहरदास ने केदार मन्दिर के निकट एक पाठशाला खोली और शिवकुमार आदि कई पंडित अध्यापक नियुक्त किये।

काशी में दो मास धर्म प्रचार करके स्वामी जी मिर्जापुर होते हुए प्रयाग आये। यहाँ वे अलोपीबाग में आसन जमाते हैं।

यहाँ स्वामी जी का भक्त ठाकुरप्रसाद दोपहर के समय कड़ी धूप में बिना छाता और नंगे पाँव उनके लिए भोजन लाया। स्वामी जी को उस पर दया आ गई, बोले, "भाई! ऐसी तपती दुपहरी में बिना छाता लगाए और जूता पहने भोजन लाने की क्या आवश्यकता थी?" उसने आश्चर्य से कहा, "भगवन्! इस प्रकार कच्चा भोजन कैसे लाता?" स्वामी जी समझाते हैं--"वत्स! यह आर्य-जाति पक्के को कच्चा कह कर कच्चे पक्के और छुआछूत के चक्कर में फँस कर ही उन्नति के पथ का अनुसरण नहीं

कर पा रही है । इसे छोड़ो । मैं इन बखेड़ों को व्यर्थ और हानिकारक समझता हूँ।"

स्वामी जी भोजन कर ही रहे हैं कि एक विद्यार्थी उनके पास आ कर रोने लगा। उसने स्वामी जी को बताया--"महाराज ! मैं इतना दरिद्र हूँ कि अपने पाठ के लिए रामायण मोल नहीं ले सकता। लाला वंशीधर विद्यार्थियों को रामायण की पुस्तकें दान करते हैं, परन्तु उनका मुनीम बड़ा धूर्त है। वह केवल अपने परिचित लोगों को ही पुस्तकें देता है।" यद्यपि स्वामी जी किसी के यहाँ नहीं जाते हैं, और वे भोजन के उपरांत थोड़ा विश्राम भी करते हैं, परंतु इस निर्धन विद्यार्थी की बात सुन कर तत्काल उठ कर खड़े हो गये। वे उसे साथ ले कर वंशीधर के पास पहुँचे और पुस्तक दिलवा दी। फिर दानी महाशय को उपदेश देते हैं, "लाला जी ! अपने कर्मचारियों पर तनिक दृष्टि रखा करो नहीं तो असमर्थ और निर्धन शिक्षार्थियों की सहायता करने का तुम्हारा उद्देश्य अपूर्ण रह जायेगा। और तुम्हारा धन भी अपात्रों के उपयोग में लग कर व्यर्थ हो जायेगा।"

●

स्वामी जी के व्याख्यानों में कालेज के अध्यापक और विद्यार्थी भी आते हैं, एक बंगाली प्राध्यापक ईसाई होने जा रहा है। उसने पंडितों को प्रश्नों की एक सूची दी है और उनसे एक सप्ताह के अंदर उनके उत्तर माँगे हैं। उसने कहा है कि यदि तुम्हारे उत्तर मेरा शंका-समाधान न कर सके तो मैं ईसाई हो जाऊँगा। प्राध्यापक के भाई-बंधु और सहधर्मी मित्र पंडितों के यहाँ दौड़ लगा रहे हैं, परंतु पौराणिक विद्वानों को उत्तर सूझ नहीं रहे हैं। सौभाग्य से स्वामी जी उन्हीं दिनों प्रयाग पहुँच गये हैं। उस बंगाली के साथी उसे स्वामी जी की सेवा में लाए। बंगाली पाश्चात्य दर्शन का विद्वान् है। उसकी स्वामी जी से बहुत देर तक बातचीत हुई। चलते समय उसने महाराज के चरण स्पर्श करके कहा, "स्वामी जी ! आपने मुझे अंधकार से निकाल कर प्रकाश में ला कर खड़ा कर दिया है।" मार्ग में उसके मित्रों ने पूछा, "कहो भाई। स्वामी जी के विषय में तुम्हारी क्या राय है? अपने प्रश्नों का उत्तर पाया या नहीं?" उसने कहा, "वे एक विलक्षण प्रतिभा के व्यक्ति और अद्वितीय विद्वान् हैं। उन्होंने मेरे प्रश्नों के उत्तर ही केवल नहीं दिये, बल्कि अपनी बातचीत से यह भी सिद्ध कर दिया है कि पाश्चात्य दर्शन के बड़े-बड़े पंडित उनके चरणों में बैठ कर अपने दर्शन-ज्ञान को परिपक्व कर सकते हैं।"

●

स्वामी जी पूर्ण योगी हैं। वे रात में बहुत कम सोते हैं। वे भगवान् के

ध्यान में लीन रहते हैं। ठाकुरप्रसाद को उन्हें योग-मुद्रा में देखने की प्रबल इच्छा है। एक दिन उसने छिप कर देखा——स्वामी जी का आसन भूमि से धीरे-धीरे उठ कर अधर में ठहर गया है। उस समय उनके मुख-मंडल पर दिव्य ज्योति और एक प्रकाशमय चक्र बना हुआ है।

स्वामी जी के आत्मिक-बल व मानसिक शक्ति के विकास का प्रमाण पा कर उनके प्रेमी लोग कभी-कभी आश्चर्य-चकित हो जाते हैं। एक दिन स्वामी जी समाधिस्थ हैं। रायबहादुर पं० सुन्दरलाल मित्रों सहित आकर बैठे हैं। स्वामी जी ने आँखें खोलीं, उनके मुख पर मुस्कान है। रायबहादुर ने पूछा, "महाराज! आप किस बात पर हँसते हैं?" स्वामी जी बोले, "थोड़ा ठहर जाइये, अभी आपको एक कौतुक दिखाई देगा।" थोड़ी देर में एक ब्राह्मण हाथ में मिठाई का दोना लिये आता है और स्वामी जी को भेंट करके कहता है, "महाराज भोग लगाएँ।" स्वामी जी दोने से एक लड्डू उठा कर उसे खाने को देने लगते हैं। वह लड्डू लेने से झिझकता है। स्वामी जी ने कहा, "यह मनुष्य हमारे लिए विषाक्त मिष्टान्न लाया है।" वह भागने का प्रयत्न करता है, परंतु लोग उसे पकड़ लेते हैं। पं० सुन्दरलाल ने एक लड्डू लेकर कुत्ते के सामने डाल दिया। उसे खाते ही उस बेचारे कुत्ते के प्राण-पखेरू उड़ गये। सब लोग उस ब्राह्मण को पुलिस को देना चाहते हैं, परन्तु स्वामी जी ने यह कह कर कि यह तो स्वयं अपने पाप के कारण काँप रहा है, उसे मुक्त करा दिया।

●

बम्बई निवासियों के निमंत्रण पर स्वामी जी बलदेव ब्राह्मण को साथ लेकर दक्षिण की ओर प्रस्थान करते हैं। वे जबलपुर, नासिक में प्रचार करते हुए आश्विन सुदी १२ संवत् १९३१ वि० को बम्बई नगर में पदार्पण करते हैं। अनेक भद्र पुरुषों ने रेलवे-स्टेशन पर उनका स्वागत किया और सम्मान पूर्वक लाकर उन्हें बालुकेश्वर में ठहराया। स्वामी जी के व्याख्यानों का प्रबंध कोट के मैदान में मंडप बना कर किया गया है। शिक्षित समाज तो पहले ही से इस युग के परम सुधारक और संस्कारक स्वामी दयानन्द का नाम सुन चुका है। परंतु सेवकलाल ने 'काशी-शास्त्रार्थ' छपवा कर यहाँ इतना बाँटा है कि सर्वसाधारण भी उनके नाम और कार्यों से परिचित हो गये हैं। स्वामी जी यहाँ एक दिन व्याख्यान देते हैं और दूसरे दिन लोगों की शंकाओं का समाधान करते हैं। यहाँ भी उन्होंने वैष्णव आदि संप्रदायों का खंडन किया, जिससे पौराणिक स्वामी जी से रुष्ट हो कर उन्हें हानि पहुँचाने पर तुल गये हैं।

●

नौ बजे रात्रि का समय है। एक विशाल मन्दिर के प्रांगण में कुछ लोग एकत्र हैं। एक व्यक्ति बोला, "गोसाईं जी! यह दयानन्द नाम का जो संन्यासी यहाँ आया है, वह सभी संप्रदाय और मतों की बुराई करता है। उसका मुँह किसी प्रकार बंद करना चाहिए।" मन्दिर का महंत जगजीवन दास गोसाईं अकड़ कर बोला, "तुम क्या जानते हो कि मैं उसकी गालियाँ चुपचाप सुन लूँगा, और हाथ पर हाथ धरे बैठा रहूँगा?" इतने में कई हट्टे-कट्टे व्यक्ति आकर महंत को नमस्कार करते हैं। वह उन्हें एकांत में ले जाकर कोई मंत्रणा करने लगता है।

●

स्वामी जी समुद्र तट पर भ्रमण करके मुँह-अँधेरे ही अपने डेरे को लौट आते हैं। एक दिन वे भ्रमण करके लौट रहे हैं। उन्हें ऐसा लगा कि कोई उनका पीछा कर रहा है। उन्होंने घूम कर देखा। चार-पाँच बलिष्ठ व्यक्ति हाथों में मोटे-मोटे डंडे लिये उनके पीछे-पीछे चले आ रहे हैं; चाल-ढाल और चेहरे-मुहरे से गुंडे जान पड़ते हैं। स्वामी जी ताड़ गये कि ये लोग मुझे मारने के लिए ही मेरे पीछे लगाये गये हैं। वे वहीं खड़े हो जाते हैं, और अपना सोंटा भूमि पर पटक कर उच्च स्वर में बोले, "क्या तुम मेरा बध करना चाहते हो?" उनके इस रौद्र रूप को देख कर वे काँपने लगे और एक ओर खिसक गये।

●

जगजीवन दास चारपाई पर बैठा कुछ सोच रहा है। उसने चौंक कर सिर उठाया और पुकारा, "कल्लू! ओ कल्लू के बच्चे! कहाँ जा कर मर गया है, सुनता नहीं।" एक दुबले-पतले और काले व्यक्ति ने आ कर कहा, "महाराज! आप ही ने तो मुझे गुलअब्बास और जानमुहम्मद के पास भेजा था।" महंत, "तो उन अरबों ने क्या कहा?" इतने में ही दो लंबे-तड़ंगे व्यक्ति आ कर महंत को नस्कार करते हैं। उनमें से एक बोला, "सरकार ने हम लोगों को क्यों याद किया है?" महंत, "भाई! एक छोटा-सा काम देशी गुंडों को सौंपा था पर वे उसे न कर सके। इसलिए तुम लोगों को कष्ट देना पड़ा। आजकल यहाँ एक हिन्दू फकीर आया है। वह हिन्दू-मुसलमान हर मत की बुराई करता है। मैं चाहता हूँ ऐसे नास्तिक और काफिर व्यक्ति को कुछ दंड दिया जाय। तुम लोगों को मुँह-माँगा पुरस्कार मिलेगा। लो ये थोड़े-से रुपये खाने-पीने के लिए लेते जाओ।" जान मुहम्मद, "यह तो आपने बताया ही नहीं कि वह फकीर कहाँ रहता है, और उसका नाम क्या है।" महंत, "वह दयानन्द नाम का संन्यासी गोसाइयों के अखाड़े के समीप बालुकेश्वर में रहता है। वह इस नगर में प्रसिद्ध हो गया है, इसलिए उसका निवास-स्थान तुम्हें आसानी से मिल जायेगा।"

आधी रात का समय है। चारों ओर सन्नाटा छाया है। अंधकार को सड़क की लालटेनों का धुंधला प्रकाश और भी भयंकर बना रहा है। स्वामी जी अपनी चारपाई पर सो रहे हैं। और सेवकलाल पास ही फर्श पर लेटा है। कपड़े से मुँह ढाँपे दो व्यक्ति कमरे में घुस आये। सेवकलाल जाग गया है, पर मारे डर के उसकी घिग्घी बँध जाती है। मुँह से बोल नहीं निकल रहा है। कोई अदृश्य शक्ति स्वामी जी को जगा देती है। वे तुरन्त सोंटा ले कर खड़े हो जाते हैं। और कड़क कर पूछते हैं—"तुम कौन हो?" स्वामी जी को एकाएक खड़े हो कर सिंह नाद करते देख वे सकपका गये और सिर पर पाँव रख कर वहाँ से भाग खड़े होते हैं।

●

जगजीवन दास ने देखा कि बाहरी शत्रुओं से स्वामी जी का अनिष्ट करने में वह सफल नहीं हुआ है। इसलिए वह विभीषण की खोज आरंभ करता है, और शीघ्र ही स्वामी जी के सेवक बलदेव के रूप में उसे अभीष्ट व्यक्ति मिल जाता है।

महंत ने बलदेव से घनिष्ठता बढ़ा ली है। बलदेव स्वामी जी से छिप-छिप कर उसके मन्दिर में जाता है। वहाँ उसका खूब आदर-सत्कार होता है, और भर-पेट मिठाई खाने को मिलती है। ब्राह्मण के लिए मिठाई अमृत है। बलदेव को अपने अनुकूल करके एक दिन जगजीवन दास ने उससे कहा, "मित्र! यदि तुम किसी प्रकार दयानन्द को समाप्त कर दो तो मैं तुम्हें एक सहस्र रुपये दूँगा।" उसने इतना धन देने का एक प्रतिज्ञा-पत्र भी लिख कर उसे दिया है। चलते समय उसे पाँच रुपये और पाँच सेर मिठाई भी भेंट की गयी। सहस्र रुपये तो बलदेव ऐसे सामान्य व्यक्ति के लिए कुबेर के धन से कम नहीं। यह धन राशि उसे ललचा रही है। वह एक क्षण के लिए पाप-कर्म के लिए तैयार हो जाता है। दूसरे ही क्षण ब्रह्म-हत्या का भीषण पाप भूत बन कर उसे डराने लगता है।

बलदेव इसी अनिश्चित भाव से अपने डेरे पर आया है। योगिराज के मानस-चक्षुओं से उसका यह भाव छिपा न रह सका। उन्होंने डाँट कर पूछा—"क्या तुम गोकुलियों के यहाँ गये थे! सच-सच बताना, वहाँ क्या ठहरा कर आये हो?" बलदेव अपनी पोल खुलते देख घबरा जाता है। वह सारी बातें स्वामी जी को बता कर लाया हुआ सामान उनके सामने धर देता है। स्वामी जी ने कहा, "बलदेव! याद रखो जिसका रक्षक परमात्मा है उसे कोई मार नहीं सकता।" बलदेव स्वामी जी के चरणों को पकड़ कर क्षमा माँगने लगा, और गोसाइयों के यहाँ फिर कभी न जाने का उसने वचन दिया।

बलदेव नाम का ही एक वैरागी पर्ण कुटी बना कर स्वामी जी के डेरे के समीप ही रहता है। वह जटाजूट वैरागी बड़ा हृष्ट-पुष्ट, सुगठित शरीर और बलवान् है। वह स्वामी जी के उपदेशों से इतना प्रभावित हुआ कि उसने अपनी मूर्तियों को उठा कर समुद्र में फेंक दिया, जटा कटवा दी, और अपनी कुटिया छोड़ कर स्वामी जी की सेवा में ही रहने लगा। वह छाया के समान ही स्वामी जी के साथ रहता है, और यदि कोई उनकी ओर आँख उठा कर देख भर लेता तो वह उसके सिर हो जाता है। अब जगजीवन दास आदि गोसाइयों की यहाँ दाल नहीं गल पाती है।

●

जिन लोगों ने स्वामी जी को बम्बई आने के लिए निमंत्रण दिया है उनमें बहुत से ऐसे सज्जन भी हैं जिन्हें महाराज के सिद्धांतों से कोई सहानुभूति नहीं है। वे उनका अपने विरोधी पंथियों के दबाने के लिए प्रयोग करना चाहते हैं। जब उन्होंने देखा कि स्वामी जी पक्षपात रहित हो कर सभी पंथों की समान रूप से आलोचना करते हैं, तो वे एक-एक करके उनसे उदासीन होते गये। सेठ चुन्नीलाल ऐसे लोगों में नहीं हैं। वे स्वयं सुधारवादी हैं और इसीलिए वे स्वामी जी की ओर आकर्षित हुए हैं। परंतु उनकी इच्छा है कि स्वामी जी मूर्ति-पूजा का खंडन करना छोड़ कर केवल सुधार कार्य करें। उन्होंने स्वामी जी से इस बात का संकेत भी कई बार किया है। परंतु सेठ जी के इस सुझाव पर महाराज ने विशेष ध्यान नहीं दिया। सेठ जी अभी निराश नहीं हुए हैं। वे स्वामी जी की सेवा में उपस्थित होते रहते हैं।

एक दिन स्वामी जी आसन पर विराजमान हैं, और प्रेमी-जन बैठे उनसे अपनी-अपनी शंकाओं को दूर कर रहे हैं। सेठ चुन्नीलाल भी वहाँ अपने इष्ट-मित्रों सहित आये हैं। स्वामी जी ने उनकी ओर देखा, मानो कह रहे हों—"क्या तुम्हें भी कुछ पूछना है?" सेठ ने हाथ जोड़ कर कहा, "भगवन्! हम लोग आपके प्रत्येक सुधार-कार्य में सहायता देने को तैयार हैं, परंतु आप मूर्ति-पूजा के विषय में अभी कुछ न कहिये।" स्वामी जी ने मुस्करा कर कहा, "भाई कहते तो तुम ठीक हो, परन्तु रोग जड़ से न जायेगा। दब कर ऐसा उभरेगा कि रोगी को अपने साथ लेकर ही जायेगा।" चुन्नीलाल ने कहा, "मूर्ति-पूजा से हानि तो नहीं दिखाई देती।" स्वामी जी—"हानियाँ तो अनेक हैं, पर लाभ एक भी नहीं। कल मैं अपने व्याख्यान में मूर्ति-पूजा की हानियाँ विस्तारपूर्वक बताऊँगा। आज केवल इतना ही समझ लो कि तुम-जैसे लोगों की संगत में रहोगे वैसे ही बनोगे। जड़ वस्तु के पूजन और ध्यान से उसकी जड़ता तुम्हें भी प्राप्त हो

जायेगी। उसको ईश्वर मानोगे तो ईश्वर भी जड़ सिद्ध होगा। यदि मूर्ति को ईश्वर के समान एक और ईश्वर समझोगे तो ईश्वर अद्वितीय नहीं रहता। यदि कहो कि प्रतिमा में ईश्वर अंश आ जाता है और वह ईश्वर की भाँति ही चेतन और सशक्त हो जाती है तो ईश्वर अखंड नहीं रहता। भावना में भगवान् मानो तो बाँस में गन्ने की और मिट्टी के ढेले में मिश्री की भावना करने से तुम्हारा मुँह मीठा क्यों नहीं होता। बेचारा मृग बालू में जल की भावना बहुतेरा करता है, पर उसकी प्यास नहीं बुझती। इससे यह सिद्ध होता है कि विश्वास, भावना और कल्पना के साथ सत्य का होना भी आवश्यक है।"

अब चुन्नीलाल ने समझ लिया कि स्वामी जी अपनी धुन के पक्के हैं। वे किसी भी लोभ से या दबाव में आ कर अपने विश्वास और निश्चय से तिल भर नहीं डिग सकते। इसलिए चुन्नीलाल भी स्वामी जी से विरक्त हो कर उनके पास आना-जाना बंद कर देते हैं।

जब उपर्युक्त दोनों प्रकार के लोगों ने स्वामी जी का साथ छोड़ दिया तो उनके सच्चे सहायक और प्रेमी ही शेष रह जाते हैं। ये लोग शुद्ध हृदय से स्वामी जी के भक्त और अनुयायी हैं। उन्होंने सोचा कि महर्षि की शिक्षाओं और विचारों के प्रचार और उन्हें स्थिर रखने के लिए कोई सत्संग या सभा स्थापित करना चाहिए। उन्होंने स्वामी जी से कहा, "हम आपके उपदेशों से पूरा लाभ उठाने के लिए सत्संग की स्थापना करना चाहते हैं। कृपया आप उसका नामकरण कर दीजिये।" स्वामी जी प्रेमियों का यह प्रस्ताव सुन कर बहुत प्रसन्न हुए और आँखें बंद करके सोचने लगते हैं। थोड़ी देर के पश्चात् उन्होंने कहा, "इस सत्संग का शुभ नाम 'आर्य-समाज' ही रखना उचित है।" इस समाज के नियम और उपनियम बनाने का कार्य श्री पानाचन्द्र आनन्द पारिख को सौंपा गया। और आर्य-समाज की नियम-पूर्वक स्थापना का कार्य स्वामी जी के पुनः बम्बई आने तक के लिए स्थगित किया गया।

●

स्वामी जी का मौखिक उपदेशों के अतिरिक्त लेखन कार्य भी बहुत बढ़ गया है। 'सत्यार्थप्रकाश' तो यहाँ आने के दो मास पूर्व ही लिख कर राजा जयकृष्ण दास को छपने के लिए दे आये हैं। यहाँ आकर उन्होंने 'वल्लभाचार्य–मत खंडन', स्वामी नारायण-मत खंडन', 'वेदान्त ध्वान्त निवारण' आदि कई छोटी-छोटी पुस्तकें लिख कर प्रकाशित करवाई हैं। 'संस्कार विधि' लिखी जा रही है। स्वामी जी को खेद है कि उन्हें सच्चाई से काम करने वाले पंडित नहीं मिलते। वे स्वामी जी के आशय के विपरीत उनके लेखों और पुस्तकों में अंड-बंड लिख देते

हैं। स्वामी जी का कहना है कि दान का अन्न खाते-खाते और मिथ्या माहात्म्यों की कथा सुना कर आजीविका चलाने से इन ब्राह्मणों के मन और बुद्धि शुद्ध नहीं रहे हैं। इसलिए इन्हें सत्याचरण करना कठिन हो रहा है!

●

स्वामी जी बम्बई से सूरत पधारे। यहाँ रेलवे स्टेशन पर बड़े समारोह के साथ उनका स्वागत होता है। वे नगर के बाहर एक कोठी में ठहरे। वे यहाँ 'स्वामी नारायण मत' आदि संप्रदायों पर व्याख्यान देते हैं। एक दिन स्वामी नारायण मत का एक अनुयायी अपने मत की आलोचना सुन कर बिगड़ने लगा। स्वामी जी ने उसे बड़े मधुर और कोमल शब्दों में समझाया, "भद्र! तुम्हें अपने मत की आलोचना से घबराना नहीं चाहिए। जब तुम अपने धर्म को लोगों के सम्मुख रखते हो तो उसकी सत्यता की परीक्षा तो कर लेने दो। व्यापारी के समान ही तुम्हें अपने धर्म के ग्राहकों के साथ धैर्यपूर्वक नर्मी का बर्ताव करना चाहिए।"

●

स्वामी जी का व्याख्यान रघुनाथपुर में ठाकुर भाई चुन्नीलाल की कोठी में होने वाला है। वे जब वहाँ पहुँचे तो फाटक बंद मिला। वल्लभियों के दबाव में आकर कोठी के स्वामी ने द्वार बंद कर लिया है। लोग दूसरे स्थान की खोज में दौड़े। स्वामी जी ने घड़ी देख कर कहा, "व्याख्यान का समय हो गया है। इसलिए यहीं खुले मैदान में व्याख्यान होगा।" लोगों ने बहुत कहा कि महाराज थोड़ा ठहर जाइये, आपके बैठने का कोई प्रबंध हमें कर लेने दीजिये, परंतु स्वामी जी यह कहते हुए—"मुझे अपने बैठने की चिन्ता नहीं है, जो भाई खड़े व्याख्यान सुनने की प्रतीक्षा कर रहे हैं उनकी असुविधा का अवश्य ध्यान है," व्याख्यान आरंभ कर देते हैं।

सांप्रदायिक लोग स्वामी जी का उपदेश रोकने में विफल हुए। अगले व्याख्यान के अवसर पर वे इच्छाशंकर पंडित को लाकर स्वामी जी से भिड़ा देते हैं। वह व्याख्यान के बीच में ही खड़ा मूर्ति-पूजा की पुष्टि में पौराणिक प्रमाण देने लगा। परन्तु स्वामी जी के दो-चार ही प्रश्नोत्तरों ने उसके पैर उखाड़ दिये। वह घबरा कर लगा थर-थर काँपने। उसके साथियों ने उसकी यह दुर्गति देखी तो उपद्रव करने पर उतर आये। उपद्रवी स्वामी जी के ऊपर ईंट-पत्थर और ढेले फेंकते, पर वे हँस कर कहते हैं, "अपने भाइयों के फेंके हुए ये ईंट-पत्थर मेरे लिए फूलों की वर्षा है।" उन्होंने अपना व्याख्यान समय पर ही समाप्त किया। संप्रदाय वालों ने एक बार फिर मुँह की खाई।

•

यहाँ एक ब्रह्मचारी मोहनलाल बाबा रहते हैं । वे वेदांत के अच्छे पंडित हैं और मूर्ति-पूजा के विरोधी हैं। बहुत-से विद्यार्थी उनके आश्रम में अध्ययन करते हैं। वे स्वामी जी के व्यक्तित्व और विचारों के विषय में समाचार-पत्रों द्वारा बहुत-कुछ जान गये हैं। जब उन्होंने सुना कि वह परम सुधारक यहाँ आया है तो उसके दर्शनों के लिए पहुँचते हैं। स्वामी जी ब्रह्मचारी जी से बड़े प्रेम से मिले और उनके साथ देर तक ज्ञान चर्चा करते रहे। स्वामी जी ब्रह्मचारी जी के आमंत्रण पर दूसरे दिन उनका आश्रम देखने गये। उन्होंने स्वामी जी के स्वागत में आश्रम को भली भाँति सजाया है। मार्ग कपड़े से आच्छादित है, और उनके दोनों ओर फूलों के गमले रखे हैं। थोड़ी-थोड़ी दूर पर कदली-स्तंभ खड़े किये गये हैं। आश्रम के बच्चों ने मधुर स्वर से ईश्वर-स्तुति और गीत गा कर स्वामी जी का स्वागत व सम्मान किया। स्वामी जी ने विद्यार्थियों को ब्रह्मचर्य का उपदेश देते हुए कहा, "दूध-दही आदि पौष्टिक पदार्थ खाना चाहिए। मादक वस्तुओं का सेवन नहीं करना चाहिए। ब्रह्मचर्य पालन और व्यायाम से शरीर को पुष्ट करो और सदाचार से अपने जीवन को ऊँचा बनाओ ।" ब्रह्मचारी जी ने स्वामी जी को श्रद्धापूर्वक भोजन करवाया और विश्राम के पश्चात् दूर तक उन्हें पहुँचाने साथ गये।

•

स्वामी जी का निवास-स्थान नगर और कतारपुर ग्राम के बीच में पड़ता है। नगर में आते-जाते ग्रामवासियों ने स्वामी जी के दर्शन किये हैं, और एक-आध बार उनके उपदेश भी सुने हैं। उनकी मोहनी मूर्ति और सुन्दर उपदेशों ने कतारपुर वासियों को मोह लिया है। उन्होंने एक दिन स्वामी जी की सेवा में उपस्थित होकर कहा, "महाराज ! एक दिन हम किसानों की झोंपड़ी को भी पवित्र करने की कृपा की जाय। हम ग्रामीण नगरवासियों के समान तो उत्तमोत्तम पदार्थों से आपका सत्कार नहीं कर सकते, परंतु अपने खेतों के हरे अन्न का होला और दूध-दही श्रद्धा पूर्वक खिला कर कुछ तो सेवा कर ही सकते हैं।" स्वामी जी ने कहा, "प्यारे भाइयो ! संन्यासी के लिए ऊँच-नीच, धनी-दरिद्र सब एक समान हैं। मैं कल दोपहर को तुम्हारे गाँव पहुँच जाऊँगा ।" अगले दिन कतारपुर निवासी रथ लेकर स्वामी जी को लेने आये। परन्तु महाराज उस पर नहीं बैठे; गाँव वालों के साथ ही पैदल चल देते हैं। स्वामी जी इतने शीघ्रगामी हैं कि लोग बार-बार पीछे रह जाते हैं और वे रुक कर उन्हें साथ लेते हैं। गाँव पहुँच कर एक आम के पेड़ के नीचे स्वामी जी को एक ऊँचे आसन

पर विराजमान कराया गया। गाँव के छोटे-बड़े, स्त्री-पुरुष सभी उनके दर्शनों को उमड़ आये हैं। कृषक उन्हें होला ला-ला कर देते हैं और वे आसपास खड़े लोगों को बाँट देते हैं। स्वामी जी के हाथ से प्रसाद पा कर बच्चे-बूढ़े सभी प्रसन्न हो रहे हैं। प्रसाद-वितरण के अनंतर स्वामी जी ने भी भोग लगाया, और उन लोगों को उपदेश दिया, "जैसे कच्चे खेत को काट लेने से अन्न नष्ट हो जाता है, जैसे कच्चे फल और ईख में मिठास नहीं होती वैसे ही छोटी अवस्था में संतान का विवाह कर देने से वंश बिगड़ जाता है, उसमें सुख-शांति और उन्नति का अभाव हो जाता है। तुम लोगों में बाल-विवाह की कुरीति बहुत प्रचलित है। इसका तुम्हें परित्याग करना चाहिए।"

●

एक दिन व्याख्यान के समय एक सेठ ने स्वामी जी के चरणों में एक बहुमूल्य शाल भेंट की। स्वामी जी ने उसे लौटाते हुए कहा, "इस प्रकार कथा कह कर और व्याख्यान देकर चढ़ावा चढ़वाना आर्ष रीति के सर्वथा प्रतिकूल है।"

●

स्वामी जी को सूरत में बुलाने वाले यह समझ रहे हैं कि उनके भोजन आदि का प्रबंध बम्बई के सेठों की ओर से है, इसलिए सूरतवासी इस ओर से निश्चिन्त हैं। उन्होंने स्वामी जी की धन से सहायता नहीं की है। स्वामी जी के डेरे पर भोजन सामग्री समाप्त होने वाली है, परंतु उन्होंने किसी के आगे सहायता के लिए हाथ नहीं पसारा; किसी को भी इस अभाव का पता न चलने दिया। स्वामी जी अपने कर्मचारियों सहित खिचड़ी पर ही कई दिनों तक निर्वाह करते रहे।

●

एक दिन सूरत में शिक्षा विभाग का अधिकारी डॉक्टर बूलर स्वामी जी से मिलने आया और बहुत देर तक उनसे संस्कृत में वार्त्तालाप करता रहा। वह स्वामी जी के उच्च और उदात्त विचारों से बहुत प्रभावित हुआ।

स्वामी जी सूरत से भड़ोच आकर नर्मदा के किनारे भृगु-आश्रम में ठहरे। सहस्रों मनुष्य उपदेश सुनने आते हैं। स्वामी जी ने यहाँ पौराणिक संप्रदायों के साथ-साथ ईसाई मत की भी तीव्र आलोचना की। उनका कहना है कि ये दोनों मत एक ही थैली के चट्टे-बट्टे हैं। अंतर केवल इतना है कि पौराणिकों के यहाँ दर्जनों अवतार और देवी-देवता हैं जब कि ईसाई केवल एक ईसा को ईश्वर का एकलौता बेटा मानते हैं और मरियम आदि की थोड़ी-सी मूर्तियों की पूजा करते हैं।

पौराणिक गुरुओं की भी ईसाई पोप के समान ही लीला है। दोनों मतों में पाप से छुटकारा पाने का सहज उपाय है। पौराणिक गंगा आदि नदियों में डुबकी लगा कर अथवा गुरुओं की सेवा करके और ईसाई ईसा में विश्वास करके बिना कान-पूँछ हिलाये ही निष्पाप हो जाते हैं।" आदि आदि। स्वामी जी की इन आलोचनाओं से पौराणिक पंडित और ईसाई पादरी दोनों चिढ़ गये हैं।

●

संध्या का समय है। माधवराव त्रयम्बक नर्मदा के किनारे खड़ा डूबते हुए सूरज का दृश्य देख रहा है। इतने में कोई पीछे से उसके कंधे पर हाथ रख देता है। वह चौंक कर मुड़ा तो देखता है कि कैथलिक गिर्जाघर का बड़ा पादरी जहाँगीर थामसन खड़ा मुस्करा रहा है। पादरी ने कहा, "पंडित जी क्षमा करना, मैंने आप के एकांत में बाधा डाली है।" माधवराव बोला, "अच्छा हुआ आप आ गये। चलिए कुछ दूर घूम आयें, अकेले घूमने में आनन्द कहाँ।" पादरी—"भाई! आप को आनन्द सूझा है। मुझे दयानन्द के यहाँ रहते आनन्द कहाँ।" दयानन्द का नाम सुनते ही माधवराव का मुँह लाल हो जाता है। वह बोला, "आपने खूब याद दिलाई। मैं तो उस नास्तिक को इस आह्लादपूर्ण वातावरण में बिल्कुल भूल ही गया था। आपने इस विषय में क्या सोचा है?" पादरी—"भाई मैं सोचता हूँ कि आप ऐसे पंडितों की सहायता से मूर्ति-पूजा की पुष्टि में व्याख्यानों की आयोजना की जाय। उसमें दयानन्द को भी बुलाया जाय और उसे खूब खरी-खोटी सुनाई जाय। देखिये! यह विज्ञापन भी तैयार है। व्याख्यानों के लिए परसों का दिन निश्चित है।" माधवराव आँखें फाड़ कर बोला, "हैं! आपने तो सारी योजना ही बना डाली है, और मैं उससे निपटने की सोचता ही रहा।" पादरी—"पंडित जी! तो कल आप अपनी भड़ास क्यों न निकाल डालें?" माधवराव ने गंभीर हो कर कहा, "अच्छी बात है?" दोनों व्यक्ति नगर की ओर लौट पड़े।

●

स्वामी जी व्याख्यान आरंभ करने जा रहे हैं कि माधवराव त्रयम्बक नाम का एक दक्षिणी पंडित नगर के कई विद्वानों को लिये हुए वहाँ आया और स्वामी जी को ललकार कर कहता है, "आज संहिता से मूर्ति-पूजा सिद्ध करके ही जाऊँगा।" डींग तो उसने इतनी लंबी हाँक दी, परंतु वह क्या जानता है कि जिस जल को उथला समझ कर घुसा है वह अथाह सागर है। वह दक्षिणी पंडित बेचारा उसमें पग धरते ही डुबकी खाने लगा।

●

जहाँगीर पहले पारसी था, अब जहाँगीर थामसन नामधारी कैथलिक ईसाई है। वह यहाँ के गिरजे में पादरी है । आज उसने मूर्ति-पूजा को ठीक सिद्ध करने के लिए व्याख्यानों की योजना की है । उसने स्वामी दयानन्द को भी आमंत्रित किया है। स्वामी जी नियत समय पर व्याख्यान स्थल पर पहुँच कर श्रोताओं के बीच में बैठ जाते हैं । कुछ लोगों ने निवेदन किया, "महाराज ! आप विशिष्ट आसन ग्रहण करें।" स्वामी जी ने नम्रतापूर्वक कहा—"भाई ! इस समय मैं श्रोता हूँ। इसलिए मुझे उन्हींमें बैठना उचित है ।" व्याख्यान आरंभ होता है । वक्ता मूर्ति-पूजा को उचित न सिद्ध कर सका, परंतु उसने स्वामी जी को खूब आड़े हाथों लिया, खूब व्यंग्य कसे और अपशब्द कहे । स्वामी जी का बम्बई वाला भक्त बलदेव उनके पास ही बैठा है। महाराज का यह अपमान देख मारे क्रोध के उसके होंठ काँपने लगे, और मुट्ठियाँ बँध गयीं, मानो वह वक्ता पर झपटने वाला ही है । स्वामी जी ने उस का यह रंग देखा तो आँखें तरेर कर उसे रोक देते हैं । कुछ उत्तर भारत के सैनिक भी वहाँ उपस्थित हैं। उन्हें एक परमहंस को इस प्रकार अपने यहाँ बुला कर गालियाँ सुनाना बहुत बुरा लगा। वे बिगड़ खड़े हुए, और व्याख्यानदाता को पकड़ कर पीटना ही चाहते हैं कि स्वामी जी उन्हें रोक लेते हैं। महाराज ने उन्हें समझाया—"योद्धाओ! आग से आग नहीं बुझती, वह तो पानी से ही बुझती है। अपमानकर्ता का अपमान करके उसे ठीक मार्ग पर नहीं लाया जा सकता, क्षमा द्वारा ही वह वश में किया जा सकता है। प्यारो ! द्वेष की औषधि प्रेम है।" स्वामी जी के इस उपदेश से सैनिक शांत हो जाते हैं ।

●

एक दिन जेठालाल वकील ने कहा—"भगवन् ! और पंडितों की संस्कृत तो कुछ समझ में नहीं आती है, परन्तु आपकी बातें मैं समझ लेता हूँ। शास्त्रार्थ के समय भी आप पंडितों की क्लिष्ट संस्कृत का बड़ी सरल संस्कृत में ही उत्तर देते हैं। पंडित लोगों का कहना है कि स्वामी दयानन्द केवल 'पचति गच्छति' आदि कहना ही जानते हैं ।" स्वामी जी ने मुस्करा कर कहा, "भाई ! मेरा उद्देश्य तो जनता को समझाना है न कि पांडित्य दिखाना । फिर मेरे पास इतना समय कहाँ कि शब्दों के आडंबर जाल में ही फँसा रहूँ और घंटों यों ही बिता दूँ। कर्महीन और उद्देश्य शून्य लोगों का ही काम है कि वे एक-एक शब्द पर अड़ कर अपना समय व्यर्थ गँवाएँ। एक बात और स्मरण रखिये कि गूढ़ तत्त्वों के आशय को सरल और सुगम भाषा में व्यक्त करना किसी भाषा के अल्प ज्ञान से संभव नहीं है।"

●

स्वामी जी अपने आश्रित-जनों का बड़ा ध्यान रखते हैं। उनके दुख-सुख में सदैव सम्मिलित रहते हैं । वे आवश्यकता पड़ने पर अपने सेवकों और कर्मचारियों की सेवा करने के लिए भी उद्यत रहते हैं। एक दिन कृष्णराम इच्छाराम लेखक कार्य के लिए समय हो जाने पर भी उपस्थित न हुआ तो महाराज को उसकी चिन्ता हुई। उन्होंने देखा कि वह अपनी कोठरी में पड़ा कराह रहा है । स्वामी जी ने जो उसके सिर पर हाथ रखा तो वह तवे की भाँति जल रहा है। वे उसके पास बैठ कर उसका सिर दबाने लगते हैं। इच्छाराम ने उनका हाथ हटाते हुए कहा, "महाराज! आप ऐसा न करें। मैं आपसे सेवा कराना नहीं चाहता।" स्वामी जी उसका सिर दबाते हुए बोले, "वत्स ! एक दूसरे की सहायता और सेवा करना ही मानव धर्म है। बड़े यदि छोटों की सेवा न करें तो छोटों में सेवा का भाव ही नहीं आ सकता।"

●

स्वामी जी भड़ोच से चल कर अहमदाबाद पहुँचे । रेलवे स्टेशन पर बहुत लोग स्वामी जी के स्वागत के लिए आये। एक भाटिया सेठ महाराज को बड़े आदर से अपनी गाड़ी में बैठा कर ले चला। मार्ग में उसका बनवाया हुआ मन्दिर पड़ा। उसने देवालय की ओर संकेत करते हुए स्वामी जी से कहा, "महात्मा जी ! दो लाख से भी अधिक लागत में इस मन्दिर का निर्माण हुआ है। आस-पास के कई नगरों में ऐसा देवालय और विशाल देवस्थान नहीं है।" स्वामी जी ने गाड़ी पर हाथ पटक कर कहा, "ऐसी अविद्या से ही हम लोगों की यह दुर्दशा हो रही है। यदि इतना धन लगा कर पाठशाला खोली जाती तो वहाँ से वेद-शास्त्रों के ज्ञाता पंडित निकलते या चिकित्सालय स्थापित किया जाता तो सहस्रों रोगी वहाँ स्वास्थ्य लाभ करते।" यह सुन कर सेठ बेचारे का मुँह धुआँ हो जाता है।

●

स्वामी जी ताप्ती के किनारे मणिकेश्वर महादेव के मंदिर में ठहराये गये, और उनके व्याख्यानों का प्रबंध ट्रेनिंग कालेज में हुआ। राय बहादुर गोपालराव हरि देशमुख महाराज के अनुयायी और परम भक्त बन जाते हैं।

●

एक दिन रायबहादुर बेचरदास के निवास-स्थान पर गुजराती पंडित-मंडली और स्वामी जी के बीच 'आ कृष्णेन रजसा' और 'याते शिवातनूः' मंत्रों पर देर तक विचार-विनिमय होता रहा । अंत में पंडित स्वामी जी के दृष्टिकोण से सहमत

हो गये। तत्पश्चात् उन लोगों ने स्वामी जी को एक उत्तम आसन पर विराजमान कराया और पुष्प मालाएँ पहना कर उनका सम्मान और अभिनन्दन किया। पंडितों की प्रार्थना पर स्वामी जी ने ब्रह्म के स्वरूप पर एक अत्युत्तम और प्रभावशाली व्याख्यान दिया। उन पंडितों में पड़ोस का एक अर्धशिक्षित पौराणिक पंडित भी है। उसे यह व्याख्या कुछ जँची नहीं। वह स्वामी जी के निकट आ कर बोला, "महाराज! हम आप के कथन से परंपरा से चले आये मूर्ति-पूजन के धर्म को क्यों छोड़ें? श्री कृष्ण जी ने भी कहा है—'श्रेयान्स्वधर्मो विगुणाः' न्यून गुण वाला भी अपना धर्म अच्छा होता है।" स्वामी जी ने उत्तर दिया—"आपने गीता का तात्पर्य नहीं समझा। यहाँ धर्म शब्द का अर्थ मत या संप्रदाय से नहीं है, किन्तु वर्णाश्रम धर्म है, जो मनुष्य को उसके गुण, कर्म, स्वभाव से प्राप्त होता है।"

●

ट्रेनिंग कालेज राजकोट के प्रधानाचार्य श्री हरगोविंददास की प्रार्थना पर स्वामी जी ने राजकोट जा कर एक धर्मशाला में आसन जमाया। उनके व्याख्यानों में बड़े-बड़े सुशिक्षित लोग और राजकुमार महाविद्यालय के छात्र भी आते हैं और महाराज के विचारों से प्रभावित होते हैं। श्री हरगोविंददास स्वामी जी से गुजराती भाषा में ही वार्त्तालाप करते हैं। स्वामी जी अति शुद्ध, सरल और सभ्य गुर्जर भाषा बोलते हैं।

एक दिन स्वामी जी का उपदेश राजकुमार महाविद्यालय में भी हुआ। स्वामी जी ने राजकुमारों को संबोधन करके राजाओं के कर्त्तव्यों और ब्रह्मचर्य पर एक बहुत ही उपयुक्त उपदेश दिया, जिसका प्रभाव राजकुमारों और विद्यालय के अध्यापकों दोनों पर बहुत अच्छा पड़ा। प्रधानाचार्य महाशय ने कहा, "स्वामी जी! आप तो अहिंसा का उपदेश देते हैं और राजकुमार शिकार करते हैं। आपके धर्म में इनके लिए तो कोई स्थान नहीं है।" स्वामी जी ने उत्तर दिया, "हमारे पूर्वज ऋषि-महर्षि बड़े ज्ञानी थे। उन्होंने क्षत्रियों के लिए खेतों-वाटिकाओं को हानि पहुँचाने वाले मृगादि पशुओं और सिंह आदि हिंसक जीवों के बध का विधान किया है। अतः उनका यह कार्य उपकार और परहित का ही है।" प्राधानाचार्य महोदय ने शंका की—"क्या क्षत्रिय लोग पशुओं को मार कर उनका मांस फेंक दें?" स्वामी जी—"चाहे फेंक दें, चाहे कुत्ते आदि मांसाहारी जीवों को खिला दें या जला दें। यदि कोई मनुष्य उस मांस को खाता है तो भी संसार की कुछ हानि नहीं है, किन्तु मांसहारी का स्वभाव हिंसक हो सकता है। वह योगाभ्यास की अंतिम सीढ़ी तक कभी नहीं पहुँच सकता। सिंह आदि पशुओं

और मनुष्यों के मांस को भी तो फेंक ही दिया जाता है, कोई उसे खाता नहीं।"

प्रधानाचार्य ने स्वामी जी को 'ऋग्वेद' की दो प्रतियाँ भेंट कीं।

●

राजकोट में बम्बई के समान ही आर्य-समाज की स्थापना की व्यवस्था करके स्वामी जी पुनः अहमादाबाद आये। उनकी इच्छा बड़ौदा जाने की है, परंतु उन्हीं दिनों मल्हारराव गद्दी से उतार दिये गये हैं, और वहाँ अँग्रेजी सेना का अधिकार है। इसलिए स्वामी जी बड़ोदा न जाकर बलसाड़ के लिए चल पड़े।

बलसाड़ के लोगों ने स्वामी जी का सम्मानपूर्वक स्वागत करके उन्हें एक पारसी की कोठी में लाकर टिकाया। यहाँ उनके व्याख्यानों में मुसलमान और पारसी अधिक संख्या में आते हैं। परन्तु पौराणिक स्वामी जी से रुष्ट हैं। भावनगर के राजगुरु भवानीशंकर आजकल यही हैं। पौराणिक हाथ-पाँव जोड़ कर उन्हें स्वामी जी से शास्त्रार्थ करने के लिए लाये। राजगुरु स्वामी जी को व्याख्यान देते देख चुपचाप बैठ कर उपदेश सुनने लगते हैं। भाषण समाप्त हो गया। स्वामी जी ने कहा, "यदि किसी को कोई प्रश्न करना है तो वह कर सकता है।" राजगुरु अब भी चुप हैं। उनके साथी उनकी पीठ में बार-बार अँगुली गड़ाते हैं, आँखों से प्रश्न करने का संकेत करते हैं, पर वे टस-से-मस नहीं हो रहे हैं। अंत में उन्होंने बाध्य हो कर पौराणिकों से स्पष्ट कह दिया कि परमहंस जी वेद-शास्त्रों के अनुसार ही उपदेश करते हैं। मैं इनसे व्यर्थ का वादविवाद नहीं करूँगा। गुरु जी के इस कथन को सुन कर पौराणिकों का मुँह इतना-सा निकल आया, परन्तु समझदार लोगों का मन प्रसन्नता से भर जाता है।

वापसी में प्रतिष्ठित पारसी और अन्य भद्र जन स्वामी जी को स्टेशन तक पहुँचाने आये, गाड़ी में बैठा कर उनके गले में फूलों की मालाएँ डालीं, उन पर पुष्प-वर्षा की, और इस प्रकार वे उन्हें अपने यहाँ से सम्मानपूर्वक विदा करते हैं।

●

बसई में आकर भी स्वामी जी अपने उपदेशों द्वारा ज्ञान-गंगा बहाते रहे। यहाँ स्वामी जी के एक सेवक ने उनकी घड़ी चुरा ली। पुलिस-कर्मचारियों ने उसे पकड़ लिया, परन्तु स्वामी जी उस पर अभियोग चलाने के लिए सहमत न हुए। लाचार हो कर पुलिस ने अपराधी छोड़ दिया। वह रोता हुआ महाराज के चरणों पर गिर पड़ा। स्वामी जी ने उसे चोरी के दोषों और परिणाम को समझा कर फिर अपनी सेवा में रख लिया। यहाँ से वे बम्बई लौट जाते हैं।

मानव-धर्म का प्रचारक

इस बार बम्बई में स्वामी जी बालुकेश्वर पर लालजी दलाल के बँगले में ठहरे। पारिख महाशय ने आर्य-समाज के नियम बना कर स्वामी जी के सम्मुख उपस्थित किये । स्वामी जी ने उनका अनुमोदन करके चैत्र सुदी ५ संवत् १९३२ वि० दिन शनिवार को गुरगाँव मुहल्ले में डॉक्टर माणिक लाल की वाटिका में सायंकाल आर्य-समाज की नियमित और स्थायी रूप से स्थापना की। आर्य-समाज को स्थापित करने में स्वामी जी का अभिप्राय अन्य संप्रदायों की भाँति एक नया पंथ चलाने का नहीं है, क्योंकि वे तो सारे मतों को मिला कर एक मानव-धर्म की माला में पिरोना चाहते हैं; सब को वैदिक शिक्षा पर चलाना चाहते हैं। आर्य-समाज से उनका तात्पर्य है श्रेष्ठ और सदाचारी मनुष्यों का समाज। महर्षि इस समाज से निम्नलिखित कार्य लेना चाहते हैं—

१. समाज में प्रचलित कुप्रथाओं और उसमें फैले हुए अज्ञान एवं अंध-विश्वास को वैदिक शिक्षा के प्रचार द्वारा दूर करके उसमें जाग्रति उत्पन्न करना ।

२. स्थान-स्थान पर विद्यालय खोल कर और पत्र-पत्रिकाएँ निकाल कर आर्य-भाषा (हिन्दी) और देव भाषा (संस्कृत) का प्रसार करके देश-वासियों की निरक्षरता दूर कर उन्हें एक भाषा के सूत्र में पिरोना और संगठित करना ।

३. देशवासियों में अपने देश और उसकी प्राचीन संस्कृति एवं सभ्यता के प्रति श्रद्धा भक्ति जाग्रत करके उन्हें पुनः एक स्वाभिमानी जाति बनाना ।

४. विधवा, अनाथ, दीन-दुखी और समस्त हिन्दुओं की रक्षा और सेवा कार्य ।

५. संसार के सब मनुष्यों के कल्याणार्थ कार्य करना।

स्वामी जी तानाशाही के विरुद्ध हैं। वे किसी भी धार्मिक, सामाजिक या राजनीतिक संस्था को किसी एक व्यक्ति के पूर्णतया अधीन रखने के पक्ष में नहीं हैं । इसलिए उन्होंने आर्य-समाज का संगठन प्रजातांत्रिक ढंग से किया है।

●

बम्बई में आर्य-समाज स्थापित करके स्वामी जी अहमदाबाद होते हुए बड़ौदा पधारे। वे यहाँ विश्वामित्र के तट पर महादेव के मन्दिर में ठहरे। उनका खाने-पीने आदि का सारा भार बड़ौदा राज्य पर है ।

एक दिन स्वामी जी व्याख्यान दे रहे हैं। राज्य कर्मचारी और पंडित सभी बैठे उपदेश सुन रहे हैं। प्रसंग आने पर स्वामी जी ने एक वेद-मंत्र पढ़ा। उसे सुनते ही दक्षिणी पंडित शिव-शिव कहते हुए उठ खड़े होते हैं। दीवान ने उनके इस प्रकार एकाएक उठ पड़ने का कारण पूछा। वे मुँह बना कर बोले, "महाराज! आप देखते नहीं हैं? यहाँ ईसाई-मुसलमान, शूद्र और अछूत सभी उपस्थित हैं। स्वामी जी ने उनके सामने श्रुति वचन बोल कर भारी अनर्थ किया है।" इस पर स्वामी जी ने अन्य मंत्र पढ़ कर कहा, "मेरे भोले-भाले भूदेवो! जब इस यजर्वेद के छब्बीसवें अध्याय के दूसरे मंत्र में दयालु और न्यायी ईश्वर ने स्वयं वेद पढ़ने-पढ़ाने का अधिकार मनुष्य मात्र को दिया है तो हम और आप उसकी इस आज्ञा का उल्लंघन करने वाले कौन होते हैं।" तत्पश्चात् अधिकारियों ने उन्हें समझा-बुझाकर रोक लिया।

•

एक दिन पंडित मंडली स्वामी जी से शास्त्रार्थ करने के लिए आई। पंडितों को उनकी सरल और सुबोध संस्कृत अच्छी न लगी। वे स्वामी जी की संस्कृत का उपहास करने लगे—"महात्मा जी! 'भवति, पचति' मात्र से काम न चलेगा। आज आप का दक्षिणी पंडितों से पाला पड़ा है। पंडितों की भाषा में आप को भी बोलना पड़ेगा।" स्वामी जी को बाध्य होकर अपनी प्रकृति के प्रतिकूल अप्रसिद्ध शब्दपूर्ण, समास-बहुल, अनेकार्थ-बोधक ऐसी जटिल भाषा का प्रयोग करना पड़ा कि संस्कृत-ज्ञान की डींग हाँकने वाले दंभी दक्षिणी पंडित उनका मुँह देखते रह गये। वे उनकी धारा-प्रवाह संस्कृत के सारे वाक्यों का अर्थ ही नहीं समझे तो आगे कहते क्या। वे झेंप कर वहाँ से चले जाते हैं।

•

एक दिन स्वामी जी बाल बनवा रहे हैं। उसी समय एक शास्त्री उनके पास आया। उन्हें क्षौर कराते देख वह बोला—"संन्यासियों का धर्म तो त्याग है। आप देह को विभूषित करने में क्या लगे हैं?" स्वामी जी ने हँस कर कहा, "यदि बाल बढ़ाने में ही त्याग है, तो रीछ सब से बड़ा त्यागी सिद्ध होगा। ऐसी व्यर्थ की बातों में त्याग और वैराग नहीं है। स्वस्थ और पुष्ट शरीर के द्वारा ही परोपकार किया जा सकता है। इसलिए देह की रक्षा के लिए उसे सँवारना सुधारना धर्मानुकूल है।" उस छिद्रान्वेषी ने फिर कहा—"मैंने सुना है कि आप धन भी ग्रहण कर लेते हैं। शास्त्र में तो लिखा है कि 'न यतीनां कांचनं दद्यात्'।" स्वामी जी ने कहा, "इसमें तो केवल स्वर्ण देने का निषेध है। पंडित जी! तनिक इस शास्त्र-वाक्य के आशय और भाव को समझने का प्रयास कीजिये।

संन्यासियों को संग्रह नहीं करना चाहिए। परन्तु यदि वे द्रव्य ले कर दूसरों के हित में लगा दें तो धन लेने में कोई हानि नहीं है। जैसे बिना पुष्ट शरीर के मनुष्य दूसरों की भलाई नहीं कर सकता, वैसे ही बिना धन के सार्वजनिक-हित के कार्य सम्पन्न नहीं किये जा सकते। जो मनुष्य अपनी काया को भी परहित में अर्पण कर देता है, वह मनों कांचन रखते हुए भी अकिंचन है। अब रही मेरी बात। जिस समय मैं केवल कौपीनधारी था, मुझे कौड़ी तक छूने की आवश्यकता नहीं थी। परन्तु अब मैं जन-हित के कार्यों में अधिक भाग लेने लगा हूँ। इसलिए 'कूप-मृत्तिका' न्याय से जनता से धन लेकर उन्हींके भलाई के कामों में लगा देता हूँ। यदि आपका विचार है कि धन छूने मात्र से ही संक्रामक रोग की भाँति वह मनुष्य को पाप-युक्त कर देता है, तो क्या धनवान् होने से आप अपने को पापी मानते हैं। क्योंकि आप भी मुझे धनी ही प्रतीत होते हैं।" अंत में वह शास्त्री निरुत्तर हो कर लज्जित हो जाता है। वह महाराज के चरण छू कर बोला, "आप वास्तव में वीतराग हैं। यह मेरी धृष्टता थी जो मैंने आपसे ऐसे बेतुके प्रश्न किये।"

●

बड़ौदा राज्य के दीवान ने स्वामी जी को भोजन के लिए अपने आवास पर आमंत्रित किया है। बड़े-बड़े कर्मचारी और अँग्रेज़ अधिकारी भी वहाँ उपस्थित हैं। दीवान ने निवेदन किया––"महाराज! इन राज-पुरुषों को राज्य-धर्म का उपदेश देने की कृपा करें।" स्वामी जी ने राजा और प्रजा के धर्मों और उनके आपस के संबधों पर बहुत अच्छा प्रकाश डाला। उन्होंने राज्य-पद्धति का ऐसा सुंदर चित्रण किया कि वहाँ बैठे कई नीति-विशारद भी आश्चर्य-चकित हो कर कहने लगे––"स्वामी जी का राजनीति संबंधी ज्ञान भी अत्यंत गंभीर है।" स्वामी जी को विदा करते समय दीवान ने उन्हें एक सहस्र रुपये भेंट किये। परंतु महाराज ने उनकी भेंट अस्वीकार करते हुए कहा, "महाशय! मैं कुरीतियों का खंडन करता हूँ। यदि इस धन को ग्रहण कर लूँ तो गोसाइयों को अपनी पधरावनी के लिए एक उदाहरण मिल जायेगा।"

●

स्वामी जी दूसरे के कार्यों में हस्तक्षेप करना अच्छा नहीं समझते हैं। एक दिन उनके कर्मचारी इच्छाराम ने निवेदन किया––"महाराज! नवसार के भूमिहार पर किसी अपराध में अभियोग चल रहा है। वह बहुत दिनों मे कारागार में पड़ा है। अभियोग का कोई निर्णय होने में नहीं आता। मुझे आज उसका एक संबंधी मिला था। वह कहता था कि दीवान जी स्वामी जी का बहुत

सम्मान करते हैं। यदि स्वामी जी उनसे कह कर हमारे संबंधी को छुड़वा दें तो हम उन्हें मुँह-माँगी दक्षिणा देने को तैयार हैं।" स्वामी जी ने झिड़क कर कहा कि राज्य-कार्य में हस्तक्षेप करना हमारा काम नहीं है। फिर शुल्क ले कर ऐसा करना तो महा पाप है। यदि अभियुक्त पुरुष निरपराध है तो वह कुछ दिनों में छूट ही जायगा। (व्यक्ति स्वामी जी के वहाँ रहते ही मुक्त कर दिया गया।

बम्बई के आर्य-पुरुषों ने स्वामी जी को लिख भेजा कि आप यहाँ शीघ्र आने की कृपा करें। पौराणिकों ने आकाश सिर पर उठा रखा है। वे हमें बार-बार शास्त्रार्थ के लिए ललकार रहे हैं। स्वामी जी बम्बई आ गये। उनका आगमन सुनते ही वे चूहे का बिल ढूँढ़ने लगते हैं। बाजी पलट गई। अब आर्य-समाज के सदस्य पंडितों को शास्त्रार्थ के लिए आहूत करने लगे। बिना शास्त्रार्थ किये जान न बचते देख पौराणिकों ने बम्बई के चोटी के पंडित कमलनयनाचार्य को बहुत अनुनय-विनय करके शास्त्रार्थ के लिए सहमत किया। आषाढ़ बदी ३ संवत् १९३२ वि० को काऊस जी इन्स्टीट्यूट में तीसरे पहर शास्त्रार्थ होना निश्चित हुआ। स्वामी जी ने तीन बजे जा कर आसन ग्रहण कर लिया। आध घंटे के पश्चात् आचार्य भी अपने शिष्यों सहित पधारे। रायबहादुर बेचरदास सभापति बनाये गये। आचार्य कमलनयन ने देखा—सामने कुरसी पर एक तेज-पुंज मानव विराजमान है। और सभा-भवन नगर के हर स्तर और श्रेणी के लोगों से खचाखच भरा है। पत्रों के संवाददाता शास्त्रार्थ का एक-एक शब्द लिखने को तैयार बैठे हैं। सामने मेज पर सैकड़ों संस्कृत ग्रन्थ प्रमाण प्रस्तुत करने के लिये रखे हैं। आचार्य यह सब देख कर मन ही मन घबराते हैं और शास्त्रार्थ से बचने का उपाय सोच रहे हैं। सभापति ने शास्त्रार्थ के नियम और विषय सब को पढ़ कर सुना दिये। तदन्तर कमलनयन आचार्य खड़े हो कर बोले, "मैं शास्त्रार्थ तब करूँगा जब यहाँ आये हुए समस्त पंडित अपने-अपने संप्रदाय का नाम बता दें। लोगों ने उन्हें बहुत समझाया कि आपकी बात बिलकुल व्यर्थ और निष्प्रयोजन है। इसे छोड़िये और शास्त्रार्थ कीजिये, परंतु उन्होंने अपना हठ न छोड़ा। तब स्वामी जी ने बड़े मधुर और कोमल शब्दों में कहा—"कमल-नयन जी आज का दिन बहुत शुभ है कि आप सत्यासत्य के निर्णय के लिए यहाँ पधारे हैं। इतना बड़ा जनसमुदाय झूठ-सच जानने की जिज्ञासा से यहाँ एकत्र है। आप का परम कर्त्तव्य है कि प्रामाणिक ग्रन्थों के प्रमाणों द्वारा प्रतिमा-पूजन के पक्ष का पोषण करें। यद्यपि पक्षपात रहित व्यवस्था देने के लिए सभापति जी हैं, परंतु सब से बड़े मध्यस्थ चारों वेद हमारे-आपके बीच में स्थापित हैं।

अपने पक्ष की पुष्टि में वेदों का एक तो प्रमाण दीजिये।" स्वामी जी के अलौकिक व्यक्तित्व से, उनकी ओजस्विनी वाणी से और उनके असीम साहस से पराभूत होकर कमलनयन सारी चौकड़ी भूल जाते हैं। वे सब कुछ भूल कर अपनी पहली बात ही दुहराते रहे। और अंत में अत्यन्त लज्जित होकर वहाँ से उठ कर चले गये। उनके इस प्रकार बिना शास्त्रार्थ किये ही चले जाने से स्वामी जी के पक्ष की सच्चाई सिद्ध हो गयी, और उनके पांडित्य का सिक्का सब पर पूर्णतया जम जाता है। उस समय स्वामी जी ने उठ कर ईश्वर के स्वरूप पर एक बहुत ही सुन्दर और सारगर्भित उपदेश दिया, जिससे सभी श्रोता अत्यंत प्रभावित हुए और उनकी असाधारण प्रतिभा की प्रशंसा करते हुए लौटते हैं।

●

क्रान्तदर्शी दयानन्द से यह रहस्य छिपा नहीं है कि जननी ही जातीय जीवन की जड़ है। जिस वृक्ष की जड़ खोखली हुई वह धराशायी हुआ, और जिस जाति में माताएँ निकम्मी हुई वह जाति सर्वनाश की ओर चल पड़ी। इसलिए वे स्त्रियों की दशा सुधारने के प्रबल इच्छुक हैं। परंतु उन्हें कोई ऐसी आर्य देवी नहीं मिलती है जो इस कार्य के लिए उपयुक्त हो और इसमें तन-मन से लगने को तत्पर भी हो। स्वामी जी नियम पालन में अत्यन्त दृढ़ हैं, परंतु जब कभी उनको किसी शिक्षित देवी से स्त्री-सुधार के कार्य में सहायता पाने की आशा होती तो वे अपना स्त्रियों को उपदेश न देने वाला नियम शिथिल कर देते। इससे ज्ञात होता है कि स्वामी जी का हृदय स्त्री-जाति की हित-कामना से कितना अधिक परिपूर्ण है।

●

पजाब प्रांत के होशियार पुर जिले की रहने वाली भगवती नाम की एक कुलीन लड़की तरुण अवस्था में ही विरक्ता हो गई। उसने अपने परिवार को छोड़ कर काषाय वस्त्र धारण कर लिये। उसने अपने गुरुजनों से वेदांत के कुछ ग्रन्थ पढ़े हैं। उन्हीं दिनों महर्षि दयानन्द का 'सत्यार्थप्रकाश' ग्रन्थ पहले-पहल छप कर निकला। दैवयोग से भगवती देवी को यह ग्रन्थ कहीं पढ़ने को मिल गया। उसके सारे वेदांती विचार छूमंतर हो गये। विचार-परिवर्तन के साथ ही साथ उसके हृदय में 'सत्यार्थप्रकाश' के रचयिता के प्रति प्रगाढ़ भक्ति और उसके दर्शनों की तीव्र लालसा उत्पन्न हुई। वह अपने भाई को साथ लेकर बम्बई आ पहुँची।

स्वामी जी व्याख्यान-स्थल के अतिरिक्त स्त्रियों को अपने स्थान पर नहीं आने देते हैं, परंतु उन्होंने सुदूर प्रांत से दर्शनार्थ आई हुई एक विदुषी और विरक्त महिला को वार्त्तालाप करने का अवसर प्रदान कर दिया। स्वामी जी ने कहा,

"स्त्री जाति में विद्या का बड़ा भारी अभाव है। उन्हें कर्त्तव्याकर्त्तव्य का कुछ भी बोध नहीं है। तुम अपने प्रांत में जा कर अपनी बहनों में विद्या का प्रचार करो, जिससे उनके अंधविश्वास का अंत हो, और उन्हें अपने कर्त्तव्य तथा अधिकार का ज्ञान हो। इस प्रकार तुम अपने देश और समाज की सेवा करके पुण्यार्जन कर सकोगी।"

भगवती देवी ने स्त्री-सुधार के कार्य में बाधाओं की चर्चा की। उसने कहा—"महाराज! लोगों की यह धारणा है कि स्त्रियों का पढ़ना शास्त्र विरुद्ध है; पढ़ कर वे धर्म से पतित हो जाती हैं, वे उच्छृंखल हो जाती हैं, और ये धारणाएँ स्त्री-शिक्षा में बहुत बड़ी बाधाएँ हैं। इसके अतिरिक्त परदा, बाल-विवाह आदि कुप्रथाएँ भी इसमें बाधक हैं।" स्वामी जी बोले, "देवी! इन भ्रमों को दूर करके स्त्रियों में विद्या का विस्तार करना ही तो तुम्हारा काम होगा। लोगों को समझाना होगा कि शिक्षा का परिणाम पाप नहीं हो सकता। यदि ऐसा होता तो पुरुष भी अशिक्षित ही रहना चाहते। वेद और शास्त्र तो मनुष्य मात्र को विद्या पढ़ने की आज्ञा देते हैं। श्रौत सूत्रादि में आया है 'इमं मंत्रं पत्नी पठेत्' अर्थात् स्त्री यज्ञ में इस मंत्र को पढ़े। यदि स्त्रियाँ बे-पढ़ी हों तो यज्ञ में स्वर सहित मंत्रों का उच्चारण कैसे कर सकें? भारतवर्ष की स्त्रियों में भूषणरूपा गार्गी आदि देवियाँ वेद-शास्त्रों को पढ़ कर विदुषी हुई थीं। आर्यों में परदे की रीति पुरानी नहीं है। यह यवनों के राज्यकाल में प्रचलित हुई है। नित्य नये उपद्रवों से अपनी बहू-बेटियों को बचाये रखने के लिए उस अत्याचार के युग में यह प्रथा आर्यों में चल पड़ी थी, परंतु मूढ़ लोग उसको धर्म का एक अंग मानने लगे हैं। जैसे-जैसे स्त्रियों में शिक्षा बढ़ेगी बाल-विवाह आदि कुरीतियाँ स्वयं समाप्त हो जायँगी। परंतु तुम्हें सतर्क रहना होगा कि वे शिक्षित हो कर अपने स्त्रियोचित गुणों का कहीं त्याग न कर दें।"

भगवती देवी स्वामी जी का उपदेश सुन कर सुधार-कार्य के लिए तत्पर हो गई। वह अपने प्रांत में जाकर स्त्री-शिक्षा का कार्य आरंभ कर देती है। यह पहली ही पुण्यवती देवी है जो महर्षि के उपदेशों से प्रेरित हो कर स्त्री-सुधार के कार्य में लगती है।

●

स्वामी जी ने बम्बई में ही 'संस्कार-विधि' और 'आर्याभिविनय' के ग्रन्थ लिख कर छपवाए और फिर 'वेद-भाष्य' का कार्य आरंभ किया।

●

पूना के जज महादेव गोविन्द रानाडे के आग्रह पर स्वामी जी पूना पधारे।

जज महोदय के प्रबंध से यहाँ स्वामी जी के पंद्रह व्याख्यान बड़ी धूमधाम से हुए। इन व्याख्यानों का सर्वसाधारण पर इतना प्रभाव पड़ा कि नगर भर में स्वामी जी की ही चर्चा होने लगती है। एक तो करेला कड़वा फिर नीम चढ़ा! पौराणिक पंडित पहले से ही चिढ़े हैं, फिर महाराज की कीर्ति फैलते देख वे जल-भुन गये। स्वामी जी के भक्त तो उनके सम्मान में शोभा-यात्रा निकालने का प्रबंध कर रहे हैं, और पौराणिक गुंडों और अप्रगतिशील लोगों को भड़का कर उनका अपमान करने की तैयारी में हैं।

●

जब अंतिम व्याख्यान समाप्त हुआ तो स्वामी जी को पुष्प-हार पहनाए गये और उन्हें हाथी पर आरूढ़ किया गया। एक पालकी में वेद रखे गये। कुछ वेद-पाठी पंडित वेद पाठ करते हुए पालकी के पीछे-पीछे चले। सैकड़ों आर्य-जन भजन-कीर्तन करते हुए इस समारोह में सम्मिलित हैं। इस प्रकार भारी समारोह के साथ शोभा-यात्रा प्रारंभ होती है। उधर स्वार्थी लोगों ने उपद्रव-प्रिय मनुष्यों को एकत्र कर गर्दभानन्द आचार्य की सवारी निकाली। शोभा-यात्रा में बाधा डालना और स्वामी जी तथा उनके सहायकों को अपमानित करना ही उनका उद्देश्य है। थोड़ी वर्षा हो जाने के कारण मार्ग में कीचड़ हो गया है। उपद्रवियों ने स्वामी जी पर कीचड़ उठा कर फेंकना आरंभ कर दिया। ईंट-पत्थर भी बरसाये। रानाडे महाशय ने पुलिस की सहायता लेनी चाही, परन्तु स्वामी जी ने उन्हें ऐसा करने से रोक दिया और कहा, "वत्स! दंड किसे दिलवाओगे। ये भी तो अपने भाई ही हैं। अज्ञान और अविद्या ने इनकी आँखें बंद कर रखी हैं। इनकी आँखें खोलने के लिए ही मैं देश भर में मारा-मारा फिरता हूँ। इन्हीं की कल्याण-कामना दिन-रात किया करता हूँ। सुधारक को तो भूमि के सदृश सहनशील होना चाहिए। अपमान कर्त्ता को अपमानित करने या दंड देने से उसका सुधार नहीं होता, किन्तु उसे सम्मान देने और क्षमा करने से वह लज्जित हो कर सुधर जाता है। अग्नि शांत करने का साधन तेल नहीं जल है। द्वेष को मिटाने के लिए शान्ति धारण करना ही उचित है।" यद्यपि रानाडे पर भी कीचड़ पड़ा और उन्हें एक-आध कंकड़ लगे, परंतु वे स्वामी जी की आज्ञा के अनुसार बिल्कुल शांत रहते हैं।

पामर और नीच लोग स्वामी जी को अपशब्द कहते, उन पर कीचड़ उछालते और पत्थर फेंकते रहे, परंतु वे हँसते रहे, उन्हें तनिक भी रोष न आया, और न माथे पर बल पड़े। इस शोभा-यात्रा की समाप्ति पर जब भक्त लोगों ने स्वामी जी से उलाहना दिया, "महाराज! आपने हम लोगों को रोके रखा,

नहीं तो इन दुष्टों को आटा-दाल के भाव का पता चल जाता। उन दुर्जनों ने एक मनुष्य को गदहे पर बिठा कर उसके गले में जूतों का हार पहना रखा था, और उसे आप के नाम से पुकार-पुकार कर अपशब्द और गालियाँ बक रहे थे।" महर्षि ने हँस कर उत्तर दिया—"प्रिय बंधुओ! सच्चा और वास्तविक दयानन्द तुम्हारे सामने सकुशल और सानन्द बैठा है। वह तो नकली और झूठा दयानन्द था और ऐसे बहुरूपिये का उसी प्रकार सत्कार करना उचित था, जैसा उन लोगों ने किया।"

रानाडे आदि भक्त महर्षि की यह बात सुन कर दंग रह गये और आपस में कहने लगे—"महर्षि तू धन्य है। तू इस गये-बीते काल में भी एक सच्चा और आदर्श संन्यासी है।"

●

स्वामी जी दो मास पूना में रह कर बम्बई आ गये। इस बार नवीनचन्द्र राय, प्रतापचन्द्र मजूमदार, और डॉ० भंडारकर आदि कई ब्राह्मसमाजी सज्जन वेद विषय पर वार्त्तालाप करने स्वामी जी की सेवा में आये। इन लोगों का कहना है कि वेद में अग्नि आदि जड़ पदार्थों की स्तुति की गई है। स्वामी जी ने उत्तर में वेद मंत्रों[1] के प्रमाणों से और मनु की साक्षी[2] दे कर उन्हें समझाया

---

१. अग्ने नय सुपथा राये अस्मान् विश्वानि देव वयुनानि विद्वान्।
युयोध्यस्मज्जुहुराणमेनो भूयिष्ठान्ते नम उक्तिं विधेम॥
(यजु० अ० ४०। मं० १६)

हे प्रकाश स्वरूप भगवान्! तू आनन्ददाता और सर्वस्व है। सुख शांति और वैभव की प्राप्ति के लिए सन्मार्ग से चला कर हमें सरल और निष्पाप बना, हमें ज्ञानी और सदाचारी बना। हम बार बार तेरी स्तुति और प्रार्थना करते हैं।

२. प्रशासितारं सर्वेषामणीयांसमणोरपि। रुक्माभं स्वप्नधीगम्यं विद्यात्तं पुरुषं परम्॥
एतमेके वदन्त्यग्निं मनुमन्ये प्रजापतिम्। इन्द्रमेके परे प्राणमपरे ब्रह्म शाश्वतम्॥
(मनु—अ० १२, श्लोक १२२।१२३)

जो सब का गुरु है; सूक्ष्म से भी सूक्ष्म है; स्वप्रकाश स्वरूप है, योगियों द्वारा ज्ञातव्य है; उसी को परम पुरुष जानना चाहिए। उसी नित्य परमात्मा को प्रकाश स्वरूप होने से अग्नि, विज्ञान स्वरूप होने से मनु, सब का पालन करने से प्रजापति, परमैश्वर्यवान् होने से इन्द्र, सब का जीवन आधार होने से प्राण, और व्यापक होने से ब्रह्म कहते हैं।

—"जहाँ आप को जड़ पदार्थों की स्तुति का भ्रम होता है, वहाँ वास्तव में परमात्मा का वर्णन है।"

स्वामी जी को इस बात का सदा ध्यान रहता कि उनके पास रहने वालों को समय पर और ठीक भोजन मिलता है या नहीं। इसलिए वे कभी-कभी रसोई में जाकर निरीक्षण कर लिया करते हैं। पाचक को भोजन बनाने के लिए सामग्री तोल कर दी जाती है। एक दिन किसी कर्मचारी ने निवेदन किया—"आप रसोई में तोल कर वस्तुएँ दिलवाते हैं। कहीं आपको लोग कृपण न समझें?" स्वामी जी ने मुस्करा कर कहा, "लोग मुझे क्या समझते हैं या मेरे विषय में क्या सोचते हैं, इसकी चिंता तो मुझे स्वप्न में भी नहीं होती है। पाक-शाले में परिमित सामग्री इसलिए देता हूँ कि भोजन बच कर अन्न का नाश और अनादर न हो। और लोग अधिक खा कर आलसी और रोगी न हों। मितव्यय और मिताहार से कोई कृपण नहीं कहलाता।"

●

स्वामी जी बम्बई से फर्रुखाबाद आये; फिर कायमगंज, काशी, जबलपुर आदि स्थानों में ठहरते और कार्य करते अयोध्या में पधारे। स्वामी जी यहाँ दर्शननगर जाने वाली सड़क पर एक पाठशाला स्थापित करते हैं। वे संवत् १९३३ वि० के आश्विन मास में लखनऊ पहुँचे और हुसेनगंज में सरदार विक्रम-सिंह की कोठी में ठहरे।

स्वामी जी ने एक बंगाली से अँग्रेजी पढ़ना आरंभ किया है। परंतु लेखन कार्य बहुत बढ़ जाने के कारण इधर अधिक ध्यान नहीं दे पाते हैं।

स्वामी जी ने 'वाक्यप्रबोध' नाम की एक पुस्तक छपवाई है। काशी के पंडितों ने उसमें अशुद्धियाँ निकाल कर स्वामी जी की योग्यता पर कटाक्ष किये। स्वामी जी के अनुयायी उन अशुद्धियों को शुद्ध सिद्ध करने के लिए तैयार हो गये। स्वामी जी ने उन्हें समझाया, "मिथ्या पक्ष को ग्रहण करके वाद-विवाद करना धार्मिक जनों का काम नहीं है। सरलता से अशुद्धियाँ मान लो और अगले संस्मरण में उन्हें दूर कर दो।"

●

एक दिन स्वामी जी आसन पर बैठे लोगों से बातचीत कर रहे हैं। प्रभुदयाल ने पूछा, "मीमांसा के जिन सूत्रों का अर्थ लोग पशु-बलि करते हैं, उनके विषय में आप क्या कहते हैं?" उन्होंने उत्तर दिया—"मीमांसा में पशु-बलि-विधायक सूत्र एक भी नहीं है। सूत्रों का हिंसापरक अर्थ करना भारी भूल है। उन सूत्रों में 'आलम्भनम्' शब्द आता है, जिसके दो अर्थ है—एक स्पर्श दूसरा बध।

यदि उन सूत्रों में इस शब्द का अर्थ स्पर्श किया जाय तो उनके अर्थों में कोई अंतर नहीं आता और संगति भी लग जाती है।" इस पर एक पौराणिक पंडित ने कहा, "महाराज! आप ग्रन्थों के शब्दों का अर्थ उलट देते हैं।" स्वामी जी ने हँस कर कहा, "मैं तो अर्थ नहीं उलटता। उलटने वाले कोई और हैं। हाँ! उनके उलटे हुए अर्थों को अवश्य उलट कर सीधा (ठीक) कर देता हूँ।"

लखनऊ से प्रस्थान करके शाहजहाँपुर, बरेली में धर्म प्रचार करते हुए स्वामी जी मुरादाबाद पहुँच कर राजा जयकृष्ण दास के बँगले में ठहरते हैं। यहाँ पादरी पार्कर स्वामी जी से धर्म-चर्चा करने के लिए नित्य आते हैं। एक दिन सृष्टि-उत्पत्ति की बातचीत चल पड़ती है। पादरी कहते हैं कि सृष्टि को बने केवल पाँच सहस्र वर्ष हुए हैं। और स्वामी जी उसे लाखों और करोड़ों वर्ष की बताते हैं। स्वामी जी ने उन्हें निरुत्तर करने का उपाय सोच लिया। वे पास के कमरे से बिल्लौरी स्फटिक उठा कर बँगले के उस कमरे में चले जाते हैं जहाँ उन दिनों ब्रिटिश इण्डियन एसोसियेशन का अधिवेशन हो रहा है। स्वामी जी ने उस सभा के सदस्यों को पत्थर दिखा कर पूछा—"आशा है कि आप लोगों को भूगर्भ-विद्या का कुछ न कुछ ज्ञान अवश्य होगा। कृपया बताइये कि इस पत्थर को वर्तमान अवस्था में आने में कितने वर्ष लगे होंगे?" सदस्यों में से एक महाशय बोले—"स्वामी जी! लाखों वर्षों में यह पत्थर अपनी इस वर्तमान अवस्था में आया है।" तब स्वामी जी ने पार्कर से कहा—"अब आप ही बताइए कि यदि आपके कथनानुसार सृष्टि को बने पाँच सहस्र वर्ष ही हुए हैं तो लाखों वर्षों में यह पत्थर कैसे बना।" इस पर पादरी महोदय बहुत लज्जित हुए।

●

मुरादाबाद में आर्य-समाज स्थापित करके स्वामी जी दिल्ली जाने के विचार से अलीगढ़ पधारे। यहाँ वे मुकुंदीसिंह को साथ ले कर दिल्ली के लिए चल पड़ते हैं।

स्वामी जी ने दिल्ली पधार कर नगर के बाहर शेरमल के अनारबाग में डेरा जमाया। राजा जयकृष्ण दास, मुकुंदीसिंह, भूपालसिंह, इन्द्रमन और भीमसेन आदि अनेक सज्जन स्वामी जी के पास ही ठहरे हैं।

दिल्ली में महारानी विक्टोरिया के राज्याभिषेक के उपलक्ष्य में एक महोत्सव मनाया जा रहा है। एक बड़ा दरबार होने वाला है, जिसमें सम्मिलित होने के लिए भारत के सभी राजे-महाराजे और प्रतिष्ठित व्यक्ति राज्य की ओर से आमंत्रित हैं। ऐसे ही अवसर पर स्वामी जी सुधार कार्य और धर्म प्रचार के लिए आये हैं। उनके उपदेशों की सूचना विज्ञापनों द्वारा दी गई। सहस्रों मनुष्य व्याख्यान सुनने आते हैं।

यहाँ पंजाबी लोग स्वामी जी के उपदेशों से ऐसे प्रभावित हुए कि वे स्वामी जी से पंजाब चलने के लिए आग्रह करने लगे। स्वामी जी ने पंजाब आने का उन्हें आश्वासन दिया। स्वामी जी की इच्छा है कि सब मत वाले मिल कर सर्वसम्मत बातों को मान कर एक मत होकर देश और समाज की उन्नति के लिए प्रयत्नशील हों। इसी प्रयोजन से उन्होंने एक सर्व-धर्म सम्मेलन की आयोजना की। परंतु उसमें केवल छह व्यक्ति, सर सय्यद अहमद खाँ, श्री केशवचन्द्र सेन, श्री नवीनचन्द्र राय, श्री हरिश्चन्द्र चिंतामणि, श्री कन्हैयालाल अलखधारी और श्री इन्द्रमन सम्मिलित हुए; और वे एक मत न हो सके।

●

एक दिन एक कृष्ण भक्त स्वामी जी के पास आया और मिट्टी का ढेला उनके आगे रख कर बैठ गया। स्वामी जी ने पूछा, "यह मिट्टी कैसी है?" कृष्ण भक्त बोला—"बाल काल में कृष्ण जी ने मृत्तिका खाई थी, इसलिए मैं यह मिट्टी प्रसाद रूप आप के लिए लाया हूँ।" महाराज ने कहा—"भोले भाई! बच्चे मिट्टी खाया ही करते हैं। कृष्ण जी ने भी खाई होगी। बड़े हो कर तो कोई मिट्टी नहीं खाता।"

●

स्वामी जी का एक सेवक राजाओं के डेरों पर जा कर व्याख्यान-संबंधी विज्ञापन बाँटता है। एक दिन उसने स्वामी जी से निवेदन किया—"यदि आप ऊपर से पौराणिक बन कर राजाओं में अपना प्रचार करें तो अल्पकाल में ही आप को आशातीत सफलता प्राप्त हो जाय, और वे सब सहज ही में आपके शिष्य और अनुयायी बन जायँ। स्वामी जी ने उसकी भर्त्सना करते हुए कहा, "मैं अमृत को विष में मिला कर देना महापाप समझता हूँ। ऐसा करने से मैं स्वयं पतित हो जाऊँगा, दूसरे का सुधार क्या करूँगा। स्मरण रखो—पवित्र उद्देश्य की प्राप्ति में पवित्र साधन भी अपनाने चाहिए।"

●

दिल्ली से लौट कर स्वामी जी मेरठ में अमृत वर्षा करते हुए सहारनपुर पहुँचते हैं। इस समय उनके साथ भीमसेन आदि कई विद्यार्थी हैं। वे कन्हैयालाल के शिवालय में ठहरे। उनके व्याख्यान चित्रगुप्त मन्दिर में होते हैं। उनमें इतनी भीड़ होती कि कहीं तिल धरने को स्थान न रहता। एक दिन स्वामी जी ने कहा, "दुःख-सुख की अनुभूति प्रायः लोगों की मानसिक अवस्था पर निर्भर होती है। किसी नगर में एक सेठ था। उस पर मारपीट का एक अभियोग चल गया। वह बड़ा चिंतित और दुःखी रहने लगा। उसके नौकर-चाकर

पहले के समान ही प्रसन्न हैं। निर्णय के दिन पालकी पर बैठ कर उसने न्यायालय के लिए प्रस्थान किया। पालकी में मोटा गद्दा बिछा है, तकिये लगे हैं, खस की टट्टियाँ लगी हैं। परंतु सेठ का चिंता के मारे बुरा हाल है। पसीने से तर है। वह धनी है, सुख पूर्वक सवारी पर यात्रा कर रहा है। फिर भी दुःखी है। वह जैसे-जैसे न्यायालय के समीप पहुँचता है, वैसे-वैसे उसके दुःख और कष्ट की मात्रा बढ़ रही है। परंतु कहारों की दशा इसके विपरीत है। वे मोटे सेठ सहित भारी पालकी कंधों पर उठाए हैं। गर्मी और धूप में इतना बोझ लिये पैदल दौड़ रहे हैं, पर वे निश्चिंत और प्रसन्न हैं। जैसे-जैसे कचहरी निकट आ रही है वैसे-वैसे वे अधिक प्रसन्न हो रहे हैं कि अब दम मारने को अवकाश मिलेगा।"

●

स्वामी जी अभी सहारनपुर में ही धर्म-नाद गुंजा रहे हैं कि उन्हें चाँदापुर के भूमिहार प्यारेलाल का पत्र प्राप्त हुआ। उसने स्वामी जी से प्रार्थना की है कि इसलाम और ईसाई मत रूपी आँधी-पानी से हमारे धर्म की नौका बिना किसी चतुर नाविक के डूबने ही वाली है। महाराज हम पर दया करें, शीघ्र यहाँ पधार कर हमारी डगमगाती नाव को पार लगाएँ। स्वामी जी ने तुरंत पत्रोत्तर देकर धैर्य बँधाया और अपने शीघ्र पहुँचने की सूचना दे दी।

स्वामी जी दो सेवकों को ले कर चाँदापुर के लिए चल पड़ते हैं। शेष कर्मचारी सहारनपुर में ही छोड़ दिये। चाँदापुर ग्राम शाहजहाँपुर से लगभग दस मील के अंतर पर गर्रा नदी के समीप है। यहाँ के जमींदार प्यारेलाल आदि कबीर-पंथी हैं। कबीर-पंथियों का एक आश्रम नदी के किनारे है। वहाँ हर वर्ष मेला लगता है। पादरी और मौलवी मेले में आते और अपने-अपने मत का प्रचार करते। पिछले वर्ष मेले के अवसर पर उनमें और कबीर-पंथियों में वाद-विवाद हो गया। मेले के अंदर अंत में प्रसिद्ध हो गया कि कबीर-पंथी हार गये। तब से प्यारेलाल आदि का गाँव से बाहर निकलना कठिन हो गया। मुसलमान मिलता तो कहता अब तुम ने इसलाम की सच्चाई देख ली है, मुसलमान हो जाओ। और यदि पादरी से कहीं भेंट हो जाती तो वह उन्हें ईसाई बन जाने के लिए कहता। इन लोगों ने बहुत तंग आ कर मुरादाबाद के इन्द्रमन जी को मेले पर आ कर मौलवियों और पादरियों का मुँह बंद करने की प्रार्थना की। इन्द्रमन ने लिखा कि मैं आऊँगा ही, परंतु स्वामी दयानन्द को अवश्य बुलाओ। वे भारत भर में वेद-शास्त्रों के अद्वितीय विद्वान् हैं। उनके सामने किसी मत का बड़े से बड़ा विद्वान् नहीं ठहर सकता।

उनके आ जाने से तुम्हारी विजय निश्चित रूप से होगी। चाँदापुर वालों ने स्वामी जी का नाम तक नहीं सुना था। श्री इन्द्रमन से पता पूछ कर स्वामी जी को पत्र लिखा गया।

स्वामी जी को शाहजहाँपुर से चाँदापुर पालकी पर लाया गया। वे गर्रा के किनारे मेले में ही एक तंबू में ठहराये गये। मौलवी और पादरी भी मेले में आए। मेले में मुसलमानों की संख्या अधिक देख कर इन्द्रमन ने भयभीत होकर महाराज से कहा, "स्वामी जी! मुसलमान शीघ्र ही भड़क उठते हैं। आप अपने उपदेशों में और शास्त्रार्थ के समय तनिक नर्मी से काम लें।" स्वामी जी ने उत्तर दिया—"असत्य का समर्थन करना मेरे बस की बात नहीं है, और सत्य का छोड़ना भी मेरे लिए असंभव है। सत्य मेरा बनाया नहीं है। वह तो सनातन और ईश्वर का है। उसे प्रकाशित करने में भय किसका है। आप तनिक भी न डरें। मेरे रहते कोई आपका बाल-बाँका नहीं कर सकता।"

दूसरे दिन २० मार्च सन् १८७७ ई० को सवेरे साढ़े सात बजे एक विशाल पंडाल में सभी मतों के विद्वान् एकत्र हुए। शास्त्रार्थ की बात मेले में फैलते ही वह मंडप दर्शकों और श्रोताओं से ठसाठस भर जाता है। मुक्ताप्रसाद ने खड़े होकर अपने भाई प्यारेलाल की ओर से ये पाँच प्रश्न सब मतों के विद्वानों के आगे उपस्थित करके उनका उत्तर माँगा—(१) सृष्टि को ईश्वर ने किस वस्तु से कब और क्यों रचा, (२) ईश्वर सर्वव्यापक है अथवा नहीं, (३) ईश्वर न्यायी और दयालु किस प्रकार है, (४) वेद, बाईबिल और कुरान के ईश्वर वाक्य होने में क्या युक्ति है, (५) मुक्ति क्या वस्तु है और किस प्रकार हो सकती है। पहले कौन बोले इस बात पर कुछ देर वादविवाद होने के पश्चात् पादरी स्काट उठे और पहले प्रश्न के विषय में बोले—"इस निकम्मे प्रश्न पर बोलना समय का खोना ही है, फिर भी मैं उसका उत्तर दिये देता हूँ। ईश्वर ने सृष्टि को नास्ति से बनाया है। यह कब बनी इसका किसी को ज्ञान नहीं है। यह मनुष्य के सुख भोग के लिए बनी है।" एक मौलवी ने इस प्रश्न के उत्तर में कहा—"ईश्वर ने सृष्टि को अपने स्वरूप से बनाया है। यह प्रश्न कि ईश्वर ने सृष्टि कब रची बिलकुल व्यर्थ है। हमें आम खाने से प्रयोजन है न कि पेड़ गिनने से। ईश्वर ने सारी वस्तुएँ मनुष्य के लिए रची हैं, और मनुष्य को अपनी स्तुति करने के लिए बनाया है।" पादरी और मौलवी उत्तर देते समय दूसरों को मिथ्यावादी और बुरा-भला कहते रहे हैं। इसलिए स्वामी जी ने उत्तर देने के पूर्व कहा, "यह मेला

सत्य की जिज्ञासा से लगाया गया है । विजय सदा सत्य की होती है । न कि एक-दूसरे को झूठा-सच्चा कहने से । सत्यासत्य के निर्णय के लिए हम लोगों को द्वेष भाव और हठ छोड़ कर प्रेमपूर्वक वार्तालाप करके सत्य का ग्रहण और असत्य का त्याग करना चाहिए।" फिर स्वामी जी ने प्रश्न का उत्तर देते हुए कहा—"सृष्टि को परमात्मा ने अव्यक्त प्रकृति से बनाया। वह अनादि और अनंत परमाणु रूप प्रकृति जगत् का उपादान कारण है। अभाव से भाव नहीं होता । कारण के गुण कार्य में पाए जाते हैं। इसलिए यदि जगत् का कारण नास्ति मानें तो कार्य भी नास्ति ही ठहरेगा । ईश्वर के स्वरूप से भी जगत् की उत्पत्ति मानना ठीक नहीं है । जैसे घड़ा मिट्टी से पृथक् नहीं है वैसे ही जगत् और ईश्वर भी एक ठहरेगा । तब तो हर प्रकार के पाप-पुण्य का कर्त्ता ईश्वर ही सिद्ध होगा। सृष्टि कब बनी, इसका उत्तर सहस्र-दो सहस्र वर्षों से प्रचलित मतों के अनुयायी कैसे दे सकते हैं । इसका उत्तर हम आर्य लोगों को ज्ञात है, जिन्हें ईश्वर का ज्ञान सृष्टि के आदि में मिला है। साधारण से साधारण आर्य के यहाँ शुभ कर्मों के अवसर पर पंडित संकल्प का पाठ करता है। उसमें सृष्टि के आदि से संकल्प उच्चारण के समय तक के काल की गणना विद्यमान रहती है । इस वर्तमान सृष्टि को बने हुए १९७२९४८९७२ वर्ष बीत चुके हैं ।" सृष्टि का प्रयोजन वर्णन करते हुए स्वामी जी ने कहा—"जीव और मूल रूप में प्रकृति अनादि है । और कार्यरूप जगत् और जीवों का कार्य प्रवाह से अनादि है । एक सृष्टि के प्रलय के समय भी जीवों के कुछ कर्म भोगने को शेष रहते हैं । उन्हीं बचे हुए कर्मों का फल-भोग प्रदान करने के लिए दयालु और न्यायी ईश्वर सृष्टि की रचना करता है। सृष्टि रचने की शक्ति और गुण ईश्वर में स्वाभाविक है। वह अपने सामर्थ्य से सृष्टि निर्माण करता है जिससे मानव धर्म, अर्थ, काम और मोक्ष की उपलब्धि करके आनन्द प्राप्त करे ।"

उपस्थित जनता पर स्वामी जी की दिव्य मूर्ति, मधुर भाषण और युक्ति-युक्त उत्तरों का ऐसा प्रभाव पड़ा कि मेले भर में उनका यशोगान होने लगता है। वहाँ के हिन्दुओं का सिर गर्व से ऊँचा हो गया। प्रतिपक्षी लोगों को आश्चर्य है कि ऐसे निकृष्ट हिन्दूधर्म में इतना उत्कृष्ट विद्वान् कहाँ से उत्पन्न हो गया जो हमारी एक नहीं लगने देता है। पहले तो हिन्दू पंडित हमसे शास्त्रार्थ करने से जी चुराते और बगलें झाँकते थे। यह कार्यवाही ग्यारह बजे समाप्त हुई।

एक बजे फिर सब लोग एकत्र हुए। मौलवी और पादरियों को भ्रम है

कि प्रातः पहले बोलने के कारण ही सर्वसाधारण पर उनका रग नहीं जम सका है, इसलिए वे पहले बोलने के लिए तैयार नहीं हैं। तब स्वामी जी ने उठ कर मुक्ति पर बोलना आरंभ किया—"मुक्ति छूट जाने को कहते हैं। सब दुःखों से छूट कर सच्चिदानन्द परमात्मा की प्राप्ति से आनन्द में रहना और जन्म-मरण के चक्कर में न पड़ना मुक्ति है। वैदिक शिक्षा के अनुसार सत्याचरण, स्वाध्याय, सत्पुरुषों और ज्ञानी जनों की संगति, ईश्वर की स्तुति उपासना और योगाभ्यास आदि कर्म मुक्ति प्राप्ति के साधन हैं।" स्वामी जी के बाद मौलवी और पादरी भी बोले, परंतु उनका रंग फीका ही रहता है, वैसे ही जैसे सूर्य के प्रकाश में दीपक की ज्योति मंद पड़ जाती है। वे लोग मेले की समाप्ति के पहले ही वहाँ से चल देते हैं।

●

प्यारेलाल की धारणा है कि स्वामी जी केवल शास्त्रार्थ-महारथी ही हैं। वे कबीर-पंथी संतों की भाँति महात्मा नहीं हैं। उन्होंने स्वामी जी से अजपा जाप आदि बहुत सी बातों के विषय में प्रश्न किये। स्वामी जी के उत्तर सुन कर और उन्हें ध्यानस्थ अवस्था में देख कर प्यारेलाल को उनके पूर्ण योगी होने का विश्वास हो जाता है।

स्वामी जी चाँदापुर का शास्त्रार्थ जीत कर वहाँ से सम्मानपूर्वक विदा हो कर सहारनपुर लौट आये। फिर यहाँ से पंजाब की ओर प्रस्थान करते हैं।

●●

८ | सार्वभौम सत्य धर्म

सत्य-धर्म के व्यापक नियम

वैशाख बदी २, संवत् १९३४ वि० को स्वामी जी ने लुधियाना नगर को शोभा प्रदान की। वे नगर के बाहर लाला बंसीधर के उद्यान में ठहरे हैं। इस समय स्वामी जी 'वेद-भाष्य' का कार्य कर रहे हैं। स्वामी जी ने पहला उपदेश जरमल खजानची के आवास पर देते हुए घोषणा कर दी है कि इस नगर में मेरे सात व्याख्यान होंगे। इस बीच प्रश्न-उत्तर नहीं होंगे। आठवें दिन जिसका जो जी चाहे पूछ सकता है। उनके सातों व्याख्यानों में सहस्रों लोगों ने उपस्थित होकर शांतिपूर्वक उपदेश सुने और अत्यंत प्रभावित हुए।

एक दिन स्वामी जी बैठे लोगों के प्रश्नों के उत्तर दे कर उनकी शंकाओं का निवारण कर रहे हैं कि पादरी बेरी आते हैं। वार्त्तालाप के प्रसंग में पादरी ने कहा कि जैसी कृष्ण जी की लीलाएँ लोग वर्णन करते हैं उन्हें तो बुद्धि नहीं मानती।" स्वामी जी ने उत्तर दिया—"ये लीलाएँ तो कल्पित और मिथ्या हैं। परन्तु बुद्धि के न मानने के विषय में क्या कहा जाय। आपकी बुद्धि जब यह स्वीकार कर लेती है कि परमेश्वर की आत्मा कबूतर के रूप में एक मनुष्य पर उतरी तो कृष्ण जी की लीलाएँ स्वीकार करने में उसे क्या कठिनाई है?" तत्पश्चात् स्वामी जी ने पादरी को बहुत-सी ऐसी बातें बताई जो असंभव और कल्पित होने पर भी ईसाइयों द्वारा सत्य मानी जाती हैं। पादरी के चले जाने पर एक व्यक्ति स्वामी जी के चरणों को पकड़ कर बोला—"महाराज! आपने मुझे ईसाई होने से बचा लिया। आप की बातों ने मेरी आँखें खोल दी हैं। ईसाई मत की वास्तविकता दर्शा दी है।" परिचय पूछने पर उसने बताया—"मेरा नाम रामशरण है। मिशन स्कूल में अध्यापक हूँ। पादरियों ने ईसाई धर्म की प्रशंसा कर-कर के मुझे ईसाई हो जाने के लिए तैयार कर लिया था, और परसों रविवार को मुझे बपतिस्मा देने वाले थे, परन्तु आपने मुझे अपने धर्म के सत्यार्थ का प्रकाश दे कर बचा लिया।"

स्वामी जी लोगों को समझाते हैं कि जादू, टोना-टोटका आदि सारी बातें मिथ्या हैं, इनमें विश्वास नहीं करना चाहिए। ऐसा कह कर उन्होंने एक खेल

दिखाया। जिस कमरे में वे रहते हैं उसमें आमने-सामने दो आले हैं। स्वामी जी ने उन आलों पर दीपक जलवा कर रखवा दिये। फिर एक दीपक को बुझा कर दूसरे के बुझाने का आदेश एक व्यक्ति को देते हैं। जैसे ही दूसरा दिया बुझा, पहला दिया जल उठता है। इसी प्रकार बार-बार एक दीपक को बुझाने से दूसरा दीपक जल जाता है। दर्शकों को आश्चर्य हो रहा है कि इतनी दूर से एक दीपक को बुझाने पर उसकी लौ दूसरे दीपक में कैसे पहुँच जाती है। खेल की समाप्ति पर लोगों ने कहा, "महाराज ! यह तो जादू का ही चमत्कार जान पड़ता है।" स्वामी जी ने कहा—"मैं पहले ही बता चुका हूँ कि जादू नाम की कोई वस्तु संसार में नहीं है। इस प्रकार समझ में न आने वाली सारी बातों का संबंध या तो विज्ञान से है या बुद्धि-कौशल से, जिसे लोग हाथ की सफ़ाई कहते हैं।"

कार स्टीफन यहाँ जज हैं। वे स्वामी जी के व्याख्यानों में आया करते और चरण छू कर प्रणाम करते हैं। स्वामी जी उनके इस विनम्र व्यवहार से प्रभावित हैं। लुधियाना से चलते समय वे कन्हैयालाल को साथ लेकर जज महोदय के बँगले पर उनसे मिलने गये। कार स्टीफन बड़े आदर और प्रसन्नता से उनका स्वागत करते हैं। विदाई के समय एक बंद लिफाफे में कुछ द्रव्य स्वामी जी के चरणों में रख कर नमस्कार करते हैं।

●

लाहौर के रेलवे स्टेशन पर मनफूल आदि सज्जन स्वामी जी का स्वागत करके उन्हें रत्नचन्द्र के उद्यान में निवास कराते हैं। इस समय स्वामी जी के साथ इतनी पुस्तकें हैं कि वे एक ठेले पर लाद कर लाई गई हैं। उनके उपदेशों का पंजाबियों पर बहुत प्रभाव पड़ा। यहाँ शीघ्र ही आर्य समाज स्थापित हो गयी। आर्य-समाजों की संख्या बढ़ते देख स्वामी जी ने बम्बई के अट्ठाइस नियमों के स्थान पर दस अधिक व्यापक नियम स्वयं बनाकर आर्य-समाज की नींव एक दृढ़ चट्टान पर रख दी। अब इस समाज का उद्देश्य केवल भारतवासियों का सुधार न रह कर संसार भर के मनुष्यों की शारीरिक, आत्मिक और सामाजिक उन्नति करना हो गया। इन नये नियमों का निर्माण करके महर्षि आर्य-समाज के प्रत्येक सभासद को एक आदर्श नागरिक और सच्चे अर्थों में मनुष्य बनाने का प्रयास करते हैं। इनके अनुसार एक सच्चे आर्य-समाजी का कर्तव्य है कि वह एक निराकार, सर्वव्यापक, सच्चिदानन्द स्वरूप ईश्वर की उपासना करे। वह सत्य विद्याओं के भंडार वेद की शिक्षाओं का पालन और उनका प्रसार करे। अज्ञान और अविद्या को हटाने के लिए उसे सुशिक्षा का प्रचार

करना चाहिए। उसे हठधर्मी छोड़ कर सदा सत्य ग्रहण कर लेना चाहिए, और सत्याचरण ही करना चाहिए। उसे परोपकारी होना चाहिए और लोगों के साथ उसका व्यवहार सुन्दर और प्रेमपूर्ण होना चाहिए। उसे स्वार्थपरता का त्याग करके जनहित में लगना चाहिए। उसे सामाजिक और राजनीतिक नियमों के बंधनों को सहर्ष स्वीकार करना चाहिए, यद्यपि वह अपने निजी कार्यों में स्वतंत्र है।

जिस समय स्वामी जी ये नियम बना रहे हैं, उनके समीप ही आर्य-समाज लाहौर के प्रधान लाला मूलराज और कुछ ब्राह्मसमाजी सज्जन बैठे हैं। एक ब्राह्मसमाजी बोला, "यदि आप वेद-विषयक तीसरा नियम निकाल दें तो हम लोग आप के समाज में सम्मिलित हो सकते हैं।" लाला मूलराज ने कहा, "यदि इस नियम में 'सब सत्य' निकाल कर 'वेद विद्याओं की पुस्तक है' ऐसा वाक्य रखा जाय तो यह नियम व्यापक हो जायेगा और किसी को इसके मानने में हिचक न होगी।" महर्षि दयानन्द आचार्य हैं। वे लोक मत के पीछे दौड़ने वाले नहीं हैं। वे तो लोक मत के निर्माता हैं। उन्होंने इन संशोधनों को स्वीकार करने में अपनी असमर्थता प्रकट की।

स्वामी जी को अनुशासनहीनता एक आँख नहीं भाती। वे एक निरभिमान और निर्लेप महापुरुष हैं और ईश्वर के पक्के भक्त।

आर्य-समाज लाहौर का साप्ताहिक सत्संग हो रहा है। लोग ईश्वर-प्रार्थना कर रहे हैं। तभी स्वामी जी वहाँ आते हैं। गुरुदेव को आया हुआ देख सभी लोग उनके स्वागत में खड़े हो जाते हैं। प्रार्थना समाप्त होने पर स्वामी जी ने उपदेश दिया, "उपासना के समय उपासक ईश्वर के समीप होता है। उससे महान् कोई भी शक्ति नहीं है, इसलिए उपासना-काल में किसी बड़े-से-बड़े मनुष्य के लिए भी उठना नहीं चाहिए। ऐसा करने से उपासना धर्म और ईश्वर का अनादर होता है।"

आर्य-समाज के एक-अधिवेशन में शारदाप्रसाद ने एक प्रस्ताव रखा कि स्वामी जी को लाहौर आर्य-समाज के संरक्षक या अधिनायक की पदवी से विभूषित किया जाय। सब सदस्यों ने इस प्रस्ताव का बड़ी प्रसन्नता से अनुमोदन किया। स्वामी जी ने इसे अस्वीकार करते हुए कहा, "भाई! यदि तुमने पदवी और उपाधि की प्रथा डाल दी तो कोई न कोई अधिनायक आदि बनता रहेगा और जिस गुरु-प्रथा को मैं समाप्त करना चाहता हूँ वही आर्य-समाज में चल पड़ेगी।" तब शारदाप्रसाद ने दूसरा प्रस्ताव रखा कि स्वामी जी को इस समाज का परम सहायक माना जाय। स्वामी जी ने हँस कर कहा—

"यदि मुझे परम सहायक कहोगे तो परम पिता परमेश्वर को क्या कहोगे? परम सहायक तो जगदीश ही है। यदि आप लोग मेरा नाम लिखने के लिए इतने उत्सुक हैं तो सहायकों की सूची में लिख लें।"

स्वामी जी को लाहौर बुलाने में विशेष हाथ ब्राह्मसमाजियों का है, परंतु महाराज अपने सिद्धांत के आगे सहायकों तक के धर्म और रुचि का ध्यान नहीं रखते। निष्पक्ष हो कर सत्य का प्रकाश कर देते हैं। ब्राह्मसमाजी पुनर्जन्म और वेद को ईश्वरीय ज्ञान नहीं मानते हैं। स्वामी जी ने उन्हीं के यहाँ उपदेश देते समय इन दोनों विषयों को वेद और शास्त्रों के प्रमाणों से सिद्ध किया। इसलिए वे रुष्ट हो कर स्वामी जी को आर्थिक सहायता देना बंद कर देते हैं। अब मनफूल को स्वामी जी के आतिथ्य की चिंता है। एक दिन मनफूल ने स्वामी जी से निवेदन किया, "नगर के सारे लोग मूर्ति-पूजा आदि के खंडन से रुष्ट हैं। ब्राह्मसमाजी भी अलग हो गये हैं। आप यदि खंडन बंद कर दें तो महाराजा काश्मीर बहुत प्रसन्न होंगे और आप की पुष्कल धन से सहायता करेंगे।" स्वामी जी ने कहा—"महाशय! मैं महाराजा को प्रसन्न करूँ या ईश्वरीय ज्ञान वेद के आदेशानुसार चलूँ। मैं किसी के दबाव से या किसी को प्रसन्न करने के लिए परमपिता परमात्मा की आज्ञा का उल्लंघन नहीं कर सकता।" स्वामी जी का यह दो-टूक जवाब सुन कर मनफूल रुष्ट हो कर चले गये। उन्होंने स्वामी जी के पास आना-जाना छोड़ दिया।

पौराणिकों का स्वामी जी पर जब कोई वश न चला तो वे रत्नचन्द्र को भड़काने लगे, "आपने किस नास्तिक को अपनी कोठी में ठहराया है। वह तो ईसाइयों का नौकर जान पड़ता है, तभी हमारे देवताओं का खंडन करता है।" अंत में बहुत दबाव पड़ने पर रत्नचन्द्र ने स्वामी जी को स्थान छोड़ देने के लिए विवश किया। स्वामी जी के भक्तों ने उन्हें डॉक्टर रहीम खाँ की कोठी में ला कर टिकाया।

एक दिन पादरी हूपर स्वामी जी के पास आये और शंका उपस्थित की कि वेदों में वर्णित अश्वमेध और गोमेध यज्ञों का आप के पास क्या समाधान है। स्वामी जी ने कहा, "वेदों में पशु-बलि का विधान कहीं भी नहीं है। अश्वमेध का अर्थ है न्यायपूर्वक प्रजापालन और गोमेध का आशय है अन्न का उत्पादन करना, इन्द्रियों को वश में करना और पवित्र रखना इत्यादि।

●

स्वामी जी ने आर्य-समाज के सदस्यों से कहा, "अंधविश्वासों को हटा कर वैदिक शिक्षाओं के प्रचार का कार्य एक महान् कार्य है। इसे पूरा करने के

लिए सैंकड़ों दयानन्द चाहिए। मेरे जीवन का क्या ठिकाना। तुम लोग इस दायित्व को लेने के लिए अपने को तैयार करो।" उनकी प्रेरणा से बहुत लोगों ने उनसे संस्कृत और धर्म-ग्रंथ पढ़ना आरंभ कर दिया है।

मुजफ्फरनगर निवासी गणपति राय कानून का विद्यार्थी है। वह भी संस्कृत पढ़ने आता है। एक दिन स्वामी जी ने उससे कहा, "गणपति! तुम अपना विवाह न करना।" उसने पूछा, "क्यों महाराज! सगाई तो मेरी कभी की हो चुकी है।" स्वामी जी ने बहुत टाला, परन्तु गणपति कारण जानने के लिए उनके पीछे पड़ गया। तब उन्होंने बाध्य हो कर कहा, "यदि नहीं मानते हो तो सुनो। मुझे ऐसा आभास होता है कि तुम्हारे जीवन की रस्सी तीस वर्ष तक पहुँचते-पहुँचते टूट जायेगी।" बाद को ऐसा पता चला कि स्वामी जी की इस भविष्यवाणी से डर कर गणपति अपना विवाह करने के लिए तैयार नहीं होता था, परंतु घर वालों के बहुत कहने-सुनने पर कि इस प्रकार की बातें बहुधा झूठी निकलती हैं, उसने विवाह कर लिया। स्वामी जी की बात ठीक निकली। जब गणपति इस असार संसार से विदा होने लगा तो उसने वेदना भरी आँखों से अपनी तरुण पत्नी को देख कर कहा था—"गुरु महाराज के आदेश का पालन न करके मैंने तुम्हें कहीं का न रखा।"

●

कुछ पौराणिक पंडितों ने आ कर प्रार्थना की कि आप का वेदों का प्रचार-कार्य तो प्रशंसनीय है, परंतु कृपा करके इसमें पुराणों को भी सम्मिलित कर लीजिये। स्वामी जी ने उत्तर दिया—"मैं स्वयं यह चाहता था कि किसी प्रकार पुराणों की संगति वेदों के साथ मिल जाय तो मेरा काम सुगम हो जाय और मुझे सहायक भी अधिक मिल जायँ। परंतु जब मैंने देखा कि पुराण वेदों से तनिक भी मेल नहीं खाते और वे सर्वथा वेद-विरुद्ध हैं तो उन्हें छोड़ने के लिए बाध्य हुआ।"

●

स्वामी जी के पंजाब के केन्द्र लाहौर के प्रचार-कार्य का पूरे प्रांत पर गहरा प्रभाव पड़ा। पंजाबियों में वैदिक धर्म के प्रति अनुराग और लगन उत्पन्न हो गई। यहाँ से स्वामी जी अमृतसर के लिए प्रस्थान करते हैं।

अमृतसर में स्वामी जी रामबाग में मियाँ मुहम्मद खाँ की कोठी में ठहरे। महाराज के व्याख्यानों से यहाँ भी पौराणिकों में खलबली पड़ गई। लोग पंडितों-पुरोहितों को शास्त्रार्थ के लिए उकसाते हैं, पर वे स्थान-स्थान पर सभा करके स्वामी जी को गालियाँ दे कर, उन्हें नास्तिक और ईसाइयों का नौकर

कह कर अपने मन की भड़ास निकाल कर ही रह जाते हैं। उनका स्वामी जी के सामने आने का साहस नहीं होता। लोगों ने अमृतसर के सब से बड़े विद्वान् पं० रामदत्त को जा कर घेरा। उन्होंने समझाया, "स्वामी जी वेद शास्त्र के धुरंधर पंडित हैं। मैं उनके जोड़ का नहीं हूँ।" जब पंडित जी ने देखा कि समझाने-बुझाने से भी लोग उनकी जान नहीं छोड़ रहे हैं तो उन्होंने शास्त्रार्थ करना स्वीकार कर लिया। परंतु वे रात की गाड़ी से ही हरिद्वार चल देते हैं। इस सूचना को पा कर पंडित चोखेलाल ने सोचा—"यदि विद्वान् लोग दयानन्द से शास्त्रार्थ करने से घबराते हैं तो चलो अपने राम ही कुछ कर दिखाएँ।" वह किसी पाठशाला का अध्यापक है। उसने छोटे-छोटे विद्यार्थियों से कहा, "आज कथा में हम सब चलेंगे। तुम अपनी-अपनी झोलियों में कंकड़ और ईंटों के रोड़े भर लो। जब मैं संकेत करूँ तो तुम लोग कथा कहने वाले बाबा पर इन्हें फेंकने लगना। मैं तुम्हें कल लड्डू दूँगा।" वे अबोध बालक मिठाई के लालच से अपने अध्यापक के बहकाने में आ गये, और ईंट-पत्थर लिये हुए व्याख्यान के स्थान पर आ पहुँचे। व्याख्यान जब रात को आठ बजे समाप्त हुआ तो अँधेरा था। अवसर जान कर अध्यापक ने बच्चों को अपना कार्य आरंभ करने का संकेत किया ? आज्ञा पाते ही नासमझ बच्चे स्वामी जी पर कंकड़ बरसाने लगे। सब लोग चकित हैं कि ये पत्थर कहाँ से आ रहे हैं। श्रोताओं में एक हलचल-सी मच गई। स्वामी जी ने सब को शांत रहने के लिए कहा। बच्चे अपना काम करके भाग ही रहे हैं कि पुलिस-कर्मचारियों ने कुछ को पकड़ कर स्वामी जी के सामने उपस्थित किया। मारे डर के बच्चे फूट-फूट कर रोने लगे। स्वामी जी ने प्यार से उनके सिरों पर हाथ रख कर उन्हें ढाढ़स बँधाया और ईंट मारने का कारण पूछा। तब वे सिसकियाँ भरते और हिचकियाँ लेते कहने लगे, "पंडितजी ने हमसे कहा था कि तुम इस मोटे बाबा पर पत्थर फेंको। हम तुम्हें कल पाठशाला में लड्डू देंगे।" महर्षि को बच्चों पर दया आ गई। उन्होंने तत्काल लड्डू मँगवा कर उनमें बाँटे, और उन्हें मुक्त करवाते हुए बोले, "तुम्हारा अध्यापक तो संभव है तुम्हें लड्डू न दे, इसलिए मैं ही तुम्हारा मुँह मीठा किये देता हूँ।" बच्चे जाल से छूटे हुए पक्षी की भाँति वहाँ से जान ले कर भागे।

अब चोखेलाल ने स्वामी जी को नीचा दिखाने का दूसरा उपाय ढूँढ़ निकाला। वह लोगों को यह कह कर भड़काने लगा कि दयानन्द ईसाईयों का वेतन भोगी है। हिन्दुओं को धोखा देने के लिए कभी-कभी वह ईसाई-मत की भी आलोचना कर देता है, परंतु वह उसके हृदय से नहीं कंठ से निकलती है। उसकी यह

चाल भी स्वामी जी की शुभकीर्ति को कलंकित न कर सकी। यहाँ के मिशन स्कूल में पढ़ने वाले चालीस-पचास लड़के लगभग ईसाई बन चुके हैं। उन्होंने एक प्रार्थना-सभा खोली है। वे वहाँ हर रविवार को एकत्र हो कर ईसाई-धर्म की प्रार्थनाएँ करते हैं। स्वामी जी के उपदेशों का उन युवकों पर ऐसा प्रभाव पड़ा कि वे पादरियों के चंगुल से बाल-बाल बच कर निकल आते हैं। इस घटना से चोखेलाल का भंडाफोड़ हो जाता है। और हिन्दुओं की आँखें खुल जाती हैं। स्वामी जी ने अमृतसर में आर्य-समाज की स्थापना की। वे लड़के अब आर्य-समाज के सत्संग में आने लगते हैं।

●

एक दिन कई ब्राह्मण स्वामी जी की सेवा में आये। इधर-उधर की बातों के पश्चात् एक ब्राह्मण बोला, "स्वामी जी! हम आप के पास कैसे आयें। आप तो कहते हैं कि इन संकल्प पढ़ाने वाले ब्राह्मणों को एक श्लोक भी नहीं आता है। इन्हें गोदान लेने का क्या अधिकार है। आप ही बताएँ यदि हम लोग दान न लें तो खाएँ क्या राख?" स्वामी जी ने कहा—"हमने तो अविद्वानों को दान लेने का अनधिकारी बताया है। यदि तुम विद्वान् नहीं हो तो दान न लो, कोई अन्य काम करो। राख क्यों खाओ? राख से तो घास खाना उत्तम है।" दूसरे ब्राह्मण ने रुष्ट होकर अपने साथियों से कहा—"इसका मुँह देखना भी पाप है। चलो यहाँ से चलें।" इस बात को सुन कर स्वामी जी ने कहा "मेरे मुख देखने से यदि आपको घृणा है तो मुँह फेर लीजिये अथवा पीठ पीछे खड़े हो जाइये पर मेरी बातें सुनिये अवश्य।"

●

एक दिन कुछ सज्जन स्वामी जी को कमिश्नर से मिलवाते हैं। वह स्वामी जी से बड़ी देर तक बातें करता रहा। उसने कहा, "स्वामी जी! यह तो बताइये कि हिन्दू धर्म को लोग सूत का कच्चा धागा क्यों कहते हैं?" स्वामी जी, "कच्चे धागे से तात्पर्य यह है कि हिन्दू का धर्म खान-पान आदि साधारण बातों से ही चला जाता है। परंतु वास्तविकता यह है कि हिंदू धर्म लोहे से भी अधिक दृढ़ और पक्का है।" कमिश्नर ने आश्चर्य से पूछा कि यह कैसे? स्वामी जी—"हिन्दू धर्म धागे के समान निर्बल होता तो सैकड़ों वर्षों से दूसरे मतों की टक्करें खाते-खाते अब तक तो वह बिल्कुल समाप्त हो गया होता। हिन्दू धर्म एक विशाल समुद्र के समान है। नहीं मालूम कितनी नदियाँ इसमें गिर कर तद्रूप हो चुकी हैं। इस धर्म रूपी समुद्र में विभिन्न विचार-रूपी तरंगें विद्यमान हैं। नास्तिक से लेकर ब्रह्मज्ञानी तक, महा क्रूर से लेकर परम दयालु

तक, महा भोगी से ले कर परम योगी तक, सारांश यह कि हर प्रकार के लोग इस धर्म में आप को मिल जायेंगे, वे सभी हिन्दू हैं। उन्हें कोई हिन्दुओं से पृथक् नहीं कर सकता ।"

कमिश्नर ने महाराज से दूसरा प्रश्न किया—"आप कैसे धर्म को फैलाना चाहते हैं ?" स्वामी जी—"मैं केवल यह चाहता हूँ कि लोग अपने दुर्गुणों को छोड़ कर वैदिक शिक्षाओं पर चलें और एक निराकार और सर्वव्यापक ईश्वर की उपासना करें।"

●

पादरी क्लार्क ने स्वामी जी से एक दिन कहा—"आइये हम आप एक साथ भोजन करें। ऐसा करने से प्रीति बढ़ती है।" स्वामी जी ने उत्तर दिया—"यदि आप शुद्ध भोजन करने लग जायँ तो आप के साथ खाने में कोई दोष नहीं है। जूठा खाने में अवश्य हानि है। परंतु आप का यह कहना कि साथ-साथ खाने से प्रेम बढ़ता है, ठीक नहीं है। शिया और सुन्नी, रूसी और अँग्रेज़, प्रोटेस्टेण्ट और रोमन कैथलिक एक साथ खाने पर भी आपस में लड़ा करते हैं। कुत्ते तो एक दूसरे का जूठा चाटते-चाटते लड़ मरते हैं।" यह सुन कर पादरी अवाक् हो गया।

●

मनसुखलाल धर्म-कर्म से विमुख है। किसी साधु-सन्यासी को नहीं मानता। उसे एक दिन उसका मित्र श्यामलाल मिल गया। श्यामलाल भला आदमी है, परंतु लक्ष्मी उससे रूठी है। रात-दिन काम करने पर बड़ी कठिनाई से बाल-बच्चों का पेट भर पाता है। स्वामी जी के उपदेश सुन कर वह सोचता है कि मैं दरिद्र बिना दान-पुण्य के कैसे भवसागर के पार उतरूँगा। वह इस समय स्वामी जी के यहाँ ही जा रहा है। मनसुखलाल भी कुतूहलवश श्यामलाल के साथ हो लेता है। जिस समय दोनों मित्र स्वामी जी की सेवा में पहुँचे, वे एक कमरे में बैठे 'वेद-भाष्य' लिखा रहे हैं। वे दोनों चुपचाप बैठ गये। स्वामी जी एकाएक उठ बैठे और कर्मचारियों से कहने लगे, "कमरे से झटपट सामान निकालो।" यह कह कर वे वेद की पुस्तक लिये बाहर भागे। सेवकों ने उनकी आज्ञा का पालन तो किया परंतु बे-मन से। क्योंकि वे सोच रहे हैं कि स्वामी जी ने यह कष्ट व्यर्थ ही दिया है। वे अभी सामान कमरे के बाहर कर ही पाए हैं कि कमरे की छत धड़ाम से भूमि पर गिर पड़ती है। तब सभी उपस्थित व्यक्तियों को बड़ा आश्चर्य हुआ। वे आपस में कहने लगे कि स्वामी जी का चित्त इतना निर्मल है कि उन्हें होने वाली घटना का आभास

मिल जाता है। एक कर्मचारी ने श्यामलाल को ऐसी ही एक और घटना सुनाई। उसने बताया—"स्वामी जी एक दिन उपदेश दे रहे थे। उसी समय एक ओर आकाश में अंधकार छा गया और बड़े वेग से वायु बहने लगी। ऐसा जान पड़ा कि बड़ी प्रबल और भयंकर आँधी आ रही है। लोग उठ-उठ कर भागने लगे। स्वामी जी ने मेज़ पर ज़ोर से हाथ पटक कर उच्च स्वर में कहा—'धैर्य रखो। अपने-अपने स्थान पर ही बैठे रहो, हिलो नहीं। आँधी एक ओर से निकल जायेगी। वह यहाँ नहीं आयेगी।' स्वामी जी के इतना कहने पर लोग फिर बैठ गये और व्याख्यान होने लगा। आँधी-पानी कुछ न आया।"

काम समाप्त करके स्वामी जी सत्संग के स्थान पर आ कर विराजमान हुए। श्यामलाल ने हाथ जोड़ कर पूछा—"भगवन्! धनी लोग तो दान-पुण्य और परोपकार द्वारा इस भवसागर को पार कर लेंगे, परंतु मेरे ऐसे निर्धनों की नैया कैसे पार लगेगी?" स्वामी जी—"भद्र! तुम तो बड़े भारी परोपकारी और मोक्ष के अधिकारी बन सकते हो। तुम अपना कर्त्तव्य पालन करके, पर-अपकार और अनिष्ट चिंतन का भार त्याग कर यथाशक्ति दूसरों के काम आकर दान करने वाले धनवानों से अधिक पवित्र और धर्मात्मा बन सकते हो।" मनसुखलाल को स्वामी जी ऐसे भाए कि वह उनकी सेवा में प्रतिदिन आने लगता है। वह उनका श्रद्धालु और चरित्रवान् भक्त बन गया। वह स्वामी जी से गायत्री-मंत्र सीख कर नित्य प्रति प्रातः-सायं उसका जाप करता है।

●

स्वामी जी को गुरुदासपुर लाने के लिए डॉक्टर बिहारीलाल ने अपने भाई की गाड़ी लेकर अमृतसर भेजा। स्वामी जी नगर के समीप पहुँचे तो सैकड़ों नागरिक उनकी अगवानी के लिए आए और समारोह के साथ उन्हें ले जाकर डॉ० बिहारीलाल की कोठी में ठहराया।

यहाँ स्वामी जी के व्याख्यान से दो उच्च अधिकारी हरिसिंह सहायक कमिश्नर और शेरसिंह पुलिस अध्यक्ष बहुत रुष्ट हैं। ये दोनों सज्जन कट्टर मूर्ति-पूजक हैं, और स्वामी जी का मुख्य उद्देश्य ही मूर्ति-पूजा हटा कर एक निराकार और व्यापक ईश्वर की उपासना प्रचलित करना है।

●

गुरुदासपुर नगर के बाहर एक सुन्दर पुष्प-बाटिका में महात्मा गणेशगिरि का आश्रम है। एक दिन वे अपने आसन पर बैठे किसी धर्म-ग्रंथ का पाठ

कर रहे हैं। इतने में दो लंबे-चौड़े और मोटे-ताजे व्यक्ति वहाँ आ कर उन्हें प्रणाम करते हैं। महात्मा ने आशीर्वाद दे कर उनके आने का कारण पूछा। एक व्यक्ति बोला—"मेरा नाम हरिसिंह है। मैं यहाँ सहायक कमिश्नर हूँ और ये मेरे मित्र शेरसिंह पुलिस अध्यक्ष हैं। हम लोग आप को थोड़ा कष्ट देना चाहते हैं। यहाँ एक नास्तिक संन्यासी दयानन्द आया है। वह हमारी देव-मूर्तियों का खंडन करता है। आप चल कर शास्त्रार्थ द्वारा उसका मुँह बन्द कीजिये।" महात्मा ने उनसे स्पष्ट कह दिया कि विरक्त जन वाद-विवाद के झगड़ों में नहीं पड़ते। यदि बहुत सताओगे तो मैं यह स्थान छोड़ कर चल दूंगा।" वहाँ से वे निराश लौटे तो मार्ग में शेरसिंह ने कहा—"हम लोग बड़ी आशा लेकर इसके पास आये थे, परंतु इसने तो कोरा उत्तर दिया।" साहब की बात सुन कर उनका अर्दली बोला, "सरकार! दीनानगर में बड़े विद्वान् पंडित रहते हैं। उन्हें बुलवा लिया जाय तो विजय ही समझिये।" पुलिस अध्यक्ष ने कहा, "आत्माराम! तुम ने खूब सोचा। जो रास्ता बताए वह आगे चले। तुम्हीं दीनापुर चले जाओ और दारोगा से कह कर पंडितों को तुरंत ले आओ।"

●

स्वामी जी बैठे शिवपुराण की कथा के विषय में बता रहे हैं। उसी समय हरिसिंह और शेरसिंह अपने साथ दीनापुर के पंडित लक्ष्मीधर और दौलत-राम को लिये वहाँ आ कर बैठ गये। स्वामी जी श्लोकों के अर्थ बता रहे हैं, और कह रहे हैं कि देखो अश्लील लीलाएँ इस पुस्तक में भरी पड़ी हैं। आगंतुक बार-बार बीच में टोकते हैं, "यह सर्वथा झूठ बकता है।" डॉ० बिहारीलाल ने उन्हें समझाया—"एक महात्मा के प्रति ऐसे कठोर शब्दों का प्रयोग अनुचित है, फिर उपदेश के बीच में तो आपको कदापि नहीं बोलना चाहिए।" परन्तु वे उनकी बात क्यों मानने लगे। वे लोग तो झगड़ा करने पर ही उतारू हैं। स्वामी जी ने देखा कि ये लोग आगे बढ़ने नहीं दे रहे हैं तो प्रवचन रोक कर कहा—"आप लोगों में से कोई एक व्यक्ति सामने की कुरसी पर बैठ कर इच्छानुसार प्रश्न कर सकता है।" हरिसिंह ने कहा—"यह क्या कंजरों का खेल है जो सामने आकर बैठें। हम तो यहीं से शास्त्रार्थ करेंगे और सब बोलेंगे।" स्वामी जी ने 'दुर्जनतोष' न्याय के अनुसार उनसे कहा—"अच्छी बात है। आप मनमाने ढंग से ही शास्त्रार्थ कर लें।" तब लक्ष्मीधर ने 'गणानां त्वा गणपतिꣳहवामहे' (यजु० २३।१९) मंत्र को पढ़ कर कहा, "इससे गणेश की प्रतिमा का पूजन सिद्ध होता है।" स्वामी जी,

"अपना अर्थ किसी भाष्य में दिखाइए।" पंडित ने 'महीधर भाष्य' उपस्थित किया। स्वामी जी ने महीधर के अश्लील अर्थों को सुना कर कहा, "इसमें न तो गणेश पूजा है, और न मूर्तिपूजा।" फिर स्वामी जी उस मंत्र का सच्चा अर्थ परमात्मा पर घटा कर श्रोताओं को बताते हैं। लोगों को महीधर के बेतुके अर्थों से स्वामी जी के बताये अर्थ कहीं अधिक उत्तम और उचित जान पड़े। दीनानगर के पंडित लोगों की आँखों से बिल्कुल उतर जाते हैं। अपने पंडितों के पैर उखड़ते देख हरिसिंह और शेरसिंह ने स्वामी जी को अपशब्द और दुर्वचन कह कर अपनी हार को जीत से बदलना चाहा। उन लोगों की गालियाँ सुन कर डॉ० बिहारीलाल आवेश में आ गये और उनको धिक्कारने लगे, परंतु स्वामी जी शांतिपूर्वक बैठे लोगों की शंकाओं का समाधान करते रहते हैं, मानो कुत्ते भौंक रहे हों और हाथी अपनी मस्तानी चाल से चला जा रहा हो।

•

गुरुदासपुर में आर्य-समाज स्थापित हो गया। स्वामी जी वहाँ से चल कर बटाले में एक घंटा विश्राम करते हुए अमृतसर लौट आते हैं।

•

थोड़े दिनों अमृतसर रह कर स्वामी जी जालंधर आये। यहाँ वे सरदार विक्रमसिंह की कोठी में टिकते हैं, और यहीं उनके व्याख्यान भी होते हैं। स्वामी जी अपने व्याख्यान में प्रकरण के अनुसार मनोरंजक कहानियाँ भी सुनाते हैं। व्याख्यान आरंभ करने के पहले वे वेद-मंत्र द्वारा प्रार्थना करते हैं। एक दिन स्वामी जी ने व्याख्यान के आरंभ में एक वेद-मंत्र का उच्चारण करके कहा, "हे सर्वशक्तिमान् प्रभो! हम संसार के सब प्राणियों को मित्र की दृष्टि से देखें और सारे प्राणी भी हमें प्रेम की दृष्टि से देखें। हम एक दूसरे को मित्र की दृष्टि से देखें।" फिर व्याख्यान प्रारंभ करते हैं।

"प्रिय बंधुओ! तुम लोग बालू से मोती निकालना चाहते हो। भौतिक ज्ञान से आत्मा का ज्ञान प्राप्त करना चाहते हो। यह क्रिया ही उलटी है। यदि परमात्म तत्त्व का साक्षात् करना चाहते हो तो जितेन्द्रिय बनो, तप और त्याग का जीवन व्यतीत करो, योगाभ्यास करो। उन महात्माओं के पास जाओ जिन्होंने आत्मज्ञान प्राप्त किया है।[1] वे ही तुम्हें वह मार्ग दिखायेंगे। परंतु तुम्हें तो ऐसे गुरु चाहिए जो चट मँगनी पट ब्याह करा दें, आँख बंद करते

---

१. यजुर्वेद ३६।१८।

ही ईश्वर के दर्शन करा दें। तुम्हें तो सुगम मार्ग चाहिए। सत्यासत्य से तुम्हें कोई प्रयोजन नहीं। हमारे यहाँ ऐसा ही होता है। हमारे बाप-दादा ऐसा ही करते आये हैं। इसलिए हम इसे नहीं छोड़ सकते। बस यही तुम्हारा दृष्टिकोण है। यही तुम्हारी धारणा है। तुम्हारे ही जैसे कुछ गँवार दिल्ली आए। हलवाइयों की दुकानों में भाँति-भाँति की मिठाइयाँ देख कर उनके मुँह में पानी भर आया। मिठाइयों का मूल्य पूछा। उनका बहुत अधिक मूल्य सुन कर बुद्धि चकरा गई। टेंट में पैसा अधिक न था। बेचारे मन मार कर आगे बढ़े। एक धूर्त हलवाई ने उन्हें संकेत से अपने पास बुला कर कहा, "मेरे यहाँ बहुत सस्ती और अच्छी मिठाई मिलती है।" यह कह कर वह दूकान के अंदर चला गया। वहाँ उसने बकरी की मेंगनियों पर खाँड़ चढ़ा दी और बाहर लाकर बोला, "आप हमारी दूकान से यह सस्ती और बढ़िया मिठाई नित्य ले जाया करें।" उन गँवारों ने उस मिठाई से अपनी झोलियाँ भर लीं और घर पहुँच कर बड़ी रुचि और आनन्द से उसे खाया। अब तो जब अवसर पाते उस हलवाई के यहाँ से मिठाइँ ले जाते। कई पीढ़ियों तक उस दूकान की मिठाई उनके यहाँ आती रही। एक दिन कोई बुद्धिमान् संबंधी उस गाँव में आया। उस अतिथि के सामने भी वह बढ़िया मिठाई रखी गई। उसने जो मिठाई मुँह में रखी तो उसकी गति साँप-छछूँदर की हो गई। उसने धीरे से कहा, 'भाई! यह मिठाई तो अच्छी नहीं है, इसके भीतर भुकरायँध है।' गँवार बोले, 'आप हमें ऐसे ही बहकाते हैं। यह तो दिल्ली की प्रसिद्ध मिठाई है। हमारे बाप-दादा इसको खाते आये हैं। इसको छोड़ कर हम दूसरी मिठाई कदापि न लेंगे।' अतिथि उनकी मूर्खता पर मन ही मन हँसता हुआ अपने घर शीघ्र ही लौट गया।"

"यदि कोई तुम्हारे हित की बात करता है और तुम्हें गड़हे में गिरने से बचाना चाहता है तो तुम ईंट-पत्थरों से उसका स्वागत करते हो। विष देकर सत्कार करते हो। इसीलिए धूर्त लोग तुम्हारी चापलूसी करके, तुम्हारी हाँ में हाँ मिला कर अपना उल्लू सीधा करते हैं। तुम्हें अपने हिताहित का कोई विचार नहीं है। तुम उनकी बातों में आ कर अपना विनाश कर डालते हो।"

"तुम्हारी जैसी बुद्धि वाला एक राजा था। एक दिन उसे बैंगन खाने की इच्छा हुई। पुरोहित ने अनुमोदन करते हुए कहा, 'राजन्! बैंगन एक अत्युत्तम पदार्थ है। यह भगवान् श्रीकृष्ण के समान श्यामल है। कैसी गोल-मटोल सुन्दर छवि है। इसके सिर पर मनोहर मुकुट विराज रहा है। और

इसका नाम भी बहुगुण है।' यह सुन कर राजा बहुत प्रसन्न हुआ। वह प्रतिदिन दोनों समय बैंगन का सेवन करने लगा। इसका फल यह हुआ कि राजा रोगग्रस्त हो गया। उसका रोग इतना बढ़ा कि वह मरणासन्न हो गया। तब राजा ने कराह कर कहा, 'यह बैंगन तो बड़ी बुरी वस्तु है।' पुरोहित रूँधे गले से बोला, 'महाराज का कथन सर्वांश में सत्य है। यह देखने में ही कैसा भोंडा और काला-कलूटा है! इसके सिर पर काँटे हैं, और एक शूल-सा ठुक रहा है। इसका नाम भी बेगुन है।' अन्त में राजा की मृत्यु हो गई।"

"प्यारे भाइयो! मैं चाहता हूँ कि तुम लोग किसी की बात को बिना परीक्षा किये न मान लिया करो। केवल बुद्धि-संगत बात को मानो, असम्भव बातों को नहीं। बड़े-बड़े पौराणिक पंडित 'ब्राह्मणोऽस्य मुखमासीद् बाहु राजन्यः कृतः। ऊरू तदस्य यद्वैश्यः पदभ्यां शूद्रो अजायत' (यजु० ३१।११)। इस मंत्र का अर्थ करते हैं कि ब्राह्मण ब्रह्मा के मुख से, क्षत्रिय भुजाओं से, वैश्य ऊरू से, और शूद्र पैरों से उत्पन्न हुए हैं। परंतु ईश्वर निराकार है। वह शरीर रहित है, फिर उसके मुख भुजाएँ इत्यादि अंग कहाँ हैं जिनसे चारों वर्णों के लोगों की उत्पत्ति हुई। इसलिए मंत्रों के आशय को ठीक-ठीक समझ कर सदा सम्भव अर्थ ही करना चाहिए। हमारे शरीर में सिर और सब अंगों से श्रेष्ठ है। सारी ज्ञान इन्द्रियाँ उसी में हैं। संपूर्ण शरीर की व्यवस्था वही करता है। उसी के संकेत पर सब इन्द्रियाँ काम करती हैं परंतु उसका जीवन त्यागमय है। दूसरों को पहनाता है, और स्वयं नंगा रहता है। जो कुछ मुँह में रखा जाता है, वह तुरंत कोषाध्यक्ष पेट के पास पहुँच जाता है। इसी प्रकार समाज रूपी शरीर का सिर ब्राह्मण है। जिस मनुष्य में ज्ञान और विद्या नहीं, तप और त्याग नहीं, परोपकार की वृत्ति नहीं, वह ब्राह्मण नहीं हो सकता। शरीर के किसी भाग में कष्ट हो, पीड़ा हो, हाथ सहायता करने पहुँच जाते हैं। किसी अंग पर भी प्रहार हो भुजाएँ उस वार को अपने ऊपर लेने के लिए दौड़ पड़ेंगी। अपनी जान जोखिम में डाल कर भी प्रत्येक अंग की रक्षा करेंगी। बस भुजाओं का यह गुण रखने वाले क्षत्रिय ही समाज की भुजाएँ हैं। पेट और फेफड़े खाद्य पदार्थों और वायु को एकत्र करते हैं, फिर भोजन को पचा कर और वायु को शुद्ध करके सारे शरीर को जीवनदायिनी शक्ति प्रदान करते हैं। ठीक ऐसे ही वैश्य कृषि, व्यापार, और उद्योग-धंधों द्वारा धन अर्जन करके समाज के हित में ही लगा देता है। पैर शरीर को सदा ढोये फिरते हैं और उसकी सेवा में तत्पर रहते हैं। समाज के पैर शूद्र हैं। जैसे शरीर के ब्राह्मण, क्षत्रिय, वैश्य और शूद्र अपना-अपना कार्य ठीक-ठीक करते हुए आपस में

घृणा-द्वेष नहीं करते, और न एक दूसरे को छोटा-बड़ा समझते हैं, वैसे ही समाज के सब वर्णों को भी करना उचित है। पाँव में कष्ट होने पर उसकी पीड़ा सारा शरीर अनुभव करता है। हाथ उसकी सेवा करने के लिए दौड़ते हैं, उसे उठा कर गोद में रख लेते हैं। समाज के लोगों को भी अपने शूद्रों से घृणा नहीं करना चाहिए। उन्हें नीच या अछूत नहीं समझना चाहिए। जिस समाज के चारों वर्णों में मेल नहीं, संगठन नहीं, वह समाज और जाति बहुत दिनों जीवित नहीं रह सकता। जन्म से कोई ब्राह्मण, क्षत्रिय, वैश्य और शूद्र नहीं होता, अपितु कर्म,[1] गुण, और स्वभाव के अनुसार ही उसे वर्ण मिलता है। परंतु पौराणिकों ने उलटी गंगा बहा रखी है। एक बार ब्राह्मण के यहाँ जन्म ले लिया, फिर चाहे वह चोरी करे, डाका डाले और पतित से पतित कर्म करे वह ब्राह्मण का ब्राह्मण ही बना रहता है। शूद्र बेचारा कितना ही सदाचारी और धर्मात्मा हो, वह शूद्र ही बना रहेगा। क्योंकि उसने शूद्र के यहाँ जन्म लिया है। परंतु धर्म-परिवर्तन के साथ ही यह व्यवस्था कहाँ चली जाती है? सब ब्राह्मण ब्राह्मण क्यों नहीं रहता? अछूत जब ईसाई हो कर शासक बन जाता है तो वह ब्राह्मणों का भी पूज्य हो जाता है। बड़े-बड़े पाखंडी हिन्दू साहब से हाथ मिलाने में अपना सौभाग्य और गौरव समझते हैं।"

"आज के व्याख्यान को समाप्त करने के पहले मैं तुम लोगों को एक आवश्यक बात और बता देना चाहता हूँ, क्योंकि बहुत-सी कुरीतियों और कुप्रथाओं का आधार वही है। शास्त्रों से अपने पक्ष को सिद्ध करने के लिए धूर्त लोगों ने बहुत से श्लोक बना कर प्राचीन ग्रन्थों में यत्र-तत्र मिला दिये हैं। उन प्रक्षिप्त श्लोकों के जानने का सरल उपाय यह है कि जो बात प्रकरण विरुद्ध और पूर्वकथन के विपरीत हो उसे पीछे से जोड़ी हुई समझना चाहिए। जहाँ क्रम टूटे और पूर्वापर में विरोध आ जाय वहाँ मिलावट मानना उचित है। जैसे 'मनुस्मृति' में बुद्धि के अनुसार दंड का विधान है, अबोध मनुष्य के लिए थोड़े दंड का विधान है, और जो बुद्धिमान् हो कर अपराध करता है उसे

---

१. (क) शूद्रो ब्राह्मणतामेति ब्राह्मणश्चैति शूद्रताम्।
क्षत्रियाज्जातमेवन्तु विद्याद्वैश्यात्तथैव च॥

(मनु०–१०।६५)

(ख) धर्मचर्य्यया जघन्यो वर्णः पूर्वं पूर्वं वर्णमापद्यते जातिपरिवृत्तौ॥
(ग) अधर्मचर्य्यया पूर्वो वर्णो जघन्यं जघन्यं वर्णमापद्यते जातिपरिवृत्तौ॥

(आपस्तम्ब के सूत्र)

अधिक दंड देने की मर्यादा बाँधी गई है। परंतु बीच में ही 'ब्राह्मणो न हन्तव्यः' लिख कर ब्राह्मण के लिए इस नियम को शिथिल कर दिया गया है। इसलिए यह प्रसंग प्रक्षिप्त है।"

शांति-पाठ के पश्चात् स्वामी जी अपना उपदेश समाप्त करते हैं।

●

स्वामी जी अपने उपदेशों में पक्षपात रहित हो कर बड़े से बड़े व्यक्ति के सामने सत्य बात कहने में तनिक भी नहीं झिझकते। एक दिन स्वामी जी ने कहा, "सिख लोग अमृतसर के सरोवर में सकेश स्नान करते हैं और उसका जल पीते हैं। मेरा तो उसमें आचमन करने का भी मन नहीं होता।" इस पर सरदार विक्रमसिंह ने कहा, "आज तो मुझ पर भी छींटे पड़ गये।"

एक दिन सत्संग में सरदार विक्रमसिंह उपस्थित हैं। स्वामी जी ने ब्रह्मचर्य का महत्त्व बताया। उस पर सरदार ने कहा, "आप ब्रह्मचर्य पर बड़ा बल देते हैं, परंतु मुझे तो इस की कोई विशेषता नहीं जान पड़ती।" स्वामी जी ने उत्तर दिया, "ब्रह्मचर्य धारण करने का जो महत्त्व शास्त्रों ने वर्णन किया है वह सर्वथा सत्य है।" सरदार जी ने अपने बल के गर्व में फूल कर कहा, "आप तो ब्रह्मचारी हैं पर आप में कोई विशेष बल तो प्रतीत नहीं होता है।" स्वामी जी चुप रहे। सरदार जी अपनी विजय से बहुत प्रसन्न हैं। उन्होंने अपने मन में सोचा, "स्वामी जी अपने सामने किसी को ठहरने नहीं देते हैं, परंतु मैंने उन्हें कैसा पछाड़ा।" उन्होंने स्वामी जी को नमस्कार किया और मुसकराते हुए अपनी गाड़ी में जा बैठे। सरदार जी का कोचवान घोड़ों को मार रहा है; कोड़ों पर कोड़े सटका रहा है; घोड़े छटपटा कर रह जाते हैं; पर गाड़ी टस से मस नहीं हो रही है। सरदार ने पीछे मुड़ कर देखा तो स्वामी जी गाड़ी को छोड़ते हुए बोले, "सरदार जी! कदाचित् आप को ब्रह्मचर्य के बल का प्रमाण मिल गया होगा।" इस पर सरदार बहुत कटे। वे लज्जित हो कर स्वामी जी से अपने अशिष्ट व्यवहार के लिए क्षमा माँगने लगे। सभी लोगों ने महर्षि के योग-बल एवं ब्रह्मचर्य की प्रशंसा मुक्त कंठ से की।

यहाँ मौलवी अहमद हसन ने स्वामी जी से पुनर्जन्म और चमत्कार पर बातचीत की परंतु अपने पक्ष को सिद्ध न कर सके।

मैं राजा की सभा का विदूषक नहीं हूँ

स्वामी जी जालंधर से पुनः लाहौर पधारे और नवाब रजाअली खाँ के उद्यान में ठहरे।

स्वामी जी की अनुपस्थिति में शारदाप्रसाद ने अपने एक व्याख्यान में कहा था कि "वेद, बाइबिल और कुरान आदि सभी ग्रंथ ईश्वरीय वाणी हैं।" इसको कुछ सदस्यों ने अनुचित समझा था। स्वामी जी के लाहौर लौटने पर उन सदस्यों ने इस विषय में उनकी व्यवस्था माँगी। स्वामी जी ने कहा, "आर्य-समाज की वेदी से आर्य-समाज के नियमों के विरुद्ध बोलने का किसी को अधिकार नहीं है। यदि कोई सभासद इसके विपरीत आचरण करे तो प्रत्येक आर्य-समाजी उसे ऐसा करने से रोक सकता है।"

एक बिशप स्वामी जी से मिलने आया। उसने कहा, "स्वामी जी! हमें तो 'हिरण्यगर्भः' आदि वेद मंत्रों के अर्थों से ऐसा प्रतीत होता है कि वेदों में यों ही ऊट-पटाँग बातें भरी हैं।" स्वामी जी ने पहले इस मंत्र का अँग्रेजी अनुवाद राय मूलराज से सुना फिर बिशप से कहा, "महाशय! इस मंत्र का अँग्रेजी में अनुवाद अशुद्ध किया गया है। इसका ठीक अर्थ है कि प्रकाश के धाम, जगत् के कर्ता-धर्ता स्वामी और सुखमय सनातन प्रभु की हम उपासना करते हैं।" बिशप ने फिर कहा, "बाइबिल का महत्त्व देखिये। इसकी शिक्षा सारे संसार में फैल रही है। इसी मत के अनुयायियों की संख्या सब से अधिक है।" स्वामी जी ने उत्तर में कहा, "यह बाइबिल का चमत्कार नहीं है। यह तो आप लोगों के परिश्रम का परिणाम है। आप लोग वेदानुकूल ब्रह्मचर्य, विद्या-प्राप्ति, एक स्त्री से विवाह, दूर देशों की यात्रा, और स्वदेश प्रेम आदि शुभ कर्मों का आचरण करते हैं, इसलिए आपकी इतनी उन्नति है। आर्य लोगों ने इन वैदिक नियमों का पालन करना छोड़ दिया है, इसलिए उनकी यह अधोगति हो रही है।"

●

एक रविवार को स्वामी जी आर्यसमाज के साप्ताहिक सत्संग में सम्मिलित हुए। उन्हें ऐसा पता चला कि आज ब्राह्म-समाज का वार्षिकोत्सव है। सत्संग समाप्त हो जाने पर वे दो-ढाई सौ भक्तों सहित ब्राह्म-समाज के उत्सव पर पधारे। उनकी इस उदारता का ब्राह्म-समाजियों और वहाँ उपस्थित अन्य लोगों पर बहुत अच्छा प्रभाव पड़ता है।

●

महर्षि के क्रांतिकारी विचारों की लहर सारे पंजाब में दौड़ गई है। इसके प्रत्येक नगर में सुधारवादी विचारों के मनुष्य उत्पन्न हो गये। उन्होंने अपने-अपने ढंग से इस दिशा में काम करना भी आरंभ कर दिया है। ऐसे ही कुछ व्यक्तियों ने फीरोजपुर छावनी में 'हिन्दू-सभा' के नाम से सत्संग

स्थापित कर रखा है। उसके कुछ सदस्यों को लाहौर में स्वामीजी के उपदेशों के सुनने का अवसर मिला। अपने यहाँ लौट कर स्वामी जी के गुणों का ऐसा बखान करते हैं, उनके दर्शनीय स्वरूप और पवित्र चरित्र का ऐसा चित्रण करते हैं कि लोग उनके दर्शनों के लिए व्याकुल हो जाते हैं। वे स्वामी जी को बुलाने के लिए पत्रों पर पत्र लिखने लगे। जब वे अधिक धैर्य धारण न कर सके तो उन्होंने स्वामी जी को लिवा लाने के लिए एक व्यक्ति लाहौर भेजा। हिन्दू समाज के प्रधान मथुरादास ने तो स्वामी जी की भक्ति से प्रेरित हो कर उन्हें ठहराने के लिए एक नया भवन ही निर्माण करवा डाला। परंतु यह आवास बस्ती में है, इसलिए स्वामी जी नगर के बाहर बनवारीलाल की कोठी में ठहराए गये। उनके व्याख्यानों का प्रबंध मथुरादास के घर के सामने वाले खुले स्थान में एक सुन्दर पंडाल बना कर किया गया। स्वामी जी के उपदेशों का यहाँ की जनता पर ऐसा प्रभाव पड़ा कि हिन्दू-सभा आर्य-समाज में परिणत हो जाती है। अपने अमृत रूपी वचनों से फ़ीरोजपुर वासियों को एक नया जीवन प्रदान कर स्वामी जी फिर लाहौर लौट आये।

●

एक दिन स्वामी जी आर्य-समाज भवन में ऐसे समय पहुँचे जब वहाँ अंतरंग सभा का अधिवेशन हो रहा है। कोई गूढ़ विषय विचाराधीन है। लोगों ने स्वामी जी से उस विषय में सम्मति प्रदान करने की प्रार्थना की। स्वामी जी ने कहा, "मैं आपकी कार्यकारिणी सभा का सदस्य नहीं हूँ। इसलिए मेरा इस बैठक की कार्यवाही में भाग लेना नियम विरुद्ध है।" परंतु बिना स्वामी जी की सम्मति के गाड़ी आगे बढ़ते न देख सभासद उसी समय सर्व-सम्मति से उन्हें अंतरंग सदस्य बना लेते हैं।

स्वामी जी संवत् १९३४ के कार्तिक मास में रावलपिंडी पहुँचे। गिरीशचन्द्र ने स्वामी जी को स्वागतपूर्वक ला कर जामसन जी पारसी की कोठी में उतारा, और विज्ञापन बाँट कर उनके व्याख्यानों के समय और स्थान की सूचना करवा दी।

स्वामी जी के व्याख्यानों से पौराणिक जगत् में उथल-पुथल मच जाती है। स्वामी जी को कोठी से हटाने के लिए जामसन पर दबाव पड़ने लगा। उन्होंने जब देखा कि सर्वप्रियता बनाये रखने के लिए पारसी कोठी खाली कराना चाहता है, तो वे सरदार सुजानसिंह की वाटिका में जा विराजे।

●

एक दिन स्वामी जी ने व्याख्यान में बाइबिल में आई हुई लूत की कथा

का उल्लेख किया। अगले दिन बहुत से ईसाई मिल कर स्वामी जी के पास आये और कहने लगे कि आपने कल रात जो लूत के विषय में कहा है वह सब झूठ है। स्वामी जी ने उन्हें बहुत समझाया कि संन्यासी कभी असत्य भाषण नहीं करता, परंतु वे अपनी बात पर ही अड़े रहे। तब स्वामी जी ने बाइबिल से वह कहानी निकाल कर उन्हें दिखा दी। ईसाई स्वामी जी का मुँह ताक कर रह गए। और लोग हँसने लगे।

●

पारसी की कोठी से निकलवा कर भी पंडितों को चैन न पड़ा। वे स्वामी जी को किसी प्रकार नीचा दिखाना चाहते हैं, परंतु सामने जाने का साहस नहीं पड़ता। पंडितों ने अपने सिर आई बला सम्पतगिरि संन्यासी पर टालनी चाही। उन्हें स्वामी जी से शास्त्रार्थ करने के लिए बाध्य करने लगे। संन्यासी उनसे अपना पिंड छुड़ाने के लिए हाँ कर लेता है, परंतु जब पंडित मंडली नियत समय पर स्वामी जी के स्थान पर पहुँची तो संन्यासी का पता नहीं है। प्रतीक्षा करने पर भी जब वह न आया तो पंडितों को गले पड़ा ढोल बजाना पड़ा। वे स्वामी जी के पास आ कर बैठ गये। इधर-उधर की बातों के पश्चात् पं० बृजलाल ने एक श्लोक पढ़ा। स्वामी जी ने पूछा कि यह श्लोक किस ग्रन्थ और प्रकरण का है। इस प्रश्न का उत्तर बृजलाल न दे सका। तब हरिपुर के पंडित हरिश्चन्द्र ने एक अशुद्ध श्लोक पढ़ा। स्वामी जी ने डाँटा—"यह कोई बालकों की पाठशाला नहीं है कि जैसा मुँह में आया बक दिया। मेरा अमूल्य समय व्यर्थ की बातों में नष्ट मत करो।" बृजलाल ने भी हरिश्चन्द्र की अशुद्धि को स्वीकार किया। पंडित लोग शांत हो कर चले जाते हैं।

दूसरे दिन पंडितों को सम्पतगिरि स्वामी जी के डेरे से निकलता हुआ मिल गया। उन्होंने उसे उलाहना दिया कि आप कल तो हमारे साथ यहाँ आए नहीं और आज स्वामी जी से मंत्रणा करने आए हैं। आपकी उनसे क्या बातचीत हुई? संन्यासी ने कहा—"दयानन्द ब्राह्मण वंशीय विद्वान् संन्यासी है। हम दोनों सहपाठी रह चुके हैं। वह वेदोक्त बात कहता है। उसी के समान प्रत्येक संन्यासी को सत्य और स्पष्टवादी होना चाहिए, परंतु हम में वैसा साहस और आत्मबल नहीं है।" पंडितों ने प्रभावित हो कर स्वामी जी का विरोध करना छोड़ दिया।

रावलपिंडी में ही स्वामी जी को महाराजा जम्मू व कश्मीर का निमंत्रण मिला, परंतु वे उसे स्वीकार न कर सके। उन्होंने सोचा—"महाराजा पक्के

मूर्ति-पूजक हैं। उन्होंने बहुत-से मन्दिर बनवाए हैं। उनके यहाँ पौराणिक पंडितों का बहुत मान है। मेरी आलोचना से महाराजा और पंडित सभी चिढ़ तो जायेंगे, परंतु लाभ न उठा सकेंगे।"

रावलपिंडी में भी आर्य-समाज की स्थापना बड़े समारोह से हो गयी और स्वामी जी झेलम चले जाते हैं।

●

स्वामी जी झेलम में सेठ जामा जी के बँगले में ठहरे। यहाँ स्वामी जी के व्याख्यान अधिकतर मिशन स्कूल में होते हैं। इस पाठशाला के मुख्य-अध्यापक बँगाली ईसाई शिवचरण घोष ने स्वामी जी से ईसाई मत के विषय में वार्त्तालाप किया। स्वामी जी ने बाइबिल के वाक्य बोल कर उनकी ऐसी युक्ति-संगत समालोचना की कि वह ईसाई उनका मुँह देखता रह गया।

यहाँ बरसों से तटनी तट पर एक वयोवृद्ध विद्वान् संन्यासी निवास करते हैं। स्वामी जी की इन योगी महात्मा से देर तक आध्यात्मिक चर्चा होती रहती है।

स्वामी जी के प्रभावशाली उपदेशों से यहाँ भी आर्य-समाज स्थापित हो गया और सभासद बड़े उत्साह से धर्म-कार्य में लग जाते हैं।

स्वामी जी अपने निवास-स्थान पर तो साधारण वेश में रहते हैं, परंतु जब व्याख्यान देने जाते हैं या किसी सभा में सम्मिलित होते तो पीली रेशमी धोती, ऊनी अँगरखा और सिर पर रेशमी पीतांबर धारण करते हैं। इस वेष में उनकी दिव्य मूर्ति और भी मोहिनी और चित्ताकर्षक हो जाती है। उन्हें देख कर लोगों के हृदय में श्रद्धा-भक्ति उत्पन्न हो जाती है। एक दिन वे इसी वेश-भूषा में आर्य-समाज के सत्संग में उपदेश दे रहे हैं। आर्य सदस्य और दूसरे लोग दत्तचित्त हो कर उपदेश सुन रहे हैं। श्रोताओं में अमीचन्द तहसीलदार भी सम्मिलित हैं। उसे मदिरापान का व्यसन है, परंतु कहीं भी धर्म-चर्चा हो वह वहाँ अवश्य पहुँचता है। उसके कुव्यसन की बात स्वामी जी भी जान गये हैं। उपदेश समाप्त होने पर अमीचन्द प्रभु भक्ति में विभोर होकर अपना बनाया हुआ एक भजन गाता है। स्वामी जी यह भजन सुन कर गद्गद् हो कर अमीचन्द को अपने गले से लगा लेते हैं और उसके कान में कहते हैं, "अमीचन्द ! हो तो तुम हीरा, परंतु कीचड़ में पड़े हो।" महर्षि के इस स्नेहपूर्ण वाक्य ने अमीचन्द पर जादू का-सा प्रभाव डाला। उसने घर पहुँच कर शराब की बोतलें तोड़ डालीं, रखेली स्त्री से संबंध विच्छेद कर लिया और पत्नी को ससुराल से ले आया। इस प्रकार उसका पूर्ण काया-पलट

हो गया। वह आर्य-समाज का सदस्य बन जाता है, और प्रचार कार्य में अपने सुन्दर, रसीले और मधुर भजनों द्वारा बड़ा सहयोग देता रहा।

●

डॉक्टर बिशनदास वेदांती की प्रार्थना पर स्वामी जी गुजरात आकर नगर के बाहर फ़तेह-सर में निवास करते हैं। प्रेमियों ने वहाँ के विद्यालय के मुख्याध्यापक बुकैनियन से आज्ञा लेकर शाखा पाठशाला में स्वामी जी के व्याख्यानों की व्यवस्था कर दी है। स्वामी जी के धुआँधार व्याख्यान आरंभ हो जाते हैं। अन्यत्र की तरह यहाँ भी विरोध शुरू हुआ।

बुकैनियन अपने कार्यालय में बैठा है। बहुत से लोग उसे घेरे बैठे हैं। स्वामी जी को यहाँ बुलाने वाला डॉ० बिशनदास भी उपस्थित है। बुकैनियन ने कहा, "डॉक्टर साहब! आप ही ऐसे मुँहफट संन्यासी को यहाँ बुला कर मेरे स्कूल में व्याख्यान दिलवा रहे हैं और अब उसकी बुराई करते हैं। वह ईसाई मत का खंडन करता है, इसलिए मैं तो उसके व्याख्यान अपने स्कूल में बंद कराने जा ही रहा हूँ।" पौराणिकों की ओर उसने संकेत करके कहा—"ये लोग भी यही कहने मुझसे आये हैं।" डॉक्टर ने कहा, "हाँ! मैंने उसे बुलाया तो अवश्य है, परंतु मैं क्या जानता था कि वह नवीन वेदांतियों की आलोचना करके जिस पत्तल में खाता है उसी में छेद करेगा। अब मैं उसके पास कभी न जाऊँगा।" पंडितों ने कहा, "आपने उसे हम लोगों की छाती पर मूँग दलने के लिए बुलाया है। परंतु अब आपको भी मालूम हो गया कि वह आस्तीन का साँप है। आइये, हम लोग मिल कर उससे शास्त्रार्थ करें।" थोड़ी देर में सब लोग उठ कर चले गये। बुकैनियन ने स्वामी जी से कहला भेजा कि अब आपके व्याख्यान मेरे यहाँ नहीं होंगे।

अब स्वामी जी के व्याख्यान पाठशाले के सामने वाले मैदान में बड़ी धूम-धाम से होने लगे, परंतु उपद्रवियों का काम भी चालू है। वे ईंट-पत्थर बरसाते हैं, पर स्वामी जी गंभीरतापूर्वक उपदेश देते हैं। एक दिन बहुत-से लोग मिल कर स्वामी जी से वाद-विवाद करने आये—पं० नंदलाल मध्यस्थ नियत हुए। होशनकराय ने स्वामी जी से कहा, "मूर्ति पूजा का विधान 'मनुस्मृति' में है।" स्वामी जी मनुस्मृति की पुस्तक थमा कर बोले—"लीजिये यह 'मनुस्मृति' है। मूर्ति-पूजा विषयक श्लोक निकाल कर दिखाइये।" होशनकराय—"यह तो आप की मनुस्मृति है। ऐसा विधान मेरी मनुस्मृति में है।" और उसने एक श्लोक पढ़ कर सुना दिया। स्वामी जी—"तो इस श्लोक को ही अपनी मनुस्मृति में दिखाइये।" परन्तु वह मौन है। तब स्वामी जी ने

कहा, "आप व्यर्थ मिथ्या बोल रहे हैं । यह श्लोक 'विष्णुपुराण' का है । और वहीं पुस्तक आपकी बगल में दबी है ।" इस पर वह लज्जित तो न हुआ, किंतु तर्क-शास्त्र पर विवाद कर बैठा । वह व्याप्ति को लेकर 'नव्य-न्याय' की रीति से उसके लक्षण करता है, और स्वामी जी 'महाभाष्य' में वर्णित लक्षण बताते हैं । इसका निर्णय मध्यस्थ की सम्मति पर रखा गया । उसने स्वामी जी के पक्ष की पुष्टि की । पं० नंदलाल और होशनकराय दोनों ऐसे प्रभावित हुए कि वे स्वामी जी के अनुयायी बन जाते हैं ।

शास्त्रार्थ के उपरांत एक सिख साधु लोई ओढ़े स्वामी जी के समीप आ कर प्रारब्धवाद पर शास्त्रचर्चा चलाता है । स्वामी जी ने उसे युक्तियों-प्रमाणों से समझाना चाहा कि प्रारब्ध और पुरुषार्थ दोनों ही ठीक हैं । प्रारब्ध पूर्व कृत कर्म हैं जिनका फल भोगा जा रहा है । इस जन्म में जो शास्त्रीय कर्म किये जाते हैं वह पुरुषार्थ है। पुरुषार्थ करना आवश्यक है। परंतु वह साधु स्वामी जी की बात नहीं मानता । वह यही कहे जा रहा है कि जो होने वाला है वह स्वयं घटता रहता है । पुरुषार्थ की कोई आवश्यकता नहीं है। स्वामी जी ने एक व्यक्ति से कहा--"इस महात्मा की लोई उतार कर सड़क पर फेंक दो; देखें पुरुषार्थ के बिना इसके पास कैसे आ जाती है।" साधु ने लोई कस कर पकड़ ली और बहुत बल लगाने पर भी वह व्यक्ति लोई न उतार सका । तब स्वामी जी ने कहा, "महात्मा ! अब आपकी समझ में आ गया होगा कि पुरुषार्थ करना कितना आवश्यक है ।"

●

एक दिन दो उच्च राज कर्मचारी स्वामी जी से मिलने आए । बातचीत के प्रसंग में उन्होंने कहा--"स्वामी जी ! इस खंडन-मंडन से क्या लाभ है? लोग भड़क उठते हैं । हम तो उसी कार्य को अच्छा समझते हैं जिसमें अपने को लाभ हो और सुख मिले । परहित चिंतन और परोपकार व्यर्थ का ढकोसला है ।" स्वामी जी गंभीर हो कर बोले, "यदि अपना भला चाहना ही सब-कुछ है तो मनुष्य और पशु में अंतर ही क्या रहा । अपनी भलाई की बात तो पशु भी जानते और समझते हैं ।" इस उत्तर से वे दोनों अधिकारी मौन हो गये ।

●

स्वामी जी देश और समाज के हितैषी लोगों से बहुत प्रसन्न रहते हैं, और उनके परोपकार के कार्यों की प्रशंसा करते हैं । उन्होंने यहाँ से दानापुर आर्य-समाज के मंत्री को पत्र लिखा--'यह देख कर कि आप लोग देश के उन्नत

करने का यत्न करते हैं, मुझे इतनी प्रसन्नता हुई है जिसका वर्णन नहीं हो सकता।'

●

स्वामी जी वजीराबाद में सुशोभित होते हैं। यहाँ आर्य-समाज पहले से स्थापित है। उन्हें राजा फ़कीरुल्ला की कोठी में ठहराया गया। पौराणिक यहाँ भी विरोध करने पर तुले हैं।

आजकल यहाँ वासुदेव नाम का एक पंडित आया है। वह बड़ा हृष्ट-पुष्ट है और बड़े-बड़े बाल रखे है। जब नगर के विद्वानों का स्वामी जी से शास्त्रार्थ करने का साहस न पड़ा तो लोग वासुदेव के पास पहुँचे और सौ रुपये का प्रलोभन दे कर उसे स्वामी जी के सम्मुख ला खड़ा करते हैं। स्वामी जी के यहाँ इतनी भीड़ हो गई, मानो सारा नगर ही वहाँ आ गया है। वासुदेव ने वेद-मंत्र के नाम से एक श्लोक पढ़ कर कहा, "इसमें शालग्राम और तुलसी की पूजा का विधान है।" स्वामी जी—"आप वेद का नाम ले कर यह झूठ-मूठ क्या अनर्थ कर रहे हैं। आप वेद में तो यह मंत्र दिखाइये!" वासुदेव तो कुछ न बोला, परंतु उसी समय गुंडों ने उपद्रव करना आरंभ कर दिया। वे ईंट-पत्थर फेंकने लगते हैं। पुलिस और अन्य राजकर्मचारी यह गड़-बड़ी देख उठ कर वहाँ से चलते बने। स्वामी जी शांत भाव से वासुदेव से वेद में मंत्र दिखाने के लिए कह रहे हैं। तभी एक लड़का बीच में आकर सीटी बजाने लगा। आर्य-समाज के प्रधान उसे डाँट कर ऐसा करने से रोकते हैं। बस मार-पीट आरंभ हो जाती है। भक्तों ने स्वामी जी को किसी प्रकार उनके कमरे में पहुँचा दिया। वे वहाँ बैठे-बैठे लोगों की धर्मांधता पर हँसते रहे। इतने में उन्हें पता चला कि उनके एक कर्मचारी को पकड़ कर गुंडों ने बहुत मारा है। यह सुनते ही स्वामी जी सिंह के समान गर्जन करते हुए बाहर निकल आये। उनका सिंहनाद सुन कर और उनका रौद्र रूप देख कर उपद्रवी सिर पर पैर रख कर भाग खड़े हुए।

●

कुछ दिनों के पश्चात् स्वामी जी गुजराँवाला पधारे। सरदार संतसिंह, धर्मसिंह आदि सज्जनों ने स्वामी जी को रेलवे स्टेशन से सम्मानपूर्वक ला कर सरदार महांसिंह के विशाल भवन में ठहराया। यहाँ उन्होंने अपनी पुस्तक 'आर्य्योद्देश्यरत्नमाला' के विषयों पर व्याख्यान दिये। शंका-समाधान भी करते हैं। लोगों के प्रश्नों का उत्तर वे अति कोमल शब्दों में तुरंत देते। किसी भी उत्तर के लिए उन्हें सोचना नहीं पड़ता।

स्वामी जी के आगमन के पहले पंजाब में पादरियों का बड़ा प्रभाव था। लोग ईसाई मत की ओर आकर्षित हो रहे थे और अपने पैतृक धर्म को घटिया समझने लगे थे। परंतु स्वामी जी ने यहाँ आ कर पाँसा पलट दिया है। अब वे अपने धर्म को सर्वांगपूर्ण समझने लगे हैं। अब उन्हें धर्म और चरित्रशिक्षा के लिए भिक्षुक बन कर दूसरों के आगे हाथ फैलाने की आवश्यकता नहीं है।

इसलिए पादरियों की ओर से स्वामी जी का विरोध होना एक स्वाभाविक परिणाम है। गुजराँवाला के पादरियों को भी स्वामी जी का आना अखरता है। उन्होंने पौराणिक पंडितों को मिलाना चाहा। इसलिए उन्होंने पंडित विद्याधर के पास जा कर कहा, "दयानन्द हिन्दू और ईसाई दोनों मतों की बुराई करता है। आइए हम-आप मिल कर उसे शास्त्रार्थ में पराजित करें।" विद्याधर एक समझदार और सज्जन व्यक्ति है। उसने कहा, "स्वामी जी की और हमारी तो आपसी लड़ाई है। हम लोग निपट लेंगे। इसमें तीसरे के हस्तक्षेप करने की आवश्यकता नहीं है। हम आपके लिए अपने स्वजन से शास्त्रार्थ नहीं कर सकते।" विद्याधर का यह दो टूक उत्तर पा कर वे दूसरे पंडितों का द्वार खटखटाते हैं। परंतु उनके दिलों पर स्वामी जी की ऐसी धाक है कि वे शास्त्रार्थ करने के लिए तैयार नहीं हुए। तब वे पौराणिकों से निराश हो कर शास्त्रार्थ के लिए स्वयं कमर कसते हैं। स्वामी जी तो इसके लिए तैयार ही हैं। ईसाइयों की पाठशाला में चार बजे दिन को शास्त्रार्थ होना निश्चित हुआ। शास्त्रार्थ के समय स्कूल दर्शकों से ठसाठस भर गया है। वज़ीराबाद के लोग शास्त्रार्थ सुनने के लिए आये हैं। वे पाठशाला के अंदर प्रवेश नहीं पा रहे हैं। बाहर ही घूम रहे हैं। उसी समय स्वामी जी वहाँ पहुँचे। स्वामी जी ने उन्हें पहचान कर पूछा, "आप लोग बाहर क्यों घूम रहे हैं? अंदर क्यों नहीं जाते?" उन्होंने कहा, "ईसाई लोग हमें भीतर जाने के लिए टिकट नहीं दे रहे हैं।" स्वामी जी ने उनसे बड़े प्रेम से कहा, "आप बिना संकोच मेरे साथ चले आइए। मैं आप को भीतर प्रवेश करा दूंगा।" वजीराबाद निवासी स्वामी जी के दयालु स्वभाव और प्रेमपूर्ण व्यवहार से बहुत प्रभावित हुए। जब उन्होंने हिन्दू धर्म पर ईसाईयों के आक्षेपों पर स्वामी जी के उत्तर सुने तो उनकी आँखों से अज्ञान का परदा हट जाता है। वे सोचते हैं कि हम लोगों ने उस दिन स्वामी जी पर ईंट-पत्थर फेंक कर और उनके सेवक को मारपीट कर जघन्य पाप किया है। ये परम दयालु महात्मा तो हिन्दुओं के परम हितैषी हैं। अपनी मूर्खता के कारण लोगों के बहकाने से हम इन्हें अपना शत्रु और ईसाइयों का नौकर समझ रहे थे।

दो दिन तो पादरियों ने किसी प्रकार काटे, परंतु तीसरे दिन उन्हें स्वामी जी से जान छुड़ाने का बहाना मिल गया। पिछले दिन स्वामी जी ने पादरियों से कहा था कल किसी विस्तृत स्थान में शास्त्रार्थ होना चाहिए। यहाँ स्थान की कमी के कारण श्रोताओं को कष्ट और असुविधा होती है। फिर यह स्थान आप का है। आपके प्रबंधकर्ता कुछ पक्षपात भी करते हैं। उस समय तो पादरियों ने कुछ न कहा, परंतु दूसरे दिन स्कूल में बारह बजे ही कुछ ईसाइयों और स्कूल के लड़कों को एकत्र कर स्वामी जी से कहला भेजा कि शास्त्रार्थ आज पाठशाला में बारह बजे ही होगा। आप यहाँ तुरंत आ जायँ। स्वामी जी अपना सब कार्य नियत समय पर ही करते हैं। यह समय उनके 'वेद-भाष्य' का है, इसलिए उन्होंने उत्तर दिया—"जब दोनों पक्षों की सम्मति से चार बजे का समय नियत है और जनता को भी वही समय ज्ञात है तो बारह बजे शास्त्रार्थ कैसे हो सकता है।" स्वामी जी का यह उत्तर पा कर उन्होंने उपस्थित लोगों में घोषणा कर दी कि स्वामी दयानन्द नहीं आये इसलिए सभा विसर्जन की जाती है। अब शास्त्रार्थ नहीं होगा। स्वामी जी ठीक चार बजे पाठशाला पहुँच गये। वहाँ एक भी ईसाई नहीं मिला। स्कूल बंद है। तब लोगों ने सरदार हरिसिंह की समाधि के पास शास्त्रार्थ के लिए स्थान का प्रबंध कर दिया। स्वामी जी ने पादरियों को वहाँ आ कर शास्त्रार्थ का निर्णय कर लेने के लिए बार-बार आहूत किया, परन्तु युद्धक्षेत्र से भागा हुआ सैनिक कब सामने आता है। उस दिन स्वामी जी ने अपने व्याख्यान में बाइबिल के वाक्यों पर ऐसी युक्तियुक्त टिप्पणियाँ कीं कि श्रोताओं के सम्मुख ईसाई धर्म का पूरा चित्र खिंच जाता है। लोगों को ईसाई मत की वास्तविकता का बोध हो गया और उन्हें स्वामी जी के अपने धर्म-ग्रन्थों के अतिरिक्त दूसरे धर्मों के विषय में इतने विस्तृत ज्ञान पर विस्मय भी हुआ।

●

उसी दिन रात्रि में स्वामी जी अभी नित्य कर्म से निवृत्त हो कर आसन पर आ कर बैठे ही हैं कि एक बड़े-बड़े बालों वाला हृष्ट-पुष्ट व्यक्ति आता है। उसने स्वामी जी के पाँव पकड़ आँखों में आँसू भर कर कहा, "भगवन्! वजीराबाद में आपके अपमान का मूल कारण मैं ही हूँ। उस समय लोभ और अज्ञान वश मैं आप का विरोध करने पर उतारू था। परन्तु यहाँ ईसाइयों के साथ धर्म-चर्चा करते समय उनका मुँह बंद कर देने वाली आपकी युक्तियाँ सुन कर मुझे विश्वास हो गया है कि आप हमारे सच्चे हितैषी हैं, ईसाइयों के चाकर नहीं। आप दयालु हैं मुझ अधम को क्षमा करें।" स्वामी जी

ने उसे पहचान कर कहा "वासुदेव ! आप चिंता न करें। मैंने उसी समय बुरा नहीं माना था, तो अब किस बात के लिए आपको क्षमा करूँ। भाई ! सन्यासी के हृदय सागर में ये सांसारिक घटनाएँ क्षोभ उत्पन्न करने में असमर्थ हैं। फिर मैं तो उस वैद्य के समान हूँ जो सन्निपात के रोगी की मार खा कर भी शांत-चित्त हो कर उसे औषध का प्रयोग कराता जाता है। परमात्मा आपको सन्मार्ग प्रदान करे।"

●

गुजराँवाला की आर्य-जाति में स्वाभिमान और जाग्रति उत्पन्न करके और वहाँ आर्य-समाज स्थापित करने के पश्चात् स्वामी जी लाहौर आ कर नवाब निवाजिश अली खाँ की कोठी में ठहरे।

स्वामी जी मुसलमान मत पर व्याख्यान दे रहे हैं। उसकी मान्यताओं और सिद्धान्तों को अंधविश्वास युक्त और दोषपूर्ण सिद्ध कर रहे हैं। उसी समय कोठी का स्वामी नवाब उद्यान में आ गया। स्वामी जी का उपदेश पूर्व के समान ही चलता रहा है। उसके चले जाने पर एक सज्जन ने स्वामी जी से निवेदन किया—"आप को ठहरने के लिए कोई आसानी से स्थान नहीं देता है। यह नवाब साहब की सज्जनता है कि उन्होंने आपको अपनी कोठी में ठहरा लिया है। और आप उन्हीं के सामने उनके मत की आलोचना करने लगे।" स्वामी जी ने सिर ऊँचा करके कहा, "महाशय ! मैं किसी राजा की सभा का विदूषक या चापलूस दरबारी नहीं हूँ, जो स्वामी को देखते ही दुम हिलाने लगूँ और उसकी प्रशंसा के पुल बाँध दूँ। मैं तो संन्यासी हूँ, सत्य-प्रकाश मेरा काम है। बुराई को छोड़ने से पहले उस बुराई को जानना अत्यंत आवश्यक है। बस मैं बुराई का बोध कराता हूँ। संसार में बहुत कम लोग हैं जो अपनी बुराई और दोषों को जान सुन कर प्रसन्न होते हों। मुझे अपना कर्त्तव्य करने में किसी का भय नहीं है।"

●

स्वामी जी मुलतान वासियों की प्रार्थना पर वहाँ पहुँचे। लोगों ने उन्हें सम्मानपूर्वक गाड़ी से उतार कर बेगी उद्यान में निवास कराया। यहाँ भी स्वामी जी के उपदेशों का बहुत अच्छा प्रभाव पड़ता है। पौराणिक लोग चिढ़ कर भ्रम फैला रहे हैं कि दयानन्द तो ईसाइयों की ओर से हमें धर्म-भ्रष्ट करने के लिए आया है। जिस दिन वह सब हिन्दुओं को ईसाई बना लेगा तो ईसाइयों का पोप उसे एक करोड़ रुपया पुरस्कार देगा, आदि आदि।

यहाँ के गोसाईं सब से अधिक उत्पात कर रहे हैं। एक दिन वे व्याख्यान-

स्थल पर आ कर शंख और घड़ियाल बजाने और जय-जयकार नाद से वायु-मंडल को गुँजाने लगे। पुलिस के आने पर ही वे वहाँ से टलते हैं। होली के दिन हैं। इसलिए उपद्रवियों को हुड़दंगा करके और हुल्लड़ मचा कर स्वामी जी के व्याख्यान में बाधा पहुँचाना बहुत सुगम है। इसलिए व्याख्यान बहराम जी की कोठी के अंदर होने लगे।

मुलतान से जब स्वामी जी चलने लगे तो बहुत-से लोग उनसे मिलने आए। शिष्टाचार के पश्चात् इधर-उधर की बातें होने लगती हैं। एक पारसी सेठ ने कहा, "स्वामी जी! आपके विचार तो बड़े उदार हैं। मनुष्य मात्र को आप भाई-भाई कहते हैं। परंतु आप मेरे साथ खाते क्यों नहीं?" स्वामी जी ने कहा, "शास्त्रों में केवल जूठा खाने का निषेध है, साथ खाने का नहीं। जूठन खाने से संक्रामक रोग लग जाया करते हैं। रहा आप के साथ खाने की बात, उसका कारण तो आप का खान-पान है।" सेठ बोला—"शराब तो केवल फलों का रस है, और मांस खाने में भी कोई हानि नहीं है।" स्वामी जी ने कहा—"मादक वस्तुओं के सेवन से बुद्धि भ्रष्ट होती है। शास्त्रीय आज्ञाएँ दो प्रकार की हैं। कुछ का संबंध आत्मा से है और कुछ का शरीर से। शरीर संबंधी आदेश न पालने से रोग आदि दुःख होते हैं, और आत्मा विषयक आज्ञाओं का उल्लंघन करने से शारीरिक दुःख तो नहीं होते, परंतु आध्यात्मिक उन्नति से मनुष्य वंचित रहता है। मांस खा कर आप आत्मा से संबंध रखने वाली परमात्मा की आज्ञा को भंग करते हैं।" एक सज्जन ने वेदांत पर चर्चा चलाई तो स्वामी जी ने कहा—"चार महावाक्य उपनिषद् वचन हैं। यदि प्रकरण के अनुसार उनकी व्याख्या की जाय तो नवीन वेदांत सिद्ध नहीं होता।"

मुलतान से विदा हो कर स्वामी जी अंतिम बार लाहौर पधारे। स्वामी जी की इच्छा है कि उनका 'वेद-भाष्य' राजकीय विद्यालयों में पढ़ाया जाय। उन्होंने इस विषय में उचित कार्यवाही करने के लिए राय मूलराज से कहा भी। परंतु उन्हें कुछ ढीला देख कर स्वामी जी स्वयं पंजाब के लाट राबर्ट अर्जटन से जाकर मिले। स्वामी जी का भाष्य राज्य की ओर से आधुनिक देशी-विदेशी विद्वानों के पास भेज कर उनके मत माँगे गये। ये विद्वान् स्वामी जी के गंभीर आशय को न समझ सके। इन पंडितों की सम्मतियाँ प्रायः स्वामी जी के विरुद्ध रहीं। वे स्वामी जी के दृष्टिकोण से सहमत होते भी कैसे। क्योंकि वेदों के अर्थों को समझने की पाश्चात्य और महिधर आदि की शैली का ही तो स्वामी जी ने खंडन किया है।

स्वामी जी बड़े सहनशील हैं। चिड़चिड़े व्यक्ति से भी धैर्यपूर्वक व्यवहार

करते हैं। उनका एक कर्मचारी बाँकेबिहारी अपने घर जाने लगा। स्वामी जी ने उसका वेतन चुकाने के लिए उसे कुछ रुपये और एक नोट दिया। कर्मचारी बड़ा चिड़चिड़ा है। वह बिगड़ कर बोला—"आपने नोट पर हस्ताक्षर तो किया ही नहीं।" स्वामी जी ने नोट ले कर उस पर अपना नाम लिख दिया। उसने और बिगड़ कर कहा, "मेरा नाम भी तो लिखना था।" स्वामी जी चुपचाप उसका नाम भी लिख देते हैं। तब वह बड़े आवेश में आ कर कहने लगा—"आप अनर्थ कर रहे हैं। मेरा नाम अधूरा लिखा है। ठठेरा तो इसमें जोड़ा ही नहीं।" तब महाराज ने हँस कर कहा—"रुष्ट क्यों होते हो। यदि तुम ठठेरा ही बने रहना चाहते हो तो वह भी लिखे देता हूँ। मैं तो तुम्हें शर्मा कहता था।"

●

स्वामी जी लाहौर से अमृतसर पधार कर सरदार भगवान् सिंह के आवास पर ठहरे। यहाँ के पंडित और पौराणिक लोग स्वामी जी का अपमान करने के लिए पहले से तैयार हैं। पंडित लोग शास्त्रार्थ के बहाने स्वामी जी के पास आए हैं। व्याख्यान-स्थल पर सहस्रों दर्शक उपस्थित हैं। अभी एक मोटा-सा पंडित अकड़ कर स्वामी जी के सामने प्रतिपक्षी का आसन ग्रहण ही करता है कि उसके चेले-चाँटों ने चारों ओर ईंट-पत्थर फेंक कर सभा में गड़बड़ी उत्पन्न कर दी। उन्होंने महाराज पर भी धूल और मिट्टी फेंकी। भक्तों ने तुरंत पुलिस बुला कर पुनः शांति स्थापित करवाई। पुलिस के आते ही शास्त्र-महारथी पंडित मंडली वहाँ से चम्पत हो जाती है। स्वामी जी के अनुयायी और भक्तजन अपने भक्ति-भाजन का निरादर और अपमान होते देख आपे से बाहर है। उपद्रवियों पर अभियोग चला कर उन्हें दंडित करवाना चाहते हैं। परंतु स्वामी जी ने उन्हें समझा-बुझा कर शांत कर दिया।

स्वामी जी जब अपने डेरे पर आए तो भक्तों ने कहा, "आज दुष्टों ने आप पर बहुत राख और धूल फेंकी और आपका घोर अपमान किया।" स्वामी जी ने कहा—"परोपकार और परहित करते समय मान-अपमान का ध्यान छोड़ना ही पड़ता है। बिना सहनशील बने सुधार कार्य नहीं हो सकता। मैं तो आर्य-समाज रूपी वाटिका का माली हूँ। पौधों में खाद-पानी डालते समय माली धूलि-धूसरित और कीचड़ से लथ-पथ हो जाता है। मुझे अपने कष्ट और असुविधा की कोई चिंता नहीं है। चिंता तो मुझे केवल इस बात की है कि आर्य-जाति के मरुस्थल को हरा-भरा बनाने के लिए ये आर्य-समाज की वाटिकाएँ हरी-भरी बनी रहें और निर्विघ्न फलें फूलें।"

पौराणिक पंडितों के इस मूर्खतापूर्ण व्यवहार से स्वामी जी का सम्मान घटने के स्थान पर और बढ़ जाता है। बाजार में एक स्थान पर नगर का एक प्रसिद्ध पंडित ऊँचे सिंहासन पर बैठ कर कथा कहा करता है। यही उसकी आजीविका है। एक दिन स्वामी जी उधर से निकले। वह पंडित झटपट सिंहासन से उतर कर एक थाल में मिश्री आदि मिष्टान्न और रुपये रख कर स्वामी जी को भेंट करता है और उनकी स्तुति करने लगता है। स्वामी जी ने उसे आशीर्वाद देते हुए पूछा कि "यह सिंहासन यहाँ किस प्रयोजन से रखा है?" पंडित ने कहा, "भगवन्! यह कमाने-खाने की चक्की है। कथा कहने का स्थान है।" इस पर स्वामी जी ने कहा—"भाई! यदि चक्की ही चलानी है तो सत्य की चलाओ। आर्यग्रन्थों का प्रचार करो। इस प्रकार भी तुम्हें खाने-कपड़े की कमी न रहेगी।"

●

स्वामी जी बड़े निर्भीक हैं। एक दिन निहंगे साधुओं ने चिढ़ कर स्वामी जी को धमकी दी—"रात में आप डर के मारे बहुत से लोगों को अपने निवास-स्थान पर सुलाते हैं। नहीं तो हम आपको देख लेते।" स्वामी जी ने तुरन्त आदेश दिया कि मैं आज से अकेले ही सोऊँगा। निहंगों का स्वामी जी पर आक्रमण करने का साहस नहीं हुआ।

एक दिन व्याख्यान में बहुत से साधु आए और खड़े होकर उपदेश सुनने लगे। उन्हें देख कर स्वामी जी ने कहा, "सहस्रों भारतवासी पेट भर अन्न नहीं पाते, दाने-दाने के लिए तरसते हैं। भूख से कुत्ते-बिल्ली की मौत मरते हैं। फिर भी देश में लोग धड़ाधड़ तूंबाधारी और जटाधारी बनते चले जा रहे हैं। इस समय तो प्रत्येक को परिश्रम करके आजीविका चलाने की आवश्यकता है।"

●

स्वामी जी पंजाब से विदा ले रहे हैं। यहाँ के लोग दुःखित हैं। स्वामी जी के शुभागमन के पहले वेद-ज्ञान के विषय में यहाँ के लोगों की यह दशा थी कि कोई पुरोहित कहता—'अथर्ववेद' विवाह में गाये जाने वाले स्त्रियों के गीत हैं। कोई पंडित कहता—महाराज हम वेद का प्रमाण कहाँ से दें। वेद को तो शंखासुर उड़ा ले गया है। स्वामी जी हँसते और उत्तर देते—"मैं तुम्हारे आलस्य और प्रमाद रूपी शंखासुर राक्षस को मार कर वेदों को उससे छीन लाया हूँ। लो ये वेद उपस्थित हैं। इनमें से प्रमाण दो।" परंतु अब बच्चा-बच्चा वेद और उसकी शिक्षाओं से परिचित हो गया है।

परंतु कुछ भक्तों के मन में शंका है कि थोड़े-से आर्य-समाजी देश और

जाति के उद्धार के महान् कार्य को कैसे पूरा कर पायेंगे। स्वामी जी ने उन्हें समझाया—"प्यारे बंधुओ ! आप तो बहुत हैं और बहुतों को अपना संगी बना सकते हैं। भगवान् की कृपा से अब तो आप-जैसे मेरे सहायक सहस्रों की संख्या में देश भर में फैल गये हैं, परंतु उस समय का तनिक विचार करो जब दयानन्द अकेला और असहाय था। तब उसे केवल परमपिता परमात्मा का सहारा था।" फिर एक सज्जन सजल नेत्र हो कर बोले, "भगवन् ! आपने स्थान-स्थान पर आर्य-समाज-रूपी उद्यान तो लगा दिया है, परंतु आप के यहाँ से चले जाने के पश्चात् उनकी रक्षा कौन करेगा ?" महाराज ने सांत्वना देते हुए कहा—"इस प्रांत के लोग श्रद्धालु और वीर हैं। उनमें उत्साह और साहस की कमी नहीं है। तुम्हारा ईश्वर में पूर्ण विश्वास होना चाहिए और कर्म करने की क्षमता, तो फिर तुम्हें सहायता के लिए दूसरों का मुँह देखने की आवश्यकता न रहेगी।"

भाषा, समाज और शिक्षा में समता

स्वामी जी लुधियाना में एक सप्ताह उपदेश देने के पश्चात् रुड़की में पदार्पण करते हैं। यहाँ वे शम्भूनाथ के बँगले में ठहरे। फिर व्याख्यानों का क्रम चल पड़ता है।

एक दिन स्वामी जी सत्संगियों को उपदेश दे रहे हैं। एक अछूत भी एक किनारे बैठा सुन रहा है। एक मुसलमान डाकिया भी वहाँ आया। उसने अछूत को पहचान कर उसकी ताड़ना की, "नीच कहीं का। तू यहाँ सब के बीच में कैसे आ गया।" यह डाँट-फटकार सुन कर अछूत बेचारा लज्जित हो गया। उसके आँसू निकल पड़ते हैं। स्वामी जी डाकिये को रोक कर उस अछूत से बड़े प्यार से आश्वासन देते हुए बोले, "तुम बिना संकोच नित्य सत्संग में आया करो। हमारी दृष्टि में संसार के सब मनुष्य बराबर और समान हैं।"

उसी सत्संग में मोटूसिंह भी उपस्थित है। प्रश्नोत्तर के समय उसने कहा—"यदि आप को परा विद्या आती होती तो आप द्वैतवाद का कभी प्रचार न करते।" स्वामी जी ने पूछा—"क्या आप भी ब्रह्म हैं ?" मोटूसिंह—"निस्संदेह मैं ब्रह्म हूँ।" स्वामी जी ने पुनः प्रश्न किया, "इस चराचर सृष्टि को किस ने रचा है ?" मोटूसिंह—"ब्रह्म ने।" तब स्वामी जी ने एक मरी मक्खी उसके सामने रख कर कहा, "आप ब्रह्म हैं तो इस मक्खी में जान डाल दें।" मोटूसिंह निरुत्तर हो गया और सब लोग हँस पड़ते हैं।

जिस कोठी में स्वामी जी ठहरे हैं वहीं रुड़की आर्य-समाज की अंतरंग सभा की बैठक हो रही है। सभासदों की इच्छा है कि महाराज भी उसमें भाग लें, परंतु स्वामी जी कोई कार्य नियम विरुद्ध नहीं करते हैं। इसलिए अंतरंग सदस्यों ने उन्हें तत्काल प्रतिष्ठित सभासद बना कर उस अधिवेशन में सम्मिलित कर लिया। बैठक के उपरांत स्वामी जी ने सदस्यों को उपदेश दिया; "सभा में हठ और दुराग्रह नहीं करना चाहिए। अपने पक्ष की पुष्टि में चाहे जितनी युक्तियाँ दो, परन्तु प्रकृति और हृदय में रोष न आने दो। किसी बात को ले कर इतना नहीं खींचना चाहिए कि आपस में मनमुटाव हो जाय। जब कोई विषय बहुमत से स्वीकृत हो जाय तो फिर उसे बिना मीन-मेख के मान लेना चाहिए। अंतरंग सभा के कार्यों को प्रकाशित करना उचित नहीं है।"

स्वामी जी रुड़की से अलीगढ़ आये, और मुकुंदसिंह और भूपालसिंह के पास मूलसी की कोठी में ठहरे। यहाँ स्वामी जी के दर्शनों के लिए बम्बई से हरिश्चन्द्र चिन्तामणि और श्यामजी कृष्ण वर्मा आये।

स्वामी जी मेरठ पधार कर लाला दामोदरदास की कोठी में ठहरे। उनके आने का समाचार नगर में फैल गया। लोग दर्शनों के लिए आने लगे। रामसरन दास, छोटेलाल आदि अनेक प्रतिष्ठित सज्जनों ने स्वामी जी के व्याख्यान अपनी कोठियों पर करवाए। मेरठ धर्म-सभा ने बहुत से प्रश्न लिख भेजे। स्वामी जी ने उनका युक्तियुक्त उत्तर लिख कर भेज दिया। फिर धर्म-सभा वालों ने मौन धारण कर लिया।

बेनीप्रसाद सत्संग में प्रतिदिन आता है। उसने स्वामी जी से तीर्थों के विषय में पूछा। स्वामी जी ने बताया, "महात्म्य तो सारे निर्मूल हैं। प्राचीन काल में इन पवित्र स्थानों में ऋषि-मुनि रहते थे। लोग उनके आश्रमों में जा कर उन महात्माओं के सत्संग और उपदेशों से लाभ उठाते और शांति प्राप्त करते थे, परंतु आज वे बातें नहीं रहीं। ऋषि-मुनियों के स्थान पर स्वार्थ-परायण लोग ही इन तीर्थों में वास करते हैं। धार्मिक कृत्यों के स्थान पर पापाचार ही वहाँ अधिक होता है।" बेनीप्रसाद ने एक दिन कहा, "ईश्वर किसी प्रत्यक्ष प्रमाण से तो सिद्ध होता नहीं। केवल विश्वास के आधार पर हम उसे मान लेते हैं।" स्वामी जी ने कहा, "मन और इन्द्रियों से प्रत्यक्ष गुण होते हैं गुणी नहीं। मैं तुम से पूछता हूँ कि क्या तुम मुझे प्रत्यक्ष देख रहे हो ? तुम उत्तर दोगे कि हाँ मैं आप को देख रहा हूँ। परंतु क्या तुम्हारा

यह उत्तर ठीक होगा ? तुम तो मेरे शरीर के अंग सिर, हाथ, पैर आदि देख रहे हो। तो क्या ये अंग या पूरा शरीर दयानन्द है। यदि यह सब दयानन्द हो तो मेरे मरने के पश्चात् यह क्यों कहा जायेगा कि यह दयानन्द का शव है। यह कहना सिद्ध करता है कि दयानन्द कोई और भी है जो प्रत्यक्ष नहीं है। वास्तव में आत्मा और शरीर मिल कर जो व्यक्ति तुम्हारे सामने बैठा है, वही दयानन्द है। जब तुम मेरी और अपनी आत्मा को ही नहीं देख पाते तो इस ब्रह्मांड की आत्मा परमात्मा को इन चर्म-चक्षुओं से कैसे देख सकते हो। जैसे मेरे शरीर को देख कर दयानन्द का अनुमान किया जाता है, वैसे ही सृष्टि को देख कर परमात्मा को जाना जाता है। जैसे गुरुजनों की शिक्षाओं को मान कर और उनकी आज्ञाओं का पालन करके तथा उनके शरीर की सेवा-शुश्रूषा द्वारा उनका पूजन अर्थात् आदर सत्कार किया जाता है वैसे ही ईश्वर की वेद द्वारा दी गई शिक्षाओं पर चल कर और संसार के प्राणी मात्र की सेवा करके एवं प्राकृतिक वस्तुओं की रक्षा करके ईश्वर की पूजा हो सकती है। उसकी काल्पनिक मूर्ति बनाने की आवश्यकता नहीं है। परंतु उसे प्रत्यक्ष भी किया जा सकता है। सूर्य की किरणें झरोखों में से हो कर जब कमरे में आती हैं तभी हमें वायुमंडल में नाचते हुए सूक्ष्म रज-कण दृष्टिगोचर होते हैं। दूध में मक्खन और लकड़ी में अग्नि के समान ही परमात्मा दिखाई नहीं देता, परंतु योगाभ्यास द्वारा आत्मा को परमात्मा की अनुभूति उसी प्रकार हो जाती है जैसे प्रयास करने पर मक्खन और अग्नि प्रकट हो कर हमारी इन आँखों को दिखाई देने लगते हैं। परंतु योगाभ्यास हर किसी के वश की बात नहीं है। बेनीप्रसाद जी ! सच तो यह है कि परमात्मा हर समय हम सब के समीप और प्रत्यक्ष है। वह हर समय हमें उपदेश देता रहता है और हमारी रक्षा करता रहता है, परंतु उसके इन उपदेशों को सुनने के लिए और उसका सामीप्य अनुभव करने के लिए मनुष्य का अंतःकरण शुद्ध और पवित्र होना चाहिए।"

•

बेनीप्रसाद तरुण है। एक दिन रात को नौ बजे वह अपने मित्रों सहित स्वामी जी की सेवा में आकर कहने लगा, "स्वामी जी ! आज हम लोग आप के पाँव दबाना चाहते हैं। स्वामी जी ताड़ जाते हैं कि ये मेरे शरीर की परीक्षा करना चाहते हैं। मेरा बल देखना चाहते हैं। वे मुसकराते हुए बोले, "पाँव पीछे दबाना, पहले तुम सब मिल कर मेरे पाँव को भूमि से ऊपर उठाओ।" यह कह कर स्वामी जी ने पैर उनके आगे बढ़ा दिया, परंतु वे

युवक सारा बल लगा कर भी उसे हिला न सके। वे थक कर हाँफने लगते हैं।

●

स्वामी जी अपने आसन पर विराजमान हैं। बहुत-से लोग सामने बैठे हैं। नगर के कई प्रतिष्ठित सेठ उपस्थित हैं। मौलवी और पंडित भी स्वामी जी से धर्म-चर्चा करने के लिए आए हैं। स्वामी जी ने कहा, "यदि किसी सज्जन को कुछ पूछना हो तो पूछ सकता है।" एक मौलवी ने प्रश्न किया, "वेद के ईश्वरीय वाणी होने का प्रमाण क्या है?" स्वामी जी ने उत्तर दिया—"इस विषय में प्रमाण तो बहुत हैं, परंतु मैं आप को केवल एक प्रमाण देता हूँ। वेदों की भाषा संस्कृत है। आप इसके अक्षरों को लें। इनकी ध्वनि सब देशों और भाषाओं में पाई जाती है। सब प्रचलित भाषाओं में इसकी अक्षर-माला नैसर्गिक है। किसी देश और जाति का एक छोटा-सा बच्चा भी अ, इ, उ का उच्चारण बिना सिखाए अपने आप ही करने लग जाता है। क, ख आदि व्यंजन अक्षरों का उच्चारण भी ऐसा ही सरल और स्वाभाविक है। जो भाषा स्वाभाविक ध्वनि वाले अक्षरों से बनी है वही भाषा स्वाभाविक और आदिम है। ईश्वरी आदेश भी ऐसी ही भाषा में होना चाहिए। इसलिए वेद ईश्वरीय ज्ञान है, इंजील कुरान आदि नहीं।" यह सुन कर मौलवी बेचारा मौन है।

अब पंडितों के प्रश्न करने की बारी आई। उन्होंने श्राद्ध-तर्पण के विषय में बात चलाई। स्वामी जी ने श्राद्ध की कड़ी समालोचना की और कहा कि श्राद्ध और तर्पण अर्थात् सेवा आदि कर्म जीवित माता-पिता और अन्य गुरुजनों के लिए हो सकते हैं, मरों के लिए नहीं। मरों का श्राद्ध-तर्पण तो स्वार्थी पंडितों ने अपनी उदर-पूर्ति के लिए प्रचलित कर दिये हैं। यह सुन कर एक सेठ और कुछ ब्राह्मण रुष्ट हो कर चले गये।

●

मेरठ छावनी में मिशन स्कूल के पास ही एक विशाल भवन है। बाहरी कमरे में कुछ लोग बैठे बातें कर रहे हैं। एक व्यक्ति ने कहा—"सेठ जी। दयानन्द से कैसे निपटा जाय? बातों में तो उससे पार पाना कठिन है।" सेठ अकड़ कर बोला—"पंडित महाराज! लातों के देवता बातों से नहीं मानते। मैंने उसे ठीक करने का उपाय सोच लिया है।" पंडित—"वह क्या?" सेठ—"बस यही की दस-पाँच रुपये खर्च करके दो-चार गूजरों को उसके पीछे लगा दूँगा, हाथ-पैर तोड़ कर रख देंगे।" सेठ की यह बात सुन कर सब लोग उछल

पड़ते हैं। वे कहने लगे––"वाह सेठ जी वाह! आप धर्मावतार हैं। आप ऐसे धार्मिक लोगों से ही सनातन-धर्म जीवित है। नहीं तो अब तक कब का रसातल चला गया होता।"

●

स्वामी जी के कुछ भक्तों ने देखा कि कई हट्टे-कट्टे गूजर स्वामी जी के डेरे से व्याख्यान-स्थल जाने वाली सड़क पर लाठियाँ लिये घूम रहे हैं। जब स्वामी जी उपदेश दे कर अपने स्थान को लौटने लगे तो लोगों ने विनय की, "भगवन्! थोड़ी देर ठहर जाइए। रक्षा का कुछ प्रबंध कर लेने दीजिए। ऐसा जान पड़ता है कि आपको हानि पहुँचाने का कोई षड्यंत्र रचा गया है। कुछ लठैत सड़क पर घूमते देखे गये हैं।" स्वामी जी हँसते हुए बोले, "वे लोग कुछ नहीं कर सकेंगे। मैं उस परमपिता परमेश्वर के भरोसे अपनी रक्षा के के लिए सर्वथा निश्चित हूँ। मैं ने एक सज्जन को समय दे रखा है।, इसलिए यहाँ ठहर नहीं सकता।" यह कह कर वे चल पड़े। भक्त जन जब तक कुछ आदमियों को बटोर कर स्वामी जी के पीछे जायँ, तब तक तो वे अपने डेरे पर सकुशल पहुँच गये। किसी गूजर का स्वामी जी पर हाथ छोड़ने का साहस नहीं हुआ। वे खड़े एक दूसरे का मुँह ताकते रहे।

●

एक दिन दोपहर को एक ज्योतिषी और कुछ अन्य लोग स्वामी जी की सेवा में उपस्थित हुए। स्वामी जी ने कहा, "मैं मध्याह्नकाल के भोजन के उपरांत पचीस मिनट सोता हूँ। उसके पश्चात् आप लोगों से वार्त्तालाप करूँगा।" छुट्टी का दिन है, इसलिए बख्तावर सिंह सब-जज अपने छोटे भाई को ले कर स्वामी जी से मिलने आए हैं। उन्होंने घड़ी देखी––बारह बजकर पाँच मिनट हुए हैं। उनके आश्चर्य का ठिकाना न रहा जब उन्होंने देखा कि स्वामी जी ठीक साढ़े बारह बजे उठ बैठे हैं। स्वामी जी ने ज्योतिषी से विनोद में पूछा––"आप किस प्रयोजन से यहाँ पधारे हैं?" उसने कहा––"भगवन्! मैं ज्योतिषी हूँ। आपकी सेवा करके कुछ प्राप्ति के लिए ही आया हूँ।" स्वामी जी ने हँसते हुए कहा––"यहाँ आते समय यदि आपको यह ज्ञान था कि मुझ से कुछ प्राप्ति हो जायेगी तो आपका ज्योतिष मिथ्या है, क्योंकि मैं आप को कुछ भी न दूँगा। और यदि आपका ज्योतिष यह बताता था कि यहाँ कुछ नहीं मिलेगा तो आप व्यर्थ कार्यकर्ता सिद्ध हुए। तब इस बात का क्या प्रमाण है कि आप ज्योतिष विद्या की झूठ-मूठ की ही बातें नहीं बताते फिरते हैं।" ज्योतिषी बाबा अवाक् हैं।

अब स्वामी जी का ध्यान सब-जज के भाई की ओर गया। स्वामी जी ने कहा—"जज महाशय ! आपके भाई की अवस्था सोलह वर्ष से अधिक नहीं जान पड़ती। इतनी छोटी अवस्था में आपने इसका विवाह क्यों कर दिया है? जब आपके ऐसे पढ़े-लिखे लोग ही इस कुप्रथा को न हटायेंगे तो आर्य-जाति का सुधार कैसे होगा ? यह बाल-विवाह की प्रथा आप की जाति के जीवन की जड़ में घुन बन कर उसका सर्वनाश कर रही है। यदि आपको अपने भाई के जीवन के साथ खेलवाड़ नहीं करना है तो इसका गौना पचीस वर्ष की अवस्था से पहले कदापि न लेना।"

अभी स्वामी जी सब-जज को समझा ही रहे हैं कि कई तिलकधारी ब्राह्मण आ कर स्वामी जी को नमस्कार करते हैं। उन्हें देख कर स्वामी जी ने एक ठंडी साँस ली। सेवाराम जिलेदार ने पूछा, "महाराज ! कुशल तो है। आप दुःखी प्रतीत होते हैं।" स्वामी जी ने एक निःश्वास ले कर कहा—"इससे बढ़ कर दुःख की और क्या बात हो सकती है। समाज के सिर-मौर ये ब्राह्मण अपने कर्त्तव्य कर्म से कोसों दूर हैं। इन्हें केवल बाहरी आडंबर से प्यार है। ये धर्म-प्रचार के स्थान पर पाखंड का प्रसार करते हैं। इन्हें न अपने ऊपर दया आती है और न अपनी जाति की हीन दशा पर।"

स्वामी जी जब प्रकृतिस्थ हुए तो जिलेदार ने निवेदन किया—"भगवन् ! यदि मैं नहर का डिप्टी हो गया तो पहले मास का वेतन 'वेद-भाष्य' के लिए अर्पण कर दूँगा।" जिलेदार की यह मनोकामना थोड़े दिनों में पूरी हो गई, परंतु उसने अपनी पदोन्नति की बात अभी किसी को नहीं बताई है। इतने में उसे स्वामी जी का बधाई-पत्र प्राप्त हुआ।

स्वामी जी के उपदेशों के प्रभाव से मेरठ में आर्य-समाज स्थापित हो गया और लाला रामसरन दास छेदीलाल प्रभृति अनेक प्रतिष्ठित व्यक्ति उसके सदस्य बन गये।

●

स्वामी जी मेरठ से दिल्ली आए। यहाँ कुछ दिनों कार्य करके और आर्य-समाज स्थापित करके वे अजमेर पहुँचते हैं। पुष्कर के मेले में धर्म-प्रचार करने के बाद अजमेर लौट कर व्याख्यानों का क्रम आरंभ करते हैं। यहाँ एक यूरोपीय पादरी का स्वामी जी से शास्त्रार्थ हुआ। वह स्वामी जी के प्रश्नों का उत्तर ठीक-ठीक न दे सका और अधूरा शास्त्रार्थ छोड़ कर चला गया। इसका जनता पर अच्छा प्रभाव पड़ा।

एक दिन स्वामी जी ने कुछ फटे-पुराने किसी पुस्तक के पन्ने दिखाते हुए कहा, "बहुत खोज कराने पर भी 'धनुर्वेद' के ये ढाई पृष्ठ ही मिल सके हैं। यदि मेरे जीवन ने साथ दिया तो मैं वेद मंत्रों का मंथन करके धनुर्विद्या पर प्रकाश अवश्य डालूँगा।"

●

स्वामी जी अत्यंत दयालु प्रकृति के महापुरुष हैं। एक दिन व्याख्यान हो रहा है, तभी सूचना मिली कि भरतपुरिये चमारों के गंज में आग लग गई है। बेचारों के घास-फूस के घर जल कर राख का ढेर हो गये हैं। यह सुन कर स्वामी जी ने तुरंत लोगों से चमारों की सहायता के लिए प्रार्थना की और धन देने वालों की सूची में सब से पहले अपना नाम लिखवाया।

●

स्वामी जी भसूदा के राव महाशय की प्रार्थना पर वहाँ गये, फिर नसीराबाद होते हुए जयपुर पधार कर डेढ़ उद्यान में ठहरे। स्वामी जी के भक्त लक्ष्मण सिंह एक दिन डरे हुए आकर बोले, "आप के पौराणिक धर्म के खंडन से महाराजा रुष्ट हो गये हैं। ऐसी अवस्था में आपका यहाँ रहना ठीक नहीं है। कहीं आप को कोई कष्ट न भोगना पड़ जाय।" स्वामी जी ने गंभीर हो कर कहा—"ठाकुर महाशय! आप राज-कर्मचारी हैं। आप का भयभीत होना उचित है। मेरे पास न आने से महाराजा के कोप से आपकी रक्षा हो जायेगी। परंतु भाई, मैं तो किसी का नौकर नहीं हूँ। मेरे पास अविनाशी आत्मा के अतिरिक्त कौन-सा ऐसा पदार्थ है जिसके छिन जाने का मुझे डर या शंका हो।" स्वामी जी के इन निर्भय और वीरोचित वचनों को सुन कर लक्ष्मणसिंह का भय भी जाता रहा। वे स्वामी जी की सेवा में बराबर आते हैं। उन्होंने स्वामी जी के तीन व्याख्यान अपने आवास पर भी करवाए जिसमें राज्य के सरदारों और उच्च कर्मचारियों ने भाग लिया।

स्वामी जी पर महाराजा जयपुर के रुष्ट होने की बात को लेकर दुष्ट-जन दूर-दूर मिथ्या समाचार फैला देते हैं। स्वामी जी के भक्तों को कभी उनके बंदी बनाये जाने के और कभी उनकी अचानक मृत्यु के समाचार मिलते हैं। लोग स्वामी जी के कुशल-समाचार जानने के लिए जयपुर लिखते हैं।

रेवाड़ी के राव ने स्वामी जी के दर्शन दिल्ली में किये थे। तभी से वे स्वामी जी के भक्त हैं। उनकी प्रार्थना पर स्वामी जी रेवाड़ी जा कर धर्म-प्रचार करते हैं। गंगाप्रसाद को स्वामी जी ने गायत्री मंत्र सिखा कर नित्य जप करने का आदेश दिया। एक दिन उसने आ कर कहा—"महाराज! यहाँ के

ब्राह्मण तो कहते हैं कि स्वामी जी ने तुम्हें ब्रह्म-गायत्री नहीं बताई। गायत्री प्रत्येक वर्ण के लिए अलग-अलग हैं।" स्वामी जी ने कहा, "जो ऐसा कहता हो उसे मेरे सामने लाओ। मैं उसकी बुद्धि ठिकाने कर दूंगा।" अब तो गंगा-प्रसाद निश्शंक हो कर ब्राह्मणों को ललकारने लगा, परंतु स्वामी जी के पास कोई न आया। राव महाशय ने व्याख्यान और उपदेश सुनने के लिए अपने संबंधियों और मित्रों को भी आमंत्रित किया, जिससे रेवाड़ी के आसपास के गाँवों में भी धर्म-प्रचार हो सका।

रेवाड़ी में अज्ञान अंधकार हटा कर स्वामी जी दिल्ली, मेरठ, सहारनपुर, रुड़की, ज्वालापुर में ठहरते और उपदेश करते हुए हरिद्वार के कुम्भ मेले में पधारे। उन्होंने श्रवणनाथ और निर्मलों के अखाड़े के सामने मूला मिस्त्री के खेत में अपना डेरा डाला। इस स्थान पर तंबू ताने गये, पर्ण-कुटियाँ बनाई गईं, सत्संग और व्याख्यानों के लिए एक सुन्दर मंडप तैयार किया गया। स्वामी जी की सहायता के लिए मेरठ के रामशरण दास, उमरावसिंह आदि अनेक अनुयायी इसी छावनी में ठहरे। स्वामी जी अपने निवास स्थान को स्वच्छ और मार्जित रखते हैं। उनके डेरे पर जूठी पत्तलें पड़ी नहीं रहने पातीं, सारा कूड़ा-कर्कट जला दिया जाता है। यहाँ सड़ी-गली वस्तुओं की सड़ान मन में ग्लानि नहीं उत्पन्न करता है। स्वामी जी अपने व्याख्यानों की सूचना देने के लिए मेरठ से विज्ञापन छपा कर अपने साथ लाए हैं। उनको मेले में बँटवा कर सर्वसाधारण को कार्यक्रम की सूचना दे दी गई। स्वामी जी के आने का समाचार पाते ही सहस्रों नर-नारी उनके दर्शन करने और उपदेश सुनने आने लगते हैं। कभी-कभी कोई साधु या कट्टर पंथी ऐसा भी आ जाता है जो धर्म-चर्चा करने के स्थान पर स्वामी जी को खरी-खोटी सुनाता रहता और स्वामी जी शांत बैठे उस की अज्ञता पर हँसते रहते। ऐसे ही वक्र स्वभाव का एक साधु तीन दिन लगातार आ कर स्वामीजी को गालियाँ सुनाता रहा, परंतु चौथे दिन वही व्यक्ति स्वामी जी के चरणों में पड़ कर और आँसू बहा कर क्षमा-याचना करता है। वह उनका श्रद्धावान् अनुयायी बन जाता है।

एक दिन तम्बू का द्वार खुला है। स्वामी जी भीतर बैठे काम कर रहे हैं। उसी समय परमहंस आनन्दवन दंड-कमंडल लिये और शुभ्र चोला धारण किये अपने दस शिष्यों सहित तम्बू के द्वार पर दिखाई दिये। स्वामी जी ने तुरंत उठ कर द्वार पर ही उनका स्वागत किया और सम्मान पूर्वक उन्हें लाकर अपने समीप आसन पर बैठाया। फिर दोनों में द्वैताद्वैत पर

वादविवाद छिड़ गया । ग्यारह बजे स्वामी जी ने परमहंस जी से भोजन के लिए प्रार्थना की तो उन्होंने कहा कि बिना निर्णय किये मैं भोजन नहीं करूँगा । स्वामी जी चारों वेदों और अन्य संबंधित ग्रन्थों से अपने पक्ष की पुष्टि में प्रबल प्रमाण निकाल-निकाल कर देने लगे, और महात्मा जी के संशयों को एक-एक कर के मिटाने लगे । यह द्वन्द्व-युद्ध दो बजे तक होता रहा। तदुपरान्त परमहंस जी ने उठ कर अपने शिष्यों से कहा—"मैंने दयानन्द के द्वैतवाद को मान लिया है । आज इनकी युक्तियों और प्रमाण की आँधी ने मेरे अहं-ब्रह्मवाद की घनघोर घटा को उड़ा कर छिन्न-भिन्न कर दिया है। तुम्हें भी उचित है कि दयानन्द के सिद्धांत को स्वीकार कर लो।" परमहंस जी स्वामी जी के सत्संग में बहुधा आने लगे । ये वयोवृद्ध महात्मा संस्कृत के धुरंधर पंडित हैं ।

●

हरिद्वार में एक दिन अमृतसर के एक व्यक्ति ने आ कर स्वामी जी से निवेदन किया कि "मुझे लोगों ने आर्य-समाज की सदस्यता से पृथक् कर दिया है ।" स्वामी जी ने पूछा—"तुमको किस अपराध में निकाला गया है?" उसने कहा—"पुस्तक चुराने का दोष मझे लगाया गया है ।" स्वामी जी—"सच-सच बताओ कि क्या तुमने पुस्तक चुराई थी या नहीं ?" वह बोला—"महाराज ! यह अपराध मझसे हुआ अवश्य है ।" स्वामी जी ने समझ लिया कि इस व्यक्ति को अपने दोष के लिए हृदय से पश्चाताप है । उन्होंने अमृतसर आर्य-समाज के प्रधान को तुरंत चिट्ठी लिख दी कि मैंने इनका अपराध क्षमा कर दिया है। कृपया आप इन्हें फिर से समाज का सभासद बना लें ।

एक दिन मेरठ का कमिश्नर कर्मचारियों सहित स्वामी जी से मिलने आया । स्वामी जी उससे सम्मानपूर्वक मिले और देर तक उसके साथ वार्त्तालाप करते रहे । वह स्वामी जी की बातचीत और व्यवहार से बहुत प्रसन्न हुआ । उसने पुलिस अध्यक्ष को आदेश दिया कि स्वामी जी की रक्षा के लिए कुछ पुलिस के सिपाही उनके पड़ाव पर नियत कर दिये जायँ ।

यहीं स्वामी जी को महाराजा जम्मू व काश्मीर का पत्र मिला । पत्रवाहक ने उन्हें बताया कि काश्मीर में यह बात किसी ने उड़ा दी है कि स्वामी जी की मृत्यु हो गई है, परंतु महाराजा को इस पर विश्वास नहीं हुआ । उन्होंने यह पत्र देकर मुझे यहाँ भेजा है कि स्वामी जी यदि जीवित होंगे तो हरिद्वार के कुम्भ में अवश्य मिल जायेंगे । उस पत्र में महाराजा ने स्वामी जी से एक ऐसी पुस्तक लिखने की प्रार्थना की है कि जिसमें शास्त्रीय प्रमाणों से

यह सिद्ध किया जाय कि अन्य धर्म वाले हिन्दू धर्म में लिये जा सकते हैं। और उनके साथ खान-पान में भी कोई दोष नहीं है।

रुड़की के तहसीलदार नज़फ़अली को स्वामी जी के सत्संग से विश्वास हो गया कि संस्कृत साहित्य से अच्छा साहित्य संसार में किसी अन्य भाषा का नहीं है। एक दिन उसके पूछने पर स्वामी जी ने बताया कि बहुविवाह सर्वथा अनुचित है। इससे बहुत-सी हानियाँ हैं। वेद में केवल एक स्त्री-पुरुष के विवाह का ही उपदेश है।

●

हरिद्वार में एक बार फिर स्वामी जी ने रत्नगिरि के द्वारा प्रयत्न किया कि सुखदेवगिरि, जीवनगिरि और विशुद्धानन्द आदि विद्वान् उनके दृष्टिकोण को समझ कर उनका विरोध करना बंद कर दें। परंतु ये लोग उलटे रत्नगिरि से ही रुष्ट हो जाते हैं। वे कहने लगे कि रत्नगिरि तो चमगादड़ है। वह विश्वास करने योग्य नहीं है।

●

हिन्दी को समस्त भारत-निवासियों की भाषा बनाने का विचार सबसे पहले महर्षि दयानन्द के मस्तिष्क में आया। वे इसके प्रचार और प्रसार में तुरंत संलग्न हो जाते हैं। वे अपने समय के संस्कृत के सबसे बड़े विद्वान् हैं, और मातृ-भाषा गुजराती पर भी उनका अधिकार है, परंतु राष्ट्र-भाषा के रूप में हिन्दी की कल्पना करके उन्होंने अपनी चमत्कारी बुद्धि का परिचय दिया है। इससे सिद्ध होता है कि वे अपूर्व दूरदर्शी और क्रांतिकारी महापुरुष हैं। स्वामी दयानन्द हिन्दी को आर्य-भाषा का नाम देते हैं। और वे इसे पूरे देश की भाषा बनाने के लिए ठोस पग उठाते हैं।

हरिद्वार में एक दिन स्वामी जी अपने आसन पर बैठे लोगों को अपनी पुस्तकों के विषय में बता रहे हैं। एक सज्जन ने निवेदन किया—"महाराज यदि आप अपनी पुस्तकों का अनुवाद करवा कर फारसी लिपि में छपवा दें तो पंजाबादि प्रांतों में, जहाँ लोग नागरी अक्षरों से अनभिज्ञ हैं, बड़ी सुविधा हो जायेगी।" स्वामी जी ने उत्तर दिया, "अनुवाद तो विदेशियों के लिए हुआ करता है। नागरी के अक्षर थोड़े दिनों में सीखे जा सकते हैं। आर्य-भाषा का सीखना कोई कठिन काम नहीं है। फारसी और अरबी शब्दों को छोड़ कर भारत के बहुत बड़े भाग में बोली जाने वाली भाषा ही आर्य-भाषा है। यह अति कोमल, सरल और सुगम है। यह देश की अन्य भाषाओं से मिलती-जुलती है, और भारत के सभी बड़े-बड़े नगरों में समझी जाती है।

प्रत्येक भारतवासी को इसे जानना चाहिए। जो इस देश में उत्पन्न हो कर अपनी भाषा के सीखने में कुछ भी परिश्रम नहीं करता उससे और क्या आशा की जा सकती है। उसमें धर्म-लग्न है इसका भी क्या प्रमाण है। आप तो अनुवाद की सम्मति देते हैं, परंतु दयानन्द के नेत्र तो वह दिन देखना चाहते हैं कि जब काश्मीर से कन्याकुमारी तक और अटक से कटक तक नागरी अक्षरों का ही प्रचार होगा। मैं ने आर्यावर्त्त भर में भाषा का ऐक्य सम्पादन करने के लिए ही अपने सकल ग्रन्थ आर्य-भाषा में लिखे और प्रकाशित किये हैं, और इसी उद्देश्य से भारत के प्रत्येक बच्चे को प्रान्तीय भाषा के अक्षरों के साथ-साथ देव नागरी अक्षरों का अभ्यास आवश्यक बताया है। मैं ने आर्य-समाज के हर एक सदस्य के लिए आर्यभाषा का ज्ञान आवश्यक ठहराया है। पाठशालाओं में शिक्षा का माध्यम आर्यभाषा ही रखा है। मैं ने अनिवार्य एवं निःशुल्क शिक्षा और भारतीय भाषाओं की लिपियों का एकीकरण करने के उद्देश्य से 'सत्यार्थ-प्रकाश' के द्वितीय और ततीय समुल्लासों में निम्नलिखित बातों पर बल दिया है।

१. सब लड़के-लड़कियों की शिक्षा गुरुकुलों में निःशुल्क और अनिवार्य होनी चाहिए। इस विषय में राज-नियम और जाति नियम होने चाहिए।
२. बच्चों को देवनागरी अक्षरों और अन्य देशीय भाषाओं के अक्षरों का भी अभ्यास कराना चाहिए।
३. बच्चों को नैतिक और धार्मिक शिक्षा दी जाय, और संस्कृत पढ़ाई जाय। उन्हें विज्ञान और कला-कौशल की शिक्षा भी दी जाय।
४. लड़के-लड़कियों की शिक्षा का प्रबंध अलग-अलग होना चाहिए।
५. धनी और ग़रीब बच्चों में समानता का भाव उत्पन्न करने के लिए उन्हें खान-पान आदि की एक-सी और समान सुविधाएँ मिलनी चाहिए। विद्यार्थियों को सरल और तपस्वी होना चाहिए।

९ | मानव-सेवा ईश्वर की उपासना है

'हम तो सत्य ही कहेंगे'

हरिद्वार में अंतिम उपदेश की समाप्ति पर स्वामी जी ने यहाँ निर्विघ्न रूप से कार्य सम्पन्न होने के लिए परमेश्वर को धन्यवाद दिया और अपने साथियों से वहाँ से तुरंत चले जाने का आदेश दिया। उन्होंने कहा, "जलवायु के बिगड़ जाने के कारण यहाँ शीघ्र ही विषूचिका की महामारी फैलने वाली है।" स्वामी जी भी देहरादून चले गये।

देहरादून में स्वामी जी कुछ अस्वस्थ हैं। पर थोड़े दिनों विश्राम लेने के उपरांत वे व्याख्यान देना आरंभ कर देते हैं। मौलवी और पादरी शास्त्रार्थ करके स्वामी जी का मुँह बंद करना चाहते हैं, परंतु वे अपने मनोरथ में सफल नहीं हुए। एक दिन कुछ मसलमानों ने चिढ़ कर स्वामी जी के फूस-आच्छादित बँगले में आग लगाने का प्रयत्न किया, परंतु कृपाराम और भीम-सेन आदि की सतर्कता के कारण वे अपने प्रयास में विफल रहे।

यहीं स्वामी जी को उनके अमरीका निवासी शिष्य कर्नल अल्काट और मैडम ब्लैवट्सकी का तार मिला कि वे सहारनपुर आ गये हैं और उनके दर्शनों के लिए देहरादून आ रहे हैं। स्वामी जी ने स्वयं अपने सहारनपुर आने की सूचना उन्हें तार द्वारा कर दी। वे सहारनपुर में अपने गोरे शिष्यों को ले कर मेरठ पधारते हैं। यहाँ इन लोगों का रेलवे-स्टेशन पर धूमधाम से स्वागत हुआ। मेरठ के आर्य लोगों ने स्वामी जी को एक कोठी में और अमरीका निवासी अतिथियों को एक दूसरे बँगले में ठहराया।

स्वामी जी के व्याख्यानों के साथ-साथ कर्नल अल्काट और मैडम ब्लैवट्सकी के भी व्याख्यान होते हैं। ये लोग अपने को आर्य कहते, वेद के महत्त्व को मानते, ओम् का पदक और यज्ञोपवीत धारण करते और स्वामी जी को अपना गुरु स्वीकार करते हैं। वे फर्श पर बैठ कर भोजन करते हैं। अपने भाषणों में वे ईसाई-धर्म की त्रुटियाँ प्रकाशित करते हैं। उन्होंने स्वामी जी से योग के विषय में बहुत-सी बातें पूछीं। उन्होंने एक दिन पूछा, "भगवन्! सुना है योगी एक शरीर से दूसरे शरीर में जा सकता है।" स्वामी जी ने उत्तर

दिया—"इतना तो मैं आपको दिखा सकता हूँ कि अपनी सारी जीवनी-शक्ति किसी एक अंग में केन्द्रित कर दूँ। इसमें शेष सारा शरीर जीवन-शून्य हो जायेगा। परकाया प्रवेश तो अगला पग उठाना मात्र है।"

कुछ दिनों मेरठ में रह कर ये अमरीकावासी स्वामी जी की आज्ञा ले कर बम्बई चले गये।

●

स्वामी जी मेरठ से अलीगढ़ आये। यहाँ उनके परम भक्त मकुंदीसिंह और भूपालसिंह आ कर उन्हें छलेसर ले गये। स्वामी जी का स्वास्थ्य इन दिनों अच्छा नहीं है। इसलिए केवल सत्संग होता है। इन्द्रमन यहाँ स्वामी जी से मिलने आये और मुरादाबाद पधारने की प्रार्थना की। स्वामी जी लगभग एक मास यहाँ विश्राम करने के पश्चात् मुरादाबाद के लिए चल पड़े।

मुरादाबाद में आकर स्वामी जी राजा जयकृष्ण दास के बँगले में ठहरे। एक दिन मुरादाबाद के कलेक्टर स्पेडिंग ने राजनीति पर स्वामी जी का व्याख्यान छावनी में करवाया। वहाँ यूरोपीय सज्जन, उच्च अधिकारी वर्ग, और नगर के प्रतिष्ठित लोग आमंत्रित हैं। साधारण जन प्रवेश-पत्र द्वारा अंदर जा सकते हैं। स्वामी जी राज्य संबंधी व्यवस्था पर एक बहुत ही सुन्दर व्याख्यान देते हैं। यह व्याख्यान लगभग दो घंटे चलता है और सब श्रोता दत्तचित्त हो कर सुनते हैं। व्याख्यान की समाप्ति पर कलेक्टर ने खड़े हो कर स्वामी जी को धन्यवाद दिया और उनकी प्रशंसा करते हुए कहा, "आपने राजा-प्रजा के जो कर्त्तव्य वर्णन किये हैं, उनका पालन करने से दोनों के आपसी संबंध बहुत ही उत्तम हो सकते हैं।"

●

एक दिन कालीप्रसन्न वकील स्वामी जी के निकट बैठे किसी से अँग्रेजी में बातचीत कर रहे हैं। स्वामी जी ने उनसे कहा, "महाशय! अपनी भाषा में बातचीत करना उत्तम है। स्वदेशियों में बैठ कर विदेशी भाषा में बोलना भला नहीं प्रतीत होता है, प्रत्युत ऐसा करना भद्दा लगता है। इससे दास-मनोवृत्ति और घमंडी स्वभाव प्रकट होता है। यदि छिपा कर बात करने का प्रयोजन है तो भी अनुचित है और व्यर्थ भी, क्योंकि यहाँ अँग्रेजी समझने वाले कई व्यक्ति बैठे हैं। किसी से छिपा कर कानाफूसी करना धर्म विरुद्ध और चोर कर्म है। बेचारे वकील महोदय लज्जित हो गये और भविष्य में ऐसा न करने की उन्होंने प्रतिज्ञा की।

स्वामी जी साधारण मनष्य की ठीक और उचित बात मान लेते हैं। एक दिन वार्त्तालाप करते समय उनके मुँह से कोई अशुद्ध शब्द निकल जाता है। पौराणिक पंडित तो इस ताक में ही रहते हैं कि स्वामी जी की अशुद्धि पकड़ें। पास बैठे एक पंडित ने उनकी अशुद्धि पर तुरंत टोका। स्वामी जी ने अपनी भूल तुरंत स्वीकार कर ली।

●

एक दिन स्वामी जी बैठे अपने भक्तों से बातें कर रहे हैं। इन्द्रमन ने कहा, "आप परस्पर नमस्ते कहने का आदेश देते हैं। जब मैंने जय परमात्मा कहना आरंभ किया था, तभी लोगों ने विरोध किया था। अब एक नया 'नमस्ते' वाक्य सुन कर तो लोग और भड़केंगे। मैं समझता हूँ कि आपस में जय परमात्मा कहना और बड़ों के चरण स्पर्श करना अधिक ठीक होगा।" स्वामी जी ने कहा, "महाशय! गुरुजनों के चरण स्पर्श करने की प्रथा आर्यों में है। किन्तु आर्य-जाति में नीच-ऊँच का भाव मिटा कर समानता का भाव लाने के लिए मैं चाहता हूँ कि आर्य लोग आपस में नमस्ते कहा करें। 'नमस्ते' वाक्य वेदों और प्राचीन ग्रन्थों में बहुत बार आया है। गीता में अर्जुन ने कृष्ण भगवान् को नमस्ते कह कर ही अभिवादन किया है। इस वाक्य का अर्थ है—'मैं आप का सम्मान करता हूँ।' सभी ऊँच-नीच और छोटे-बड़े सम्मान सत्कार के भागी हैं। जब कोई पूज्य और प्रतिष्ठित व्यक्ति हमारे पास आता है तो उठ कर और झुक कर उसका सम्मान करने को हमारा जी चाहता है। पुत्र और छोटों को देख कर प्रेम का भाव उत्पन्न होता है। भृत्यों और सेवकों का सत्कार हम मधुर शब्दों से करते हैं। इन सारे भावों का प्रकाश 'नमस्ते' से हो जाता है। परंतु उस समय परमेश्वर का नाम लेना असंगत है। आत्मगत् भावों के विपरीत है। जो भाव भीतर हो उसीको मुँह से प्रकाशित करना चाहिए।"

●

कायमगंज निवासी रामलाल ने निवेदन किया—"भगवन्! आपका स्वास्थ्य कुछ गड़बड़ दिखाई देता है। कार्य की अधिकता है। आप ऐसे सुयोग्य शिष्य क्यों नहीं बनाते जो आप के सुधार-कार्य रूपी नौका के निपुण नाविक बन सकें और जो अपना सर्वस्व स्वाहा कर के भी इसे उस पार लगायें।" स्वामी जी ने कहा, "रामलाल! पता नहीं कितने बार मुझे विषम विष दिया गया; और इस शरीर ने घर छोड़ने के पश्चात् कौन से कष्ट और आपत्तियाँ नहीं उठायीं। यद्यपि हठ-योग की क्रियाओं द्वारा विष को बाहर निकाल देने का मैं

ने बहुत प्रयत्न किया, फिर भी उसका कुछ अंश शरीर में रह ही गया है। यदि मुझ पर ऐसे घातक विष का प्रयोग न किया गया होता तो सौ वर्ष की अवस्था के पहले रोग या बुढ़ापे का कोई चिह्न मुझ में न दिखाई देता। अब रही शिष्य या सहायक की बात, सो मैं ने भारत के ब्राह्मणों में, हरिद्वार के महात्माओं में और काशी के विद्वानों में सहायक पाने का बहुत प्रयत्न किया; पाठशालाएँ चला कर योग्य सहायक पाने का प्रयास किया, परंतु यह सब परिश्रम निष्फल हुआ; सच्चाई से काम करने वाले लोग न मिले। मैं ने यौवन काल में तीव्र वैराग के वशीभत हो कर अपने पूज्य और स्नेही माता-पिता का हृदय विदीर्ण करके जघन्य पाप किया है। उस पाप के फलस्वरूप इस जीवन में कोई योग्य शिष्य या सहायक पाना असम्भव है। फिर भी हताश होने की कोई बात नहीं है। आर्य-समाज में ऐसे व्यक्ति अवश्य प्रकट होंगे जो मेरे उद्देश्य की प्राप्ति में अपना तन-मन-धन लगा देंगे।"

●

स्वामी जी मुरादाबाद से चल कर बदायूं में उपदेश देते हुए बरेली पधारे। यहाँ वे लक्ष्मीनारायण खजांची की कोठी में ठहरे। यहाँ स्वामी जी के कई प्रभावशाली व्याख्यान सार्वजनिक भवन में हुए जिसमें पादरी और उच्च अँग्रेज कर्मचारी सम्मिलित होते हैं। स्वामी जी को अपने प्रण-पालन का बड़ा ध्यान रहता है। एक दिन लोगों ने प्रार्थना की कि कल छुट्टी है, इसलिए व्याख्यान एक घंटा पहले प्रारंभ कर दिया जाय। स्वामी जी ने कहा—"मैं यहाँ से डेढ़ कोस दूर ठहरा हूँ। यदि गाड़ी एक घंटा पहले मेरे स्थान पर पहुँच जायेगी तो मैं उसी समय चलने को तैयार रहूँगा। इस पर लाला लक्ष्मी-नारायण ने कहा कि मैं गाड़ी पहले ही भेज दूंगा। अगले दिन लोग तो समय पर पहुँच गये, परन्तु स्वामी जी पौन घंटा पीछे व्याख्यान-स्थल पर पहुँचे। उन्होंने व्याख्यान आरंभ करते समय कहा, "मैं तो ठीक समय पर आने के लिए तैयार था, परंतु गाड़ी नहीं पहुँची। मैं पैदल आ रहा था तो मार्ग में गाड़ी मिली। इसलिए यहाँ देर में पहुँचने का मेरा दोष नहीं है, किन्तु बच्चों के बच्चों का है, जो प्रतिज्ञा करके पालन करना नहीं जानते।"

एक व्याख्यान में स्वामी जी हिन्दुओं में प्रचलित अंधविश्वास की आलोचना कर रहे हैं। वे पौराणिक असम्भव और आचारभ्रष्ट कथाओं का खंडन कर रहे हैं। उस समय पादरी स्काट, एडवर्ड्स कमिश्नर, रीड कलेक्टर अन्य अँग्रेजों सहित उपस्थित हैं। स्वामी जी ने कहा कि पौराणिकों का यह कहना कि हनुमान ने बालावस्था में सूर्य को मुँह में रख लिया था, कृष्ण ने पहाड़

उठाया था और रावण के दस सिर थे कितना हास्यास्पद है। ये सब बातें सृष्टि-क्रम के विरुद्ध और असम्भव हैं। फिर स्वामी जी ने पंचकुमारियों की कल्पना पर कटाक्ष किया और उनकी कहानियाँ सुनाते हुए कहा, "इन पौराणिकों को यह कहते लज्जा नहीं आती कि महारानी द्रौपदी के पाँच पति थे।" स्वामी जी के कथन में हास्य रस अधिक है, इसलिए श्रोता थकते नहीं हैं। साहब लोग पौराणिक कथाओं का आनन्द लूट रहे हैं और हँस रहे हैं। स्वामी जी ने उनके मनोरंजन के कारण को लक्ष्य कर के कहा, "यह तो हुई पौराणिकों की लीला; अब दूसरे मतावलंबियों की कथा सुनिये। मुसलमान कहते हैं कि उनके पैगम्बर ने चाँद के दो टुकड़े किये, और ईसाई मानते हैं कि कुमारी के पुत्र हुआ। और उसका दोष वे सर्वज्ञ शुद्ध-स्वरूप परमेश्वर को लगाते हैं, और ऐसा घोर पाप करते हुए तनिक भी लज्जित नहीं होते।" इतना सुनते ही कमिश्नर और कलेक्टर के मुँह क्रोध के मारे लाल हो गये, परंतु स्वामी जी का भाषण उसी प्रकार चलता रहा और अंत तक ईसाई मत का ही खंडन होता रहा।

दूसरे दिन लाला लक्ष्मीनारायण कोषाध्यक्ष को बुला कर कमिश्नर ने धमकी दी, "अपने पंडित स्वामी को समझा दो कि अपने व्याख्यानों में तनिक नर्मी से काम लें, नहीं तो व्याख्यान बंद हो जायेंगे। हम ईसाई लोग सभ्य हैं, वाद-विवाद से नहीं घबराते। परंतु उद्दंड हिन्दू-मसलमान अपने मतों की बुराई सुन कर भड़क उठेंगे।" खजांची को स्वामी जी से यह संवाद कहने का साहस नहीं पड़ता है। उन्होंने इस कार्य के लिए मुंशीराम को पकड़ा। दोनों स्वामी जी की सेवा में उपस्थित हुए। "यह आप से कुछ कहना चाहते हैं।" इतना कह कर मुंशीराम ने तो अपना पीछा छुड़ाया। अब गले पड़ा ढोल लाला जी को बजाना पड़ा। वे बेचारे कभी सिर खुजलाते हैं, कभी गला साफ करते हैं, परंतु मुँह से बात नहीं निकलती। पाँच मिनट तक प्रतीक्षा करने पर भी जब वे कुछ न कह सके तो स्वामी जी बोले, "भाई ! तुम्हारा तो कोई काम करने का समय ही नियत नहीं। तुम समय के मूल्य को क्या जानो। मेरे लिए समय अमूल्य है। जो कुछ कहना हो झटपट कहो।" इस पर खजांची बड़ी कठिनाई से अटक-अटक कर कहते हैं, "महाराज ! यदि कड़ाई न बरती जाय तो क्या हानि है। नर्मी का प्रभाव भी अच्छा पड़ता है।" स्वामी जी हँसे और बोले, "अरे ! बात क्या थी जिसके लिए गिड़गिड़ाते हो। मेरा इतना समय भी नष्ट किया। साहब ने बुला कर कहा होगा तुम्हारा पंडित कड़ा बोलता है, व्याख्यान बंद हो जायेंगे, यह होगा, वह होगा। अरे भाई !

मैं हौवा तो नहीं जो तुम्हें खा जाऊँगा। उसने तुमसे कहा था, तुम सीधे मुझसे कह देते। व्यर्थ इतना समय क्यों गँवाया।" वहाँ एक विश्वासी पौराणिक हिन्दू बैठा है; वह बोला, "देखा! यह तो कोई अवतार है, मन की बात जान लेते हैं।"

उस सायंकाल का व्याख्यान कौन भूल सकता है। जो तेज महर्षि के उस दिन के सीधे-सादे शब्दों से निकल कर सारी सभा को उत्तेजित कर गया; उसकी उपमा नहीं मिलती। उस दिन आत्मा के स्वरूप पर व्याख्यान है। पादरी स्काट को छोड़ कर पूर्व दिन के सब अँग्रेज उपस्थित हैं। सत्य की व्याख्या करते हुए स्वामी जी ने गंभीर गर्जन के साथ कहा, "लोग कहते हैं कि सत्य का प्रकाश न कीजिये, क्योंकि कलेक्टर अप्रसन्न होंगे, कमिश्नर कुपित होंगे, और गवर्नर पीड़ा पहुँचायेंगे। अजी! चाहे चक्रवर्ती राजा भी रुष्ट क्यों न हो जाय, हम तो सत्य ही कहेंगे। आतमा सत्य है। यह अजर, अमर और अविनाशी है। शरीर तो नाशवान है; जिसका जी चाहे इसका नाश कर दे। परंतु इस नश्वर देह के लिए सत्य को नहीं त्यागेंगे।" फिर वे अपने उद्दीप्त नेत्रों की ज्योति चारों ओर प्रसार कर बोले, "वह शूरवीर पुरुष मुझे दिखाओ, जो मेरी आतमा को विनष्ट करने का घमंड करता हो। जब तक ऐसा पुरुष दृष्टिगोचर नहीं होता दयानन्द के लिए सत्य का प्रकाश न करना भी असम्भव है।" सारे हाल में सन्नाटा छाया है। सुई का गिरना भी सुनाई पड़ता।

पादरी स्काट के साथ स्वामी जी की प्रीति है। उन्होंने उठते ही पूछा आज व्याख्यान में भक्त स्काट दिखाई नहीं दिये? किसी ने बताया कि रविवार को गिरजे में उनके उपदेश होते हैं। सार्वजनिक-भवन की सीढ़ियों से उतरते ही महर्षि ने कहा, "चलो! भक्त स्काट का गिरजा देख आयें।" वे तीन-चार सौ आदमियों की भीड़ लिए गिरजाघर पहुँचे। उनको आया देख स्काट साहब तुरंत नीचे उतर आये और स्वामी जी को वेदी पर ले जा कर उपदेश देने के लिए विनय की। स्वामी जी ने लगभग बीस मिनट तक ईश्वर की उपासना पर एक प्रभावशाली उपदेश दिया।

यहाँ स्वामी जी का पादरी स्काट के साथ कई दिनों तक संवाद भी हुआ। यह वाद-विवाद संवत् १९३६ वि० के भादों मास की सुदी ७ से ९ तक बरेली पुस्तकालय में लाला लक्ष्मीनारायण की उपस्थिति में हुआ। उसमें उत्तर-प्रत्युत्तर लिख कर दिये गये। इस संवाद के विषय हैं—पुनर्जन्म, ईश्वर का मनुष्य रूप में अवतार, पापों का क्षमा होना। इन विषयों पर उत्तर-प्रत्युत्तर विस्तार-पूर्वक होते रहे। पाप-क्षमा के विषय में प्रश्न-उत्तरों के अन्त में पादरी ने

कहा, "यदि आपके कथनानुसार ईश्वर पाप क्षमा नहीं करता है तो उसकी स्तुति प्रार्थना से क्या लाभ और फिर उसे दयालु भी क्यों कहा जाय।" स्वामी जी ने इसका उत्तर दिया, "मनुष्य के लिए ईश्वर की स्तुति, प्रार्थना और उपासना सभी बहुत आवश्यक है। स्तुति से मनुष्य की प्रीति ईश्वर में बढ़ती है, उसका ईश्वर में विश्वास होता है, और ईश्वर के गुणों का स्मरण करने से उसके गुण, कर्म, स्वभाव में सुधार होता है। प्रार्थना से मनुष्य में निरभिमानता आती है और आत्म-बल बढ़ता है। उपासना से परमात्मा का सामीप्य और साक्षात्कार होता है। मनुष्य में कष्ट-सहन की शक्ति बढ़ जाती है। वह बड़ी-से-बड़ी आपत्ति में नहीं घबराता, वह मृत्यु के मुख में भी हँसता रहता है। अब रही ईश्वर के दयालु होने की बात, तो क्या यह उसकी दया नहीं है कि वह माँ के पेट से मरण-पर्यन्त हमारा पालन-पोषण और रक्षा करता है। और क्या यह उसकी दया नहीं है कि वह हमारे पापों का दंड दे कर हमारा सुधार करता है। जैसे राजा एक डाकू को दंड दे कर अपनी प्रजा की रक्षा करके प्रजा पर दया करता है, वैसे ही ईश्वर पापी को दंड दे कर भी दयालु है। यदि ईश्वर पाप का उचित दंड न दे तो वह न्यायी नहीं रहता है।" इस वाद-विवाद के अन्त में पादरी ने कहा, "संसार के सारे पदार्थ ईश्वर के हैं। यह उसका अधिकार है कि वह अपनी वस्तु किसी को दे या न दे अथवा जिसको जितना जी चाहे दे। ऐसा करने से वह अन्यायी नहीं हो सकता। इसलिए कर्मफल और पुनर्जन्म के सिद्धांत ठीक नहीं हैं और न उनके मानने की आवश्यकता ही जान पड़ती है।" अपने कथन की पुष्टि में पादरी ने दृष्टान्त दिया—"आप के पास दो भिखारी आते हैं। आप एक को दो आने और दूसरे को चार आने देते हैं, तो क्या आपने एक भिखारी को कम पैसे दे कर अन्याय किया है? दूसरा दृष्टांत लीजिए—एक धनी किसान को मजदूरों की आवश्यकता हुई। वह पड़ोस के गाँव में गया और उसने दो व्यक्तियों को चार-चार आने पर ला कर काम पर लगा दिया। दो घंटे बीतने पर किसान को दो आदमी और मिल गये। वह उन्हें भी काम पर लगा देता है। सूरज डूबने में कुछ ही कसर है कि चार मजदूर कंधों पर कुदाल रखे उधर से निकले। किसान ने पूछा कि तुम अभी से क्यों घर लौटे जा रहे हो? यदि तुम्हें आज कोई काम न मिला हो तो मेरे खेत में थोड़ी देर काम कर दो। अंधा क्या माँगे, दो आँखें! वे प्रसन्न हो कर काम करने लगे। दिन डूबे किसान ने उन सब को चार-चार आने मजदूरी दी। अब आप बताएँ कि क्या उस किसान ने सब को बराबर पैसे दे कर पहले दो मजदूरों के साथ अन्याय किया।" स्वामी जी ने उत्तर

दिया, "स्काट महाशय ! आप अपने दृष्टांतों पर तनिक गंभीरता पूर्वक विचार करें तो आप मान लेंगे कि पात्र-अपात्र और भिखारियों की अवस्था एवं उनकी आवश्यकताओं को बिना जाने समझे मनमाना दान देना एक अल्पज्ञ मनुष्य का तो काम हो सकता है। परंतु उस सर्वज्ञ परमात्मा का नहीं। आप भी यह मानते हैं कि हमारा और ईश्वर का संबंध पिता-पुत्र और राजा-प्रजा का है। क्या कोई पिता या राजा अपने पुत्रों और प्रजा से आप के मूर्ख किसान का-सा अ-समान और बिना उनकी योग्यता-अयोग्यता को विचारे मनमाना व्यवहार करके बुद्धिमान् और न्यायकारी पिता या राजा कहला सकता है।" स्वामी जी के इस कथन पर पादरी मौन ही रहे।

●

स्वामी जी अपने भक्तों और अनुयाइयों के व्यक्तिगत और पारिवारिक जीवन को विशुद्ध बनाये रखने के लिए सदैव प्रयत्नशील रहते हैं। एक दिन उन्हें पता लगा कि लाला लक्ष्मीनारायण का संबंध किसी वेश्या से है। उनके आने पर पूछा—"तुम्हारा वर्ण क्या है?" लाला जी—"क्या कहें, आप तो गुण कर्मानुसार वर्ण व्यवस्था मानते हैं।" स्वामी जी—"यों तो सब वर्ण-संकर हैं, परंतु तुम जन्म से क्या हो?" उत्तर मिला—खत्री। स्वामी जी—"यदि खत्री के वीर्य से वेश्या के पुत्र उत्पन्न हो तो उसे क्या कहोगे?" खजांची जी इस पर बहुत कटे। वे लज्जा से सिर नीचा कर लेते हैं। इस पर स्वामी जी ने कहा—"सुनो भाई ! हम किसी के दबाव में नहीं आते। हम तो सत्य ही कहेंगे।" लाला जी ने उस वेश्या को कहीं अन्यत्र भिजवा दिया।

●

जिन दिनों स्वामी जी बरेली पधारे, मुंशीराम (स्वामी श्रद्धानन्द) के पिता वहाँ कोतवाल हैं। उन्हें ऊपर से आदेश हुआ है कि पंडित दयानन्द सरस्वती के व्याख्यानों में शांति बनाये रखने की व्यवस्था करें। मुंशीराम विश्वविद्यालय का विद्यार्थी है। आजकल अपने पिता के पास बरेली आया है। ईश्वर, वेद, धर्म-कर्म आदि में उसका विश्वास नहीं है। परंतु पिता निष्ठावान् हिन्दू हैं। प्रतिदिन तीन घंटे पूजा-पाठ में लगे रहते हैं। स्वामी जी की दिव्य मूर्ति देख कर और उनके मधुर वचनों को सुन कर पिता ऐसे प्रभावित हुए कि उन्हें विश्वास हो जाता है कि इन महात्मा के सत्संग से उनके पुत्र के नास्तिक विचार जाते रहेंगे। उन्होंने घर आ कर कहा, "बेटा मुंशीराम ! एक दंडी संन्यासी आये हैं, बड़े विद्वान् और योगिराज हैं। उनकी वक्तृता सुन कर तुम्हारे संशय जाते रहेंगे। कल मेरे साथ चलना।" मुंशीराम ने कहने को तो कह दिया

कि चलूँगा, पर मन-ही-मन वह सोच रहा है—"केवल संस्कृत जानने वाला साधु बुद्धि की बात क्या करेगा।" दूसरे दिन पिता-पुत्र व्याख्यान-स्थल पर पहुँचे। पुत्र के मन में उस दिव्य आदित्य मूर्ति को देख कुछ श्रद्धा उत्पन्न हुई, परंतु पादरी टी. जे. स्काट और कई और युरोपीय सज्जनों को उत्सुकता से बैठे देख कर तो उसकी श्रद्धा और बढ़ती है। व्याख्यान सुन कर मुंशीराम सोचता है—"यह विचित्र व्यक्ति है। केवल संस्कृतज्ञ होते हुए ऐसी युक्ति-युक्त बातें करता है कि बड़े-बड़े पाश्चात्य विद्वान् भी सुन कर दंग रह जायँ। उस दिन परमात्मा के निज नाम 'ओम्' पर व्याख्यान सुन कर एक नास्तिक के हृदय में भी आत्मिक आह्लाद की लहर दौड़ जाती है। ऐसा प्रभाव उत्पन्न कर देना ऋषि आत्मा का ही काम है।

दूसरे दिन व्याख्यान में भी पिता पुत्र उपस्थित हुए। जब तक स्वामी जी इधर-उधर की बातें बताते रहे पिता श्रद्धा से सुनते रहे, परंतु जैसे ही मूर्ति-पूजा और अवतार-वाद का खंडन आरंभ हुआ वे अपने एक सहायक पुलिस कर्मचारी को प्रबंध के लिए छोड़ वहाँ से उठ कर चले गये। पुत्र पर ठीक इसका उलटा प्रभाव पड़ा। उसके हृदय में स्वामी जी के प्रति श्रद्धा दूनी हो जाती है। अब तो मुंशीराम आठों पहर महात्मा जी की धुन में रहने लगा।

यद्यपि आचार्य दयानन्द के उपदेशों ने मुंशीराम को मोहित कर लिया है, फिर भी वह मन में सोचता है कि यदि ईश्वर और वेद के ढकोसले को स्वामी जी तिलांजलि दे दें तो फिर कोई विद्वान् उनकी अपूर्व युक्ति और तर्क का सामना करने वाला न रहे। युवक को अपनी नास्तिकता पर अभिमान है। एक दिन वह स्वामी जी के समक्ष ईश्वर के अस्तित्व पर शंका कर बैठता है। और उनसे इस विषय पर वाद-विवाद करने लगता है। पाँच मिनट के प्रश्नोत्तर में युवक ऐसा घिर गया कि वह निरुत्तर हो जाता है। मुंशीराम कई दिनों तक तैयारी कर स्वामी जी से इस विषय पर भिड़ता रहा, परंतु हर बार निरुत्तर हो जाता। अंत में उसने कहा, "महाराज! आपके तर्क और युक्ति मेरा मुँह तो बंद कर देते हैं, परंतु हृदय में ईश्वर के अस्तित्व पर विश्वास नहीं होता।" स्वामी जी पहले हँसे फिर गंभीर स्वर में बोले, "देखो! तुमने प्रश्न किये, मैंने उत्तर दिये—यह युक्ति की बात थी। मैंने कब कहा था कि मैं तुम्हारा विश्वास परमात्मा में करा दूँगा। तुम्हारा परमेश्वर पर विश्वास उस समय होगा जब वह प्रभु स्वयं तुम्हें विश्वासी बना देगा।" तदुपरांत महर्षि ने यह कठोपनिषद्वाक्य पढ़ा—"नायमात्मा प्रवचनेन लभ्यो न

मेधया न बहुँना श्रुतेन। यमेवैषवृणुते तेन लभ्यस्तस्यैष आत्मा विवृणुते तनूँ स्वाम्।।
(कठोपनिषद्, द्वितीया वल्ली, श्लोक २३)

मुंशीराम को स्वामी जी के सेवक से ज्ञात हुआ कि वे साढ़े तीन बजे रात को उठ कर बाहर चले जाते हैं। और छह बजे प्रातः लौट कर आते हैं। युवक को यह जानने की उत्सुकता हुई कि स्वामी जी रात के समय बाहर जा कर क्या करते हैं। वह 'दबदबये क़ैसरी' पत्र के संपादक को साथ लेकर ठीक समय पर स्वामी जी के स्थान पर पहुँच गया। स्वामी जी साढ़े तीन बजे निकल कर चल दिये। वे दोनों भी पीछे हो लिये। थोड़ी दूर धीरे-धीरे चल कर स्वामी जी इस वेग से आगे बढ़े कि मुंशीराम जैसा शीघ्र गामी जवान भी उनका साथ न कर सका। कुछ ही मिनटों में वे आँख से ओझल हो गये। आगे तीन मार्ग फटते हैं। इसलिए ठीक पता नहीं चलता है कि स्वामी जी किस मार्ग से गये हैं। दूसरे दिन मुंशीराम अपने मित्र के साथ उस तिराहे पर ढाई बजे रात को ही जा बैठे। स्वामी जी की विशाल रुद्रमूर्ति को आते देख वे दौड़ने के लिए तैयार हो गये। स्वामी जी तीव्र गति से चलते हैं और मुंशीराम पीछे भाग रहा है। उसके पीछे बेचारा संपादक भी लुढ़कता-पढ़कता आ रहा है। बीच में स्वामी जी एक-आध मील दौड़ भी लगाते हैं। परंतु मैदान होने के कारण वे दिखाई देते रहे। अंत में वे थोड़ी देर धीरे-धीरे चल कर एक पीपल के वृक्ष के नीचे बैठ गये। वे लोग भी एक पेड़ की आड़ में बैठ जाते हैं। उन्हें ऐसा लगा कि आसन लगाते ही स्वामी जी समाधिस्थ हो गये हैं, प्राणायाम आदि करते नहीं जान पड़े। कुछ समय बाद स्वामी जी ने उठ कर दो अँगड़ाइयाँ लीं और टहलते हुए अपने आश्रम की ओर चल दिये। मुंशी-राम ने घड़ी से मिला कर देखा तो स्वामी जी पूरे डेढ़ घंटे आसन लगाए समाधि में स्थिर रहे।

●

बरेली में अमृत वर्षा करने के पश्चात् स्वामी जी शाहजहाँपुर पधारे। एक दिन स्वामी जी ने सच्चे धर्म पर व्याख्यान देते हुए कहा, "मनुष्य का कर्तव्य ही उसका धर्म है। धर्म वह सत्य है, जिसके विषय में सारे समझदार और विद्वान् लोग एक मत हों। वही सच्चा धर्म है, वही ईश्वर प्रदत्त धर्म है। इसी धर्म की शिक्षा वेदों में है। बड़े दुःख की बात है कि लोगों ने केवल खान-पान, शौच-स्नान, वेश-भूषा और उठने-बैठने आदि बाहरी आडंबर को ही धर्म मान रखा है। ये तो अपने-अपने देश की प्रथाएँ और रीतियाँ हैं। एक निराकार और सर्वव्यापक परमेश्वर में अटल विश्वास और केवल

उसी की उपासना करना, जैसा भाव और ज्ञान भीतर हो उसी का वाणी द्वारा प्रकाश करना और उसी के अनुसार आचरण करना, जितेन्द्रिय रहना, किसी के अधिकार और वस्तु को छीनना, निर्बलों और दीनों पर दया करना, दूसरों का जो व्यवहार हमें अच्छा नहीं लगता वह बर्ताव हम दूसरों के साथ न करें। बस यही मानव-धर्म है।"

•

कितना भी बड़ा मनुष्य यदि स्वामी जी को धमकी देता तो वे उसे ऐसा करारा उत्तर देते कि वह मौन धारण कर लेता। उसे फिर कहने का साहस न पड़ता। एक दिन अलीजान डिप्टी कलेक्टर स्वामी जी को मार्ग में मिल गया। वह मैजिस्ट्रेटी की अकड़ में ऐंठ कर बोला, "पंडित जी! अपने व्याख्यानों में तनिक जीभ सँभाल कर बोला कीजिये।" स्वामी जी ने तत्काल उत्तर दिया—"कोई भय की बात नहीं है। अब राज्य अँग्रेजी है औरंगजेबी नहीं।"

•

स्वामी जी को गितव्ययिता का सदा ध्यान रहता। वे व्यर्थ व्यय के बड़े विरोधी हैं। धन के सदुपयोग की सब को शिक्षा दिया करते। स्वामी जी को व्याख्यान-स्थान पर पहुँचाने के लिए जो व्यक्ति गाड़ी भेजा करता है, वह एक दिन अपनी गाड़ी किसी कारण से न भेज सका। उस दिन किराये की गाड़ी लाई गई। स्वामी जी ने उसे देख कर कहा—"किराये की गाड़ी क्यों मँगाई गई? मुझे गाड़ी में बैठने का व्यसन नहीं है। समय की बचत के विचार से ही मैं बैठता हूँ। वैसे तो मुझे पद-यात्रा में ही आनन्द आता है।"

•

शाहजहाँपुर निवासियों को सन्मार्ग दिखा कर स्वामी जी लखनऊ ठहरते हुए फर्रुखाबाद पधारे। यहाँ वे कालीचरण की वाटिका में ठहरे। उन्होंने यहाँ कई व्याख्यान दिये जिसमें कलेक्टर आदि उच्च कर्मचारी सम्मिलित होते हैं। वे गोरक्षा पर भी बोले। उन्होंने लोगों से गो-बध बंद कराने के लिए मिल कर प्रयत्नशील होने की आवश्यकता पर बल दिया। एक दिन उन्होंने कहा कि "बहुत से लोग मुझसे कहते हैं कि आप के खंडन से लोगों में घबराहट और रोष उत्पन्न हो जाता है। इसलिए लाभ के स्थान पर हानि ही होती है। परंतु रोग बहुत पुराना हो गया है। रोगी को इस असाध्य रोग से मुक्त कराने का दूसरा उपाय ही क्या है। पेट में बहुत दिनों का एकत्र मल तो विरेचक औषधियों से ही निकाला जा सकता है।"

यहाँ के पौराणिक पंडितों ने बहुत से प्रश्न लिख कर स्वामी जी के पास भेजे। स्वामी जी ने उनके उत्तर तुरंत दिये।

एक दिन स्वामी जी गाड़ी में बैठे अपने डेरे से आर्य-समाज मन्दिर आ रहे हैं। मार्ग में एक कुत्ता भौंकता हुआ गाड़ी के पीछे दौड़ने लगा। वह थोड़ी दूर तक पीछा कर के रुक जाता है। उस समय स्वामी जी ने अपने समीप बैठे व्यक्ति से कहा--"ये रुढ़िवादी अंधविश्वासी लोग पहले तो बहुत गुर्राते हैं और दाँत दिखाते हैं, परंतु अंत में हार कर बैठ जाते हैं।"

स्वामी जी जब मन्दिर पहुँचे तो वहाँ कई स्त्री-पुरुष उनके दर्शनों के लिए उपस्थित हैं। एक स्त्री की गोद में नन्हा-सा बच्चा देख कर स्वामी जी ने पूछा--"इसका क्या नाम है?" वह बोली, "इसका नाम भीमा है।" स्वामी जी ने उपदेश दिया, "नाम सर्वदा उत्तम रखना चाहिए। बुरे नामों का प्रभाव लोगों पर अच्छा नहीं पड़ता। आज से इस बालक को भूदेव कहा करो।" तत्पश्चात् स्वामी जी ने सेठ निर्भयराम से कुशल-मंगल पूछा। सेठ बोले, "भगवन्! आपके आशीर्वाद से धन-धान्य, पुत्र-पौत्र, सभी कुछ है। मैं बड़े आनन्द से हूँ।" स्वामी जी ने हँस कर कहा, "सेठ जी! धर्म-कर्म और आत्मा-परमात्मा से भिन्न वस्तुओं में आनन्द मानना अविद्या का लक्षण है।" एक वकील भी वहाँ उपस्थित है। स्वामी जी ने उसकी ओर मुड़ कर पूछा--"इस विषय में आप का क्या मत है।" उस ने कहा, "मेरा कोई मत नहीं। मैं तो धर्म और ईश्वर के चक्कर में नहीं पड़ता।" स्वामी जी को उस समय अधिक बातचीत करने का समय नहीं है। इसलिए उन्होंने हँस कर केवल यही कहा कि किसी को न मानना भी तो एक मत है।

●

स्वामी जी को दानापुर वालों ने बहुत दिनों से आमंत्रित कर रखा है। इसलिए वे कानपुर, प्रयाग आदि स्थानों में ठहरते और 'वेद-भाष्य' के लिए धन संग्रह करने का आदेश आर्य-समाजों को देते हुए दानापुर पहुँचे। वहाँ के लोग स्वामी जी के दर्शनों को तरस रहे हैं। उनके स्वागत के लिए स्टेशन पर दर्शकों का मेला लग गया और नगर से वहाँ तक गाड़ियों का ताँता बँध गया। भक्तों ने उन्हें श्रद्धा और सम्मानपूर्वक लाकर जोन्स के बँगले में ठहराया।

यहाँ भी स्वामी जी के उपदेशों की अमृत-वर्षा होने लगी। पौराणिकों और मुसलमानों को यह अमृत विष के समान लगता है। वे मिल कर स्वामी जी को कष्ट पहुँचाने और पीड़ा देने पर उतर आते हैं। गुलाबचन्द लाल ने डर

कर स्वामी जी से कहा, "महाराज ! पौराणिक मुसलमानों को भड़का रहे हैं। वे तनिक-सी बात पर बिगड़ खड़े होते हैं । इसलिए आप इसलाम मत के विरुद्ध कुछ न कहियेगा ।" स्वामी जी उस समय तो कुछ न बोले, परंतु उन्होंने व्याख्यान में मुसलमानों की पशु-बलिदान और कब्र पूजा आदि प्रथाओं की कड़ी आलोचना की और कहा, "कल के छोकरे मुझे सिखाते हैं कि इस धर्म की आलोचना न करो, उस मत का खंडन न करो। वे मुझे असत्य का खंडन मुख से करने से रोकते हैं । परंतु सत्य के पुजारियों का खंडन खंग द्वारा किया जाता रहा है ।"

मुसलमानों ने चिढ़ कर थोड़ी दूर पर एक मौलवी को ला कर खड़ा कर दिया । वह ऊँचे स्वर से इधर-उधर की उड़ाने लगता है । स्वामी जी के व्याख्यानों में बाधा पड़ते देख पुलिस कर्मचारियों ने उसे वहाँ से हटा दिया।

मुसलमानों के पैर उखड़ते देख पौराणिक ताल ठोंक कर सामने आते हैं। वे चतुर्भुज पंडित को अलीगढ़ से बुला कर स्वामी जी से भिड़ाना चाहते हैं। वह पंडित बड़ा सयाना है । अपने व्याख्यानों में तो स्वामी जी के विरुद्ध खूब विष उगलता है , परंतु सामने आने से कतराता है । वह अपनी निर्बलता को छिपाने के लिए मुसलमानों को उकसाने लगा । एक दिन वह संध्या को कुंज-बिहारी साहूकार के घर पर आ कर बैठ गया, और स्वामी जी को कहला भेजा– "मैं यहाँ आप से शास्त्रार्थ करने के लिए तैयार बैठा हूँ । आप व्याख्यान के उपरांत यहाँ चले आइए। भक्त उन्हें वहाँ जाने से रोकते ही रहे, परंतु स्वामी जी उसी ओर चल पड़ते हैं । उनके प्रेमियों को भी उनका साथ देना पड़ता है । वहाँ पहुँचे तो देखा कि कुंजबिहारी-भवन का आँगन पौराणिकों और मुसलमानों से भरा है, परंतु चतुर्भुज का कहीं पता नहीं है । चतुर्भुज बड़ा खुर्राट है, धर्म-सभा के मंत्री को कुछ सिखा पढ़ा कर वहाँ से चलता हुआ । स्वामी जी ने लोगों से कहा--"चतुर्भुज कहाँ हैं ? उन्हें बुलाओ तो शास्त्रार्थ-विषयक बातचीत की जाय ।" धर्म-सभा का मंत्री अकड़ कर बोला--"पंडित जी तो आपका दर्शन करना भी पाप समझते हैं । आप को जो कुछ कहना हो मुझी से कहिए ।" स्वामी जी ने कहा, "यदि मुझे देखने में वे पापी हो जायेंगे तो बीच में परदा डलवा दीजिये, परंतु उनकी मुझसे बातचीत अवश्य करवाइये ।" अभी यह बातें हो ही रही हैं कि किसी ने वहाँ के दीपक बुझा दिये । अँधेरे में चारों ओर लोग ठहाका मार कर हँसने और तालियाँ बजाने लगते हैं । स्वामी जी और उनके साथियों के समीप कुछ ढेले भी आ कर गिरे । माधोलाल आदि आर्य-समाजी स्वामी जी को वहाँ से सकुशल निकाल लाए ।

पिछली रात जब स्वामी जी उपद्रवियों के चंगुल से बाल-बाल बच कर निकल आये तो उन्हें बड़ी निराशा हुई। उन्होंने दूसरे दिन स्वामी जी से कसर निकालने की ठानी।

स्वामी जी व्याख्यान दे रहे हैं। एक काला-कलूटा और दुबला-पतला आदमी स्वामी जी के समीप आया और थैले को उनके ऊपर फेंक कर वहाँ से भाग खड़ा हुआ। थैले से एक बहुत बड़ा काला-भुजंग विषधर निकल कर स्वामी जी के पाँव से लिपटना ही चाहता है कि वे फुर्ती से उसके फन पर अपनी एड़ी रख देते हैं। वे उसे रगड़ते हुए बोले, "जिनके देवता पैरों तले कुचले जाते हों उनकी दुर्गति का क्या ठिकाना।"

●

एक दिन स्वामी जी अपने डेरे पर बैठे सत्संगियों से बातचीत कर रहे हैं। उमाप्रसाद ने कहा, "महाराज ! बात तो आप सब की भलाई के लिए कहते हैं, पर लोग उन पर ध्यान नहीं देते।" इस पर स्वामी जी बोले, "यदि लोग मेरे उपदेश को एक बार भी कान दे कर सुन लेते हैं तो वह सुई की भाँति गहरा चुभ जाता है। वे ऊपर से भले ही मेरे कथनों को स्वीकार न करें, परंतु उनका अंतःकरण उसकी सत्यता को मान लेता है।" फिर अनन्तलाल के हाथ में गुलाब का एक फूल देख कर उन्होंने कहा, "आप ने फूल तोड़ कर अच्छा नहीं किया। यह पुष्प शाखा में लगा हुआ आसपास की शोभा बढ़ा रहा था, और वायुमंडल को अधिक काल तक सुगंध से भरता रहता। वाटिका के स्वामी की बिना अनुमति के फूल तोड़ने से आप चोरी के भी भागी हुए।" अनन्तलाल उस समय तो चुप रहा, परंतु स्वामी जी को मोरछल से मक्खियाँ उड़ाते देख कर बोला, "महाराज ! आपने एक फूल तोड़ लेने पर तो मुझे लज्जित किया, परंतु क्या मक्खियों को पीड़ा पहुँचाने में दोष नहीं है ?" स्वामी जी ने कहा, "कष्टदायक और हानिकारक जीवों को हटाने या मारने में दोष समझने वाले लोगों की नाम-मात्र की दया से ही भारतवर्ष का सत्यानाश हुआ है। ऐसे ही भीरु और दुर्बल-हृदय मनुष्यों ने धर्म-युद्ध से मुँह मोड़ कर अपनी जाति और देश के सम्मान को शत्रुओं द्वारा पदाक्रांत करवाया है।" उसी समय जोन्स महाशय स्वामी जी से मिलने आ गये। देर तक बातें होती रहीं। अंत में जोंस ने स्वामी जी से पूछा कि "आपके कथनानुसार जब मूर्ति पूजा वेद-विरुद्ध है तो यह प्रथा हिन्दुओं में चल कैसे पड़ी?" स्वामी जी ने उत्तर दिया—"हाँ ! वेद-शास्त्रों में तो इसकी आज्ञा नहीं है। ऐसा जान पड़ता है कि पहले लोग अपने मृत महापुरुषों की मूर्तियाँ बना

कर अपने घरों में रखते थे, और उन्हें पुष्पमालाएँ पहना कर उनके प्रति सम्मान प्रकट करते थे। कालान्तर में वही प्रथा मूर्तिपूजा के रूप में परिणत हो गई है। आप के मत में भी लोग ईसा और मरियम की मूर्तियाँ रखते हैं। अविद्या की ये बातें दोनों मतों में समान हैं।" सत्संग का समय समाप्त होने पर सब लोग उठ कर चले गये। केवल ठाकुरदास बैठा रह गया।

ठाकुरदास ने किसी अधकचरे योगी से योग की कुछ क्रियाएँ सीखी हैं। परंतु कोई गड़बड़ी हो जाने से पेट में सदा पीड़ा रहती है। उसने स्वामी जी से अपनी व्यथा बताई। स्वामी जी उसे एक कोठरी में ले गये। उसे पीठ के बल लिटा कर दोनों घुटने खड़े रखवाये। उसके पाँव पर अपने पाँव रख कर दबाव डाला और दूसरी ओर से उसका सिर ऊपर उठाया। इस क्रिया से ठाकुरदास की पीड़ा तत्काल छूमंतर हो जाती है।

●

एक दिन प्रातःकाल स्वामी जी भ्रमण करके लौट रहे हैं। उन्हें लगा कोई उनके पीछे चला आ रहा है। वे ठहर गये, घूम कर देखा—एक वृद्ध ब्राह्मण हाँफता चला आ रहा है। स्वामी जी ने पूछा—"क्या आप मुझसे कुछ पूछना चाहते हैं?" वह अपनी राम-कथा सुनाता है—"महाराज! मैं पुराने दानापुर का रहने वाला दुर्गा अवस्थी हूँ। आपके दर्शनों की बड़ी लालसा थी। परंतु अपने जाति-भाइयों के डर से कभी दिन में आपके चरणों में आने का साहस न हुआ। नगर के ब्राह्मणों ने घोषणा की है कि जो ब्राह्मण दयानन्द के पास जायेगा उसे ब्रह्म-भोजों में सम्मिलित नहीं किया जायेगा, और दूसरे ब्राह्मण उसके यहाँ पानी नहीं पियेंगे। इसलिए भगवन्! मैं सात घड़ी रात रहे ही मार्ग में आ कर खड़ा हो गया कि जब आप वायु-सेवन करके लौटेंगे तो इन चरण-कमलों की रज ले कर माथे से लगाऊँगा। आज मैं आपकी देवता-स्वरूप मूर्ति देख कर कृतकृत्य हो गया हूँ।" यह कह कर वह स्वामी जी के पाँव को अपने माथे से लगा लेता है। वे हाँ-हाँ करते रह गये।

●

स्वामी जी को किसी बात के समझने में देर न लगती। उनका अनुमान इतना सच्चा होता कि लोग अनुभव करते हैं कि स्वामी जी के विमल चित्त दर्पण पर हमारे हार्दिक भावों का अवश्य ही प्रतिबिंब पड़ जाता है। एक दिन एक सज्जन ने कहा, "महाराज! ध्यान में मन नहीं लगता है।" स्वामी जी ने व्यंग्य में कहा, "ध्यान नहीं लगता तो भाँग का एक लोटा और चढ़ा लिया

करो और यदि इससे काम न चले तो एक ब्याह और कर लो।" वह व्यक्ति चकित है कि स्वामी जी हमारे यह अवगुण कैसे जान गये।

पददलित जन-समाज में आत्मा की खोज

स्वामी जी दानापुर वासियों को सफल-मनोरथ कर के संवत् १९३६ वि० के कार्तिक सुदी चतुर्दशी को फिर काशी-धाम में सुशोभित हुए। यहाँ उनका यह शुभागमन सातवाँ और अन्तिम है।

यहाँ स्वामी जी ने फिर पंडितों को शास्त्रार्थ के लिए ललकारा, परंतु कोई सामने न आया। उन्हीं दिनों स्वामी जी के अमरीकी शिष्य कर्नल अल्काट और मैडम ब्लैवट्सकी भी वहाँ आ गये। स्वामी जी ने अपने और अपने इन शिष्यों के व्याख्यानों की घोषणा विज्ञापनों द्वारा नगर में कर दी। व्याख्यानों के आरंभ होने की सूचना पाते ही कुछ प्रतिष्ठित पौराणिकों ने कलेक्टर से जा कर कहा, "यहाँ की जनता के हर मत और संप्रदाय के लोग स्वामी दयानन्द के खंडन से चिढ़े हुए हैं। यदि उनके व्याख्यान यहाँ हुए तो शांति भंग होने की बहुत बड़ी संभावना है।" उन लोगों के कहने में आकर बनारस के कलेक्टर वाल साहब ने स्वामी जी के व्याख्यान शांति भंग के बहाने रोक दिये। इस पर 'पायनियर' आदि अनेक समाचार पत्रों ने कलेक्टर को आड़े-हाथों लिया और लिखा—"हमें निश्चय था कि भारत के शासक जन किसी के धर्म-प्रचार में हस्तक्षेप नहीं करते! महारानी की घोषणा का भी यही आशय है। परंतु आज यह बात विचारणीय है कि ब्रिटिश शासन में हमको धार्मिक स्वतंत्रता है भी या नहीं। देखिए, एक मनुष्य जिसकी विद्या में किसी को ननु-नच तक कहने का अवसर नहीं है, वह लगातार कई वर्षों से नगर-नगर में चक्कर लगा कर वेदों का प्रचार करता है। वह केवल एक परब्रह्म की उपासना करने का उपदेश देता है। उसने युक्ति प्रमाणों से सिद्ध कर दिया है कि सती होने की रीति और मूर्ति-पूजन वेद-विरुद्ध है। जो बरी-बुरी रीतियाँ आर्यावर्त और आर्य जनों को बिगाड़ रही हैं, उनको वह दूर करने का प्रयत्न करता है। वह अपने देशवासियों के सुधारने में रात-दिन लीन रहता है। आज जो भारत में उन्नति की उच्चाकांक्षा पाई जाती है यह उसी के उपदेशों का प्रताप है। वर्तमान शासन के विरुद्ध आन्दोलन करने की उसने कभी इच्छा नहीं की। उसने तो अपने भाषणों में कई बार कहा है कि यह श्रेय ब्रिटिश राज्य को प्राप्त है कि किसी के मत नें विघ्न-बाधा नहीं डाली जाती। यह महापुरुष आर्य-समाज का संस्थापक आचार्य दयानन्द सरस्वती है।

●

इस बात की व्याख्या करना व्यर्थ है कि एक यरोपीय मैजिस्ट्रेट ने उनके व्याख्यान बंद कर के एक भारी भूल की है। निस्संदेह वाल महाशय पुनः विचारने पर स्वयं अनुभव करेंगे कि उन्होंने अपने इस कार्य से, इस युग के अत्यन्त विद्वान् व योग्य महात्मा के हृदय को ठेस पहुँचाई है।"

इस प्रकार पत्रों की कड़ी समालोचना पर और ऊपरी अधिकारियों के दबाव से कलेक्टर स्वामी जी के व्याख्यानों पर रोक लगाने वाली अपनी आज्ञा हटा लेता है। तत्पश्चात वाल साहब स्वामी जी से मिले और कहा, "आपकी रक्षा का ध्यान रख कर ही आपका व्याख्यान रोका गया था।" स्वामी जी ने कहा, "आप राज-पुरुष हैं। प्रबंध करना आप का कर्त्तव्य है। जब आपको ज्ञात हो गया था कि लोग उत्पात करना चाहते हैं तो आप उनके मुखियों को बुला कर डाँट देते और व्याख्यान-स्थल पर पुलिस नियत कर देते। परन्तु आपने उलटे हमारे व्याख्यान ही बंद कर दिये।" कलेक्टर ने अपनी भूल स्वीकार की और भविष्य में सचेत रहने का वचन दिया।

रोक हटते ही स्वामी जी के धुआँधार व्याख्यान आरंभ हो गये। व्याख्यान-माला समाप्त होते ही आर्य-समाज की शुभ-स्थापना हो जाती है। स्वामी जी ने माघ सुदी २, संवत् १९३६ वि० को लक्ष्मीकुंड पर महाराज विजयनगर के स्थान में वैदिक मुद्रणालय स्थापित कर के अपने ग्रन्थ छपवाने का पूरा-पूरा प्रबंध कर दिया।

●

एक दिन भक्त लोग एकत्र हैं। स्वामी जी श्री अल्काट को अपना जीवन-चरित्र लिखवा रहे हैं। और बीच-बीच में लोगों से वार्त्तालाप भी करते जाते हैं। हरिश्चन्द्र ने निवेदन किया, "महाराज ! आप के खंडन से लोगों में वैर-विरोध बहुत बढ़ता है।" स्वामी जी ने अपने हाथों को मिला कर कहा, "मेरा उद्देश्य लोगों को इस प्रकार मिलाना है। मैं संसार के सारे मनुष्यों को भिन्न-भिन्न रंग-रूप के फूलों के समान एक माला में गूँथना चाहता हूँ। परंतु मवाद निकाले बिना फोड़े का मुँह बंद कर देने से नासूर बन जायेगा, बार-बार पकेगा, फूटेगा और बहेगा। भाई ! मैं तो मनुष्यों के हृदयों से द्वेष और वैमनस्य उत्पन्न करने वाले सारे अज्ञान और भ्रम रूपी मैल को निकाल कर ही उन्हें एक दूसरे से मिलाना चाहता हूँ। स्मरण रखिये, इसके अतिरिक्त दूसरा उपाय नहीं है। एक ओर आप लीप-पोत करते रहियेगा, और दूसरी ओर लोग एक दूसरे के गले पर छुरी चलाते रहेंगे।" इतने में नगर का कोतवाल आकर एक सुन्दर आसन और शीतल-पाटी स्वामी जी को भेंट करता है, और निवेदन

करता है, "भगवन् ! आज बुढ़वा मंगल का मेला है। यदि आज्ञा हो तो नाव का प्रबंध कर दिया जाय !" यह कोतवाल स्वामी जी का श्रद्धालु भक्त बन गया है। उसने स्वामी जी के सेवकों से कह रखा है कि जिस वस्तु की आवश्यकता हो मेरा नाम लिखवा कर दुकान से ले लिया करो। स्वामी जी ने कहा, "जिस मेले में वेश्याएँ नाचती और गाती हों वह तो भड़वा मंगल है। मैं ऐसे मेले का देखना उचित नहीं समझता।"

थोड़ी देर में स्वामी जी ने सत्संग समाप्त होने का संकेत किया और लोग उठ-उठ कर चलने लगे। एक ब्राह्मण स्वामी जी की दिव्य-मूर्ति और गुणों पर मोहित है, परंतु उनके मूर्ति-पूजा के खंडन से उसे दुःख है। वह चुपके से उनके पास आकर कहता है, "आप मूर्ति का खंडन क्यों करते हैं ?" उन्होंने हँस कर कहा—"भोले ब्राह्मण ! मैं ने अपने सारे जीवन में एक भी मूर्ति का खंडन नहीं किया है।" वह बेचारा चुप हो गया।

सत्संग से उठ कर स्वामी जी ने किसी काम से अपने सेवक को बुलाया। उन्हें उसकी जेब भरी-भरी लगी, पूछा इसमें क्या है। वह बेर निकाल कर दिखा देता है। स्वामी जी ने उसे समझाया कि बिना स्वामी के पूछे उसकी वस्तु लेना चौर्य कर्म है।

●

एक दिन का वर्णन है—

सवेरे का समय है। सूरज निकलने में अब देर नहीं है। आकाश में पूर्व की ओर लाली छाई है। गंगा तट पर एक साधु अपने वस्त्र धो रहा है। वह पक्का मायावादी है। दैवयोग से भ्रमण करते हुए महर्षि दयानन्द भी वहाँ आ निकले। उसने स्वामी जी से कहा, "इतने परमहंस अवधूत हो कर आप खंडन-मंडन के भ्रमजाल में क्यों उलझे हुए हैं ? निर्लेप हो कर क्यों नहीं घूमते ?" वे मुसकरा कर बोले, "हम तो यह सब-कुछ करते हुए भी निर्लेप हैं। अब रही भ्रमजाल की बात सो प्रजा-प्रेम से प्रेरित हो कर कर्मों में प्रवृत्ति सर्वथा उचित ही है।" साधु—"प्रजा-प्रेम का नया बखेड़ा क्यों खड़ा करते हो ? आत्मा से प्रेम करो जिसके लिए श्रुति आदेश कर रही है।" स्वामी जी—"महात्मन् ! आप किससे प्रेम करते हैं ?" साधु—"आत्मा से"। स्वामी जी—"वह प्रेममय आत्मा कहाँ है ?" साधु—"वह राजा से लेकर रंकपर्यन्त और हाथी से लेकर चींटी तक सर्वत्र छोटे बड़ों में परिपूर्ण है।" स्वामी जी—"जो आत्मा सब में रमा हुआ है क्या आप सचमुच उससे प्रेम करते हो ?" साधु—"तो क्या मैं झूठ बोलता हूँ।" इस पर महर्षि ने गंभीरतापूर्वक कहा—"नहीं, आप

उस महान् आत्मा से प्रेम नहीं करते। आप को अपनी भिक्षा की चिंता है; अपने वस्त्र उज्ज्वल करने का ध्यान है; अपने भरण-पोषण का विचार है। क्या आपने कभी उन बंधुओं की भी चिंता की है, जो करोड़ों की संख्या में पेट की आग से रात-दिन जल रहे हैं? जिन्हें तन ढँकने को फटे-पुराने कपड़े और रहने को टूटे-फूटे झोंपड़े भी प्राप्त नहीं। उधर लाखों साधु ब्राह्मण और धनी लोग उन दरिद्रों का रक्त चूस कर पी रहे हैं। और उनकी उन्नति के लिए कोई चेष्टा नहीं करता। यह देश है या नरक? यह धर्म है या पिशाच का नग्न नृत्य? महात्मन्! यदि आत्मा और विराट् आत्मा से प्रेम करना है तो अपने अंगों की भाँति सब को अपनाना होगा। अपनी भूख-प्यास के समान ही उनकी आवश्यकताओं को अनुभव करना होगा। परमात्मा का सच्चा प्रेमी किसी से घृणा नहीं करता। ऊँच-नीच की भेद-भावना को सर्वथा त्याग देता है। अपने दुःखों के समान ही दूसरे के कष्टों के निवारण करने का प्रयत्न करता है। ऐसे ज्ञानी और परोपकारी जन ही वास्तव में आत्मा को प्यार करने वाले हैं। वे ही प्रभु-प्रेमी और आत्म-ज्ञानी कहलाने के अधिकारी हैं।"

अभी बातचीत चल ही रही है कि महर्षि की दृष्टि सहसा एक अर्धनग्न स्त्री पर पड़ती है। वह अपने हाथों पर कोई वस्तु एक मैले-कुचैले वस्त्र के टुकड़े से लिपटी हुई उठाए है। उन्होंने देखा--वह उसके मरे हुए बच्चे का शव है। वह रोती-बिलखती नदी की ओर चली आ रही है। वह गंगा में प्रविष्ट हुई। कुछ गहरे जल में पैठ उसने बच्चे के शरीर पर लपेटा हुआ कपड़ा उतार कर बालक के वस्त्रहीन निर्जीव कलेवर को हाय-हाय के आर्त्तनाद के साथ पानी में प्रवाहित कर दिया। अपने प्यारे बच्चे के शव पर लपेटे हुए कपड़े को धो कर वायु में सुखाती और रोती हुई वह माता अपने घर की ओर चली गयी। इस हृदय-विदारक दृश्य को देख कर उस दृढ़ महापुरुष का कलेजा भी काँप जाता है। वे खेदसागर में निमग्न हो कर मन-ही-मन सोचने लगे। यह सोने की चिड़िया कहलाने वाला आर्यावर्त्त देश अब इतना निर्धन और कंगाल हो गया है कि माता अपने कलेजे के टुकड़े को तो नदी में बहा चली है, परंतु उससे वस्त्र इसलिए नहीं वहाया गया कि उसका मिलना दुर्लभ है। उस वस्त्र को उसने अपनी धोती से फाड़ा था, फिर इसी में जोड़ कर अपना शरीर ढाँकेगी। इससे बढ़ कर देश की दरिद्रता का दूसरा दृष्टांत क्या हो सकता है? यह सोचते-सोचते महर्षि की आँखों से आँसू टपक पड़ते हैं। जिस महापुरुष की आँखों से अपनी छोटी भगिनी की मृत्यु पर एक आँसू न निकला था, जिस

ने तीव्र बैराग के कारण अपने प्यारे माता-पिता को छोड़ कर चल देने में कुछ भी दु:ख अनुभव नहीं किया था, वही इस समय स्वदेश की दुर्दशा और अध:पतन पर रो पड़ा। स्वामी जी ने उसी समय प्रण किया कि वे देशवासियों की दशा सुधारने का प्रयत्न प्राणपण से करेंगे।

आधी रात का समय है। चारों ओर सन्नाटा है। आकाश पर तारे टिम-टिमा रहे हैं। कभी-कभी कुत्ते भौंकने लगते हैं। एक महातमा अपनी कटिया के सामने बड़ी बेचैनी से इधर-से-उधर चक्कर लगा रहे हैं। ऐसा जान पड़ता है। कि उन्हें कोई बहुत बड़ी मानसिक व्यथा सता रही है। उनके पाँव की आहट सुन कर एक भक्त की भी आँख खुल गई। उसने उनके समीप आकर पूछा, "भगवन्! आपकी इस व्याकुलता का क्या कारण है? क्या किसी अंग में पीड़ा है? आज्ञा कीजिये सेवक सेवा के लिए उपस्थित है। आदेश हो तो वैद्य बुला लाऊँ।" उस समय उस महापुरुष ने एक लंबी साँस लेकर कहा, "भाई! यह बड़े वेग से बढ़ती हुई वेदना औषधोपचार से शमन होने वाली नहीं है।" आज प्रात: गंगा तट वाला दृश्य—वह दरिद्र स्त्री और उसके बच्चे का वस्त्रहीन शव—उनकी आँखों के सामने नाच रहा है। मन में उठ रहा है—कभी यह हमारा देश विभूति और ऐश्वर्य का स्थान था। धन-धान्य से परिपूर्ण शोभा और सुख का क्रीड़ास्थल था। परंतु आज यह दशा है कि देश में सहस्रों नर-नारियों को पेट भरने को अन्न और तन ढँकने एवं शवों को लपेटने के लिए वस्त्र भी नहीं मिलता है। यूरोपीय लोगों के यहाँ आने के पहले तक देश की आर्थिक स्थिति इतनी बिगड़ी न थी। भारत अन्य देशों को वस्त्र भेजा करता था। फिर वर्तमान दुर्दशा का क्या कारण हो सकता है? इस देश की भूमि अब भी रत्न-गर्भा, सुजला, सुफला है, ऊसर नहीं। फिर भी यह मातृ-भूमि अपने बच्चों के पालन-पोषण में असमर्थ क्यों है? हमारी प्रजा के सहस्रों जन निर्जीव यन्त्र की भाँति रात-दिन परिश्रम करने पर भी अपने बाल-बच्चों के मुँह में पूरा ग्रास नहीं डाल पाते। यह सब क्यों? जब से यूरोप वालों ने यहाँ व्यापार प्रारंभ किया है और धीरे-धीरे यहाँ के शासन पर भी अधिकार जमाया है, उन्होंने अपने यहाँ के बढ़ते हुए कल-उद्योग द्वारा कम व्यय में निर्मित माल को इस देश में भेजना आरंभ कर दिया है। उसका फल यह हुआ कि विदेशी सस्ते माल के कारण स्वदेशी वस्तुओं की खपत यहाँ कम हो गई। हमारे कलाकार और कारीगर बेकार हो गये। सुनते हैं कि यूरोप की जनता भारत में बने हुए वस्त्रों को अधिक पसंद करती थी। इसलिए वहाँ की सरकारों ने उन पर भारी कर लगा दिया। विदेशी वस्त्रों और अन्य वस्तुओं की भरमार

से यहाँ लाखों शिल्पकार और परिश्रमी बेकार हो रहे हैं। उनके पास आजीविका का कोई साधन नहीं रहा। इस अवस्था के बदलने का केवल एक उपाय है कि शिल्पकला का यहाँ विस्तार किया जाय; उद्योग-धंधों को प्रचलित किया जाय। विदेशी शासकों से इस संबंध में कोई आशा करनी व्यर्थ है, क्योंकि यह उनके स्वार्थ के विपरीत होगा। मैं कल ही इस विषय में अपने जर्मन निवासी भक्त श्री जी. ए. वीस से पत्र-व्यवहार करूँगा। ऐसा संकल्प मन में आते ही स्वामी दयानन्द सरस्वती का मन शांत हो गया। वे अपने आसन पर जाकर परमात्मा के ध्यान में लीन हो जाते हैं।

●

जर्मन देश ने यूरोप के दूसरे देशों की अपेक्षा आधुनिक कला-कौशल में अधिक उन्नति की है। वहाँ के निवासी वीस महोदय अपने कार्यालय में बैठे हैं। सामने मेज पर एक पत्र खुला हुआ पड़ा है। एक और व्यक्ति पास की कुरसी पर बैठा है। वीस ने उसको संबोधित करते हुए कहा, "मित्र! यह पत्र अभी-अभी विदेशी डाक से आया है। यह भारत के परम सुधारक और वेदों के महान् पंडित स्वामी दयानन्द सरस्वती का है। वे केवल वक्तृताएँ देकर और कोरी बातें बना कर अपने देश की उन्नति और सुधार पर विश्वास नहीं करते। उन्होंने भारत के पुनरुत्थान के लिए ठोस कदम उठाए हैं। उन्हें अपने देश और समाज के हित की चिंता हर समय लगी रहती है। अपने देशवासियों को कला-कौशल सिखाने के लिए हमसे सहायता माँगी है।" मित्र ने कहा, "परंतु इस कार्य में हम लोग इतनी दूर से उनकी क्या सहायता कर सकते हैं? यदि हमारा वहाँ शासन होता तो दूसरी बात थी।" वीस—"नहीं भाई! ऐसे महापुरुष की सहायता करना तो हमारा नैतिक कर्त्तव्य है। फिर यह तो परोपकार का कार्य है। मैं उन्हें लिखे देता हूँ कि जब चाहें आप अपने विद्यार्थियों को हमारे पास भेज दें। जो-जो विषय आप के देश के प्रयोजन के सब से अधिक उपयोगी और आवश्यक प्रतीत होंगे वे सब हम उन्हें सिखा देंगे। जिससे अपनी इच्छानुसार आप को स्वदेशी वस्तुओं के प्रचार में सहायता मिल सकेगी।"

●

श्री वीस का पत्र पाकर स्वामी जी सब आर्य-समाजों को इस कार्य के उपयुक्त यवकों को यूरोप जाने के लिए तैयार करने का आदेश देते हैं।

●

स्वामी जी इस बार काशी में कई मास रहे। उन्होंने सत्संगों और उपदेशों

में बार-बार लोगों से कहा कि मेरे कथनों और ग्रन्थों के विषय में जिसको भी शंका हो उसे वह मुझसे निवारण कर ले । उन्होंने विज्ञापनों द्वारा भी विद्वानों को शंका-समाधान के लिए आहूत किया, परंतु किसी को कुछ कहने की न सूझी । जिस समय वे काशी से प्रस्थान के लिए उद्यत हैं; उनका सामान बँध चका है; उस समय राजा शिवप्रसाद ने पत्र द्वारा कुछ प्रश्नों के उत्तर माँगे । स्वामी जी ने लिखा कि मैं लखनऊ जाने के लिए बिल्कुल तैयार बैठा हूँ । आप शीघ्र ही मेरे पास आकर अपनी शंकाओं का समाधान कर लीजिये । राजा को सत्यासत्य के निर्णय की चिंता नहीं है । वे तो स्वामी जी के लेखों में त्रुटि दिखा कर लोगों को अपना पांडित्य दिखाना चाहते हैं । इस लिए जब देर तक प्रतीक्षा करने पर भी वे नहीं आए तो स्वामी जी आनन्द बाग़ से स्टेशन चले जाते हैं ।

●

लखनऊ में रामाधार और सरयूदयाल आदि भक्तों ने स्वामी जी को ले जाकर गोमती के किनारे मोतीमहल में ठहराया । यह भवन बहुत ही सुन्दर है । रामाधार ने कहा, "यदि ऐसा ही शोभन और विशाल आर्य-समाज का मन्दिर हो तो क्या अच्छा हो ।" स्वामी जी ने कहा, "यह कौन-सी बड़ी बात है । आप लोग मोतीमहल के स्वामी राजा दिग्विजयसिंह को आर्य बना लें तो यह सुन्दर स्थान आप का है ।" इस पर रामाधार एक लंबी साँस लेकर बोले, "आप इतना प्रयास करते हैं, परंतु कुत्ते की दुम टेढ़ी ही बनी है। ये पौराणिक अपनी अज्ञान लीला नहीं छोड़ते । कहीं ये हमें लेकर न डूब जायँ।" स्वामी जी ने ढाढ़स बँधाते हुए कहा, "एक तो आर्य-जाति वैसे ही टुकड़े-टुकड़े हो रही है । फिर उससे पृथक् हो कर उसकी सामूहिक शक्ति को घटाना हम दोनों के लिए घातक होगा । धैर्यपूर्वक अपना कार्य किये जाओ। अपने भाइयों की सेवा में लगे रहो । एक दिन वे आपकी बात अवश्य समझेंगे । परंतु इसके लिए तुम्हें आदर्श बनना होगा । सब को साथ लेकर आगे बढ़ने में शोभा है।"

एक दिन स्वामी जी व्याख्यान दे कर लौट रहे हैं । कई आर्य-जन उनके साथ हैं । एक बुढ़िया चीथड़े लपेटे उनके सामने आकर बड़े कातर स्वर से बोली, "बाबा भूखी हूँ, कुछ खाने को मिल जाय।" उस नंगी और भूखी बुढ़िया का आर्त्त-नाद सुन कर स्वामी जी के पाँव रुक जाते हैं । उसकी ऐसी दीन-हीन दशा देख उनके नेत्र सजल हो गये और हृदय विदीर्ण होने लगता है। वे उसे तुरंत भोजन और वस्त्र दिलवा कर व्यथित कंठ से बोले, "सोने-चाँदी के पात्रों

में भोजन करने वालों के देश के पतन की यह अवस्था है; वह इतना अभाव ग्रस्त हो रहा है कि उसकी एक पुत्री को क्षुधा की पीड़ा ने ऐसा व्याकुल बना दिया है कि उसे यह भी विवेक नहीं रहा कि जिससे माँग रही हूँ वह तो स्वयं भिखारी है।" महर्षि के दयालु हृदय और अपने देश और समाज के प्रति उनके अगाध प्रेम का परिचय पाकर उनके चरणों में लोगों की श्रद्धा दूनी हो जाती है।

●

इन दिनों स्वामी जी का स्वास्थ्य कुछ गड़बड़ चल रहा है। वे वहाँ से चल कर फर्रुखाबाद, मैनपुरी आदि स्थानों में ठहरते और कार्य करते हुए मेरठ पधारे। यहाँ वे रामशरण दास की कोठी में ठहरे। मेरठ में स्वामी जी ने एक-एक दो-दो सप्ताह की अनेक व्याख्यान मालाएँ दीं, जिनसे यहाँ के लोगों को बहुत लाभ पहुँचा और उनकी ज्ञान वृद्धि हुई। उनके व्याख्यानों में हर मत और संप्रदाय के लोग आते और अपनी-अपनी शंकाएँ लिखते जाते। परंतु अंत में कागज़ फाड़ कर वहीं फेंक जाते। पूछने पर कहते हैं कि हमारी शंकाओं का उत्तर तो हमें व्याख्यान ही में मिल गया।

●

स्वामी जी की हार्दिक कामना है कि किसी प्रकार मातृ-शक्ति का सुधार हो; स्त्रियों में धर्म-प्रचार हो और उनमें शिक्षा का प्रसार हो। महर्षि के हृदय में नारी जाति के प्रति अतिशय सम्मान का भाव है। वे स्त्री जाति का गौरव बढ़ाने में सदा प्रयत्नशील रहते हैं। उन्होंने मनु के शब्दों में घोषणा की कि जिस परिवार में स्त्रियों का आदर सत्कार होता है, उसमें देवता वास करते हैं अर्थात् उसमें दिव्य गुण सम्पन्न और विद्यायुक्त पुरुष उत्पन्न होते हैं। और जहाँ उनका अनादर होता है वहाँ सारी शुभ क्रियाएँ निष्फल हो जाती हैं। कुल की उन्नति-अवनति स्त्रियों के सुखी-दुःखी रहने पर निर्भर होती है।[1] महर्षि ने अपने से पूर्व आचार्यों के स्त्रियों के प्रति कहे गये अनादर सूचक और अपमान जनक शब्दों का सप्रमाण खंडन किया। उन्होंने उनके लिए समान अधिकारों की घोषणा की। उन्होंने कहा बिना पत्नी के कोई भी वैदिक अनुष्ठान या शुभ कार्य नहीं किया जा सकता। बिना अर्द्धांगिनी

---

१. यत्र नार्यस्तु पूज्यन्ते रमन्ते तत्र देवताः।
यत्रैतास्तु न पूज्यन्ते सर्वास्तत्राऽफलाः क्रियाः॥ (मनु ३।५६)
शोचन्ति जामयो यत्र विनश्यत्याशु तत्कुलम्।
न शोचन्ति तु यत्रैता वर्द्धते तद्धि सर्वदा॥ (मनु ३।५७)

के पुरुष अधूरा है। वे देवियों को वेद-शास्त्र पढ़ने, यज्ञोपवीत धारण करने, यज्ञ-याग करने-कराने का अधिकार पावन वेदों के प्रकाश में प्रदान करके उन्हें शूद्र से द्विज पद प्रदान करते हैं। दयालु महर्षि स्त्री जाति की पूर्ण स्व-तंत्रता के पक्के पक्षपाती हैं। परन्तु पूर्ण स्वतंत्रता से उनका आशय स्वेच्छा-चारिता अथवा उच्छृंखलता से नहीं है। उनका कहना है कि नर और नारी मिल कर ही पूरा मानव होता है। वे अपने-अपने कार्य-क्षेत्र में समान रूप से स्वतंत्र हैं, परंतु दोनों की स्वतंत्रता निरंकुश नहीं अपितु धर्म अर्थात् कर्त्तव्यों से मर्यादित होनी चाहिए। महर्षि जिस स्वतंत्रता को मनुष्य मात्र के लिए आवश्यक समझते हैं, उन्होंने उसकी व्याख्या आर्य-समाज के दसवें नियम में बड़ी सुंदरता से इस प्रकार की है—"सब मनुष्यों को सामाजिक सर्वहितकारी नियम पालने में परतंत्र रहना चाहिए और प्रत्येक हितकारी नियम में सब स्वतंत्र रहें। इसका अर्थ हुआ कि मानव व्यक्तिगत हित के कार्यों में स्वतंत्र है, परंतु उसे सर्वहितकारी कार्यों में धार्मिक, सामाजिक अथवा राज नियम के अधीन रहना चाहिए।

इसी स्त्री-सुधार की प्रबल इच्छा के कारण महर्षि ने यहाँ एक विदुषी महिला रमा बाई को उपदेश देना स्वीकार कर लिया। उनकी सेवा में आने के पहले उसने उन्हें पूर्ण विश्वास दिलाया है कि वह उनके आदेशों का पूर्णतः पालन करेगी। वह एक महाराष्ट्र ब्राह्मण की पुत्री है। वह संस्कृत की प्रकांड पंडिता है। और धारा-प्रवाह संस्कृत बोलती है। उसके विचार कुछ स्वतंत्रता लिये हुए हैं। इसलिए उसके घर वाले उससे विरक्त हो गये हैं। वह अपना परिवार छोड़ कर कलकत्ता चली गई है। वहीं से उसने स्वामी जी को मेरठ पत्र लिखा। उसके पांडित्य और उन्मुक्त विचारों को जान कर स्वामी जी को यह आशा हुई कि वह जीवनपर्यन्त ब्रह्मचारिणी रह कर स्त्री-सुधार के कार्य को अपने कंधों पर ले लेगी। इसलिए उन्होंने अन्य शिष्यों के साथ उसे वैशेषिक दर्शन आदि पढ़ाना आरंभ किया और उपदेश दिया—"इस समय आर्य जाति की पुत्रियों की अवस्था अत्यन्त शोचनीय है। ये संसार भर के भ्रमों और कुरीतियों का केन्द्र बन रही हैं। तुम आजीवन ब्रह्मचारिणी रह कर उनका सुधार करो। उनकी शिक्षा का बीड़ा उठाओ, उनकी दीन-हीन दशा दूर करो। क्योंकि मातृओं पर देश का भविष्य अवलंबित है। इस शुभ कार्य में तुम को आर्य-समाज से धन की पर्याप्त सहायता प्राप्त होती रहेगी। मैं ने तुम्हें अपने समीप बुला कर शिक्षा देना केवल इसी आशय से स्वीकार किया है कि तुम एक अद्वितीय विदुषी हो। इस कार्य के सर्वथा योग्य हो। संभव है कि मेरे

वचन सुन कर तुम आजीवन ब्रह्मचर्य-व्रत धारण करके मातृ-शक्ति के सुधार के पुनीत कार्य में लग जाओ। मुझे इस परम आवश्यक कार्य में तुम्हारी-ऐसी देवियों की सहायता और सहयोग की बहुत आवश्यकता है।"

परंतु रमाबाई इतना कठोर व्रत लेने के लिए तैयार नहीं है। उसने टालने के विचार से कहा, "भगवन्! गृहस्थ लोग भी तो लोकहित और उपकार के कार्य कर सकते हैं।" स्वामी जी ने कहा, "बाल-बच्चों और बंधु-बांधवों के विविध बंधनों से जकड़े हुए वे लोक-सेवा का उतना कार्य नहीं कर सकते जितना ब्रह्मचारी या संन्यासी कर सकता है। जो जन एक-दो व्यक्तियों को अपने प्रेम का केन्द्र बना लेता है, उसमें जन-प्रेम की मात्रा और परहित साधन की क्षमता अपने-आप कम हो जाती है। उसे अपने घर के काम-धंधों और बाल-बच्चों के पालन-पोषण से अन्य कामों के लिए अवकाश ही नहीं मिलता। जब मनुष्य गृहस्थी के जंजाल में फँस जाता है तो वह पहले अपने घर में दिया जलाने के फेर में पड़ जाता है। इसलिए रमा! तुम अपने जीवन को परोपकारार्थ अर्पण कर दो; नारी-जाति के खोये हुए मान-मर्यादा और अधिकार उसे फिर से दिला कर अमर बन जाओ।"

जैसे ज्वर से पीड़ित मनुष्य को भोजन की रुचि नहीं होती, ठीक वैसे ही प्रेम-रोग में ग्रसित रमा को स्वामी जी के उपदेश ग्राह्य न हुए। वह तो हिन्दुओं में प्रचलित विवाह-पद्धति के विपरीत एक बंगीय कायस्थ युवक से विवाह करने की इच्छा से स्वामी जी का आशीर्वाद और साधुवाद प्राप्त करने के लिए उनकी शरण में आई है। जिनका हिन्दू समाज में अन्यत्र मिलना असंभव है। जब रमाबाई ने देखा कि स्वामी जी उसे परोपकार के झमेले में फँसाना चाहते हैं, तो वह अपनी समस्या को उनके सम्मुख बिना रखे ही वहाँ से कलकत्ता लौट जाती है। वह सेवाव्रत लेने से जी चुरा कर स्वामी जी के स्वप्न को भंग कर देती है। परंतु मायाविनी आशा-निराशा में भी मनुष्य का उपहास किया करती है। वह उसके साथ लुका-छिपी खेला करती है। स्वामी जी ने भी आशा नहीं छोड़ी। उन्होंने चलते समय उसको अपनी पुस्तकों की एक-एक प्रति प्रदान की।

'चमत्कार नहीं ईश्वर सत्य है'

एक दिन सत्संग में स्वामी जी ने कहा, "मैं दूर तक वायु-सेवन के लिए जाता हूँ, इस पर आप लोगों को आश्चर्य होता है, परंतु जब मैं कौपीन-धारी था, उस समय मेरे लिए एक दिन में चालीस कोस चलना एक साधारण बात

थी । एक बार मैंने गंगोत्री से गंगासागर और फिर रामेश्वर तक यात्रा की है ।" शिब्बामल वैश्य सत्संग में देर से आया। स्वामी जी नें उसका मुख देख कर पूछा––"क्या आप मार्ग में साँप देख कर डर गये हैं ?" उसने चकित हो कर इस बात को स्वीकार किया । सत्संग में धर्म-चर्चा होती रही। उसने पूछा, "जहाँ आर्य-समाज न हो और एक ही आर्य हो तो वह कैसे सत्संग करे ?" स्वामी जी ने कहा, "अकेला होने पर स्वाध्याय करना चाहिए; दो होने पर परस्पर प्रश्नोत्तर और संवाद करना चाहिए और यदि दो से अधिक आर्य एकत्र हों तो उन्हें चाहिए कि आपस में सत्संग करें; धर्म-ग्रन्थों का पाठ सुनें-सुनायें ।" जब शिब्बामल उठ कर जाने लगा तो स्वामी जी ने कहा–– "आप को छाता ले कर बाहर निकलना था, भीगने से बच जाते ।" उस समय वर्षा का कोई चिह्न नही है, परंतु मार्ग में ऐसी वृष्टि हुई कि शिब्बामल पानी से नहा गया । स्वामी जी प्रकृति के इतने समीप हैं कि वे वायुमंडल और आकाश आदि के रंग-ढंग से होने वाली वर्षा आदि की बातें जान लेते हैं।

एक व्यक्ति ने पूछा––"भगवन् ! यदि किसी धनी का पुत्र अपने पिता के धन से श्राद्ध आदि शुभ कार्य करता है तो उसका फल पिता को क्यों नहीं मिलना चाहिए । धन तो उसी का है ।" स्वामी जी ने उत्तर दिया–– "अपने ही किये गये कर्म का फल मिलता है । यदि पिता के धन से पुत्र द्वारा किये हुए शुभ कर्मों का फल पिता को मिलना माना जाय तो उसके धन से जो दुष्कर्म किये जाते हैं उनका फल भी उसको ही भोगना पड़ेगा ।"

अंत में एक भद्र पुरुष ने कहा, "आप यदि नीति से काम लें तो आपको आश्चर्य जनक सफलता प्राप्त हो ।" स्वामी जी ने कहा, "यह नीति पहले ही मुझे महँगी पड़ी है। अब मेरा इसमें विश्वास नहीं रहा। जयपुर में शैवों ने कहा कि आप वैष्णवों का खंडन कर दें; हम लोग आपके अनुयायी बन जायेंगे । वे तो वैसे ही रहे, परंतु अब जयपुर जाकर जब मैं शैवों की समालोचना करता हूँ तो वहाँ के शैव लोग अपने गले की रुद्राक्ष-मालाएँ दिखा कर कहते हैं कि यह भी तो आपनें ही पहनाई थी । हम आप की किस बात को सच्ची मानें ।"

एक भक्त के पूछने पर स्वामी जी ने बताया कि सुख दो प्रकार के होते हैं––एक विद्या-जन्य और दूसरा अविद्या-जन्य । विद्या-जन्य ही सच्चा सुख है। यह सुख अज्ञान की निवृत्ति और ज्ञान की प्राप्ति से मिलता है । अविद्या-जन्य सुख तो पशु आदि जीवों को भी प्राप्त है । जीव एकदेशी होने से अल्पज्ञ है ।

इसीलिए अज्ञानी हो जाता है। परमात्मा देश-काल से ऊपर और सर्वज्ञ है। उसमें अज्ञान का लेश भी नहीं है। वह परमानन्दमय, परब्रह्म है।"

मेरठ में अमृत-वर्षा के पश्चात् स्वामी जी मुजफ़्फ़रनगर में पधार कर निहालचन्द के बँगले में ठहरे। यहाँ वे लगभग दो सप्ताह रहे, और यहाँ की जनता का पथ-प्रदर्शन कर के आर्य-समाज के वार्षिकोत्सव में सम्मिलित होने के लिए फिर मेरठ लौट जाते हैं।

•

अमरीका में कर्नल अल्काट और मैडम ब्लैवट्स्की ने मिल कर एक थ्योसाफिकल सोसाइटी स्थापित की है। स्वदेश में काम न बनता देख वे स्वामी जी को पत्र[1] लिखते हैं। और फिर भारत आ पहुँचते हैं। वे महर्षि को अपना गुरु कहते हैं; उन्हें अपनी सोसाइटी का प्रधानाचार्य मानते हैं; और उसके हर-एक कागज-पत्र पर उन्हींके नाम की मुद्रा लगाते हैं। इस सोसाइटी की संसार भर की शाखाएँ आर्य-समाज के अंतर्गत मानी जाती हैं। इन लोगों ने स्वामी जी की ख्याति अमरीका में जब सुनी तो उन्होंने भारत

---

१. सेवा में परम सम्मानित पंडित दयानन्द सरस्वती, भारतवर्ष।

सम्मानित गुरु,

आध्यात्मिक विद्या से प्रेम रखने वाले कुछ अमेरिकन तथा अन्य विद्यार्थी अपने को आपके चरणों में रखते हैं और प्रकाश की याचना करते हैं। उन लोगों के साहसिक व्यवहार ने स्वभावतः उनकी ओर सर्व-साधारण का ध्यान आकर्षित किया है और उन प्रभावशाली पत्र-पत्रिकाओं तथा व्यक्तियों की ओर से, जिनके सांसारिक हित या निजी संस्कार पहले से वर्तमान परंपरा के साथ बँधे हुए हैं, उनका विरोध किया गया है।

हमें नास्तिक, अविश्वासी और धर्म-हीन कहा गया। हम केवल युवक और उत्साही लोगों की सहायता नहीं चाहते, बुद्धिमान् और सम्मानित लोगों का सहयोग भी चाहते हैं। इस कारण हम आपके चरणों में इस प्रकार आते हैं जैसे पिता के चरणों में पुत्र आता है, और कहते हैं—हमारे गुरु महाराज! हमारी ओर देखिए और शिक्षा दीजिये कि हमें क्या करना चाहिए।

देखिए! हम आपकी सेवा में अभिमान से नहीं अपितु नम्रता से आते हैं। हम आप से शिक्षा ग्रहण करने और आपके बताए हुए मार्ग पर चल कर कर्त्तव्य पालन करने के लिए उद्यत हैं। (हस्ताक्षर) हैनरी अल्काट

प्रेसीडेण्ट, थ्योसाफिकल सोसाइटी

के एक महापुरुष के द्वारा ही भारत में अपनी सोसाइटी की जड़ दृढ़ करने की बात सोची। यहाँ आकर उन्हें स्वामी जी और आर्य-समाजों द्वारा अपने कार्य के फैलाने में बड़ी सुविधा मिली। गोरी सभ्यता की धाक भारतवासियों के हृदयों पर जम चुकी है। इसलिए आर्य-समाजियों ने जो इन अमरीका-वासियों से थोड़ी-सी सहानुभूति पाई और अपने धर्म और सभ्यता के प्रति उनकी श्रद्धा देखी तो फूले नहीं समाये। वे तन-मन-धन से उनकी सहायता करने लगते हैं। थोड़े ही दिनों में इन लोगों ने देखा कि भारत में अज्ञान और श्रद्धा की मात्रा बहुत अधिक है। यहाँ के लोग किसी भी धूर्त के बहकावे में आकर उसके पीछे चलने लगते हैं। इनमें अधिक संख्या ऐसे लोगों की है जो स्वामी जी के सुधारवादी विचारों के विरुद्ध हैं। इसलिए किसी अवसर-वादी के लिए स्वामी जी और आर्य-समाज के साथ रहने में सरासर घाटा है। उन्होंने यह भी अनुभव किया कि स्वामी जी एक बहुत ही दृढ़ आचरण के पुरुष हैं। वे गुरु ही रहेंगे, हमारे हाथ का खिलौना न बन सकेंगे। तब तो ये लोग वेद और ईश्वर का ढकोसला हटा कर मनमाना करने लगते हैं। वे चमत्कार दिखा कर हर मत के लोगों को अपनी सोसाइटी में सम्मिलित करने लगे। स्वामी जी ने इसका विरोध किया, "तुम्हारे चमत्कार सत्य नहीं हैं। यदि वे सत्य होते तो तुम्हें बम्बई में अपने सामान के चोरी हो जाने पर पुलिस में रपट न लिखवाना पड़ती। यदि इन चमत्कारों से अपने को योगी सिद्ध करना चाहते हो, तो सच्चा योगी अपनी सिद्धियों का कभी प्रदर्शन नहीं करता। यदि ईश्वर में तुम्हारा विश्वास नहीं है तो आर्य-समाज के सदस्यों के नाम अपने यहाँ क्यों लिख रखे हैं। पहले तुम चेले बन कर आए थे, अब स्वयं गुरु बन बैठे हो। तुमने बड़े गर्व से लिखा है कि 'पुलिस के सब से बड़े अधिकारी हंडरसन हमारी सभा में सम्मिलित हो गये हैं। इससे हमारा अभीष्ट सिद्ध हो गया है। आर्य-समाजी हमसे मिलें चाहे न मिलें, हमें इसकी चिंता नहीं है। हमसे न मिलने में उन्हीं की हानि है।' परंतु तुम्हें स्मरण रखना चाहिए कि धर्म के विषय में एक आर्य ईश्वर के अतिरिक्त संसार की बड़ी से बड़ी शक्ति से भी प्रभावित नहीं होता, फिर हंडरसन ऐसे साधारण व्यक्ति की तो बात ही क्या है।"

कर्नल अल्काट और मैडम ब्लैवट्स्की के परिवर्तित व्यवहार को देख कर, स्वामी जी मेरठ आर्य-समाज के वार्षिकोत्सव के अवसर पर थ्योसोफिकल सोसाइटी से अपने एवं आर्य-समाज के संबंध विच्छेद की घोषणा अपने व्याख्यानों में कर देते हैं।

मेरठ में महर्षि का अंतिम व्याख्यान बड़ा ही मार्मिक और हृदयस्पर्शी है। ऐसा प्रतीत होता है कि वे भावी को देख रहे हैं। और इसीलिए वे अपने अनुयाइयों को स्वावलंबन की शिक्षा दे रहे हैं। वे कह रहे हैं, "अभी तो तुम्हारी यह अवस्था है कि जब कभी कोई प्रबल प्रतिपक्षी तुम्हें शास्त्रार्थ के लिए ललकारता है तो तुम तार पर तार दे कर मझे बुलाते हो; उपदेश कराते हो तो मुझ पर ही निर्भर रहते हो; किसी विषय में संशय उत्पन्न हो जाने पर मेरा ही मुँह ताकते हो; तुम्हारे आपसी मतभेदों को मिटा कर तुम्हें आपस में मिलाए रखने की चिंता भी मुझे ही करनी पड़ती है। सारांश यह कि तुम हर-एक बात के लिए मुझ पर ही अवलंबित रहते हो। परंतु प्यारे बंधुओ! मैं तुम्हारे बीच सदा नहीं बना रहूँगा। मेरा शरीर भी क्षणभंगुर है। एक दिन कराल-काल इसे भी निगल जायेगा। सोचो, यदि तुम लोग अपने पाँव खड़े होना नहीं सीखते तो मेरी आँख मुँदने के पश्चात् क्या करोगे। इसलिए अब तुम स्वाध्याय करके अपने को योग्य बनाओ; अपने जीवन को ऊँचा बना कर जन-सेवा में लग जाओ; जिससे तुम लोगों के दिलों को अपने हाथ में ले सको। अपनी आवश्यकताओं को स्वयं पूरा करो, दूसरों के सहारे न रहो।"

"मेरा निश्चित मत है कि वेद ही ऐसा ग्रन्थ है जिसकी छत्रछाया में संसार के सारे मानव सुख और शांति पा सकते हैं। इसलिए वैदिक शिक्षा का प्रचार करो। जो व्यक्ति वेद को माने और अपने को आर्य कहे उसे आर्य-समाज में सम्मिलित कर लो। एक दूसरे को पृथक् करने वाली बातों की अपेक्षा समीप लाने वाली बातों पर अधिक बल दो।"

अंत में स्वामी ज़ी ने कहा, "मुझे पूर्ण आशा है कि आर्य-समाज रूपी उद्यान हरा-भरा हो कर फले-फूलेगा। उसका बड़ा विस्तार होगा। इसमें अनेक त्यागी और वीर पुरुष उत्पन्न हो कर उत्तमोत्तम कार्य कर दिखायेंगे। ईश्वर कृपा से सब कुछ होगा, परंतु मैं नहीं देख सकूंगा।"

इस उपदेश से और स्वामी जी के मुंह से इस प्रकार की बातें सुन कर आर्य-पुरुषों के हृदय एक विचित्र आशंका से भर जाते हैं। उन्हें ऐसा लगता है जैसे उनका कुशल नाविक नौका को कुशलता पूर्वक खेने का भार उनके कंधों पर डाल कर अपने मानस-पुत्रों से बिछुड़ने वाला है।

मेरठ के उत्सव को आशातीत सफलता मिलती है। फिर स्वामी जी देहरादून के लिए चल पड़े। मार्ग में सहारनपुर स्टेशन पर आर्य और अन्य भक्त जन स्वामी जी से मिलने आये। भोलानाथ खिन्न-चित्त हो कर बोले,

"भगवन् ! जैनियों ने विज्ञापन निकाले हैं कि वे आपको कारावास करा देंगे। स्वामी जी ने शांत भाव से कहा, "भाई ! सोने को जितना तपाया जाता है उतना ही वह कुंदन होता जाता है। विरोध की आँच से सत्य और निखर आता है। दयानन्द तो मृत्यु के मुख में भी सत्य का प्रकाश ही करता रहेगा। सत्य-स्वरूप प्रभु का स्मरण करता रहेगा।"

स्वामी जी देहरादून पधार कर बलदेवसिंह की कोठी में टिके। उनके शुभागमन और कार्यक्रम की सूचना विज्ञापनों द्वारा दे दी गई है। देहरादून वासी स्वामी जी के उपदेशों से लाभ उठाते हैं।

यहाँ कुँवर बलबीरसिंह ने बहुत आग्रह करके स्वामी जी का छायाचित्र लिया। वे उस समय गले में दुपट्टा और सिर पर मुरेठा धारण किये हुए हैं।

एक दिन लोग स्वामी जी को वेध-शाला दिखाने ले गये। वहाँ का मुख्य प्रबंधक अँग्रेज और बड़ा मिस्त्री मदखाँ उनको बड़े आदर और सम्मानपूर्वक वहाँ के सारे यंत्र दिखा कर उनके विषय में बताते हैं। कई प्रसंगों पर स्वामी जी ने श्लोक पढ़-पढ़ कर बताया कि इन बातों का वर्णन प्राचीन ग्रन्थों में मिलता है।

●

स्वामी जी देहरादून से लौट कर मेरठ पहुँचे। वहाँ वैदिक मुद्रणालय के प्रबंधक बख्तावरसिंह के हिसाब-किताब की जाँच की। उसमें गोलमाल होने के कारण स्वामी जी बख्तावरसिंह को हटा कर भीमसेन को प्रबंधक नियुक्त कर काशी भेजते हैं। फिर आगरा के लिए प्रस्थान करते हैं।

●

आगरे में स्वामी जी लाला गिरधारीलाल के आवास पर ठहरे। लक्ष्मण-दास ने प्रयत्न कर के मुफीदेआम स्कूल में व्याख्यानों का प्रबंध कर दिया।

स्वामी जी के उपदेशों में अद्‌भुत रस है। लोग दूर-दूर से सुनने आते हैं। उनकी मनोरंजक कहानियाँ और अकाट्य युक्तियाँ सुन कर वे लट्टू हो जाते हैं। स्वामी जी के व्याख्यान दो घंटे पर्यन्त होते हैं। उस समय उनके पास घड़ी नहीं रहती, फिर भी वे ठीक दो घंटे में अपना व्याख्यान समाप्त कर देते हैं। कभी एक मिनट का अंतर नहीं पड़ता।

आगरे में एक डॉक्टर रहता है। वह कट्टर नास्तिक है, और अपने प्रबल तर्कों द्वारा बड़े-बड़े आस्तिक विद्वानों का मुँह बंद कर देता है। उन्हीं पराजित पंडितों ने एक दिन उसे स्वामी जी से भिड़ा दिया। वे आपस में कहने लगे कि आज स्वामी जी को छठी का दूध याद आ जायेगा। डॉक्टर को जीतना उनके लिए टेढ़ी खीर है। परंतु थोड़ी ही देर में लोगों के आश्चर्य

की सीमा न रही, जब उन्होंने देखा कि बंगाली डॉक्टर दो-चार प्रश्नोत्तरों में ही अवाक् हो गया है। लोग स्वामी जी के पांडित्य का लोहा मान गये। शीघ्र ही यहाँ आर्य-समाज की स्थापना हो गयी।

एक बार स्वामी जी ने आगरा में बड़े विशप से मिल कर प्रस्ताव किया कि आइये हम-आप मिल कर एक धर्म स्थिर कर लें और तब नास्तिकवाद से निपटें। परंतु विशप महोदय ने एकता के मार्ग में अनेक कठिनाइयाँ बताते हुए स्वामी जी के प्रस्ताव को स्वीकार करने में अपनी असमर्थता प्रकट की। उसके पश्चात् स्वामी जी उनका बड़ा गिरजाघर देखने गये। जब वे उसके भीतर प्रवेश करने लगे तो एक ईसाई ने कहा, "महाशय ! सिर पर से पगड़ी उतार कर भीतर जाइये।" स्वामी जी ने उससे कहा, "हमारे देश की रीति के अनुसार टोपी या पगड़ी सिर पर धारण करके देवालय या किसी बड़े व्यक्ति के संमुख जाना आदर और प्रतिष्ठा का चिह्न है। अपने देश की सभ्यता के प्रतिकूल हम नहीं करेंगे। यदि आप कहें तो हम पाँव से जूता उतार दें।" ईसाई बोले, "भारतवासियों के लिए पगड़ी और जूते दोनों का उतारना आवश्यक है।" स्वामी जी बड़े स्वाभिमानी हैं। उन्होंने पगड़ी उतार कर गिरजा देखना स्वीकार नहीं किया, बिना देखे ही लौट पड़े।

●

एक दिन स्वामी जी गो-रक्षा पर व्याख्यान देते हुए बता रहे हैं कि गो-वध से कैसी-कैसी हानियाँ हो रही हैं। गो-वध शब्द सुनते ही एक ब्राह्मण बहुत बिगड़ा और स्वामी जी को अपशब्द बकने लगा। लोगों ने उसे शांत करते हुए पूछा कि देवता आप इतना आपे से बाहर क्यों हो रहे हैं ? उसने रोष में भरे हुए कहा, "इस संन्यासी ने ऐसा शब्द अपने मुँह से क्यों निकाला ?" लोग उसे समझाने लगे, स्वामी जी ने तो गो-वध से होने वाली हानियों को बताने के लिए ही इस शब्द का उच्चारण किया है। उनके मुख से भी गो-वध का शब्द सुन कर वह ब्राह्मण और चिढ़ जाता है और बड़बड़ाता, गालियाँ बकता वहाँ से चला गया। स्वामी जी ने खेद से कहा, "देशवासी हिताहित से कितने अनजान हैं। ये गो-वध शब्द से इतना चिढ़ते हैं, पर उसे रोकने का कोई प्रयास नहीं करते। जहाँ ऐसे मूर्ख वास करते हों वहाँ बुद्धि को स्थान कहाँ ?"

पंडित कालिदास सेंट-जोंस कालेज में संस्कृत के मुख्याध्यापक हैं। वे स्वामी जी के सहपाठी हैं। लोगों ने उन्हें स्वामी जी से शास्त्रार्थ करने के लिए घेरा। उन्होंने पंडित जी से कहा, "पौराणिक देव-मूर्तियों की पूजा से

हिन्दुओं की श्रद्धा उठती चली जा रही है। आप शास्त्रों का प्रमाण दे कर दयानन्द को निरुत्तर करें।" पंडित जी ने कहा, "स्वामी जी से वाद-विवाद करने का मुझे में सामर्थ्य कहाँ ? हमारे गुरु जी तक स्वामी जी के प्रश्नों को सुन कर कभी-कभी मौन रह जाते और दूसरे दिन सोच कर उत्तर देते थे।"

एक दिन स्वामी जी भेड़िये की माँद में पले हुए मनुष्य को देखने गये। उसको बचपन में ही भेड़िया उठा ले गया था। इस समय वह मनुष्य के कुछ-कुछ व्यवहार और बोली सीख गया है। उसने स्वामी जी को नमस्कार करके पैसा माँगा। उन्होंने उसे पैसे दिलवा कर कहा, "इतने दिनों पशुओं में रह कर भी तुमने पैसे का मोह न छोड़ा।"

स्वामी जी आगरा निवासियों को अपने उपदेशों से विवेक प्रदान करके राजस्थान की ओर प्रस्थान करते हैं।

एक आशा और देश-सेवा का व्रत

यह ऐतिहासिक तथ्य महर्षि से छिपा नहीं है कि संसार में आज तक राज-सत्ता की सहायता के बिना किसी भी मत या विचार का प्रसार नहीं हुआ है। अशोक और कनिष्क ऐसे महान् सम्राटों के प्रयास से ही बौद्ध धर्म सारे एशिया महाद्वीप में फैला। इसी का समकालीन जैन मत किसी शक्तिशाली शासक का सहयोग न पा कर भारत में ही थोड़े-से वैश्यों का धर्म बन कर रह गया। वे यह भी जानते हैं कि देश और जाति के सुधार के लिए विदेशी शासकों से आशा करना व्यर्थ है। फिर भी वे बार-बार उच्च अँग्रेज अधिकारियों से मिल कर गो-वध बंद करने और देवनागरी लिपि में हिन्दी को देश में प्रचलित करने पर बल देते हैं; और इन बातों के लिए मिल कर शासकों पर दबाव डालने की के लिए जनता को उपदेश देते हैं। वे अपने उपदेशों और ग्रन्थों द्वारा सर्वसाधारण का ध्यान राजनीतिक स्वतंत्रता की आवश्यकता की ओर आकर्षित करते हैं। परंतु इन बातों का मनोवांछित प्रभाव पड़ने के लिए वर्षों का समय चाहिए, और महर्षि अपने जीवन-काल में ही कुछ कर जाना चाहते हैं। इसलिए उन्होंने सोचा कि यदि स्वतंत्र देशी राजे-महाराजे वैदिक शिक्षा का अनुसरण करके अपने राज्य में रहने वाली आर्य जाति के पुनरुत्थान में सहयोग दें तो उसका प्रभाव पूरे भारत देश पर पड़ेगा; और मेरे उद्देश्य की पूर्ति में बहुत बड़ी सहायता मिल जायेगी। इसी आशा को ले कर वे संवत् १९३७ वि० के अंत में राजस्थाल प्रदेश में प्रवेश करते हैं।

स्वामी जी भरतपुर, जयपुर आदि स्थानों में प्रचार करते हुए अजमेर पधारे और सेठ फतेहमल के उद्यान में टिके।

यहीं पंडित लेखराम ने पेशावर से आकर १७ मई सन् १८८१ ई० को महर्षि के प्रथम बार और अंतिम बार दर्शन किये और अपनी शंकाएँ निवारण कीं। उन्होंने पूछा—"भगवन् ! आकाश और ब्रह्म दोनों व्यापक हैं, फिर ये दोनों एक स्थान में कैसे रह सकते हैं ?" स्वामी जी ने एक पत्थर के टुकड़े को उठा कर प्रश्न किया, "इसमें अग्नि व्यापक है या नहीं ?" पंडित जी, "अवश्य व्यापक है।" स्वामी जी—"क्या इस पत्थर में मिट्टी, वायु, जल आकाश और परमात्मा भी विद्यमान है अथवा नहीं।" पंडित जी—"जी हाँ ! इसमें ये सभी पदार्थ हैं।" तब स्वामी जी ने समझाया, "वत्स ! तुमने देखा कि एक पत्थर के टुकड़े में इतने तत्त्व व्याप्त हो रहे हैं। इस व्यापकता का सरल सिद्धांत यह है कि जो पदार्थ जिससे सूक्ष्म होता है वह उसमें व्याप्त हो सकता है। परमात्मा परम सूक्ष्म है। इसलिए वह सब पदार्थों के कण कण में परिपूर्ण हो रहा है।" स्वामी जी समझ लेते हैं यह व्यक्ति लगन वाला और होनहार है। उन्होंने पंडित लेखराम से कहा, "तुम्हें बहुत काम करना है। इसलिए तुम अपनी सारी शंकाओं का समाधान मुझसे कर लो। फिर निर्द्वन्द्व होकर धर्म प्रचार करो। परंतु पचीस वर्ष की अवस्था से पहले विवाह कदापि न करना।" पं० लेखपाल ने गुरु-चरण में बैठ कर ज्ञान वृद्धि की। उन्होंने स्वामी जी से यह भी पूछा—"क्या मुसलमान और ईसाई आदि मतों के लोगों को आर्य-धर्म में दीक्षित करके उन्हें अपने में मिला लेना चाहिए ?" स्वामी जी ने कहा, "संसार के किसी भी मनुष्य को शुद्ध करके अर्थात् उसके आचरण और खान-पान में संशोधन करके अपने में मिला सकते हो।" बिजली के विषय में पूछने पर स्वामी जी ने बताया कि यह सर्वत्र है। रगड़ से अभिव्यक्त हो जाती है। बादलों की विद्युत् भी वायु और बादलों के संघर्षण से प्रकट होती है।" पंडित लेखराम स्वामी जी से विदा होने लगे तो हाथ जोड़ कर बोले, "गुरुदेव ! कोई अपना स्मारक चिह्न प्रदान कीजिये।" स्वामी जी ने अपने इस होनहार भक्त को वत्सल भाव से 'अष्टाध्यायी' की एक प्रति प्रदान की।

●

मसूदा राज्य के नरेश राव बहादुरसिंह को जैसे ही समाचार मिला कि गुरुदेव अजमेर में हैं वैसे ही अपने मंत्री को भेज कर वे उन्हें मसूदा बुलवा लेते हैं।

मसूदा में आजकल जैनियों के महात्मा सिद्धकरण भी आये हैं। उन्होंने कई दिनों तक स्वामी जी से धार्मिक विषयों पर वाद-विवाद किया, परंतु अंत में निरुत्तर हो कर बैठ गये। इसका प्रभाव वहाँ के जैनियों पर ऐसा पड़ा कि बहुत से जैनियों ने आ कर स्वामी जी से प्रार्थना की, "भगवन् ! आपने हमारे नेत्र खोल दिये हैं। अब हमें जैन मत के वास्तविक स्वरूप का बोध हो गया है। आप कृपा करके हमें आर्य-धर्म में दीक्षित कर लीजिये।" स्वामी जी ने उनकी प्रार्थना स्वीकार कर ली। मसूदा राज्य की ओर से एक बृहद् यज्ञ की व्यवस्था की गई; और स्वामी जी ने बड़े समारोह के साथ तैंतीस प्रतिष्ठित जैनियों को अपने कर-कमलों से यज्ञोपवीत धारण करवा कर वैदिक धर्म की दीक्षा दी। इसका प्रभाव, मारवाड़ के सारे जैनियों पर पड़ा। इससे आर्य-समाजियों का उत्साह दुगना हो जाता है।

●

मारवाड़ के राज्यों में ऐसी प्रथा है कि वहाँ के कुछ हिन्दू अपनी लड़कियों का विवाह उन लोगों के साथ कर देते हैं जिनके पूर्वज मुगलों के समय में मुसलमान हो गये थे। परंतु वे हिंदू मुसलमान की कन्याओं को स्वीकार नहीं करते हैं। इस एकपक्षीय मूर्खतापूर्ण प्रथा से हिन्दुओं की भारी क्षति देख कर स्वामी जी ने ऐसे हिंदुओं की एक सभा की। राव महाशय की ओर से उनको सभा में आमंत्रित किया गया। स्वामी जी ने उन्हें उपदेश दिया, "प्यारे भाइयो ! तुम जान-बूझ कर अपनी प्यारी पुत्रियों को विधर्मी बना रहे हो; अपने कलेजे के टुकड़ों को काट-काट कर फेंक रहे हो। ईश्वर के लिए उन पर और आर्य-जाति पर अन्याय और अनर्थ न करो। यह एकांगी व्यापार तुरंत बंद करो।" स्वामी जी के हृदय-स्पर्शी और मर्म-स्थल को छूने वाले वचन उन हिन्दुओं के हृदय-पटल पर अंकित हो जाते हैं। उन्होंने वहीं प्रण किया कि हम आगे इस घोर अपराध के भागी न बनेंगे। इस प्रकार स्वामी जी के प्रयास से सैकड़ों आर्य-बालाओं के धार्मिक जीवन की रक्षा होती है।

●

एक दिन राव महाशय और कई अन्य प्रतिष्ठित लोग स्वामी जी के सामने फर्श पर बैठे हैं। तभी पादरी शूलब्रेड वहाँ स्वामी जी से मिलने के लिए आ जाते हैं। राव की आज्ञा पा कर सेवक उनके लिए कुरसी लाया और फर्श पर रखने लगा तो स्वामी जी ने उसे ऐसा करने से रोका और कहा, "फर्श हटा कर कुरसी रखो।" राव स्वामी जी की बात का आशय नहीं समझ पाए। वे उनकी ओर ताकने लगे। स्वामी जी ने कहा, "फर्श पर कुरसी रखने

से उस पर बैठने वाले के जूते बिछौने पर पड़ेंगे और उसे मैला करेंगे। फिर जिस फर्श पर लोग बैठे हों उस पर किसी मनुष्य का जूते समेत बैठना उसका सभ्य व्यवहार भी नहीं माना जा सकता।"

●

स्वामी जी के पास रायपुर राज्य की ओर से निमंत्रण पर निमंत्रण आ रहे हैं। राव बहादुरसिंह बड़ी कठिनाई और दुःखित मन से गुरुदेव के प्रस्थान के प्रस्ताव से सहमत होते हैं। स्वामी जी के सम्मान में एक सभा का नियोजन हुआ। उनके उपदेश के अनंतर राव महाशय ने उठ कर अभिनंदन-पत्र पढ़ा; उन्हें पुष्प-माला पहनाई और पाँच सौ रुपये भेंट करके चरण स्पर्श किये। आशीर्वाद देते हुए स्वामी जी ने एक फूलों का हार राव महोदय के गले में डाल दिया। जब वे बग्घी पर बैठ कर चले तो राव महाशय सात-आठ मील तक साथ चले। स्वामी जी ने बहुत कह-सुन कर उन्हें आगे जाने से रोका।

रायपुर में स्वामी जी का शुभागमन सुन कर ठाकुर हरिसिंह अपने इष्ट-मित्रों और कर्मचारियों सहित उनके दर्शनों के लिए आए। स्वर्ण-मुद्रा और पाँच रुपये भेंट करके उनके चरण छुए। स्वामी जी ने हरिसिंह को राजा के कर्त्तव्यों और प्रजा-पालन पर उपदेश दिया। उन्होंने प्रजा में फैले अंधविश्वास को दूर करने की आवश्यकता पर भी प्रकाश डाला। रायपुर राज्य के कुछ मुसलमान कर्मचारी कब्र-पूजा की आलोचना सुन कर स्वामी जी से रुष्ट हैं। राजा के दबाव के कारण वे स्वयं तो कुछ न बोल सके, पर उन्होंने एक काजी को ला कर स्वामी जी से भिड़ा दिया। उससे बातचीत करते समय स्वामी जी कुरान भूमि पर रख देते हैं। काजी गरमपड़ गया और बिगड़ कर बोला—"आपने यह क्या अनर्थ किया है, कुरान शरीफ़ को फर्श पर क्यों रख दिया?" स्वामी जी ने समझाया—"इसमें घबराने की कोई बात नहीं है। तनिक सोचिये तो, कागज बनता किन पदार्थों से है। मुद्रणालय में छपते समय ये पुस्तकों के पन्ने रखे कहाँ जाते हैं।" काजी को इसका उत्तर तो कुछ न सूझा, परंतु रुष्ट हो कर अपने साथियों सहित वहाँ से चला जाता है।

ठाकुर महाशय की पत्नी बहुत दिनों से रुग्ण थी। उसका स्वामी जी के सामने ही देहान्त हो गया। इस बीच स्वामी जी ब्यावर जाने के लिए तैयार हो गये। एक व्यक्ति ने उनसे कहा, "भगवन्! ठाकुर महोदय आजकल दुःखी हैं। आप भी उनके यहाँ जाकर शोक प्रकाशित कर आइए।" स्वामी जी ने कहा, "भद्र! मैंने तो सारे सांसारिक बंधन तोड़ दिये हैं। मेरे लिए

मनष्य का जीना-मरना एक समान है । मुझे तो किसी के जन्म-मरण पर हर्ष-शोक कुछ नहीं होता। मेरा तो मनष्य मात्र से केवल एक धर्म का संबंध रह गया है ।"

●

स्वामी जी रायपुर में लगभग तीन सप्ताह रहे । यहाँ उन्होंने अपनी 'वेदांग प्रकाश' नाम की पुस्तक समास तक लिख ली है। लोगों ने सम्मान पूर्वक स्वामी जी को यहाँ से विदा किया ।

●

फिर स्वामी जी रायपुर से ब्यावर पधारे । पता पाते ही लोग झुंड के झुंड आकर दर्शन और उपदेश से लाभ उठाने लगते हैं । पादरी शूलब्रेड और विहारीलाल स्वामी जी से धर्म-चर्चा करके आनन्द लाभ करते रहे । चन्दूलाल के पिता स्वामी जी के भक्त हैं । उन्होंने पुत्र को स्वामी जी की सेवा में नियत कर दिया है । उन दिनों चन्दूलाल वेदांती है, परंतु स्वामी जी का ग्रन्थ 'सत्यार्थ-प्रकाश' पढ़ने से उसके पूर्व विचार बदल जाते हैं । स्वामी जी की बताई विधि से प्रतिदिन इक्कीस प्राणायाम करने से उसका मरोड़ का पुराना रोग जाता रहा ।

●

स्वामी जी ब्यावर से मसूदा आए और दो सप्ताह विश्राम कर बनेड़ा के ठाकुर की प्रार्थना पर मसूदा राज्य के टाँगे पर बैठ कर वहाँ पहुँचते हैं । मसूदा नरेश ने उनका सामान और कर्मचारियों को बनेड़ा पहुँचाने के लिए रथ, बैलगाड़ी और चार अश्वारोही सैनिक भी साथ कर दिये हैं । बनेड़ा के राजा और उनके दोनों राजकुमार स्वामी जी के चरणों में बैठकर उनके उपदेशों से लाभ उठाते रहे । एक दिन राजा ने जीव और ब्रह्म के विषय में प्रश्न किया । स्वामी जी ने कहा—"जीवात्मा से ब्रह्म न्यारा है। जैसे आकाश इस घर के भीतर-बाहर परिपूर्ण है, परंतु वह इससे भिन्न है, वैसे ही परमात्मा जीवात्मा में रमा होने पर भी वह जीवों से भिन्न ही है ।" यहाँ भी सैकड़ों मनुष्य स्वामी जी के अमृत तुल्य उपदेशों से लाभ उठाते रहे ।

●

बनेड़ा से चल कर संवत् १९३८ वि० के कार्तिक मास में स्वामी दयानन्द सरस्वती चित्तौड़ में सुशोभित हुए और गंभीरी नदी के तट पर रुंडेश्वर महादेव के मन्दिर में ठहरे । उन दिनों वहाँ लार्ड रिपन का दरबार होने वाला है। इसलिए उदयपुर राज्य के अंतर्गत जितने भी राजा और उपराजा, जागीर-

दार और सरदार हैं, वे सब उस दरबार में सम्मिलित होने के लिए बड़ी सज-धज के साथ चितौड़ आए हैं।

स्वामी जी का सत्संग प्रतिदिन सायंकाल लगा करता है। उसमें प्रायः सभी दरबार में आए हुए राजे आदि आया करते और स्वामी जी के दर्शनों एवं उपदेशों से लाभ उठाते।

एक दिन स्वामी जी व्याख्यान के अनंतर कई राजाओं और पंडितों सहित भ्रमण करने जा रहे हैं। मूर्ति-पूजा पर युक्तियाँ-प्रतियुक्तियाँ चल रही हैं। मार्ग में एक छोटा-सा देवालय मिला। उस समय वहाँ बहुत-से छोटे-छोटे बच्चे खेल-कूद रहे हैं। महर्षि ने उस स्थान पर पहुँच कर एकाएक सिर नीचा कर लिया और फिर आगे चल पड़े। एक पंडित ने कहा, "स्वामी जी! प्रतिमा-पूजन का खंडन आप चाहे जितना करें, पर देव-बल के आगे आपको भी सिर झुकाना पड़ता है। आपका मस्तक देवालय के सामने अपने-आप ही नीचा हो गया।" महर्षि यह सुन कर वहीं खड़े हो गये और उन बालकों में खेलती हुई एक छोटी-सी नंगी-धड़ंगी बालिका की ओर संकेत करके बोले, "देखते नहीं हो, यह मातृ-शक्ति है जिसने हम सब को जन्म प्रदान किया है। इसका सम्मान करना हमारा सब का कर्त्तव्य है।" ये शब्द सुनते ही सभी उपस्थित सज्जन आवाक् रह गये। बड़ी देर तक महर्षि के ये शब्द उनके कानों में गूँजते रहे। वे आपस में कहने लगे—"ऋषि तू धन्य है, स्त्री-जाति के प्रति तेरा प्रेम और श्रद्धा धन्य है।"

●

एक दिन उदयपुर के राणा सज्जनसिंह स्वामी जी के गुणों की प्रशंसा कविराज श्यामलदास और फतेहकरण से सुन कर स्वामी जी की सेवा में उपस्थित हुए और सादर प्रणाम करके एक ओर बैठ गये। महर्षि उस समय राज-धर्म की ऐसी विशद व्याख्या और राजा के कर्त्तव्यों का ऐसा सुन्दर वर्णन करते हैं कि महाराणा के हृदय में उनके प्रति श्रद्धा-भक्ति उत्पन्न हो जाती है। उपदेश समाप्त करके स्वामी जी ने अपने पूर्व परिचित शाहपुराधीश से कुशल-मंगल पूछा और महाराणा की ओर संकेत करके कहा, "आपका साक्षात्कार तो पहले कभी नहीं हुआ जान पड़ता।" शाहपुराधीश यह समझ कर कि महाराणा अपने को प्रत्यक्ष नहीं करना चाहते हैं, पहले मौन रहते हैं। परंतु स्वामी जी के दुबारा पूछने पर उन्होंने कहा, "आप राणा सज्जनसिंह हैं।" तब स्वामी जी स्नेह-पूर्ण दृष्टि से महाराणा को देख कर मधुर वाणी में बोले, "राणा जी! श्रीमंत का इस प्रकार चुपचाप आना और एक साधा-

रण आसन पर बैठ जाना शोभा नहीं देता।" राणा ने विनम्र निवेदन किया "भगवन्! आप ऐसे संतों के समीप इसी प्रकार आने और बैठने में हम गृहस्थों की शोभा और सौभाग्य है। यही एक ऐसा आसन है जहाँ आकर बड़े से बड़ा सम्राट् सिर झुकाता है। यहीं राजा-रंक का अंतर समाप्त हो जाता है।"

उसी दिन से महाराणा स्वामी जी के शिष्यों में सिरमौर हो गये। उन्होंने स्वामी जी को राजभवन में बुला कर उपदेश सुना और उदयपुर में पदार्पण करने के लिए प्रार्थना की। स्वामी जी बम्बई से लौट कर वहाँ आने का वचन देते हैं।

जिस दिन स्वामी जी बम्बई के लिए प्रस्थान करने वाले हैं, महाराणा ने बग्घी भेज कर अपने यहाँ आमंत्रित किया। चलते समय पाँच सौ रुपये भेंट कर के चरण छुए और कर-बद्ध प्रार्थना की—"उदयपुर में यथासंभव शीघ्र ही दर्शन दीजियेगा।"

●

इंदौर नरेश को स्वामी जी के दर्शनों की बहुत दिनों से अभिलाषा है। वे स्वामी जी से इन्दौर पधारने के लिए कई बार प्रार्थना कर चुके हैं। परंतु इस बार जब स्वामी जी बम्बई जाते हुए इन्दौर उतरे तो महाराजा कहीं बाहर गये हुए हैं। न्यायाधीश श्रीनिवास ने स्वामी जी को बड़ी आव-भगत से ठहराया और सेवा सुश्रूषा की। स्वामी जी इंदौर में एक सप्ताह रह कर वहाँ की जनता में प्राण-संचार कर बम्बई के लिए चल पड़े।

●

बम्बई स्टेशन पर उनका स्वागत करने के लिए श्री अल्काट आर्यसमाज के सभासदों सहित उपस्थित हैं। ये लोग स्वामी जी को ले जाकर समुद्र तट पर एक अत्यंत रमणिक स्थान बालुकेश्वर गोशाला में ठहराते हैं। स्वामी जी बंबई आर्य-समाज के वार्षिकोत्सव के अवसर पर पधारे हैं। इस बार यहाँ स्वामी जी ने लेखन-कार्य ही अधिकतर किया।

●

आर्य-समाज का यह उत्सव बड़ी धूमधाम से मनाया गया। एक दक्षिणी पंडित ने बड़ा ही चित्ताकर्षक वेद गान किया। स्वामी जी के उपदेशों से आर्य-पुरुषों का बड़ा उत्साह बढ़ा और उन्होंने आर्य-समाज के लिए भवन निर्माणार्थ गिरगाँव में भूमि मोल ले ली। इस कार्य के लिए एक निधि खोली गई है। लोग यथाशक्ति इसमें दान देते हैं। एक मारवाड़ी ने आ कर स्वामी

जी से निवेदन किया, "भगवन् ! मेरी सारी पूँजी दस सहस्र रुपये की है। मैं वह सारा धन आर्य-समाज मन्दिर निर्माण कोश में देना चाहता हूँ। कृपया यह तुच्छ भेंट स्वीकार कीजिये।" स्वामी जी ने केवल एक सहस्र रुपये स्वीकार करते हुए कहा, "मैं आपके वैदिक-धर्म के प्रति अगाध प्रेम और आदर्श दानशीलता से अत्यन्त प्रसन्न हूँ। परंतु मैं घर-फूंक तमाशा देखना अच्छा नहीं समझता। ऐसे मन्दिर को बनवा कर ही क्या होगा जिसमें बैठ कर उपासना करने वालों के घर उजड़ जायें।"

इस उत्सव के अवसर पर दानापुर से कुछ लोग स्वामी जी के दर्शनों के लिए बम्बई आए हैं। स्वामी जी ने कहा, "जनकधारी जी ! मुझसे पूछने के लिए बहुत से प्रश्न सोच कर आप घर से चले हैं। इस समय अवकाश है। आप जो चाहें मुझसे पूछ लें।" जनकधारी यह कह कर कि "महाराज तनिक उन प्रश्नों को एक परचे पर टाँक लूँ तो पूछूँ"—बाहर बैठ गया और प्रश्नों को सोच-सोच कर एक कागज पर लिखने लगा। वह जो प्रश्न लिखता है तत्काल उसका उत्तर उसे सूझ जाता है। इस प्रकार अंत में एक भी प्रश्न पूछने के लिए नहीं बचा। उसे आश्चर्य है कि जिन प्रश्नों का उत्तर मुझे बहुत सिर खपाने पर भी नहीं सूझ रहा था, उनकी गाँठें आज अनायास ही खुल गई हैं, मानों कोई बड़ा तार्किक मेरे अंतःकरण में बैठा प्रश्नों का उत्तर दे रहा है। स्वामी जी ने अपनी कोठरी से बाहर निकल कर हँसते हुए पूछा, "कहिए ! आपने प्रश्न लिख लिये ?" जनकधारी ने निवेदन किया, "पूछने योग्य तो अब कुछ रहा ही नहीं।" जनकधारी के साथी ने पूछा, "महाराज ! मुझे कोई योग की क्रिया बता दीजिये।" स्वामी जी ने उसे ध्यानपूर्वक देख कर कहा, "अभी आप यम-नियम का ही अभ्यास कीजिये।" उसके बार-बार कहने पर भी स्वामी जी ने उसे यम-नियम का पालन करना ही बताया। वह व्यक्ति खिन्न और उदास होकर वहाँ से चला जाता है। जब जनकधारी डेरे पर आया तो वह उलाहना देने लगा, "आप व्यर्थ ही मुझे दानापुर से यहाँ तक घसीट लाए। यहाँ आकर कोई लाभ न हुआ।" उसके साथियों ने समझाया—"भाई ! स्वामी जी तो परम योगी हैं। उनसे मनुष्यों का कोई भेद छिपा नहीं रहता है। तुम सोचो स्वयं कि स्वामी जी ने तुम्हें यम-नियम की शिक्षा तुम्हारी मानसिक अवस्था के अनुसार ही दी है अथवा नहीं। क्या तुमने अपने को योग सीखने का अधिकारी बना लिया है ?" वह व्यक्ति मन ही मन अपनी अनधिकार चेष्टा के लिए लज्जित हुआ। उसे न्यायालय में प्रतिदिन झूठी साक्षी देने की बात स्मरण हो आती है।

●

एक युसुफ नाम के पादरी ने एक व्याख्यान में कहा कि ईसाई मत ही केवल ईश्वरीय धर्म है, और उसी का सारे संसार में प्रसार होगा। स्वामी जी ने उसे तुरंत पत्र लिखा, "यदि आप अपनी बात सिद्ध करना चाहते हैं और यह नहीं चाहते कि लोग आपकी बात बिना प्रमाण के ही मान लें तो आप आगामी आदित्यवार को सायंकाल पाँच बजे फ्रामजी काऊसजी इन्स्टीट्यूट में उपस्थित हों कर मुझसे इस विषय पर वाद-विवाद करें। यदि यह समय और स्थान आपके अनुकूल न हो तो इस विषय में आप अपना निश्चय लिखिये। मैं उसके अनुसार कार्य करने के लिए समुद्यत हूँ।" जब पादरी ने शास्त्रार्थ करना स्वीकार नहीं किया तो स्वामी जी ने नियत समय और तिथि पर ईसाई-धर्म पर व्याख्यान दिया, और मनोरंजक समालोचना करके सिद्ध कर दिया कि पादरी महोदय ने अपने मत की प्रशंसा में केवल डींग मारी है, उसमें कोई सच्चाई नहीं है। स्वामी जी के पीछे श्री अल्काट ने भी ईसाई-मत पर युक्तियुक्त आक्षेप किये।

●

एक दिन स्वामी जी अपने आसन पर विराजमान हैं। होठों पर स्फूर्ति से भरी हुई मनोहारिणी ओजस्वी मुस्कान है। पास में उनके प्रिय भक्त रानाडे बैठे हैं। दूसरे लोग भी अपनी शंकाएँ मिटाने आए हैं। एक सज्जन ने पूछा, "भगवन्! 'पातंजलशास्त्र' का 'विभूतिपाद' क्या सच्चा है?" महर्षि ने कहा, "योगशास्त्र तो अक्षरशः सत्य है। वह कोई पुराणों के समान काल्पनिक ग्रन्थ नहीं, किन्तु क्रियात्मक और अनुभव-सिद्ध शास्त्र है। कोई भी योगाभ्यास द्वारा इन सिद्धियों का स्वयं साक्षात्कार कर सकता है।" वहाँ एक महात्मा भी उपस्थित हैं। उन्होंने कहा, "दयानन्द! उपदेश सदा अधिकारी को ही देना चाहिए। नहीं तो तुम्हारा प्रयास––'भैंस के आगे बीन बजावे और भैंस खड़ी पगुराय' के समान ही व्यर्थ जायेगा। मोती तो हंस के सामने ही बखेरना चाहिए।" स्वामी जी ने उत्तर दिया––"महात्मन्! बहुतों को उपदेश देने से उनमें हंस भी निकल आते हैं।" स्वामी जी थोड़ा ठहर कर फिर बोले, "धर्मोपदेश में अधिकारी अनधिकारी का प्रश्न उठाना व्यर्थ है। इसका अधिकारी तो मनुष्य-मात्र है।"

●

शूद्रों और पिछड़ी जातियों की स्वामी जी को बड़ी चिंता है। सत्संग में एक ब्राह्मण भी सम्मिलित है। स्वामी जी ने उसका परिचय पूछा। उसने

कहा, "भगवन् ! मैं साधारण-सा पढ़ा-लिखा एक ब्राह्मण हूँ। सरकार से थोड़ी पेन्शन मिलती है। उसी से बाल-बच्चे को पालता हूँ।" स्वामी जी ने कहा, "आप पिछड़ी ओर जंगली जातियों में शिक्षा-प्रसार का कार्य करने लग जाइये। ईसाई उनके फँसाने के लिए चारों ओर जाल बिछा रहे हैं। आप इन आर्य-जाति के लालों को सत्य धर्म का ज्ञान देकर उन्हें ईसाइयों के पंजे से छुड़ाइए।" परंतु वह ब्राह्मण अज्ञान के जाल में स्वयं फँसा है, दूसरों को मुक्त कैसे कराता। वह बोला, "महाराज ! अछूतों और शूद्रों को शिक्षा देने से मेरे भाई-बंधु मुझे त्याग देंगे।" स्वामी जी ने समझाया, "भाई विद्या पढ़ने का सब को अधिकार है। वेद ने स्वयं वेद पढ़ने का सब को समान अधिकार दिया है। परमात्मा के बनाये पृथ्वी, जल, अग्नि, वायु, सूर्य, चन्द्र और अन्नादि के समान ही उसका ज्ञान वेद भी सब के लिए है।" ब्राह्मण बोला, "भगवन् ! आपका कथन सत्य है, परंतु अपने भाई ब्राह्मणों से विरोध करने का साहस मुझमें नहीं है।" यह कह कर वह वहाँ से चला गया। स्वामी जी अपने देशवासियों की बुद्धि पर दुःखित हो कर एक ठंडी साँस भरते हैं।

●

रानाडे जाने के लिए स्वामी जी से आज्ञा माँग ही रहे हैं कि सूचना मिली कि पश्चिम के सुप्रसिद्ध विद्वान् मोनियर विलियम्स स्वामी जी से मिलने के लिए आए हैं। स्वामी जी ने बड़े प्रेम से उनका स्वागत किया। पहले संस्कृत में बातचीत आरंभ हुई, परंतु मोनियर महाशय संस्कृत में बोलने का अभ्यास न होने के कारण अँग्रेजी में ही बोलने लगे। उनकी बातों का आशय रानाडे स्वामी जी को समझा देते हैं। बहुत देर तक बातचीत होती रही। अंत में मोनियर महोदय ने प्रसन्न हो कर कहा—"आप से मिल कर मुझे बड़ी प्रसन्नता हुई। आपके विचार बहुत ही परिमार्जित, उत्तम और उच्च हैं। उनका प्रसार यूरोप में भी होना चाहिए। यदि आप यूरोप की यात्रा करना चाहें तो मैं उसकी व्यवस्था अपने व्यय से कर सकता हूँ।" स्वामी जी ने उनकी उदारता के लिए धन्यवाद देते हुए कहा, "यूरोप जा कर अपने विचारों का सफलता-पूर्वक प्रचार करने के लिए, वहाँ की कुछ मुख्य भाषाओं के जानने की आवश्यकता है। मैं उनके अध्ययन में जितना समय लगाऊँगा उतने समय में अपने देश का हित अधिक कर सकूँगा। इस समय तो भारत को मेरी सेवाओं की युरोप की अपेक्षा कहीं अधिक आवश्यकता है। भारतवासियों के रग-रग में आलस्य और अज्ञान भिदा हुआ है। उन्हें इन दोषों से मुक्त कराना भारतीय होने के नाते मेरा मुख्य कर्त्तव्य है।

अभी मोनियर विलियम्स और रानाडे गये ही हैं कि कोई बंगाली सज्जन स्वामी जी के दर्शनों के लिए आया। चलते समय उसने पानी पीने की इच्छा प्रकट की। सेवक ने उसकी लंबी दाढ़ी से उसे मुसलमान समझ कर उसे दोने में पानी पिलाया। जब वह चला गया तो स्वामी जी ने सेवक को डाँटा और कहा, "तुम लोगों ने सभ्यता का साधारण नियम भी नहीं सीख पाया है। आगे यदि मेरे पास मुसलमान ईसाई किसी मत का भी मनुष्य आए और पीने को जल माँगे तो उसे पात्र में ही जल दिया करो। किसी के आदर-सत्कार में तनिक भी कमी न होनी चाहिए।"

●

स्वामी जी का जीवन उद्योग और पुरुषार्थ का है। वे नहीं चाहते कि लोग अपना समय व्यर्थ गँवाएँ। अँग्रेजी पढ़ा हुआ एक पंजाबी युवक स्वामी जी के पास ठहरा हुआ है। वह कई दिनों तक खा-पी कर या तो पड़ कर सोता या नगर में इधर-उधर घूमा करता है। स्वामी जी ने उसे उपदेश दिया, "जो वस्तु जितनी अधिक उपयोगी होती है, वह उतनी ही अच्छी और प्रिय होती है। मनुष्य को भी अच्छा और प्रिय होने के लिए उपयोगी होना चाहिए। जब हम किसी की कोई वस्तु ग्रहण करने लगें तो पहले यह सोच लेना चाहिए कि उसके लेने का अधिकार भी हमें है अथवा नहीं।" यह उपदेश देने के पश्चात् स्वामी जी ने उसे अँग्रेजी समाचार-पत्र पढ़ कर सुनाने का काम सौंप दिया।

●

स्वामी जी गोरक्षा को भारत की उन्नति के लिए अत्यंत आवश्यक समझते हैं। वे इस विषय पर स्थान-स्थान पर व्याख्यान देते हैं, अँग्रेज उच्च अधिकारियों से मिल कर गोबध बंद कराने की प्रार्थना करते हैं। उन्होंने 'गोकरुणानिधिः' नाम की पुस्तक लिखी है; और 'गोकृष्यादि-रक्षिणी' नाम की एक सभा स्थापित की है। अंत में स्वामी जी ने महारानी विक्टोरिया के नाम एक आवेदन-पत्र तैयार करके भारत भर में लोगों के हस्ताक्षर करवाने के लिए भेजा है। गोरक्षा के विषय में महर्षि बम्बई में एक दिन व्याख्यान देते हैं, "गो-वध के विरुद्ध आप लोग घोर घृणा का प्रकाश तो किया करते हैं, परंतु उनकी रक्षा के लिए कुछ भी नहीं करते हैं, अपितु उनके वध करवाने में सहायक ही होते हैं। भोलेभाले भाई गो-संकल्प द्वारा वैतरणी पार हो जाने के लोभ से गौ को पुरोहित देवता को दान करते हैं। गाय पुरोहित के आँगन में

खूँटे से बँधी रहती है, और वह बार-बार कई स्थानों में संकल्प कराई जाती है। यदि दान में मिली हुई कई गाएँ इकट्ठी हो जाती हैं, तो पुरोहित उन्हें कसाई के हाथ बेच डालता है। गो-हत्या से इतनी हानि हो रही है, परंतु खेद है कि राजपुरुष इस पर कुछ भी ध्यान नहीं देते हैं। पर इसमें हमारा ही दोष अधिक है। हममें एकता का सर्वथा अभाव है। यदि हम सब मिल कर गो-वध बंद कराने का प्रयत्न करें और इसके लिए शासकों से निवेदन करें तो क्या हम अपने मनोरथ में सफल नहीं हो सकते ?"

"जगत् में ऐसा कौन मनुष्य है जो सुख-प्राप्ति में प्रसन्न और दुःख पाने पर दुःखित न होता हो। जैसे अपने ऊपर कोई उपकार करे तो आनन्द होता है, वैसे ही दूसरों का उपकार करके हमें प्रसन्न होना चाहिए। क्या भूमंडल में कभी कोई मनुष्य ऐसा था, अब है अथवा आगे होगा जो परोपकार रूपी धर्म और परहानि रूप अधर्म के अतिरिक्त धर्माधर्म का कोई अन्य रूप सिद्ध कर सके। वे लोग धन्य हैं, जो अपना तन, मन और धन संसार का उपकार करने में लगा देते हैं। और वे जन निन्दनीय हैं जो अपनी अज्ञानता से स्वार्थवश जग में महा हानि कर के थोड़े लाभ के लिए बड़े लाभ का उसी प्रकार नाश करते हैं जैसे किसी कथा में वर्णित एक लालची और मूर्ख मनुष्य अपनी प्रतिदिन सोने का अंडा देने वाली मुर्गी को मार कर सोने के अंडों से सर्वदा के लिए हाथ धो बैठा था। सर्वशक्तिमान् जगदीश्वर ने इस सृष्टि में जो-जो पदार्थ जिस-जिस प्रयोजन के लिए रचे हैं, मनुष्य को उनसे वही वही प्रयोजन सिद्ध करना चाहिए, न कि थोड़े से लाभ के लिए उन्हें बीच ही में नष्ट कर दिया जाय।"

"विश्व भर में जीवन के मूल दो ही पदार्थ हैं—एक अन्न और दूसरा पानी। मनुष्यों को खान-पान पुष्कल मात्रा में प्राप्त हो, इस अभिप्राय से आर्यावर्त्त के राजे-महाराजे और प्रजा-जन महोपकारक गाय आदि पशुओं का बध नहीं करते थे। मनु महाराज ने कहा है कि मारने की अनुमति देने वाला, मारने वाला, काटने वाला, विक्रेता, क्रेता, पकाने वाला, परोसने वाला, और खाने वाला ये आठों घातक, हिंसक और पापी हैं।[1] वेद में कई स्थलों पर गाय और पशुओं के मारने का निषेध है।[2] हमारे शास्त्रों ने पशुओं के मारने के निषेध के

---

१. अनुमन्ता विशसिता निहन्ता क्रयविक्रयी।
संस्कर्त्ता चोपहर्त्ता च खादकश्चेति घातकाः (मनु ५।५१)

२. माता रुद्राणां दुहिता वसूनां स्वसादित्यानाममृतस्य नाभिः।
प्र नु वोचं चिकितुषे जनाय मा गामनागमदितिं वधिष्ट॥
(ऋग्वेद—८।१०१।१५)

साथ ही साथ आदेश दिया है कि उनके चरने के लिए कम से कम आधी भूमि में जंगल रखे जायँ, और हरे वृक्ष न काटे जायँ। वृक्षों के अधिक होने से वर्षा अधिक होगी, भूमि में आर्द्रता रहेगी और जलवायु शुद्ध रहेगी। रहने और चरने की सुविधा होने के कारण पशु-पक्षी की वृद्धि होकर खाद भी अधिक होगी। वन में उत्पन्न होने वाले मधु आदि पदार्थ भी प्रचुर मात्रा में प्राप्त होंगे। शास्त्रों के आदेशानुसार चल कर हम पुष्कल मात्रा में फल, दूध और अन्न प्राप्त कर सकते हैं और देश की दरिद्रता को बहुत-कुछ कम कर सकते हैं।"

"किसानों को खेत जोतने के लिए, रहट चलाने के लिए, चरस खींचने के लिए, गाड़ी द्वारा सामान ढोने के लिए तथा अन्यान्य कार्यों के लिए कृषि प्रधान देशों में बैलों की बहुत आवश्यकता है। देश में अच्छे बैलों की उपलब्धि के लिए एवं पर्याप्त मात्रा में दूध का प्रबंध करने के लिए लाखों और करोड़ों अच्छी जाति की गौएँ पालनी चाहिए। उनके चरने के लिए नगरों और ग्रामों के आसपास उद्यान और वनस्थली होनी चाहिए। गोपालन की सुविधा के लिए और गोरक्षा में राज्य की ओर से प्रोत्साहन और सहयोग होना चाहिए, परंतु राज्य ऐसा तभी करेगा जब भारतवासी संगठित हो कर एक स्वर से प्रजा हितैषिणी महारानी विक्टोरिया की सेवा में गोहत्या रूप अन्याय को बंद कराने की प्रार्थना करें।"

"मैं ने स्वयं गोवध बंद कराने के लिए एक प्रार्थना-पत्र तैयार करवा कर भिन्न-भिन्न स्थानों में हस्ताक्षरों के लिए भेजा है। मुझे आशा है कि मेरे इस परोपकार के कार्य में भारत में रहने वाले सभी मत के लोग सहयोग देंगे और आवेदन-पत्र पर हस्ताक्षर कर देंगे, क्योंकि गाय-बैल समान रूप से सब को लाभ पहुँचाते हैं। मुझे पूर्ण विश्वास है कि गोवध बंद कराने के लिए सभी लोग यदि हस्ताक्षर कर देंगे तो सर्वप्रिय लार्ड रिपन महोदय के शासन-काल में गोहत्या बंद करने की आज्ञा प्रचलित हो जायेगी।"

"परंतु सारे भारत में लोगों के हस्ताक्षर करवा कर प्रार्थना-पत्र इंगलैंड भेजना एक बहुत बड़ा काम है, और इसमें समय भी अधिक लगेगा। इसलिए मैंने 'गोकृष्यादिरक्षिणी' नाम की एक सभा स्थापित की है, जिसका मुख्य कार्य गो आदि पशुओं का पालन और पशु रक्षा है। और मुख्य उद्देश्य सारे विश्व को विविध सुख पहुँचाना है। किसी को हानि पहुँचाने का इसका प्रयोजन नहीं है। इस सभा के नियम, उपनियम, पशुओं से लाभ, उनके मारने से हानि, और मद्य-सेवन एवं मांस-भक्षण ईश्वरीय आज्ञा और प्रकृति-नियम के विरुद्ध है, इत्यादि बातें मेरी लिखी पुस्तक 'गोकरुणानिधिः' में विस्तारपूर्वक लिखी

हैं, इनको आप लोग उसी में देख लें, और इस सभा के सदस्य बन कर एक आवश्यक और पुनीत कार्य में भाग लें।"

"सर्व शक्तिमान् जगदीश्वर आप और हम पर पूर्ण कृपा करें कि जिससे हम लोग हानिकारक कर्मों को छोड़ कर सर्वोपकारक कर्मों को करके आनन्दपूर्वक अपना जीवन व्यतीत करें। मुझे आशा है कि आप लोग इन बातों को एक कान से सुन कर दूसरे कान से निकाल न देंगे, अपितु मूक और अनाथ पशुओं की रक्षा करने में शीघ्र प्रयत्नशील होंगे। ओउम शांतिः शांतिः शांतिः।"

१० | अन्तिम आहुति

परमात्म देव के राज्य का उद्‌घोषक

स्वामी जी खंडवा, इन्दौर, रतलाम, जाबरा आदि स्थानों में धर्मोपदेश आदि कार्य करते हुए चित्तौड़ पधारे। यहाँ दो सप्ताह रह कर उदयपुर के लिए चल पड़ते हैं।

उदयपुर में स्वामी जी को नौलखा उद्यान के एक सुन्दर भवन में ठहराया गया। इस समय उनके साथ रामानन्द ब्रह्मचारी, स्वामी आत्मानन्द और पंडित भीमसेन तथा दो-एक सेवक हैं। स्वामी का शुभागमन सुनते ही महाराणा मंत्रिमंडल और पंडितों सहित दर्शनों के लिए आए। स्वामी जी नित्य गोवर्द्धन विलास पर्वत पर प्रातः भ्रमण करने जाते हैं। कुछ दिनों के पश्चात् राणा जी सवेरे ही स्वामी जी की सेवा में उपस्थित होने लगे। इसलिए वे गुलाब-वाटिका में ही घूम लिया करते हैं।

यहाँ मौलवी अब्दुर्रहमान के साथ स्वामी जी के कुछ प्रश्नोत्तर भी हुए। मौलवी साहब का प्रश्न है—"वेद यदि ईश्वर का बनाया होता तो सूर्यादि की भाँति ही संसार के सारे मनुष्यों को इससे लाभ पहुँचता।" स्वामी जी ने उत्तर दिया, "वेद पवित्र सूर्यादि पदार्थों की भाँति ही सब को लाभ पहुँचाता है। संसार के सारे धर्म-ग्रन्थों और विद्या की पुस्तकों का कारण वेद ही है। यह सब के पहले से ही विद्यमान् है, इसलिए जितने शुभ विचार और ज्ञान की बातें दूसरे ग्रन्थों में पाई जाती हैं, वे सब वेद से ली गई हैं। भ्रममूलक कथाएँ उन ग्रन्थों के लिखने वालों की अपनी मनगढ़ंत है। वेद में किसी का खंडन-मंडन नहीं है। वे मनुष्य-मात्र को उपदेश देते हैं। इसलिए वे पक्षपात रहित हैं। जैसे किसी विद्या का विशेष अध्ययन करने वाले उस विद्या से अधिक लाभ उठाते हैं, वैसे ही वेद का अनुशीलन करने वाले वेद से अधिकाधिक लाभान्वित होते हैं।"

एक दिन प्रातः स्वामी जी नौलखा उद्यान में पद्मासन लगाए समाधिस्थ

हैं। उसी समय एक काषाय वस्त्रधारी बिहारी ब्राह्मण दंड-कमण्डल लिये वहाँ आ निकला। वह महर्षि की दिव्य मनोहर छवि देख कर मुग्ध हो गया और देर तक उस प्रकाश-पुंज की ओर खड़ा निहारता रहता है। स्वामी जी की जब समाधि टूटी और उन्होंने सुरीले स्वर से ओउ़म् का उच्चारण किया, तभी आगन्तुक उनके चरणों में सिर रख कर प्रणाम करता है। तत्पश्चात् उसने स्वामी जी को अपना परिचय दिया—"भगवन् मैं बिहार प्रान्त का रहने वाला ब्राह्मण हूँ। मैंने व्याकरण और दर्शन-शास्त्रों का अनुशीलन किया है। वैराग्य आने पर गृह का परित्याग कर के पर्यटन कर रहा हूँ। यद्यपि मेरा नाम सहजानन्द और पहनावा संन्यासी का-सा है, परंतु मैं ने अभी तक विधि-पूर्वक संन्यास नहीं लिया है। दया करके मुझे संन्यासाश्रम की दीक्षा देकर कृतार्थ कीजिये। मैं देखते ही आप को पहचान गया कि यह मेरे गुरुदेव महर्षि दयानन्द हैं, जिनकी खोज में मैं यहाँ तक आया हूँ।" स्वामी जी ने सहजानन्द को कुछ दिनों अपने पास रख कर शिक्षा द्वारा प्रचार-कार्य के लिए तैयार किया और फिर उन्हें संन्यासी बना कर अपने प्रान्त बिहार में धर्म-प्रचार के लिए भेज दिया।

बहुत दिनों के पश्चात् स्वामी सहजानन्द ने श्री देवेन्द्रनाथ को बताया कि गुरुदेव उदयपुर में कभी-कभी चौबीस-चौबीस घंटे तक समाधिस्थ रहते थे और एक बार मैंने उन्हें गोवर्धन पर्वत के समीप एक सरोवर में जल पर पद्मासन लगाये योग मुद्रा में कमलदल की भाँति विराजमान देखा था। उस प्रभात की बेला में, उस शून्य प्रदेश में, उस शांत सरोवर के स्वच्छ जल पर वे तेजोराशि सुन्दरस्वरूप ऐसे जान पड़ते थे मानो सागर में सूर्योदय हो रहा हो।

●

एक दिन महाराणा और पंड्या मोहनलाल विष्णुलाल आदि सज्जन स्वामी जी की सेवा में उपस्थित हैं। इस समय स्वामी जी राजधर्म की व्याख्या कर रहे हैं। उनके वर्णन करने और समझाने की शैली ऐसी सुन्दर और उत्तम है कि लोगों को सुन कर आनन्द आ जाता है। किसी प्रसंग में स्वामी जी ने कहा, "सदा धार्मिक आज्ञा का ही पालन करना चाहिए।" इस पर सरदारगढ़ के ठाकुर मोहनसिंह ने निवेदन किया—"यदि हम सरदार लोग अपने महाराणा की आज्ञा अधर्म-युक्त समझ कर न मानें तो हमारी जागीर ही छिन जाय।" स्वामी जी ने कहा, "महाराणा प्रताप ने धर्म के लिए सर्वस्व न्योछावर कर कर दिया था।

थोड़ी देर में स्वामी जी ने राणा से कहा, "पंडित सुंदरलाल यहाँ आ रहे

हैं। यदि पहले से पत्र लिख देते तो सवारी का प्रबंध कर दिया जाता।" राणा ने निवेदन किया, "भगवन्! अब भी गाड़ी भेजी जा सकती है।" स्वामी जी, "अब तो वे बैलगाड़ी में आ रहे हैं। उसका एक बैल श्वेत वर्ण का है और दूसरे बैल के शरीर पर लाल धब्बे हैं। पंडित जी कल यहाँ पहुँचे जायेंगे।" स्वामी जी का यह कथन अगले दिन अक्षरशः सत्य निकलता है। लोग कहने लगे कि स्वामी जी का अंतःकरण इतना निर्मल और स्वच्छ है कि ध्यान देने पर दूर देश में घटित घटनाओं का भी उसमें आभास हो जाता है।

●

स्वामी जी को पता चला कि दशहरे के उत्सव में यहाँ भैंसों की बलि दी जाती है। उन्होंने महाराणा का ध्यान इस ओर आर्काषित किया और कहा, "न्यायकारी राजा के राज्य में यह घोर अन्याय नहीं होना चाहिए।" राणा ने कहा, "भगवन्! मेरी हार्दिक इच्छा इस क्रूर प्रथा को बंद कराने की है, परंतु एक परंपरा से चली आई परिपाटी को एकाएक रोक देने से प्रजा भड़क उठेगी और अँग्रेज शासकों को हमारे विरुद्ध एक बहाना मिल जायेगा। हाँ, इसे धीरे-धीरे घटा कर समाप्त करने का प्रयत्न अवश्य करूँगा।"

●

स्वामी जी शिक्षा-प्रसार के लिए सदैव प्रयत्नशील रहते और लोगों को इसके लिए प्रोत्साहन देते रहते हैं। एक दिन स्वामी जी ने चारण पाठशाला का निरीक्षण किया, विद्यार्थियों की परीक्षा ली, और उन्हें अपनी ओर से भोज दिया। स्वामी जी ने महाराणा से कह कर एक नवीन पाठशाला खोलने की व्यवस्था की।

●

स्वामी जी अकेले बैठे हैं। उसी समय महाराणा पधारे और स्वामी जी से विनय की, "भगवन्! आप मूर्ति-पूजा का खंडन करना छोड़ दें। इसके अतिरिक्त और बातों के सुधार पर बल दें, शिक्षा का प्रसार करें। यदि आप मेरी यह प्रार्थना स्वीकार कर लें तो मुझे आपको एकलिंग महादेव के महन्त की गद्दी पर सुशोभित कराने में कोई विघ्न-बाधा न रह जाय। वैसे तो यह राज्य भी एकलिंग के समर्पित है, परन्तु उस मन्दिर के नाम जो चलाचल सम्पत्ति लगी हुई है उसकी लाखों रुपयों की वार्षिक आय है। वह सब आप की हो जायेगी, सुधार के कार्य करने में आप को सुविधा हो जायेगी। सारी प्रजा आप को गुरु मानेगी।" यह सुनते ही स्वामी जी झुंझला कर बोले, "राजन्! आप मुझे तुच्छ प्रलोभन दिखा कर परमात्म देव से विमुख करना चाहते हैं।

उसकी आज्ञा भंग कराना चाहते हैं। राणा जी ! आपके छोटे से राज्य में मैं एक दौड़ लगा कर बाहर जा सकता हूँ। किन्तु उसके राज्य से तो मर कर भी बाहर नहीं हो सकता। उस परम प्रभु के दिव्य साम्राज्य के सामने इस मर्त्यलोक की मायाविनी मरीचिका अति तुच्छ है। मुझे फिर कभी ऐसी कुसम्मति दे कर आर्य-जाति के पुनरुद्धार कराने के मेरे पवित्र उद्देश्य से विचलित करने का साहस न कीजियेगा। मेरी धर्म की ध्रुव धारणा को इस संसार की कोई वस्तु डिगा नहीं सकती।" महर्षि की आवेश में कही हुई इन बातों को सुन कर महाराणा सन्न हो जाते हैं। काटो तो बदन में लहू नहीं। वे हाथ जोड़ कर बोले, "महाराज ! मेरी धृष्टता क्षमा की जाय।"

●

राणा जी स्वामी जी के आदेशों को पालने के लिए सदा तत्पर रहते, परन्तु स्वामी जी धार्मिक कार्यों के अतिरिक्त किसी अन्य राज्य-कार्य में हस्तक्षेप न करते। एक दिन राणा ने बहुत से पटेलों को स्वामी जी की सेवा में जाते देख अब्दुर्रहमान को आदेश दिया कि जाकर देखो कि ये लोग स्वामी जी से अपने अभियोग की बातें तो नहीं करते। मौलवी ने पता लगा कर राणा जी को सूचना दी कि उन लोगों ने जब अपने अभियोग की बात चलाई तो स्वामी जी ने कहा कि भाई हम तो संन्यासी हैं। इन सांसारिक झंझटों से हमें क्या प्रयोजन। उस समय राणा प्रसन्न हो कर बोले, "मौलवी जी ! आपने देखा—ऐसा निर्लेप संन्यासी संसार में मिलना कठिन है।"

●

जिन दिनों स्वामी जी उदयपुर में विराजमान हैं, उन्हीं दिनों महाराणा के अंतःपुर में संतान-दर्शन की आशा है। प्रसंगवश एक दिन स्वामी जी ने कहा कि राणा को पुत्र-रत्न प्राप्त होगा। परमात्मा की कृपा से जब राजकुमार का जन्म हुआ तो महाराणा ने यह शुभ समाचार स्वामी जी को दे कर आठ सौ रुपये फीरोज़पुर अनाथालय के लिए उनको भेंट किये।

●

महाराणा की इच्छा है कि स्वामी जी 'दर्शनों' का भाष्य करें। वे बीस सहस्र रुपये इस कार्य में लगाना चाहते हैं। स्वामी जी ने कहा कि 'वेद-भाष्य' का कार्य समाप्त होने पर ही अन्य ग्रन्थों के भाष्य करने के विषय में सोचा जा सकता है।

पंड्या मोहनलाल विष्णुलाल आदि कई लोग स्वामी जी से पढ़ना आरंभ करते हैं। उन्हें देख कर राणा जी भी उनसे अध्ययन करने लगे। वे पहले से

ही कुछ संस्कृत जानते हैं, परंतु स्वामी जी उन्हें व्याकरण के विशेष नियम स्लेट पर लिख-लिख कर समझाते हैं। स्वामी जी ने राणा को योग-दर्शन, मनु-स्मृति आदि राजनीतिक, धार्मिक और दर्शन-ग्रन्थ पढ़ा कर एक उत्तम शासक और पूर्ण आर्य बना लिया है। महाराणा स्वामी जी की बताई हुई दिन-चर्या के अनुसार ही कार्य करते हैं।

अपने लिखे ग्रन्थों के छापने-छपाने, वैदिक शिक्षा के प्रचार, अनाथ और दीन जनों के पालन और शिक्षा आदि उत्तम-उत्तम कार्यों के लिए महर्षि ने एक परोपकारिणी सभा स्थापित की और अपनी सारी सम्पत्ति उसके अधिकार में कर दी। उन्होंने भारत के विभिन्न प्रान्तों के प्रतिष्ठित सज्जनों को इस सभा का सदस्य बनाया और महाराणा उदयपुर को उसका सभापति नियत किया है।

स्वामी जी जब उदयपुर से विदा होने लगे तो महाराणा ने उनके सम्मान में संवत् १९३९ वि० के फाल्गुन मास की कृष्ण पक्ष की पंचमी को एक सभा नियोजित की, जिसमें पुष्प-माला आदि से उनका पूजा-सत्कार करने के उपरांत मान-पत्र पढ़ा गया।

●

स्वामी जी चित्तौड़ होते हुए शाहपुर पधारे। यहाँ उन्होंने एक ब्राह्मण युवक को संन्यास की दीक्षा दे कर उसका नाम ईश्वरानन्द रखा। उसे पढ़ने के लिए प्रयाग भेजा। उन्होंने अपने मुद्रालय के प्रबंधक को उसे पाँच रुपये मासिक की सहायता देने के लिए पत्र लिख दिया। स्वामी जी ने उसे विदा करते समय उपदेश दिया, "संन्यासी जनता की सेवा करके ही उसका अन्न ग्रहण करने का अधिकारी होता है। इसलिए अध्ययन के पश्चात् लोक-हित में लगे रहना। एक व्यापक धर्म, एक भाषा और एक लक्ष्य के बिना कोई राष्ट्र उन्नति नहीं कर सकता। सर्वसाधारण को इस बात के समझाने का प्रयत्न करना। कच्ची-पक्की रसोई और छुआछूत के पचड़े में न पड़ना, केवल शुद्धता का विचार रखना। हमें तो भेद-भाव मिटा कर चारों वर्णों को संगठित करके भारतीय राष्ट्र के भवन का नवनिर्माण करना है।"

एक दिन स्वामी जी अपना दैनिक कार्य समाप्त करके निश्चिन्त बैठे हैं। उसी समय दधिमथ स्वामी जी से भेंट करने के लिए आया। स्वामी जी ने कहा, "व्यास जी बैठिये। अब मुझे छुट्टी है। आप से वार्तालाप करने की पूरी सुविधा है।" व्यास ने निवेदन किया—"भगवन्! छुट्टी और मुक्ति तो बद्ध मनुष्य की होती है। आप तो परमहंस, पूर्ण स्वाधीन और स्वच्छन्द हैं।

आप को ऐसा कौन बंधन शेष है जिससे आपको छुट्टी मिली है ?" स्वामी जी ने उत्तर दिया—"मैं सारे धार्मिक और अपने कर्त्तव्य-कर्मों के बंधनों को मानता हूँ। जब तक शरीर का बंधन है उनसे मुक्ति कहाँ।" इतने में एक व्यक्ति ने आ कर एक दोने में बतासे स्वामी जी को भेंट किये। स्वामी जी ने उस दोने को दधिमथ की ओर बढ़ाते हुए कहा, "पत्थर पर चढ़ाये हुए बतासे मैं नहीं खाता।" लोगों को चकित देख कर स्वामी जी ने बताया कि इन बतासों में सिंदूर लगा है। आगन्तुक ने स्वामी जी से कहा, "तुलसीदास ने तो नाम की बड़ी महिमा गाई है। क्या केवल नाम से भवसागर पार नहीं किया जा सकता? मेरी समझ में तो नामी के गुणों के जानने की आवश्यकता नहीं है।" स्वामी जी ने कहा, "भाई सुना जाता है कि कोई व्यक्ति ईरान गया और वहाँ की बोली सीख कर घर लौटा। घर आ कर उस पर किसी भयंकर रोग का आक्रमण हो गया। वह प्यास से तड़पने लगा। वह 'आब-आब' रटने लगा। पानी उसके सिरहाने ही रखा था। परंतु घर वालों ने उसकी बात न समझ कर उसे पीने के लिए पानी न दिया। वह प्यास से तड़प-तड़प कर मर गया। घर वालों का रोना-धोना सुन कर पड़ोस का एक मौलवी वहाँ आ गया। उसने पूछा—"मरते समय भैया कुछ कह गये?" बाप ने बताया कि भैया आयँ-बायँ बकते थे। मौलवी—"आब-आब तो नहीं कहते थे?" माँ बोली—"हाँ! मौलवी साहब! वह कुछ ऐसा ही बार-बार कहता था।" मौलवी—"तुमने उसे पानी पीने को दिया? वह पानी माँग रहा था। पानी को फारसी में आब कहते हैं।" मौलवी का इतना कहना था कि घर में पहले से कहीं अधिक कुहराम मच गया। 'आब आब रटि भैया मर गये सिरहाने रखा पानी' कह-कह कर घर-भर गला फाड़-फाड़ कर रोने लगा। महाशय! आपने देखा—बिना अर्थ जाने नाम जपने का फल।" फिर स्वामी जी ने समझाया—"परमानन्द ईश्वर की प्राप्ति के लिए नामी के गुणों का जानना आवश्यक है। शब्द के साथ उसके अर्थ का बोध हो जाता है, जल कहते ही शीत गुण प्रधान द्रवीभूत पदार्थ की प्रतीति होती है। शब्द कहते ही उसके वाच्य का ज्ञान हो जाना चाहिए और उसकी प्राप्ति की क्रिया होनी चाहिए। ऐसे ही नाम और उसके अर्थ को जानना तथा उसकी उपलब्धि के लिए प्रत्याहार, धारणा और ध्यान आदि क्रिया-कलाप का करना परमावश्यक है।"

●

स्वामी जी को ज्ञात हुआ कि चित्तौड़ के गोपालराव नाम के एक व्यक्ति ने चित्तौड़ संबंधी उनका जीवन-चरित्र लिखा है। वहाँ उनसे उदयपुराधीश

की भेंट केवल तीन बार हुई थी, परंतु गोपालराव ने लिखा है कि महाराणा स्वामी जी से प्रतिदिन दो बार मिलते थे। स्वामी जी ने गोपाल राव को तुरंत लिख भेजा कि बिना भली प्रकार जाँचे कोई बात नहीं लिखनी चाहिए, क्योंकि थोड़ा भी असत्य मिल जाने से अच्छे से अच्छा काम दूषित हो जाता है।

●

रात्रि के समय वे ठीक दस बजे स्वच्छ परंतु साधारण शय्या पर शयन किया करते हैं। भक्त जनों से वार्त्तालाप करते हुए जिस समय दस बजे की पहली 'टन' की ध्वनि होती वे तुरंत खाट पर लेट जाते, और दूसरी 'टन' की ध्वनि होते-होते वे प्रगाढ़ निद्रा की गोद में चले जाते। उनके इस असाधारण सामर्थ्य पर लोगों को बड़ा आश्चर्य होता।

उनकी पाँचों ज्ञानेन्द्रियाँ इतनी निर्मल हैं कि सूक्ष्मतम विषय को सुगमता से ग्रहण कर लेती हैं। राज्य के जिस भवन में वे रहते हैं उसमें खस की टट्टियाँ लगी हैं। एक दिन जब उन पर जल छिड़का गया तो स्वामी जी ने कहा, "आज दुर्गंध कहाँ से आ रही है?" सेवक ने इधर-उधर देखा, कहीं कोई सड़ी-गली वस्तु न मिली। तब स्वामी जी ने टट्टियों पर पानी छिड़कने वाले सेवक को बुला कर पूछा "क्या तुमने आज बासी पानी छिड़का है?" उसने विनती की––"महाराज ! मैंने कुंड का पहले का सारा पानी बाहर निकाल कर ही उसे फिर से भरा है। कदाचित् घड़ा-आधा घड़ा बासी पानी रह गया होगा। परंतु इतने बासी जल से घड़ों नया जल कैसे बिगड़ सकता है।" स्वामी जी ने कहा, "अच्छा। टट्टियों को उतार कर देखो।" जब टट्टियाँ उतार कर दूर रख दी गईं तो दुर्गंध जाती रहती है।

●

स्वामी जी भोजन करके आज कल-केवल सोलह मिनट की नींद लेते हैं। उठते ही जल ले कर हाथ-मुँह धोते और कार्य में लग जाते हैं। नौकर भी घड़ी देखता रहता। ज्यों ही सोलहवाँ मिनट आरंभ होता वह अँगौछा और जल ले कर स्वामी जी की खाट के पास खड़ा हो जाता। ठीक सोलहवें मिनट की समाप्ति पर स्वामी जी जग जाते हैं।

स्वामी जी ने शाहपुराधीश श्री नाहरसिंह वर्मा को भी 'मनुस्मृति' आदि ग्रन्थ पढ़ा कर और आचार-विचार संबंधी शिक्षा दे कर एक प्रजा-पालक नरेश और सच्चा आर्य बना लिया है। स्वामी जी की परोपकारिणी सभा के भी वे सदस्य हैं।

स्वामी जी को अपने यहाँ से विदा करते समय श्री नाहरसिंह ने दो सौ

पचास रुपये भेंट करके स्वामी जी के चरण स्पर्श किये और पचास रुपये मासिक एक उपदेशक के वेतन के लिए देने का वचन दिया। राजा ने स्वामी जी के सम्मान में सभा करके अभिनंदन पत्र पढ़ा।

चलते समय शाहपुराधीश ने निवेदन किया, "मैं आपको अभी यहाँ से जाने न देता, परंतु महाराज जोधपुर अपने यहाँ बुलाने के लिए आपसे बार-बार प्रार्थना कर रहे हैं। इसलिए मैं आपको रोक कर उन्हें अप्रसन्न नहीं करना चाहता। परंतु वहाँ वेश्याओं का बहुत मान है। आप उनके विषय में अधिक न कहियेगा।" दूसरे उपस्थित सज्जनों ने भी कहा--"महाराज ठीक कह रहे हैं। जोधपुर दरबार में मुसलमानों का भी प्रभाव है। वहाँ के लोग कठोर प्रकृति के हैं। कहीं वे चिढ़ कर आपको कोई कष्ट न दें।" स्वामी जी ने कहा--"कँटीले झाड़-झंखाड़ को चाकू-छुरी से तो काट कर मार्ग से हटाया नहीं जा सकता। इसके लिए पैनी कुल्हाड़ी की आवश्यकता होगी। शास्त्रों की घोषणा 'सत्यमेव जयते' को स्मरण रखिये। मैं सत्योपदेश देकर अपने संन्यास धर्म का पालन करूँगा। इसके लिए मुझे चाहे कितना कष्ट भोगना पड़े या प्राण से ही हाथ क्यों न धोना पड़े।"

●

स्वामी जी शाहपुरा से विदा हो कर अजमेर होते हुए पाली रेलवे स्टेशन पर पहुँचे। इस समय उनके साथ उनके भक्त रायबहादुर गोपालरावहरि देशमुख के पुत्र लक्ष्मणराव सहायक कलेक्टर खानदेश भी हैं। वे छुट्टी लेकर स्वामी जी से योग सीख रहे हैं। वहाँ जोधपुर के महाराजा की ओर से चारण नवलदान आदि कई व्यक्ति स्वामी जी को लेने के लिए आए हैं। उनके साथ एक हाथी, तीन ऊँट, तीन रथ, एक सेज-गाड़ी और चार अश्वारोही सैनिक भी हैं। तीसरे दिन प्रातः जब जोधपुर नगर केवल तीन कोस रह गया तो स्वामी जी वायु-सेवन के विचार से गाड़ी से उतर पड़े और पैदल चलने लगे।

स्वामी जी की अगवानी और स्वागत के लिए जोधपुर नरेश की ओर से रावराजा तेजसिंह और रावराजा ज्वानसिंह रत्नगढ़ तक पैदल चल कर आये हैं। उन्होंने दूर से देखा--एक काषायम्बरधारी विशाल मूर्ति संन्यासी हाथ में एक लंबा डंडा लिये गंभीर गति से चले आ रहे हैं। उन दोनों ने स्वामी जी का हार्दिक स्वागत कर के उनके चरण छुए, और उन्हें मियाँ फैजुल्ला खाँ के उद्यान में ले जा कर ठहराया। उद्यान के फाटक पर महाराजा प्रतापसिंह ने स्वामी जी का स्वागत किया और उनके ठहरने की पूर्ण व्यवस्था की।

राज्य की ओर से चारण नवलदान चार सेवकों सहित स्वामी जी की सेवा

में नियुक्त हुए। छह सैनिकों सहित एक हवलदार पहरे पर लगाया गया। रावराजा तेजसिंह को स्वामी जी की सेवा-सुश्रूषा और अन्य सुविधाओं की देख-रेख का भार सौंपा गया। स्वामी जी के दुग्धपान के लिए एक उत्तम गाय का भी प्रबंध कर दिया गया।

कुछ दिनों के पश्चात् जोधपुर नरेश महाराजा यशवंतसिंह भी बड़े समारोह के साथ स्वामी जी के दर्शनों के लिए आए। समीप आकर उन्होंने बड़े विनीत भाव से स्वामी जी के चरण स्पर्श कर के एक सौ रुपये और पाँच स्वर्ण-मुद्राएँ उनके भेंट कीं और फर्श पर बैठ गये। परंतु स्वामी जी को उनका नीचे बैठना अच्छा नहीं लगता है। वे उनका हाथ पकड़ कर आग्रह करके कुरसी पर बैठाते हैं। यद्यपि महाराजा कहते रहे कि आप हमारे स्वामी हैं और हम आपके सेवक। अपने स्वामी के सामने सेवक का नीचे आसन पर ही बैठना उचित है।

स्वामी जी के उपदेश और व्याख्यान नियमित रूप से होने लगते हैं। राज्य के सभी स्तर के लोग उनमें सम्मिलित होते और लाभ उठाते हैं। महाराजा यशवंतसिंह कभी-कभी स्वामी जी के दर्शनों के लिए आते हैं और कभी उन्हें ही अपने यहाँ बुलवा लेते हैं।

एक दिन सत्संग में महाराजा प्रतापसिंह ने पूछा "भगवन्! आप ब्रह्म हैं अथवा जीव?" स्वामी जी ने कहा, "मैं जीव हूँ।" इस पर महाराजा ने कहा कि हमारे पंडित तो हमें ब्रह्म बताया करते हैं। स्वामी जी ने उपदेश देते हुए कहा—"यदि आप ब्रह्म होते तो आप में ब्रह्म के गुण भी पाए जाते। उसके सर्वज्ञता आदि गुण आप में नहीं हैं। इसलिए आप जीव हैं। ब्रह्म में भूल और अशुद्धि का मानना भारी भ्रम है।"

महाराजा प्रतापसिंह एक दिन स्वामी जी को अपना दुर्ग दिखाने ले जाते हैं। वहाँ महाराजा ने उन्हें बहुत सी अद्भुत वस्तुओं का संग्रह दिखाया। स्वामी जी राठौर वंश के प्रतापी पुरुष महाराजा प्रतापसिंह का हस्त-चित्र देख कर मुग्ध हो गये और कहने लगे, "प्रतापसिंह जी! तनिक अपने इन यशस्वी पुरुष के तेजस्वी मुखमंडल की ओर देखिये। ऐसा ही तेज मैं आप लोगों के मुख पर भी देखना चाहता हूँ।"

स्वामी जी को राजाओं के सुधार और उनमें अपने कर्त्तव्य-पालन की भावना जगाने की बड़ी चिन्ता है। उन्होंने जोधपुराधीश और महाराजा प्रतापसिंह से कई बार कहा कि आप लोगों पर लाखों मनुष्यों के रक्षण और कल्याण का उत्तरदायित्व है। आप लोग अपनी दिनचर्या मुझसे सुधरवा

लें और उसके अनुसार आचरण कर के अपना जीवन उत्तम और आदर्श बनाएँ। राजाओं को आलस्य और कुव्यसनों से दूर रहना चाहिए।

●

गणेशपुरी नाम का एक प्रसिद्ध विद्वान् संन्यासी यहाँ आया है। लोगों पर अपनी धाक जमाने के लिए वह अपने डेरे पर बढ़-बढ़ कर बातें करता है; छाती ठोंक कर स्वामी जी को शास्त्रार्थ में परास्त करने की डींग मारता है। जब लोगों ने उसे जाकर घेरा और स्वामी जी से शास्त्रार्थ करने के लिए उस पर बल देने लगे, और उसके बहुत टाल-टूल करने पर भी न टले तो उसे स्वीकार करना पड़ा कि मझमें स्वामी जी के सम्मुख होने का न तो साहस है और न सामर्थ्य ही। जब लोग इस पर भी न माने तो वह अपना डेरा-डंडा उठा कर वहाँ से चुपचाप कहीं चलता बना।

उनका एक क्षण भी व्यर्थ नहीं जाता है। वे 'वेद-भाष्य' का कार्य, 'सत्यार्थ-प्रकाश' और 'संस्कारविधि' आदि पुस्तकों का संशोधन-कार्य या चिट्ठी-पत्रियों के उत्तर लिखवाने का कार्य आदि कुछ-न-कुछ करते हैं। वे समाचार-पत्र नित्य पढ़वा कर सुनते हैं। अधिक कार्य करने पर भी स्वामी जी की शारीरिक अवस्था अच्छी है। राव तेजसिंह आदि भक्त-जन कभी पाँव दबाने के बहाने स्वामी जी की पिंडलियों में अपनी अँगुलियाँ बलपूर्वक धँसाते तो वे धँसाये न धसतीं।

विरोध और षड्यन्त्र का आभास

स्वामी जी अपने व्याख्यानों में सभी मत-मतांतरों पर प्रसंगानुसार समालोचना कर दिया करते हैं। चाहे कितना भी बड़ा और सत्ताधारी व्यक्ति बैठा हो, वे उसके मत के भ्रम-मूलक विचारों पर आक्षेप कर देते। एक दिन स्वामी जी ने इसलाम मत पर समालोचनात्मक भाषण दिया। उसे सुन कर जोधपुर राज्य के एक प्रभावशाली व्यक्ति भैया फैजुल्ला खाँ के तन-बदन में आग-सी लग जाती है। वह बहुत ही चिढ़ कर बोला—"अरे संन्यासी ! आज यदि मुसलमानों का राज्य होता तो तुम्हें लोग जीता-जागता न छोड़ते।" स्वामी जी ने बड़े धैर्य और शांतिपूर्वक उत्तर दिया—"खाँ साहब यदि ऐसा अवसर आता तो बेंत के समान काँपने न लगता और न चुपचाप ही बैठा रहता, किंतु निधड़क दो-चार वीर राजपूतों की पीठ ठोंक कर विरोधियों के धुर्रे उड़ा देता। ऐसा छकाता कि उन्हें छठी का दूध याद हो आता और उनके छक्के झूट जाते।" इस उत्तर से खाँ महाशय सब चौकड़ी भूल गये। परंतु

मन ही मन वह बहुत तिलमिलाया और स्वामी जी से बदला लेने के अवसर की ताक में रहने लगता है।

●

एक दिन स्वामी जी महाराजा के आमंत्रण पर उन्हें दर्शन देने राज-भवन पधारे। उस समय महाराजा की प्रेमिका नन्हीं जान वारांगना आई हुई है। स्वामी जी को आते देख महाराजा ने वेश्या को चले जाने का संकेत किया और उसे तुरंत पालकी पर सवार करवा कर वहाँ से चलता कर दिया। परंतु स्वामी जी उसे जाते देख लेते हैं। इस घटना से स्वामी जी के हृदय को बड़ा आघात पहुँचा। वे अपने को रोक न सके और दुःखित होकर महाराजा से बोले, राजन् ! सिंह समान राजा गली-गली भटकने वाली कुतिया के सदृश वेश्या के पीछे लगा है। यह आप के लिए सर्वथा अनुचित है। इस कुव्यसन से धर्म-कर्म सब नष्ट हो जाते हैं। मान-मर्यादा को बट्टा लगता है। इस पाप-सोपान पर पग धरते ही पुनः पद-पद पर मनुष्य का अधःपतन आप ही आप होता चला जाता है।"

महाराजा नन्हीं जान पर जान देते हैं। राज्य में उसका बड़ा मान-दान है। परंतु महर्षि दयानन्द कोई साधारण संन्यासी नहीं हैं जिनका भय महाराजा को न होता। वे स्वामी जी के डर से नन्हीं जान से मिलना-जुलना बंद कर देते हैं। वह कुतिया बनाए जाने वाले अपमान को तो विष के घूंट के समान किसी प्रकार पी जाती है, परंतु महाराजा द्वारा परित्यक्त होना उसके लिए असह्य हो जाता है। वह छेड़ी हुई नागिन की भाँति बल खा रही है और मन ही मन स्वामी जी से प्रतिकार का उपाय सोच रही है।

●

कल्लू कहार स्वामी जी का विश्वास-पात्र सेवक है। पता नहीं किसके बहकाने और प्रोत्साहन देने से वह कई सौ रुपये की चोरी कर के चम्पत हो जाता है। जोधपुर में सर्वथा अपरिचित होने पर भी इस विदेशी कहार का पता राज्य-कर्मचारी बहुत खोज करने पर भी न लगा सके। बहुत संभव है कि स्वामी जी के विरोधियों का हाथ इस षड्यंत्र में हो, और उन्होंने उसे कहीं छिपा लिया हो।

●

महर्षि को मनुष्य मात्र से प्रेम है; द्वेष और घृणा किसी से नहीं। अँग्रेजों के गुणों की तो वे बार-बार प्रशंसा करते हैं, और उनके शासन को अच्छा बताते हैं। फिर भी उनकी घोषणा है कि अच्छे से अच्छे विदेशी राज्य से

स्वदेशी राज्य अच्छा होता है और वे नित्य आर्यों से प्रार्थना करवाते हैं कि "हम अदीन हो कर सौ वर्ष जियें। हे भगवान्! विदेशी राजा हमारे देश में कभी न हो।" महर्षि के इन विचारों और अन्य शिक्षाओं का प्रभाव जनता पर पड़ता देख विदेशी शासक सतर्क हो गये हैं। परंतु महर्षि जब देशी राजाओं को जगाने राजस्थान जा पहुँचे तो अँग्रेजों को भारत में अपने साम्राज्य की जड़ें हिलती जान पड़ीं। वे महर्षि का मुँह बन्द करने के लिए उनके विरोधियों को खोज कर उनसे साँठ-गाँठ करने लगते हैं।

●

संवत् १९३० वि० की बात है। तीसरे पहर का समय है। लार्ड नार्थ-ब्रुक गवर्नर जनरल कलकत्ते के विशाल राज-भवन के एक सुन्दर और सुसज्जित गोल कमरे में गद्देदार कुरसी पर विराजमान हैं। उनके सामने दो प्रतिभावान् व्यक्ति बैठे हैं। उनमें से एक इंग्लैंड के लार्ड बिशप और दूसरे भारत के प्रसिद्ध विद्वान् और सुधारक संन्यासी स्वामी दयानन्द सरस्वती हैं। लार्ड बिशप महाशय एक सज्जन पुरुष हैं। वे आजकल भारत में अँग्रेजी चर्चों का निरीक्षण करने आए हैं और विभिन्न स्थानों पर घूमते हुए भारत की राजधानी कलकत्ते पधारे हैं। वे कई बार महर्षि के भाषणों में अध्यक्ष रह चुके हैं। वे स्वामी जी के असाधारण व्यक्तित्व और अद्वितीय विद्वत्ता से इतना अधिक प्रभावित हुए कि वे महर्षि को वायसराय से भेंट कराने के लिए अपने साथ लाए हैं।

वायसराय ने सिगार जलाते हुए स्वामी जी से कहा, "मुझे आप से मिल कर बड़ी प्रसन्नता हुई। मैं ने सुना है कि आप के सुधारवादी विचारों के कारण और आप से अपने मतों की कड़ी आलोचना सुन कर इस देश के सभी मतों के लोग असन्तुष्ट हैं। वे कभी-कभी आप को हानि पहुँचाने पर भी उतर आते हैं। यदि आप चाहें तो शासन की ओर से आप की रक्षा के लिए स्थायी प्रबंध कर दिया जाय और देशाटन की सुविधा के लिए आप को प्रथम श्रेणी में रेल-यात्रा करने का पास दिला दिया जाय।" स्वामी जी ने वायसराय महोदय की सहानुभूति और कृपा के लिए कृतज्ञता प्रकट की और कहा, "मुझे महारानी विक्टोरिया के शासनकाल में अपने विचारों को प्रकट करने में पूरी स्वतंत्रता है। मैं आप से किसी प्रकार की विशेष सहायता लेने की कामना नहीं करता हूँ, क्योंकि लोग मुझे राज-कर्मचारी या ईसाईयों का सेवक समझने लगेंगे।" वायसराय—"क्या आप राज-सेवा को बुरा समझते हैं?" स्वामी जी—"मैं संन्यासी हूँ और सच्चे राजा परमेश्वर का सेवक हो गया हूँ।

उसी का मुझें भरोसा है। इसलिए किसी मनष्य की नौकरी करना मैं अपने लिए उचित नहीं समझता हूँ।" वायसराय ने फिर पूछा, "क्या आप वर्तमान सरकार को सच्चा नहीं मानते ?" स्वामी जी ने समझाया, "सच्चे से मेरा अभिप्राय अपरिवर्तनशील से है, सो ऐसा एक ईश्वर ही है। उसके नियम अटल और उसका न्याय निर्भ्रांत है। मनुष्यों के बनाए नियम तो समयानुसार बदलते रहते हैं।" वायसराय ने फिर कहा, "आपने अभी महारानी विक्टोरिया के राज्य की प्रशंसा की है। क्या आप कृपा करके अपने व्याख्यानों में अँग्रेजी राज्य से प्राप्त उपकारों का उल्लेख कर दिया करेंगे, और अपनी प्रार्थनाओं में उसके भारतवर्ष में सुरक्षित और सुदृढ़ रहने के लिए प्रार्थना किया करेंगे ?" महर्षि तनिक गंभीर हो कर बोले, "वायसराय महोदय! मुझे खेद है कि मैं आप की आशा को पूर्ण नहीं कर सकता, क्योंकि मैं नित्य प्रातः-सायं परमेश्वर से प्रार्थना करता हूँ कि मेरा देश पराई दासता से मुक्त हो। तभी यह देश संसार के अन्य देशों के सामने सिर ऊँचा कर सकेगा और तभी इसका अपना प्राचीन गौरव पुनः प्राप्त होगा।" लार्ड नार्थब्रुक महर्षि के अपने राजनीतिक विचारों को उनके सामने इस निर्भीकता से प्रकट करने पर दंग रह गये। उसके पश्चात् उन्होंने स्वामी जी से और कोई प्रश्न नहीं किया। वहाँ से लौटते समय लार्ड-बिशप ने महर्षि के स्वदेश प्रेम, उत्कृष्ट और उच्च विचारों, तथा उनकी स्पष्ट-वादिता पर हर्ष प्रकट किया और कहा, "यदि आपने किसी पश्चिमी देश में जन्म लिया होता तो वहाँ आपकी योग्यता और गुणों का ठीक-ठीक मूल्यांकन किया जाता।"

●

रात आधी से अधिक बीत चुकी है। कलकत्ते के राजभवन में सन्नाटा छाया हुआ है। उस रात्रि की स्तब्धता को केवल अनवरत होने वाली दो ही ध्वनियाँ भंग कर रही हैं : एक तो गोल कमरे की दीवार-घड़ी का टिक-टिक शब्द दूसरे कन्धे पर बंदूक रखे और भारी बूट पहने पहरा देते हुए एक गोरे सैनिक के पद-चाप की ध्वनि। परन्तु इस समय भी लार्ड नार्थब्रुक जाग रहे हैं। आज जब से वह निर्भीक भारतीय संन्यासी उनसे मिल कर गया है, उसकी दिव्य और विशाल मूर्ति उनकी आँखों के सामने नाच रही है; उसके शब्द 'मैं तो नित्य प्रातः-सायं परमेश्वर से प्रार्थना करता हूँ कि मेरा देश पराई दासता से मुक्त हो' उनके कानों में गूंज रहे हैं। वे सोच रहे हैं—"मैं इस देश के सैकड़ों बड़े से बड़े लोगों से मिला है, परंतु उनमें एक भी ऐसा नहीं है जो पाश्चात्य सभ्यता का प्रेमी न हो, हमारी भाषा और वेश-भूषा पर मुग्ध

न हो और हमारी मानसिक दासता में जकड़ा न हो। उनमें से एक की भी आत्मा इतनी बलवान् नहीं है जो इस महापुरुष के समान निर्भय हो कर हमारे सामने साम्राज्य की अहित कामना करे। वह एक देशभक्त है जो अपने सच्चे हृदय से अपने देश की स्वतंत्रता और उसका पुनरुत्थान चाहता है और रात दिन उसी के लिए प्रयत्नशील भी है। परंतु ऐसा ही मनुष्य विदेशी शासन के लिए अत्यन्त भयानक प्राणी है। उसके विचार ब्रिटिश साम्राज्य के लिए बहुत ही घातक सिद्ध होंगे। राष्ट्रीय भावना और जन-जाग्रति उत्पन्न करने वाली बलवान् आत्माएँ ही हमारे साम्राज्य की शत्रु हैं, चोर और डाकू नहीं। मैं इस देश में महारानी विक्टोरिया का प्रतिनिधि हूँ। ब्रिटिश साम्राज्य को इस देश में स्थिर और सुरक्षित रखना मेरा मुख्य और विशेष कर्त्तव्य है। यदि यह संन्यासी अपनी योजना के अनुसार काम करने पाया तो वह दिन दूर नहीं है जब अँग्रेजों को भारत छोड़ने के लिए बाध्य होना पड़े।" यह सोचते-सोचते वायसराय को अंत में नींद आ जाती है।

●

दूसरे दिन वायसराय ने भारत के विभिन्न प्रान्तों के राज-पुरुषों के नाम एक गुप्त आदेश जारी कराया और उस संन्यासी से भेंट करने की सूचना इण्डिया आफिस, लन्दन को दे दी। उस गुप्त आदेश के विषय में लोगों का अनुमान है कि उसमें राज-पुरुषों को आज्ञा दी गई है कि वे धार्मिक विचारों के प्रकट करने की स्वतंत्रता प्रदान करने वाली महारानी विक्टोरिया की घोषणा को ध्यान में रखते हुए स्वामी दयानन्द सरस्वती की गतिविधि पर दृष्टि रखें।

●

उपर्युक्त घटना को घटे लगभग सात वर्ष बीच चुके हैं। किसी राज्यकर्मचारी को लार्ड नार्थब्रुक के गुप्त आदेश की ओर ध्यान देने की आवश्यकता नहीं पड़ी। क्योंकि स्वामी जी का कार्यक्षेत्र अब तक अधिकतर ब्रिटिश भारत था और कार्य धार्मिक एवं सामाजिक सुधार ही रहा है।

संवत् १९३७ वि० में लार्ड रिपन भारत के वायसराय हो कर आये और उसी वर्ष महर्षि दयानन्द ने राजस्थान में पदार्पण किया और वहाँ से शासकों को उनके भूले हुए कर्त्तव्यों और प्राचीन गौरव का स्मरण कराने लगे। उनकी इस नई कार्य-पद्धति से विदेशी शासकों का ध्यान उनकी ओर आकृष्ट होता है। किसी ने झूठ-सच उनके कानों में यह भी फूंक दिया कि स्वामी दयानन्द का विचार वीर राजपूतों की पीठ ठोंक कर विरोधियों के

धुर्रे उड़ा देने का है। इस झूठ-मूठ की सूचना से ब्रिटिश साम्राज्य के कर्णधारों की दृष्टि महर्षि पर केन्द्रित हो जाती है।

●

संध्या हो चली है। सूर्यदेव किसी थके-माँदे पथिक की भाँति मलिन-मुख विश्राम की खोज में मंद गति से धरती के छोर पर चले जा रहे हैं। कलकत्ते के राज्य-भवन के उद्यान में माली ने पौधों के थालों और फूलों की क्यारियों में पानी छोड़ दिया है। और दिन भर के मुर्झाये फूल और पौधे जैसे जीवन दान पाकर खिल उठे हैं। हल्की-हल्की ठंडी हवा चलने लगी है। उद्यान के एक कोने में घास पर एक गोल मेज के चारों ओर कुछ उच्च राज्य-कर्मचारी बैठे हैं। उनमें से एक व्यक्ति खड़े होकर एक गुप्तरिपोर्ट पढ़ना आरंभ करता है—स्वामी दयानन्द सरस्वती वर्तमान समय में भारत के सब से बड़े विद्वान् और सुधारक हैं। उनके लिए राजनीति और धर्म पृथक्-पृथक् विषय नहीं है। उन्होंने अपनी 'आर्याभिविनय' नाम की दैनिक प्रार्थना पुस्तक में वेद-मंत्रों की व्याख्या करते हुए कई स्थलों पर लिखा है कि हमें चक्रवर्ती राज्य प्राप्त हो; हमारे स्वराज्य की उन्नति हो; अपने शत्रुओं को पराजित करने के लिए हमारे पास हर प्रकार के अच्छे और सुदृढ़ अस्त्र-शस्त्र हों; अपने राज्य को अखंड और सुरक्षित रखने के लिए हम शौर्य, धैर्य, नीति, विनय, पराक्रम और बलादि उत्तम गुणों से युक्त हों; अन्य देशवासी राजा हमारे देश में कभी न हो, तथा हम लोग पराधीन कभी न हों[1] उन्होंने प्रातः-सायं ईश्वरोपासना करने के लिए जो संध्योपासना की पुस्तक लिखी है उसमें प्रार्थना है कि हम अदीन हो कर ही सौ वर्ष जीवित रहें।[2]

उन्होंने अपने प्रसिद्ध ग्रन्थ 'सत्यार्थ प्रकाश' के छठे समुल्लास में लिखा कि कि राज्यसत्ता किसी एक व्यक्ति के हाथ में नहीं रहना चाहिए, क्योंकि स्वतंत्र राजा प्रजा का नाश करता है। राजाओं के राजा किसान आदि परिश्रम करने वाले हैं। राजा तो उनका रक्षक है। प्रजा की साधारण समिति के विरुद्ध राजा और राज-पुरुष कोई कार्य न करे और राजा की आज्ञा का पालन प्रजा और राजरुपुष करें। राजा-प्रजा दोनों अपने-अपने कर्त्तव्य

---

१. आर्याभिविनय व्याख्यान मन्त्र संख्या ३, १२, २२, ४३ ४५, आदि प्रथम खंड
" " " १, ३१ आदि द्वितीय खंड

२. अदीनाः स्याम शरदः शतम्... (यजुर्वेद—अ० ३६। मं० २४)

पालन में स्वतंत्र और सम्मिलित कार्यों में परतंत्र अर्थात् एक दूसरे के अधीन रहें।

उसी पुस्तक के आठवें समुल्लास में उन्होंने लिखा कि अपना स्वदेशी राज्य विदेशियों के अच्छे से अच्छे राज्य से उत्तम होता है। आर्यों ने अपने आलस्य, प्रमाद और परस्पर के विरोध से अपना चक्रवर्ती राज्य तो खोया ही, किन्तु अब आर्यावर्त्त में भी उनका स्वतंत्र और स्वाधीन राज्य नहीं है। स्वदेश विदेशियों द्वारा पदाक्रांत हो रहा है।

वे 'सत्यार्थ-प्रकाश' के दसवें समुल्लास में लिखते हैं कि आर्यावर्त्त में विदेशियों का राज्य होने का कारण आपस की फूट, मतभेद, ब्रह्मचर्य का पालन न करना, विद्या न पढ़ना-पढ़ाना, बाल्यावस्था में अस्वयंवर विवाह, विषयासक्ति, मिथ्याभाषण आदि कुलक्षण, वेद विद्या का अप्रचार आदि कुकर्म है। जब आपस में भाई-भाई लड़ते हैं तभी तीसरा विदेशी आकर पंच बन बैठता है। 'महाभारत' के युद्ध से यह फूट का रोग चला आ रहा है। न जाने यह भयंकर राक्षस कभी आर्यों का पिंड छोड़ेगा या उन्हें सब सुखों से छुड़ा कर दुःख-सागर में डुबा देगा। परमेश्वर कृपा करे कि यह राजरोग हम आर्यों से दूर हो जाय। जब स्वदेश में विदेशी व्यापार व राज्य करें तो यहाँ दुःख और दारिद्र के अतिरिक्त क्या हो सकता है। बिना देश-देशान्तरों और द्वीपद्वीपान्तरों में गये और व्यापार किये देश की उन्नति नहीं हो सकती।

वे ग्यारहवें समुल्लास में लिखते हैं--जब संवत् १९१४ वि० में अँग्रेजों ने तोपों से मन्दिर उड़ा दिये थे तो मूर्तियाँ कहाँ गई थीं। बघेलों ने तो वीरता की और शत्रुओं को मारा, परंतु मूर्ति एक मक्खी की टाँग भी न तोड़ सकी। यदि श्री कृष्ण के सदृश कोई होता तो उनके धुर्रे उड़ा देता और वे भागते फिरते। भला यह तो कहो कि जिसका रक्षक मार खाय उसके शरणागत क्यों न पीटे जायँ ?

इसी ग्यारहवें समुल्लास में स्वामी दयानन्द ने यूरोप-वासियों की प्रशंसा करते हुए लिखा--यूरोपियनों की उन्नति के कारण हैं, उनमें बाल्यावस्था में विवाह न करना, अपने बच्चों को सुशिक्षित करना, स्वयंवर विवाह होना, उनका शिक्षित होकर धूर्तों का उपदेश न सुनना और न उनके पाखंडों में फँसना, परस्पर विचार कर और सभा से निश्चित करके कार्य करना, स्वदेश और स्वजाति की उन्नति के लिए तन-मन-धन से प्रयास करना, और उनके प्रति कभी विश्वासघात न करना, आलस्य को छोड़ कर उद्योग और पुरुषार्थ में लगा रहना आदि वेदोक्त शुभ गुण। वे अपने देश के बने जूते तो कचहरी

कार्यालयों में जाने देते हैं, परंतु देशी जूतों को नहीं । इसीसे तुम्हें समझ लेना चाहिए कि वे जितनी मान-प्रतिष्ठा अपने देश के बने जूतों की करते हैं, उतना भी तुम्हारा सम्मान नहीं करते, यूरोपियनों को इस देश में आए सौ वर्ष से भी अधिक हो गये हैं, फिर भी उन्होंने अपने देश की वेश-भूषा और चाल-चलन नहीं छोड़ा है । तुम उनके अच्छे गुणों का तो अनुकरण करते नहीं, किंतु उनके खान-पान, पहनावा, और बोलचाल आदि को अपनाते जा रहे हो। उनकी उन्नति बूट-जूते, कोट, पतलून, हैट आदि पहनने, क्लब में जुआ खेलने, और होटलों में मांस-मदिरा के सेवन करने आदि बुरे कार्यों से नहीं है । उन्नति तो उनमें आज्ञाकारिता, कर्त्तव्यपरायणता और स्वदेश-भक्ति आदि अच्छे गुणों के होने से है। आँख बंद करके दूसरों का अनुकरण करना बुद्धिमानी का कार्य नहीं है ।

स्वामी दयानन्द के ये थोड़े-से विचार उनकी पुस्तकों से उद्धृत किये गये हैं। अब उनके विषय में कुछ यूरोपियनों के विचार और सम्मतियाँ लिखी जाती हैं ।

मिस्टर पी. हैरिसन जस्टिस ने बताया कि मैं सुधारक दयानन्द से मिला। उन्होंने खेद प्रकट किया कि हिन्दू लोग बहुत-से धार्मिक और सदाचार संबंधी कारणों से एक परतंत्र जाति बन गये । मुझे उनके प्रचार का साधारणतः यह उद्देश्य जान पड़ता है कि अंत में देश का शासन विदेशियों के हाथों से निकल कर भारत-वासियों के अधिकार में हो जाय ।

फ्रेंच लेखक रोम्याँ रोलाँ के विचार से वे राष्ट्रीय भावना और जन-जाग्रति को क्रियात्मक रूप देने में प्रयत्नशील हैं ।

एक दूसरे फ्रेंच लेखक रिचर्ड का कहना है कि ऋषि दयानन्द का प्रादुर्भाव लोगों को कारागार से मुक्त कराने और जाति-बंधन तोड़ने के लिए हुआ है। उनका आदेश है—आर्यावर्त्त ! उठ जाग, आगे बढ़, समय आ गया है, नये युग में प्रवेश कर ।

मिस्टर काक ने बताया कि जब मैं गुरुदासपुर में इंजीनियर था, एक दिन पंडित दयानन्द का व्याख्यान सुनने गया । कई अन्य यूरोपियन भी वहाँ उपस्थित थे। उन्होंने हम लोगों की ओर संकेत करके कहा—इन लोगों को इस देश में आये इतने दिन हो गये, परन्तु इन्होंने यहाँ की भाषा का शुद्ध उच्चारण अभी तक नहीं सीखा है, ये तकार के स्थान पर टकार ही कहते हैं । मुझे उनकी यह बात बुरी लगी । मैंने कहा—यदि पठानों के देश सीमा प्रांत में जाओ तो तुम्हें आटा-दाल का भाव मालूम हो जाय। दूसरे के मतों का खंडन

करना भूल जाओगे। उन्होंने तुरंत उत्तर दिया कि क्या तुम हरिसिंह नलवा को भूल गये ?

लार्ड राबर्ट्स, प्रधान सेनापति सूचित करते हैं कि दयानन्द नाम का संन्यासी बड़ा निर्भीक और साहसी पुरुष है। उसने मेरे सामने ही ईसाई मत की अपने पूरे सामर्थ्य से समालोचना की और ऐसा करने में तनिक भी नहीं हिचका।

मिस्टर एडवर्ड कमिश्नर और मिस्टर रीड कलेक्टर ने अपनी रिपोर्ट में लिखा है--जिन दिनों हमारी नियुक्ति बरेली में थी, हम लोगों ने पंडित दयानन्द से अपने भाषणों में नर्मी बर्तने के लिए कहलवाया। अपने दूसरे व्याख्यान में उन्होंने 'अजी चाहे चक्रवर्ती राजा भी रुष्ट क्यों न हो जाय, हम तो सत्य ही कहेंगे!' कह कर ईसाई मत की पहले से भी अधिक कड़ी आलोचना की।

उपर्युक्त सारी बातों पर ध्यान देने से यह बात प्रत्यक्ष हो जाती है कि स्वामी दयानन्द का उद्देश्य क्या है। भारतवर्ष के हर स्तर और हर प्रकार के समुदाय के लोगों में, स्त्रियों और युवकों में नव जाग्रति भी उनके अभिप्राय को स्पष्ट कर रही है।

स्वामी दयानन्द ने सन् १८५७ के सैनिक-विद्रोह का जो उल्लेख ऊपर किया है, वह विशेष ध्यान देने योग्य है। यह बड़े आश्चर्य और रहस्य की बात प्रतीत होती है कि स्वामी दयानन्द ने हेनरी अल्काट, प्रधान थ्योसाफ़िकल सोसाइटी को अपना जीवन-वृत्तान्त बताते समय सन् १८५७ ई० के आरंभ से अक्तूबर १८६० ई० तक के विषय में केवल यही बताया कि वे मध्य भारत के जंगलों और पहाड़ों में घूमते रहे। इस असाधारण संन्यासी की तीक्ष्ण और चमत्कारी बुद्धि एवं उसके क्रान्तिकारी विचारों से यह संभव नहीं जान पड़ता है कि वह निष्क्रिय और व्यर्थ ही जंगलों में घूमता रहा हो। उसने १८५७ ई० के विद्रोह के विषय में कभी किसी से कोई बातचीत नहीं की। 'सत्यार्थ-प्रकाश' के ग्यारहवें समुल्लास में जो विद्रोह का उल्लेख है उससे स्वामी दयानन्द के आंतरिक भाव का पता चलता है। एक तो विद्रोहियों द्वारा गोरी सेना के पिटने पर प्रसन्नता और दूसरे उसे पूर्णतया पराजित और विनष्ट करने के लिए श्री कृष्ण ऐसे योद्धा के अभाव पर खेद। इन सारी बातों को एकत्र करने पर और एक दूसरे से मिलाने पर बहुत संभव जान पड़ता है कि यह संन्यासी विद्रोह में सम्मिलित था; और उसकी समाप्ति पर धर-पकड़ से बचने के लिए तीन वर्ष पर्यन्त जंगलों में छिपा रहा। वह इतना सतर्क और सावधान

व्यक्ति है कि जब वह १४ नवम्बर, १८६० ई० को मथुरा में प्रकट हुआ तो एक विद्यार्थी के रूप में। वह ढाई वर्ष तक पर्यटन छोड़ कर मथुरा में पढ़ता रहा।

●

रिपोर्ट समाप्त हो जाती है। कुछ देर आपस में विचार-विनिमय करने के पश्चात् यह निश्चित हुआ कि भारत के सब प्रान्तीय गवर्नरों और विशेष-कर राजस्थान के पोलिटिकल एजेण्ट का ध्यान लार्ड नार्थब्रुक के सन् १८७३ ई० के गुप्त आदेश की ओर आकृष्ट किया जाय और उनसे कहा जाय कि वे स्वामी दयानन्द सरस्वती की गतिविधि पर विशेष ध्यान रखें, क्योंकि उनके राज-नीतिक विचार ब्रिटिश साम्राज्य के विरोधी हैं।

'प्रभु तेरी इच्छा पूरी हो'

अजमेर में एक बहुत बड़ा सरोवर है, जिसमें कमल खिल रहें हैं; और जल-पक्षी किलोल कर रहे हैं। सरोवर के किनारे ही एक मनोहर पुष्पवाटिका है। सरोवर के एक सिरे पर एक छोटी पहाड़ी है। उस पर अँग्रेजी ढंग का एक सुन्दर बँगला बना है। इसी में राजस्थान का पोलिटिकल एजेण्ट रहता है। उस बँगले में सरोवर की ओर बेलों से आच्छादित एक अत्यन्त रमणीक कुंज है। उसी में कुछ लोग बैठे बातें कर रहे हैं। उनमें एक अँग्रेज जान पड़ता है। उसके सामने जो व्यक्ति बैठा है उसका कद लंबा, भरा हुआ बदन, लंबी दाढ़ी जिसके कुछ बाल खिचड़ी हो गये हैं, और गोरा रंग है। साहब ने उसे संबोधित करके कहा, "खाँ साहब ! सुना है कि दयानन्द ने आपको अपमानित किया है ?" उसने उत्तर दिया, "हुजूर ! उसने मेरा अपमान तो इतना नहीं किया है जितना उसने इन बेचारी बाई जी का किया है। इन्हें तो उसने कुतिया तक बना डाला।" साहब, "मैं तो अब तक उसकी बुद्धि ठिकाने कर देता, परंतु वह ठहरा तुम्हारे महाराजा का माननीय अतिथि।" फिर बहुत धीरे से बोला—"मैं तुम्हें एक बहुत ही गोपनीय बात बताता हूँ, किसी से कहना मत। यह दयानन्द बड़ा ही भयानक मनुष्य है। उसकी यह योजना है कि हिन्दुओं को संगठित कर के अँग्रेजों को भारत से निकाल दिया जाय और फिर दूसरों से उनके अत्याचारों का बदला लिया जाय। इसकी इस योजना का पता जब से हम लोगों को लगा है, हम भी उसके विरुद्ध हो गये हैं। परंतु बिना प्रमाण और साक्षी के उसके विरुद्ध कोई कार्यवाही नहीं की जा सकती।" खाँ साहब और बाई जी ने हाथ जोड़ कर कहा, "हमें तो साहब लोगों का

ही सहारा है।" साहब ने कहा, "हमारी सरकार तो आप लोगों की हर प्रकार से सहायता करने को तैयार है। आप उस संन्यासी पर दृष्टि रखें और अँग्रेजी सरकार के विरुद्ध उसकी कार्यवाहियों की सूचना हमें देते रहें।" यह कह कर साहब ने बाई जी की ओर तनिक मुसकरा कर देखा और उठ कर खाँ साहब से हाथ मिलाते हुए बोले, "अच्छा खाँ साहब, गुड बाई ! सरकार आपको शीघ्र ही खानबहादुर की उपाधि प्रदान करेगी।" दोनों साहब को झुक कर नमस्कार करके वहाँ से चल पड़ते है।

●

मार्ग में खाँ साहब ने बाई जी से कहा, "कुछ सोचा आपने ?" वह बोली, "अब सोचना-विचारना कुछ नहीं है। साहब की शह मिल गई है।" यह कह कर उसने खाँ साहब के कान में कुछ कहा जिसे सुन कर वह चौंक पड़ता है। वह बोला, "परंतु साहब ने ऐसा करने को कब कहा है ?" बाई जी— "इसी बुद्धि के बल-बूते खानबहादुर बनोगे। हम लोग जो उचित समझें करें। साहब झक मारेंगे और हमारी सहायता करेंगे। खाँ साहब उसकी ओर प्रशंसा-सूचक दृष्टि से देख कर उसके हाथ चूम लेते हैं।

●

जोधपुर में राजमहल के पीछे ही एक प्रतिष्ठित और प्रभावशाली व्यक्ति का विशाल भवन है। रात्रि के समय उसके दक्खिनी कोने वाले कमरे में दो-तीन व्यक्ति खुस-पुस, खुस-पुस कुछ बातें कर रहे हैं। किसी ने बहुत धीरे से कहा, "देखो जगन्नाथ ! तुम एक दरिद्र ब्राह्मण हो। यदि तुमने मेरा काम कर दिया तो तुम मालामाल हो जाओगे। तुम्हें फिर किसी की नौकरी करने की आवश्यकता न रहेगी।" वह बोला—"मैं यह पाप-कर्म न कर सकूँगा। पकड़ा गया तो जान से हाथ धोना पड़ेगा और बाल-बच्चे भूखों मर जायेंगे।" किसी स्त्री ने धीरे से कहा, "इस कर्म के पाप-दोष के भागी तो हम लोग होंगे। और पकड़े जाने के लिए क्यों डरते हो। कल्लू कहार के समान ही तुम्हारा पता भी कोई न पा सकेगा।"

●

आश्विन बदी चतुर्दशी संवत् १९४० वि० (२९ सितंबर, १८८३ ई०) को रात के समय सोने के पूर्व स्वामी जी ने नित्य के नियमानुसार जगन्नाथ से गर्म दूध मँगवा कर पिया। अभी ठीक से आँख लगने भी न पाई थी कि पेट में बड़े ज़ोर का दर्द उठा और जी मचलाने लगा। उन्होंने तीन बार वमन किया, परंतु कुछ लाभ न हुआ। वे जान गये कि जगन्नाथ ने विरोधियों

के बहकावे में आकर लोभवश मुझे दूध में घातक विष दिया है। यह किसी भी योग की क्रिया से निकाला नहीं जा सकता। अब किसी प्रकार जान नहीं बच सकती। उनका ध्यान अपने फैले हुए अधूरे कार्यों की ओर चला जाता है। वे सोचते हैं—"जगन्नाथ ! तुमने मुझे विष देकर अच्छा काम नहीं किया। इससे मेरी अपनी तो कोई हानि नहीं है; मैं कल जाता आज चला जाऊँगा, परंतु इसने आर्य-जाति को मेरी सेवाओं से वंचित कर दिया है। इसके 'पुनरुत्थान' के लिए किये गये मेरे सारे कार्य अभी अधूरे पड़े हैं। मैं इस अभागी जाति को पूर्णतया जगा भी नहीं पाया हूँ। वेदों के भाष्य का कार्य कितना आवश्यक है, पर वह अभी आरंभ ही हुआ है। गोरक्षा के लिए आवेदन-पत्र जनता के हस्ताक्षर करवा कर महारानी विक्टोरिया के पास ले जाना है। आवेदन-पत्र पर अभी हस्ताक्षर हो ही रहे हैं, और मैं इस शरीर को त्याग रहा हूँ। भारत में कलाकौशल और उद्योग-धंधों की बहुत कमी है। मैंने जर्मनी से इस विषय पर लिखा-पढ़ी की है, परंतु मैं अभी विद्याथयों को वहाँ भेज नहीं पाया हूँ। यह प्राचीन आर्य-जाति आज पराधीन और पतित है। इसे स्वतंत्र और उन्नत मस्तक देखने का मेरा स्वप्न अभी दूर का स्वप्न ही है। मूर्ख जगन्नाथ ! यदि तूने मुझ पर यह घातक विष का प्रयोग न किया होता तो मैं सौ वर्ष से भी अधिक जीवित रहता। इन सब कार्यों को पूरा करके आर्यावर्त्त और आर्य-जाति को उसके पूर्व गौरव को पुनः प्राप्त करवाने का प्राण-पण से प्रयत्न करता। आर्य-जाति के पुनरुत्थान से सारे विश्व का कल्याण होता। परंतु ईश्वर की इच्छा कुछ और ही है। उसकी दृष्टि से आर्य अभी इस योग्य नहीं हैं कि उनके दुःखों का अंत हो। प्रभु तेरी इच्छा पूरी हो।"

पता चल जाने पर भी उन्होंने किसी से कुछ नहीं कहा। वमन के पश्चात् स्वयं ही जल लेकर कुल्ला आदि करते रहे। उन्हें ऐसा जान पड़ा जैसे कोई द्वार की आड़ में खड़ा है। उन्होंने पुकारा "जगन्नाथ !" जगन्नाथ को ऐसा जघन्य और भीषण पाप-कर्म करने के पश्चात् नींद कहाँ, चैन कहाँ ? वह आकर स्वामी जी के चरणों में लोटने लगता है; उन्हें अपने पश्चाताप के आँसुओं से धोने लगता है। जगन्नाथ अपने स्वामी का विश्वासपात्र और कृपापात्र सेवक है। उसने लोगों के कहने से लालच में आकर अपने स्वामी से विश्वास-घात तो कर डाला, परंतु अब अपने किये पर पछता रहा है। महर्षि ने उसे ढाढ़स बँधाते हुए कहा, "जगन्नाथ ! इसमें तुम्हारा कोई दोष नहीं है। प्रभु की इच्छा मुझसे इतना ही काम लेने की है। यह कुंजी लो, संदूक में ऊपर ही 'वेद-भाष्य' के लिए दान में आये रुपयों की थैली रखी है, उसे ले कर रातोंरात

इस राज्य की सीमा से बाहर हो जाओ। अँग्रेजी राज्य को पार करके नेपाल राज्य में जा कर आश्रय लो, तभी तुम्हारे प्राणों की रक्षा हो सकेगी, मेरी ओर से निश्चिन्त रहना। इस विषय में मेरे मुँह से मरणपर्यन्त एक शब्द भी न निकलेगा।"

महर्षि तू धन्य है। तू एक सच्चा और आदर्श संन्यासी है। तू ने कभी किसी का अनिष्ट नहीं चाहा। तू अपने ऊपर आक्रमण करने वालों को, विष देने वालों को सदैव क्षमा करता रहा और अंत में अपने जीवन की ज्योति बुझाने वाले अधम प्राणी को भी प्राण-दान दे कर बाल-बाल बचा देता है। परंतु, हा! अभागी आर्य-जाति! तुझमें देश और जाति-द्रोहियों की कभी कमी नहीं रही। इतिहास इसका साक्षी है।

स्वामी जी दूसरे दिन प्रातःकाल निर्बलता के कारण घूमने न जा सके। घर की शुद्धि के लिए हवन की आज्ञा दी, और अजवायन आदि का काढ़ा लिया, परन्तु कुछ लाभ न हुआ। स्वामी जी की दशा अधिक बिगड़ने लगी। उदर-शूल, मरोड़ और वमन का कष्ट बढ़ने लगा। लोगों ने स्वामी जी के भक्त डॉक्टर सूर्यमल को बुलवाया। डॉक्टर सूर्यमल ने चिकित्सा आरंभ ही की है कि भैया फैजुल्ला के सुझाव पर राज्य की ओर से डॉक्टर अलीमर्दान खाँ स्वामी जी के औषधोपचार के लिए भेजा जाता है। परंतु स्वामी जी की दशा सुधरने के स्थान पर बिगड़ती ही गई। प्रतिदिन दस्तों की संख्या बढ़ने लगती है। मुँह सिर और माथा छालों से भर गये हैं; हिचकी बँध गई और शरीर बहुत ही कृश हो गया।

कई दिनों के पश्चात् जब अजमेर की आर्य-समाज के एक सदस्य ने राजपूताना गजट में पढ़ा कि महर्षि जोधपुर में किसी भयंकर व्याधि में ग्रस्त हैं, तब उसने और लोगों को यह समाचार बताया। आर्य-समाज ने अपना एक सभासद तुरन्त जोधपुर भेजा। उसने स्वामी जी का भयंकर शारीरिक कष्ट देख कर उलाहना दिया—"भगवन्! आपने हम लोगों को अपने इस घातक रोग की सूचना तक नहीं दी।" स्वामी जी ने कहा, "सौम्य! रोग का होना तो दैहिक धर्म ही है। इसका होना कोई अनोखी बात नहीं है। फिर आप लोगों को इसकी सूचना दे कर व्यर्थ कष्ट क्यों देता, आप लोगों के हृदय को दुःखित करने का भागी क्यों होता।" उस सज्जन के अजमेर लौटने पर तार द्वारा भारत की समस्त आर्य-समाजों को यह दुःखद समाचार भेजा जाता है। बहुत से भक्त-जन अपने सब काम-धंधे छोड़-छोड़ कर जोधपुर पहुँचते हैं। उन्होंने तुरंत वहाँ के सब से बड़े डॉक्टर को बुलवा कर दिखाया।

परन्तु अब क्या होता है, चिड़ियाँ खेत चुग गई हैं। डॉक्टर ने कहा—"बहुत देर हो गई, अब कुछ नहीं हो सकता है।" भक्तों ने निराश होकर स्वामी जी के सेवकों को डाँटा कि एक प्रसिद्ध और बड़े डॉक्टर के होते हुए एक साधारण और अयोग्य डॉक्टर की चिकित्सा क्यों कराई गई। वे बेचारे आँसू बहाते हुए बोले, "वह तो राज्य की ओर से नियत था। हम लोगों को राज्य-व्यवस्था में हस्तक्षेप करने का साहस नहीं हुआ।"

भक्त लोगों ने स्वामी जी को आबू पर्वत पर ले जाने का प्रस्ताव किया। राज्य की ओर से उसकी समुचित व्यवस्था कर दी गई। महर्षि को अपने राज्य से विदा करते समय जोधपुर नरेश के नेत्र अश्रुपूर्ण हो गए। उन्होंने उनके चरण छू कर रुँधे हुए कंठ से कहा, "भगवन्! आप ऐसी दशा में यहाँ से जा रहे हैं, इसका मुझे अत्यन्त दुःख है। खेद है कि मेरे अनेक मनोरथ मन के मन में ही रह गये।" उन्होंने ढाई सहस्र रुपये श्री-चरणों में भेंट करके फिर नमस्कार किया। स्वामी जी ने अपने प्रेमी और भक्त महाराजा को आश्वासन देते हुए कहा, "राजन्! दुःख किस बात का? रोग तो देह के साथ धूप और छाया की भाँति लगे ही रहते हैं। फिर यह भौतिक शरीर नाशवान् तो है ही। इसके नष्ट होने पर कौन आश्चर्य। प्रभु की अपार कृपा है कि मेरी आत्मा नितांत आरोग्य और स्वस्थ है।"

जिस समय स्वामी जी की पालकी धीरे-धीरे आबू-पर्वत पर चढ़ रही है, पंजाब निवासी डॉक्टर लक्ष्मणदास को उनके दर्शन हो जाते हैं। वह अपना अजमेर जाना स्थगित करके स्वामी जी के साथ हो लेता है। उसने स्वामी जी की परीक्षा की तो उसका हृदय काँप उठता है। रोगी के कष्ट की सीमा नहीं है, परंतु उसके मुख से कष्ट-सूचक एक शब्द या आह तक नहीं निकलती। वाह रे ऋषि! तेरा धैर्य दया और क्षमा के समान ही पराकाष्ठा को पहुँचा हुआ है।

डॉक्टर लक्ष्मणदास की चिकित्सा से स्वामी जी की अवस्था बहुत-कुछ सँभलने लगी है। तभी उन्हें आबू पर्वत से हटा कर अजमेर भेज दिया जाता है। वे स्वामी जी को छोड़ने के लिए तैयार नहीं हैं। जब बहुत दौड़-धूप करने पर भी उनका तबादला न रुका, तो वे त्याग-पत्र देने के लिए तत्पर हो जाते हैं। डॉक्टर लक्ष्मणदास स्वामी जी को देखने गये तो उनके हाथ में कागज देख कर स्वामी जी ने पूछा कि यह कैसा पत्र है। तब डॉक्टर ने स्वामी जी को सारी बातें बता कर कहा, "आपकी सेवा में रहने के लिए त्याग-पत्र देने के अतिरिक्त अब कोई दूसरा उपाय नहीं है।" स्वामी जी ने त्याग-पत्र ले कर फाड़ डाला

और कहा, "इस नश्वर शरीर के लिए तुम्हें अपने बाल-बच्चों को भूखों मारने की आवश्यकता नहीं है।" परंतु त्यागी डॉक्टर स्वामी जी को बिना बताए ही दूसरा त्याग-पत्र लिख कर दे देता है । किसी गुप्त साँठ-गाँठ के कारण त्याग-पत्र अस्वीकार हो जाता है, और डॉक्टर को अपने हृदय पर पत्थर रख कर स्वामी जी से विदा लेनी पड़ती है। चलते समय स्वामी जी को अजमेर लाने के लिए कह जाते हैं ।

अंत में लोग स्वामी जी को अजमेर ले जाते हैं। डॉक्टर लक्ष्मणदास ने बहुत हाथ-पाँव मारे, अजमेर के बड़े से बड़े चिकित्सकों को बुला कर दिखाया, परंतु स्वामी जी को काल के कराल गाल से बचाने का कोई उपाय नहीं निकला। अजमेर का सब से बड़ा डॉक्टर न्यूटन रोगी की दशा देख कर दाँतों-तले अँगुली दबाता है, उसने कहा, "यह रोगी तो मनुष्य नहीं कोई देवता जान पड़ता है। इनकी नस-नस और रोम-रोम में भयंकर पीड़ा हो रही होगी; परंतु यह इतने शांत और चुपचाप लेटे हैं, मानो उन्हें कोई कष्ट ही नहीं।" जब उसे पता चला कि ये महापुरुष स्वामी दयानन्द हैं, तो वह अत्यंत दुःख प्रकट करता है ।

एक प्रसिद्ध हकीम पीर जी ने स्वामी जी को देखते ही कह दिया, "इन महापुरुष को किसी पापी ने घातक विष दिया है । पर इन्हीं का काम है कि ये एक मास पश्चात् भी जीवित हैं। दूसरा कोई होता तो न जाने कब का चल बसा होता ।"

२८ अक्तूबर को स्वामी जी ने इच्छा प्रकट की कि हमें मसूदा ले चलो। लोगों ने कहा, "आराम होने पर हम आप को वहाँ पहुँचा देंगे । ऐसी दशा में बार-बार यात्रा करना ठीक नहीं है ।" इस पर स्वामी जी ने कहा, "दो दिनों में तो हम बिल्कुल चंगे हो जायेंगे ।" और सचमुच महर्षि दो दिनों में ही सारे शारीरिक कष्टों से मुक्ति पा कर प्रभु की शांतिमय गोद में विश्राम करते हैं ।

सन् १८८३ ई० की ३० अक्टूबर महर्षि के जीवन का अंतिम दिवस है। उन्होंने कहा, "आज एक मास के पश्चात् मेरे विश्राम का दिन है।" उस दिन उन्होंने चार बजे नाई को बुला कर सिर मुँड़ाने के लिए कहा। लोगों ने निवेदन किया कि "उस्तरा न फिरवाइए, छाले फुंसियाँ कट-कट रक्त बहने लगेगा और आप को बहुत कष्ट होगा ।" परन्तु स्वामी जी ने कहा कि कोई चिंता नहीं है। क्षौर करवा कर नख कटवाए, फिर गीले अँगोछे से सिर पोंछ कर तकिये के सहारे पलँग पर बैठ गये । उन्होंने बड़े प्रेम से आत्मानन्द को अपने पीछे

बैठा कर पूछा, "वत्स ! क्या चाहते हो ?" उसने कहा, "आप अच्छे हो जायँ, बस यही चाहता हूँ ।" स्वामी जी बोले—"वत्स इस नाशवान् भौतिक देह का क्या अच्छा होना । यह क्षणभंगुर है । बस अब इसका अंत निकट है ।" फिर आत्मानन्द के सिर पर हाथ रख कर कहा, "बेटा ! अपने कर्त्तव्य का सदा पालन करते हुए आनन्द से रहना । घबराना नहीं । संसार के संयोग और वियोग का होना स्वाभाविक है ।" आत्मानंद गुरु-वचनों को सुन कर फट-फूट कर रोने लगता है । स्वामी जी ने फिर रुपये और दुशाले मँगवा कर आत्मानन्द और भीमसेन को प्रदान किए, परंतु उन दोनों ने रोते हुए उन वस्तुओं को स्वीकार नहीं किया । स्वामी जी डॉक्टर लक्ष्मणदास को भी कुछ द्रव्य पुरस्कार स्वरूप देना चाहते हैं, परंतु वह त्यागी पुरुष आँखों में आँसू भर कर और हाथ जोड़ कर उसे ग्रहण करने में अपनी असमर्थता प्रकट करता है ।

इस प्रकार गरु महाराज को एक-एक व्यक्ति से विदाई लेते देख भक्त जनों के हृदय टुकड़े-टुकड़े हुए जाते हैं । वे बड़ी व्याकुलता से स्वामी जी के सामने आ कर खड़े हो गये । महर्षि ने प्रेमपूर्ण नेत्रों से उनकी ओर देखा, मानो वे आर्यजनों और अपने भक्तों को धैर्य और ढाढ़स बँधा रहे हैं । वे प्रसन्न-चित्त हैं । उनके मुख पर घबराहट का कोई भी चिह्न नहीं है । वे बड़ी सावधानी से बातें कर रहे हैं । इतने में सायंकाल पाँच बजे का समय हो गया है । किसी ने पूछा, "महाराज ! आप का चित्त कैसा है ?" स्वामी जी ने उत्तर दिया—"अच्छा है । प्रकाश और अंधकार का भाव है ।" लोग इस उत्तर का आशय न समझे , परंतु कुछ पूछने का अवसर नहीं है । संभवतः महर्षि का अभिप्राय—'तमसो मा ज्योतिर्गमय, मृत्योर्माऽमृतं गमय' के अनुसार मृत्य की सन्निधि और अमृत परमात्मदेव की संगति से हो या 'छायातपयोरिव ब्रह्मलोके' के समान आत्मा-परमात्मा का सम्मिलन हो या कृष्णपक्ष और शुक्ल-पक्ष की सन्धि से हो । साढ़े पाँच बजे स्वामी जी चारों ओर के द्वार, खिड़की और झरोखे खुलवा देते हैं और सब उपस्थित लोगों को अपने पीछे खड़े हो जाने का आदेश देते हैं । फिर उन्होंने पूछा, "आज पक्ष, तिथि और वार कौन से हैं ?" लोगों ने बताया—"भगवन् । कृष्ण पक्ष का अंत, शुक्ल पक्ष का आदि, अमावस्या (दीपमालिका संवत् १९४० वि०) दिन मंगलवार है ।" यह सुन कर महर्षि ने अपनी दिव्य दृष्टि को चारों ओर घुमाया और फिर गंभीर ध्वनि से वेद-पाठ आरंभ किया । उनके गले में, स्वर में, ध्वनि और शब्दों के उच्चारण में किंचिन्मात्र भी अंतर या निर्बलता प्रतीत नहीं होती है । वेदगान के अनंतर वे प्रभु-प्रेम से पुलकित अंग हो कर देव-भाषा में परमपिता परमेश्वर

की स्तुति करने लगे, फिर आर्य-भाषा (हिन्दी) में प्रार्थना करके परम पुनीत गायत्री का जप करने लगे और इस महामंत्र को जपते-जपते मौन हो गये। चिरकाल तक स्वर्ण-प्रतिमा की भाँति निश्चल समाधिस्थ रहे। उस समय उनके शांत मुखमंडल पर एक स्वर्गीय तेज झलक रहा है और उनके ओठों पर वही सरल मनोहर मुसकान नाच रही है जो उनके प्रतिद्वंद्वियों को भी उनका भक्त बना देती रही है।

लाहौर के पंडित गुरुदत्त एम० ए० महर्षि की यह अंतिम अवस्था बड़े ध्यान-पूर्वक देख रहे हैं। वे आर्य-समाज के सुधार-कार्य के समर्थक होते हुए भी नास्तिक हैं। ईश्वर की सत्ता में उन्हें विश्वास नहीं है। उन्होंने देखा कि इस महापुरुष के शरीर-भर में अगणित छाले फूट निकले हैं। उनके शारीरिक वेदना की सीमा नहीं है। परंतु उनके मुख से किसी प्रकार के दुःख-क्लेश का कोई भी आभास नहीं मिलता है। वे बिल्कुल शांत और प्रसन्न-चित्त हैं, मानो उन्हें कछ हुआ ही नहीं है, मानो उनके लिए शरीर-कष्ट और मृत्यु-भय का अस्तित्व ही नहीं है। वे प्रेम-विह्वल हो कर प्रभु का स्मरण कर रहे हैं। यह कष्ट-सहन की क्षमता और मृत्यु पर विजय आत्म-बल और ईश्वर में अटल विश्वास के बिना प्राप्त होना असंभव है। महर्षि की इस परम आस्तिकता ने पंडित गुरुदत्त पर एक विलक्षण प्रभाव डाला। वे घोर नास्तिक से परम आस्तिक बन जाते हैं।

समाधि अवस्था की समाप्ति पर महर्षि आँखें खोल देते हैं, और कहते हैं, "हे दयामय ! हे सर्वशक्तिमान् ईश्वर तेरी यही इच्छा है, सचमुच तेरी यही इच्छा है। परमात्मदेव ! तेरी इच्छा पूर्ण हो। अहा ! तू ने अच्छी लीला की !" वे सीधे लेटे हैं, परंतु इन शब्दों का उच्चारण करते ही महर्षि स्वयं करवट लेते हैं और श्वास को कुछ क्षण भीतर रोक उसे एक बार ही प्रणव-नाद के साथ सर्वदा के लिए बाहर निकाल देते हैं। इस प्रकार महर्षि ने संसार को दिखा दिया कि ब्रह्मचर्य और तप द्वारा विद्वान् सत्पुरुष मौत पर विजय पाते हैं।[1]

आर्त्त भारत के भाग्य का भानु भगवान् दयानन्द कार्तिक अमावस्या संवत् १९४० विक्रमी, मंगलवार को सायं छह बजे एकाएक कालकराल रूप अस्ताचल की ओट में हो गया। सूरज काल के इस आघात को सहन न कर सका। वह भी

---

१. **ब्रह्मचर्येण तपसा देवा मृत्युमपाघ्नत।**

(अथर्वेद—कां० ११। अनु०।३। सू० ५।मं० १९)

शोक-सागर में डूब गया। यह शोक-समाचार बिजली के समान सारे भारत में फैल गया।

महर्षि के रुग्णावस्था काल में और फिर उनके निर्वाण के पश्चात् भारत भर में इतने अधिक संख्या में तार दौड़े कि विदेशी सरकार की आँखें खुल जाती हैं और अब उन्हें वास्तविकता का ज्ञान हुआ और पता चला कि कितनी गहराई तक महर्षि भारतीय जनता के हृदय रूपी सागर में उतर चुके हैं। उनके असामयिक शरीर-त्याग से केवल आर्य जनता को ही दुःख नहीं हुआ, प्रत्युत समझदार ईसाई-मुसलमानों को भी हुआ। देश-भर के समाचार-पत्रों ने उनकी मृत्यु पर शोक प्रकट किया। इस सार्वभौम शोक में अमरीका, यूरोप आदि के देश भी सम्मिलित हुए।

अंजुमन इस्लामियाँ लाहौर के मंत्री श्री वाज़िद अली बड़े दर्द भरे शब्दों में कहते हैं, "ऐ ख़ुदा ! क्या तुझे मंजूर न था कि हम वाहियात रस्मियात के फंदों से निजात पाएँ ? ऐ ख़ुदा ! क्या मंजूर न था कि हम आपस में निफ़ाक़ को दूर करें ? हम तुमसे दूर हो गये थे। वह हमको तुझसे मिलाना चाहता था।"

सर सैयद अहमद ख़ाँ ने कहा, "स्वामी दयानन्द महान् संस्कृतज्ञ और वेद-ज्ञाता थे। वे विद्वान् ही नहीं किन्तु श्रेष्ठ पुरुष भी थे। वे परमहंस के गुणों से विभूषित थे। उन्होंने केवल एक ज्योतिर्मय निराकार परमेश्वर की आराधना करने की शिक्षा दी। हमारा स्वामी जी से घनिष्ठ संबंध था, और हम उनका आदर करते थे। वे ऐसे विद्वान् और श्रेष्ठ थे कि अन्य मतावलंबी भी उनका सम्मान करते थे। वे ऐसे पुरुष थे जिनके समान इस समय भारत में कोई नहीं है। उनकी मृत्यु से देश की भारी क्षति हुई है।"

●

प्रयाग के पंडित बालकृष्ण भट्ट अपनी पत्रिका 'हिन्दी-प्रदीप' में अपना गहरा शोक इस प्रकार प्रकट करते हैं—"हा ! आज भारतोन्नति कमलिनी का सूर्य अस्त हो गया। हा ! वेद का खेद मिटाने वाला सदैव के लिए लुप्त हो गया। हा दयानन्द सरस्वती ! आर्यों के सरस्वती नौका की पतवार बिना दूसरे को सौंपे तुम क्यों अन्तर्धान हो गये ! हा सच्ची दया के समुद्र ! हा ! सच्चे आनन्द के वारिद ! अपनी विद्यामयी लहरों और हितोपदेश रूपी धारा से परितप्त भारत भूमि को आर्द्र कर कहाँ चले गये ? हा ! चार दिन के चतुरानन ! इस असभ्यता-प्रिय मंडली में आपने अपनी विलक्षण चतुराई को क्यों इस प्रकार सरल भाव से फैलाया।" आदि आदि।

इसी प्रकार देश-विदेश के सैकड़ों प्रतिष्ठित व्यक्तियों ने स्वामी जी के विषय में अपने उद्‌गार व्यक्त किये।

●

साधु-संन्यासी स्वामी जी के धर्म-प्रचार और समाज-सुधार के कार्यों में सहायक होने के स्थान पर बाधक ही रहे, और उन्हें धर्म-भ्रष्ट और नास्तिक ही घोषित करते रहे। परंतु धन के लोभ से कई संन्यासी स्वामी जी का शव लेने के लिए दौड़ते हैं। उन्होंने कहा, "दयानन्द एक सच्चा संन्यासी था। हम उसके शव को गाड़ेंगे और समाधि बनायेंगे।" परंतु महर्षि अत्यन्त दूरदर्शी और बड़ी ही विलक्षण सूझ-बूझ के पुरुष थे। जिस महापुरुष ने अपना सारा जीवन मूर्ति-पूजा, मनुष्य तथा गुरु-पूजा का विरोध करके केवल एक निराकार और सर्वव्यापक ईश्वरोपासना के प्रचार में लगा दिया हो, वह भला अपनी समाधि बनवा कर मनुष्यों द्वारा पुजवाना कब सहन कर सकता था। इसी संभावना का निराकरण करने के लिए महर्षि ने अपने निर्वाण के पूर्व ही 'परोपकारिणी' नाम की एक सभा स्थापित की थी। उन्होंने इसे अपनी सारी संपत्ति सौंप कर आदेश दिया—"जैसे इस सभा को मेरी और मेरे सब पदार्थों की यथाशक्ति रक्षा और उन्नति करने का अधिकार है, वैसे ही उसे मेरे मृतक शरीर के संस्कार का भी है। वह न गाड़ा जाय, न जल-प्रवाह किया जाय और न जंगल में फेंका ही जाय। 'संस्कार-विधि' में वर्णित वेद विहित विधि से वेदी बना कर वेदमंत्रों से शव को भस्म किया जाय! वेद-विरुद्ध कुछ भी न किया जाय। भस्म खेत में डाल दी जाय।"

उपर्युक्त सभा के सदस्य तथा अन्य आर्यपुरुष संन्यासियों को महर्षि की अंतिम इच्छा बता कर, और स्वीकार-पत्र (विल) दिखा कर किसी प्रकार टालते हैं।

●

दूसरे दिन जब अंतिम संस्कार की तैयारी होने लगी तो पंड्या विष्णुलाल मोहनलाल ने कहा कि मुझे यहाँ भेजते समय महाराणा ने कहा था कि यदि दुर्भाग्य से गुरु-महाराज का शरीरांत हो जाय तो किसी प्रकार दो-एक दिन दाह-कर्म रुकवा लेना, जिससे मैं और उनके दूसरे नरेश शिष्य उनके अंतिम दर्शन पा सकें। परंतु उपस्थित प्रेमियों ने अंत्येष्टि उसी दिन कर देना ही उचित समझा। शिविका सुन्दर पुष्पों और केले के कोमल पत्तों से सजाई गई। उस पर बहुमूल्य वस्त्रों में लपेट कर शव रखा गया। दिन के दस बजे अरथी उठाई गई। यह शव-यात्रा भी बड़ी ही प्रभावशाली थी। शव-यान को पंजाबी

सैनिक अपने बलिष्ठ कंधों पर उठाए हैं। रामानन्द, आत्मानन्द और गोपालगिरि आदि आगे-आगे वेद-पाठ करते हुए चल रहे हैं। सैकड़ों लोग नंगे पाँव आँसू बहाते अरथी के पीछे-पीछे चल रहे हैं। इस प्रकार यह शव-यात्रा आगरा द्वार से प्रवेश करके अजमेर नगर के बाजारों और चौकों से होते हुए नगर के बाहर दक्षिण भाग में पहुँचती है। वेदी बनने में अभी कुछ देर है। इसलिए राय भागराम ने प्रेमियों और भक्तों को धैर्य बँधाते हुए महर्षि के उपकारों और गुणों का वर्णन किया, और उनके छोड़े हुए अधूरे कार्यों को पूरा करने के लिए आर्य-पुरुषों को प्रोत्साहित किया। तत्पश्चात् रायबहादुर पंडित सुन्दरलाल दिल कड़ा करके कुछ कहना चाहते हैं। परंतु वे इतने शोकाकुल हैं कि मुँह से शब्द नहीं निकलता है।

वेदी बन जाने पर दो मन चंदन और दस मन पीपल की समिधा से चिता बनाई गई। आर्य-पुरुषों ने कलेजा थाम कर अपने गुरुदेव के शव को उस अंतिम शय्या पर शयन कराया। रामानन्द और आत्मानन्द यथाविधि अग्न्याधान करते हैं। अग्नि स्पर्श होते ही घृत-सिंचित चिता ज्वाल-माला से आवृत हो गई। उस दाह-कुंड में चार मन घी, पाँच सेर कपूर, एक सेर केसर और दो तोले कस्तूरी डाली गई। चरु और घृत की पुष्कल आहुतियों से महर्षि का शव प्रेमियों के अश्रुपूर्ण नेत्रों से देखते ही देखते अपने कारणों में लय हो गया।

●

महर्षि ने अपने जीवन-भर इस बात का प्रयास किया कि संसार के सारे विद्वान् एक मत हो कर सर्वसम्मत धर्म को मान लें और विवादग्रस्त बातों को छोड़ दें, जिससे सर्वसाधारण उनका अनुकरण करके सुख-शांति और आपस में प्रेम का जीवन व्यतीत कर सके। 'उदार चरिताणां तु वसुधैव कुटुंबकम्' के अनुसार उनके लिए सारा संसार ही अपना कुटुंब था कोई पराया न था। उनका विश्वास था कि वेदों को अब तक सँजोए रखने वाली भारत की आर्य-जाति का सुधार हो जाने से विश्व का कल्याण होगा। वह प्राचीन काल के समान ही फिर संसार को वैदिक शिक्षा दे कर सन्मार्ग पर रख सकेगी। इसीलिए उन्होंने सर्वप्रथम अपनी जन्मभूमि भारत को ही अपना कार्य-क्षेत्र बनाया।

●

महर्षि दयानन्द सर्वदा सत्य के लिए जूझते रहे, सत्याग्रह करते रहे। अपने उद्देश्य-प्राप्ति के लिए उन्होंने कभी हेय और अवांछनीय साधन नहीं अपनाए। उन्होंने आने वाली पीढ़ी के सोचने के लिए देश, जाति और समाज के सुधार, उत्थान और संगठन के लिए आवश्यक एक भी बात या पक्ष अछूता

नहीं छोड़ा। वे प्रत्येक की पूर्ति के लिए मन, वचन, कर्म से मरण-पर्यन्त प्रयत्न-शील रहे। उन्होंने अपने उपदेशों, लेखों द्वारा और लोगों के सम्मुख अपना आदर्श और श्रेष्ठ चरित्र उपस्थित करके देश में जाग्रति उत्पन्न कर दी, जिससे भावी राजनीतिक नेताओं का कार्य बहुत ही सुगम और सरल हो गया। इस में संदेह नहीं कि महर्षि राष्ट्र-निर्माता हैं। उन्हीं के कार्यों को आगे बढ़ा कर और उनके पद-चिह्नों पर चल कर महात्मा गांधी देश को राजनीतिक स्वतंत्रता प्राप्त कराने में सफल हो सके हैं। राष्ट्र निर्माता महर्षि दयानन्द का कठोर तप, त्याग और जीवन-दान ही महात्मा जी को राष्ट्र-पिता बनाने में सहायक हुआ है।

परंतु केवल राजनीतिक स्वतंत्रता प्राप्ति से ही महर्षि का स्वप्न पूरा नहीं हुआ है। वे जिस प्रकार का राष्ट्र-निर्माण करना चाहते थे, स्वतंत्रता तो उसका पहला ही चरण है। उनकी अभिलाषा पूरी करने के लिए कई महात्मा गांधी उत्पन्न होने की आवश्यकता है।

●●●